R. Füssle A. Sziegoleit

Praxis der Infektiologie

Springer

Berlin
Heidelberg
New York
Barcelona
Hongkong
London
Mailand
Paris
Tokio

R. Füssle A. Sziegoleit

Praxis der Infektiologie

Organbezogene Diagnostik und Therapie

Mit 41 Abbildungen und 89 Tabellen

Springer

Priv.-Doz. Dr. Roswitha Füssle
Klinikum der Justus-Liebig-Universität Gießen,
Institut für Medizinische Mikrobiologie,
Frankfurter Straße 107, 35392 Gießen

Prof. Dr. Andreas Sziegoleit
Klinikum der Justus-Liebig-Universität Gießen,
Institut für Medizinische Mikrobiologie,
Frankfurter Straße 107, 35392 Gießen

ISBN 3-540-41273-5 Springer-Verlag Berlin Heidelberg New York

Die Deutsche Bibliothek – CIP-Einheitsaufnahme
Füssle, Roswitha: Praxis der Infektiologie : organbezogene Diagnostik und Therapie / Roswitha Füssle ; Andreas Sziegoleit. – Berlin ; Heidelberg ; New York ; Barcelona ; Hongkong ; London ; Mailand ; Paris ; Singapur ; Tokio : Springer, 2001
ISBN 3-540-41273-5

Springer-Verlag Berlin Heidelberg New York
ein Unternehmen der BertelsmannSpringer Science+Business Media GmbH

http://www.springer.de

Herstellung: PROEDIT GmbH, 69126 Heidelberg
Umschlaggestaltung: de'blik, Berlin
Satz: TBS, 69207 Sandhausen
Gedruckt auf säurefreiem Papier SPIN: 10780296 22/3130Re – 5 4 3 2 1 0

Vorwort

Klassische Seuchen sind in Mitteleuropa selten geworden, jedoch sind ambulant und nosokomial erworbene individuelle Infektionen ein aktuelles Problem, mit dem Ärzte aller Fachrichtungen konfrontiert werden. Die Anfälligkeit abwehrgeschwächter Patienten, neue oder neu entdeckte Erreger und zunehmende Resistenz bei einigen Infektionserregern tragen dazu bei, dass Infektionen an Bedeutung gewinnen.

Herkömmliche Mikrobiologiebücher gliedern den Lehrstoff nach Erregern. In der Krankenversorgung ist es aber nur in Ausnahmen möglich, den Beschwerden der Patienten sofort einzelne Erreger zuzuordnen, um daraus die adäquate Therapie abzuleiten. Das war die Motivation für dieses Buch. Es unternimmt den Versuch, nach Organsystemen geordnet und von den Symptomen ausgehend die potenziellen Erreger zu nennen und eine zielgerichtete Diagnostik und Therapie vorzuschlagen. Daneben soll es mit den grundlegenden pathogenetischen Prinzipien vertraut machen und einen Überblick über die wichtigsten Chemotherapeutika geben. Die Mikrobiologie wird also der Klinik untergeordnet, bleibt aber wesentlich für das Verständnis der Erkrankung.

Das Buch richtet sich an Ärzte aller Fachrichtungen in Klinik und Praxis sowie an Medizinstudenten im klinischen Ausbildungsteil. Der praktisch tätige Arzt mag das Buch eher als Nachschlagewerk benutzen, um im konkreten Fall daraus das diagnostische und therapeutische Vorgehen abzuleiten, der Studierende mag seine klinische Wahrnehmung schärfen. Damit Umfang und Kosten nicht abschreckende Dimensionen annehmen, beschränkt sich das Buch bewusst auf die häufigeren Infektionen und spart Raritäten aus.

Der Inhalt ist in mehrere Teile gegliedert. Zunächst werden die Grundlagen der Infektionsentstehung, das Zusammenwirken von Mikro- und Makroorganismus, dargelegt. Damit soll das Verständnis für die Entstehung und den Verlauf von Infektionskrankheiten vermittelt werden. Der zweite und hauptsächliche Teil behandelt die einzelnen Organinfektionen, aber auch klinische Syndrome wie Sepsis, Fieber unklarer Genese, Infektionen bei bestimmten Patientengruppen, z. B. Kinderkrankheiten, nosokomiale Infektionen, Infektionen bei Immundefizienz, sowie Zoonosen und postinfektiöse Folgeerkrankungen.

Der dritte Teil informiert über labordiagnostische Verfahren sowie über die Entnahme und den Transport des geeigneten Untersuchungsmaterials. In einem weiteren Teil sind die zur Therapie gebräuchlichen Chemotherapeutika zusammengestellt. Auf einfache Weise können hier zu einem Therapievorschlag die entsprechenden Dosierungen, Handelsnamen, pharmakologischen Daten sowie spezielle Eigenschaften einzelner Präparate nachgeschlagen werden.

Am Ende sind Maßnahmen zur Vermeidung von Infektionen, wie Hygiene- und Isolierungsmaßnahmen sowie Impfungen, und die entsprechenden gesetzlichen Bestimmungen zusammengefasst.

Es wäre nicht möglich gewesen, ein klinisch orientiertes Buch zu verfassen ohne Hilfe, Anregungen und Kritik klinisch erfahrener Kollegen. Wir bedanken uns bei allen Ärzten, die uns dabei unterstützt haben.

Unser besonderer Dank gilt Herrn Prof. Dr. Henning Breithaupt, Zentrum für Innere Medizin, Universität Gießen, der mit Geduld und Ausdauer das gesamte Manuskript zu überarbeiten half und sein umfangreiches Wissen einbrachte.
Die jeweiligen Fachgebiete wurden durchgesehen von

- Herrn Privatdozent Dr. Arndt Borkhardt, Zentrum für Kinderheilkunde, Universität Gießen,
- Frau Dr. Irmgard Fleischer, Hals-, Nasen-, Ohrenklinik, Universität Gießen,
- Frau Dr. Elisabeth Knolle, Kinderärztin, Lich,
- Herrn Privatdozent Dr. Peter Mayser, Hautklinik, Universität Gießen,
- Herrn Dr. Michael Rossi, Arzt für Allgemeinmedizin, Langgöns,
- Herrn Dr. Matthias Sziegoleit, Röntgenologe, Buxtehude,
- Herrn Dr. Heiko Wassill, Augenklink, Universität Gießen.

Für ihre Korrekturen und Anregungen sei allen herzlich gedankt.

Herrn Prof. Dr. Wolfram Gerlich, Institut für Virologie, Universität Gießen, danken wir für die Überarbeitung und Ergänzung des virologischen Teils. Die parasitologischen Themen wurden von Herrn Dr. A. Kuhlencord, Arzt für Laboratoriumsmedizin, Fachparasitologe, Paderborn, überprüft und ergänzt.

Herrn Prof. Dr. H.G. Schiefer und Herrn Christian Schüttler, beide aus dem Institut für Medizinische Mikrobiologie, Universität Gießen, danken wir für die fachliche und sprachliche Korrektur des Manuskriptes.

Bei Herrn Prof. Dr. W. Schachenmayr, Institut für Neuropathologie, Universität Gießen, und Herrn Privatdozent Dr. K. Rauber, Abteilung Radiologie des Klinikums Wetzlar, bedanken wir uns für die Überlassung ihres Bildmaterials.

Nicht zuletzt danken wir den Mitarbeitern des Springer-Verlages in Heidelberg für ihre Geduld und Beratung in der Schlussphase der Arbeit und für die Präsentation des fertigen Buches.

Der Nutzen wird sich im Gebrauch zeigen. Um es lebendig und aktuell zu halten, sind die Herausgeber für Anregungen, Korrekturen und Ergänzungen dankbar (e-mail: roswitha.fuessle@mikrobio.med.uni-giessen.de).

Gießen, im Januar 2001 R. Füssle, A. Sziegoleit

Inhaltsverzeichnis

KAPITEL 21
Infektionen nach Auslandsaufenthalt

KAPITEL 22
Zoonosen

Abkürzungen

BAL	bronchoalveoläre Lavage
BSE	bovine spongiforme Enzephalitis
BSG	Blutsenkungsgeschwindigkeit
CAPD	chronisch ambulante Peritonealdialyse
CMV	Zytomegalievirus
COPD	chronisch obstruktive Lungenerkrankung
CRP	C-reaktives Protein
CT	Computertomographie
EBV	Epstein-Barr-Virus
EEG	Elektroenzephalogramm
EKG	Elektrokardiogramm
ERCP	endoskopisch retrograde Cholangiopankreatographie
FSME	Frühsommermeningoenzephalitis
HAV	Hepatitis-A-Virus
HBV	Hepatitis-B-Virus
HCV	Hepatitis-C-Virus
HD	Hämodialyse
HDV	Hepatitis-D-Virus
HEV	Hepatitis-E-Virus
HGV	Hepatitis-G-Virus
HHV	humanes Herpesvirus
HIV	humanes Immundefizienzvirus
HPS	Hantaviruslungensyndrom
HPV	humanes Papillomavirus
HSV	Herpes-simplex-Virus
MRT	Magnetresonanztomographie
PCR	Polymerasekettenreaktion („polymerase chain reaction")
PMN	polymorphkernige neutrophile Granulozyten
RKI	Robert-Koch-Institut
RSV	„respiratory syncytial virus"
STIKO	Ständige Impfkommission am Robert-Koch-Institut
TNF	Tumornekrosefaktor
VZV	Varizella-zoster-Virus

Teil I

Mikro- und Makroorganismus I

Kapitel 1

Zusammenleben und Auseinandersetzung von Mikro- und Makroorganismus

Bakterien waren eine der ersten Lebewesen überhaupt. Ihre Entstehung wird vor 3,5 Mrd. Jahren angenommen. Über einen Zeitraum von gut 2 Mrd. Jahren waren sie die einzigen Bewohner der Erde und hatten Zeit, sich allen Gegebenheiten anzupassen. Der Beginn tierischer Lebewesen in Form von Einzellern (Protozoen) wird auf 800 Mio. Jahre datiert; der Ursprung des Homo sapiens vor 120.000 Jahren angenommen.

Daraus wird klar: Alle höheren Lebewesen haben sich in eine Welt voller Bakterien hineinentwickelt und mussten Strategien des Überlebens aufbauen. Der erste Einzeller muss eine Fresszelle, ein Phagozyt gewesen sein, der sich einer Vielzahl von Bakterien erwehren konnte. Die Zahl der Bakterien auf und in uns übersteigt die Anzahl unserer Körperzellen. Ein Gleichgewicht besteht, wenn Mensch und Mikrobe in friedlicher Symbiose leben, eher zu gegenseitigem Nutzen.

1.1 Physiologische Flora

Körperregionen, die mit der Außenwelt Kontakt haben, sind in der Regel massiv mit Bakterien besiedelt, wobei jeder Bereich seine Vorzugsflora hat (Abb. 1-1). Die Haut mit ihrem Fettsäuregehalt und niedrigem pH-Wert ist unwirtlich für gramnegative Bakterien, aber ein Futterplatz für Staphylokokken, Korynebakterien und einige Pilze. Sie stellen dort die physiologischen Keime dar. Mund und Nasen-Rachen-Raum haben ihre eigene Flora, in der die Streptokokken dominieren. Vor dem Zähneputzen am Morgen enthält 1 ml Speichel viele Millionen Bakterien.

Der Darmtrakt, im oberen Teil durch Magensäure und Peristaltik noch relativ keimarm, ist im unteren Teil mit Milliarden von Bakterien besiedelt, >99% davon sind Anaerobier. 1/3 der Stuhltrockenmasse besteht aus Bakterien. Neben diversen Anaerobiern – man schätzt 400 verschiedene Arten – herrschen gramnegative Stäbchen vor, von denen E. coli die bekannteste Keimart ist. Die Vagina ist das El Dorado für Lactobazillen (Döderlein-Stäbchen), die den sauren pH-Wert aufrechterhalten.

Die Masse dieser Bakterien verteidigt ihren angestammten Lebensraum gegen evtl. pathogene Neuankömmlinge. Einige Bakterien verfügen sogar über Killerproteine, Bakteriozine, die sie auch zu unserem Nutzen gegen artfremde Bakterien einsetzen. Vor allem die gramnegativen Darmbakterien wirken durch bestimmte Zellwandbestandteile (Endotoxin) als Immunstimulans. Endotoxin wird

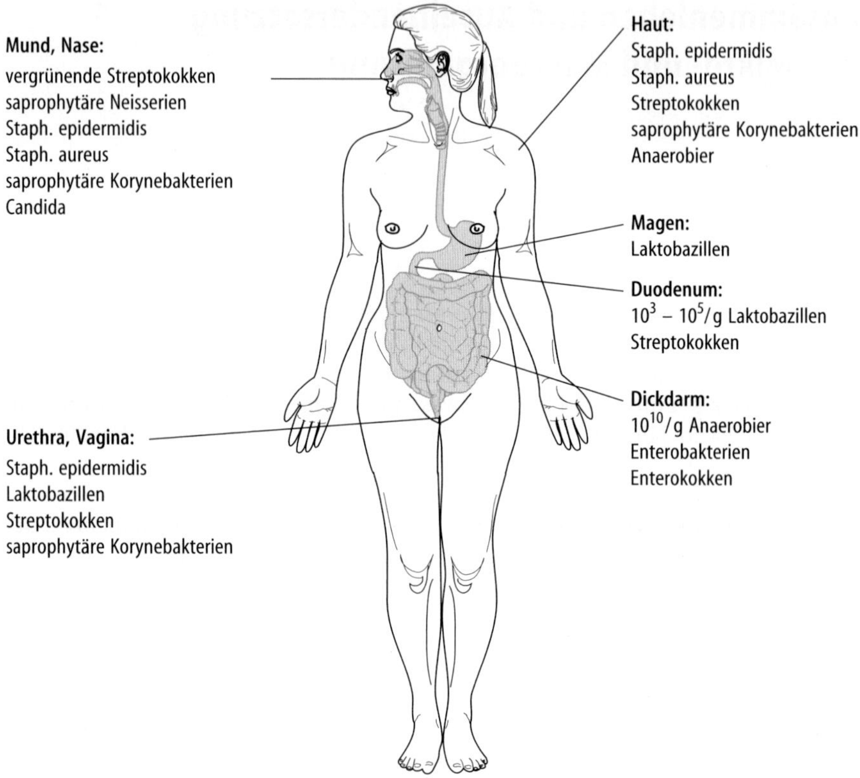

Abb. 1-1. Physiologische Körperflora des Menschen

nicht nur von absterbenden Bakterien freigesetzt, sondern auch von lebenden Bakterien in geringem Maße abgegeben. Ein kleiner Teil davon passiert die Darmmukosa und hält das Immunsystem in ständiger Alarmbereitschaft.

Fazit: Die physiologische Flora hat ihren Platz und sollte ihn behalten. Dafür sorgen die natürlichen Barrieren, wie intakte Haut und Schleimhäute, deren schleimiger Überzug sekretorische Antikörper der IgA-Klasse enthält mit Spezifität gerade gegen die dort residierenden Keime. Die Funktion des sekretorischen IgA liegt darin, potenziell pathogenen Erregern den Zugang zu tieferen Gewebeschichten zu verwehren.

1.2 Infektionsentstehung

Infektionskrankheiten sind das Resultat aus Angriff und Verteidigung (Abb. 1-2). Auf der einen Seite stehen die Pathogenitätsfaktoren der Erreger, auf der anderen die Abwehrsysteme des Wirtes. Hochpathogene Erreger führen praktisch immer

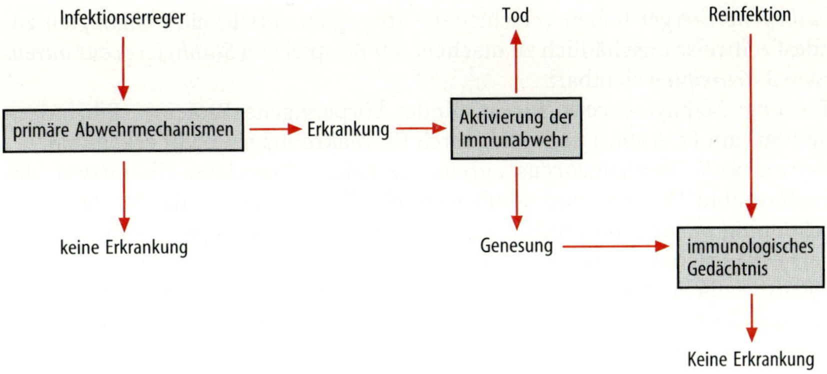

Abb. 1-2. Dynamik einer Infektion. Die Virulenz der Erreger und die Abwehrreaktionen des Körpers entscheiden, ob es zu einer Erkrankung kommt

zu sichtbaren Erkrankungen, z. B. Pocken, Masern oder Pest. Weniger pathogene Erreger erzeugen unterschiedlich stark ausgeprägte Krankheitsbilder. Gemeinhin apathogene Erreger, wie vergrünende Streptokokken oder koagulasenegative Staphylokokken, benötigen entweder einen weitgehend wehrlosen Wirt oder eine wehrlose Körpernische. Beispiele sind Plastikmaterialien als Ankerplatz für Staphylokokken oder rheumatisch bedingte Vitien als Infektionsnidus für Streptokokken, die dann die Endokarditis lenta auslösen können.

Die eigentlichen Kontrahenten in diesem Kampf sind der Erreger und der Phagozyt, dessen Aufgabe es ist, den Erreger aufzunehmen und zu vernichten. Pathogene Erreger können sich dem widersetzen.

Bei viralen Infektionen erfolgt in der Regel eine primäre Virusvermehrung in den Zellen an der Eintrittspforte. Durch Induktion von Interferon wird ggf. die weitere Virusvermehrung blockiert und die Infektion lokal begrenzt. Bei Streuung in die regionalen Lymphknoten und das RES werden die Viren dort eliminiert, jedoch haben viele Viren Abwehrmechanismen dagegen entwickelt.

Erfolgt die Virusvermehrung schneller als die Viruselimination oder wird die Elimination verhindert, werden die Viren durch Virämie in andere Zielorgane gestreut. Manche Viren (z. B. Herpes-simplex-Virus, Varizella-zoster Virus, Rabiesvirus) breiten sich durch axonalen Transport entlang der Nervenbahnen aus. Eine Schädigung der Zielorgane erfolgt entweder durch Zerstörung der virusinfizierten Zellen durch das Virus selbst oder durch die Immunantwort des Organismus.

1.3 Pathogenitätsmechanismen von Infektionserregern

Apathogene Erreger werden von Phagozyten ohne Weiteres als fremd erkannt, aufgenommen, abgetötet und verdaut; sie haben keine Chance, sich im Gewebe zu etablieren.

Pathogene Erreger haben verschiedene Strategien entwickelt, Phagozyten zumindest zeitweise unschädlich zu machen. Am Beispiel von *Staphylococcus aureus* werden *3 Prinzipien* sichtbar:

1. *Tarnung:* Staphylococcus aureus bindet körpereigene Proteine (Fibrinogen und IgG am Fc-Anteil) und ist dadurch für Makrophagen nicht erkennbar.
2. *Defensivwall:* Staphylococcus aureus sezerniert Koagulase, ein Enzym, das Prothrombin aktiviert und somit letztlich Fibrin erzeugt, oder besitzt einen „clumping factor", um Fibrinogen zu binden. Hinter diesem Gerinnungswall verstecken sich die Erreger.
3. *Offensivwaffen:* Staphylococcus aureus sezerniert α-Hämolysin, das Erythrozyten auflöst, dessen tödliche Wirkung in Form kleiner Membranlöcher aber primär Phagozyten gilt.

Andere Bakterien wie Pneumokokken oder Haemophilus influenzae sind weniger aktiv. Sie umgeben sich mit einer Schleimkapsel, die es den Phagozyten schwer macht, zuzugreifen. Wieder andere Erreger ändern ständig ihre Oberfläche, ihre Antigenität, sodass sich das Immunsystem des Wirtes immer wieder „neuen" Erregern gegenüber sieht. Musterbeispiele für solche Variabilität sind Trypanosomen, Malariaplasmodien, Influenzaviren, HIV- und Hepatitisviren und – nicht ganz so ausgeprägt – Borrelien. Gewöhnliche Bakterien treten, bedingt durch ihre millionenjährige Evolution, ausnahmslos mehr oder weniger variabel in Erscheinung (Serovare, Serotypen), sodass die Infektion mit einem Vertreter einer Art nicht gegen andere Vertreter derselben Art zu schützen vermag.

Beispielsweise existieren Salmonellen in mehr als 2000 Serovaren, E. coli in mehr als 150 Serovaren, und von hämolysierenden Streptokokken der Gruppe A gibt es mehr als 50 Typen. Letztere sind die Erreger der eitrigen Tonsillitis, von der man weiß, dass besonders Kinder häufig daran erkranken. Der Grund: Die Immunität ist typenspezifisch. Die Vielfalt der Oberflächen von Bakterien ist auch ein Grund, warum gegen bakterielle Infektionen nur wenige Impfstoffe mit Erfolg im Einsatz sind.

Die Phagozytose hat zum Ziel, aufgenommene Erreger abzutöten und zu verdauen. *Intrazelluläre Erreger* sind jedoch in der Lage, dieses Schicksal zumindest zeitweise abzuwenden. Diese Erreger benutzen die Phagozyten als Vehikel, um sich darin transportieren zu lassen. Klinische Konsequenz: Intrazelluläre Erreger erzeugen primär längerdauernde Erkrankungen mit der Tendenz zur Generalisation. Beispiele sind Brucellen, Listerien, Salmonella typhi – im Gegensatz zu den enteritischen Salmonellen – sowie Tuberkuloseerreger, die zeitlebens persistieren können. Viren sind stets intrazelluläre Erreger, ebenso einige Protozoen, z. B. die Toxoplasmen, und einige Pilze (Tabelle 1-1).

1.4 Abwehrreaktionen

Die Effektivität der Phagozytose entscheidet darüber, ob ein Erreger pathogen wird und wie die von ihm erzeugte Erkrankung abläuft (Abb. 1-2). Die *Phagozytose* ist demnach die *zentrale Abwehrreaktion*, alle weiteren Systeme sind dazu da, sie möglich zu machen und zum Erfolg zu führen. Ohne auf Details einzugehen,

Tabelle 1-1. Pathogenitätsmechanismen von Bakterien

Prinzip	Mechanismus	Beispiele
Adhäsion		
	Fimbrien	E. coli, andere Enterobakterien
	Pili	Neisserien
	M-Protein	Streptokokken
Invasion		
Ausbreitung im Gewebe	Hyaluronidase, Proteasen, Lipasen, DNasen	Streptokokken, viele Bakterien
Gewebszerstörung	Zytolysine	Pseudomonas aeruginosa, Clostridien
Aufnahme in Zellen	OPA-Proteine	Neisserien
Phagozytosebeeinflussung		
Exotoxine	Hämolysine	Staphylokokken, Streptokokken
Kapselbildung	Schleimkapsel	Haemophilus, Pneumokokken
Inaktivierung von Antikörpern	Protein A	Staphylococcus aureus
Tarnung	Koagulase, „clumping factor"	Staphylococcus aureus
	Antigenshift	Borrelien
Immunsuppression		
lokal	IgA-Protease	Hämophilus, Neisserien
Überleben in Phagozyten		
Inaktivierung von Enzymen	Katalase	Viele Bakterien
Verhinderung Phagolysosom	Induktoren	Legionellen, Mykobakterien
Evasion aus Phagosom	Listeriolysin	Listerien

seien die Systeme und ihre Funktionen nur aufgezählt: *Antikörper* und Faktoren des *Komplementsystems* markieren Erreger und ermöglichen die Phagozytose – sie haben keinen Einfluss auf bereits phagozytierte Keime.

Lymphozyten leisten einen entscheidenden Beitrag: *B-Lympozyten* erkennen Antigene und synthetisieren als Plasmazellen die dazu passenden spezifischen Antikörper, *T-Helferzellen* unterstützen sie dabei. Andere T-Lymphozyten, die *inflammatorischen T-Lymphozyten*, steigern die Fähigkeiten der Phagozyten, sie machen sie „aggressiv", um auch gegen intrazelluläre Erreger erfolgreich zu sein, *zytotoxische T-Lymphozyten oder „Killerzellen"* zerstören insbesondere virusinfizierte Zellen und behindern die Virusvermehrung (Tabelle 1-2).

Alle genannten Zellen stehen dabei in enger Kooperation, teilweise durch direkte Kontakte, mehr noch durch eine Flut von *Zytokinen* und *Interleukinen,* die als Zellhormone ihre Botschaft an umliegende und auch entfernte Zellen weitergeben.

Neben den Zellen des Immunsystems im engeren Sinne nehmen nahezu alle Zellsysteme am Infektionsgeschen teil, insbesondere die *Gefäßendothelien* als Leitzellen für Leukozyten und die Leber als Syntheseorgan der *Akute-Phase-Proteine.* Zellen im Entzündungsgebiet selbst reagieren auf die verschiedensten schä-

Tabelle 1-2. Abwehrmechanismen des Körpers

Mechanismen	Organe	Wirkung
Mechanisch-chemisch:	Haut: intaktes Epithel, ungesättigte Fettsäuren, saurer pH-Wert, pyhsiologische Hautflora	Verhindert die Besiedelung und das Eindringen pathogener Keime
	Respirationstrakt: Flimmerepithel, Schleimsekretion	Mukoziliare Clearance
	Magen: Säure	Tötet Bakterien ab
	Darm: Peristaltik, physiologische Flora	Verhindert die Ansiedelung pathogener Keime
	Epithelneubildung, sIgA	antiadhaesiv
Immunsystem:	Komplementsystem	Reguliert die Entzündungsreaktion, ermöglicht die Phagozytose
	PMN, Monozyten	Phagozytose
	Eosionophile Granulozyten	Bekämpfen Würmer
	Basophile Granulozyten/ Mastzellen	Verantwortlich für allergische Reaktionen und Anaphylaxie
	B-Lymphozyten	Differenzieren zu Plasmazellen, die Antikörper produzieren
	T-Lymphozyten:	
	CD4-Zellen	Unterstützen Makrophagen und B-Lymphozyten
	CD8-Zellen	Töten virusinfizierte Zellen ab
	NK-Zellen	Töten virusinfizierte und tumortransformierte Zellen ab

digenden Einflüsse mit der Produktion von *Leukotrienen* und *Prostaglandinen*, die ihrerseits eine Entzündungsreaktion auslösen. Überhaupt sind es mehr die körpereigenen Produkte, die Krankheitssymptome induzieren.

Bestimmte *Leukotriene* induzieren den lokalen Schmerz, *Interleukin 1* und *Tumornekrosefaktor* sind für Fieber und allgemeines Krankheitsgefühl verantwortlich. Gliederschmerzen während einer banalen Grippe sind das Ergebnis der *Interleukin- und Interferonproduktion* im Entzündungsgebiet von Nase und Rachen. Der Nahkampf zwischen Erreger und Abwehrzellen wird ganzkörperlich erlitten.

Bei massiver Inanspruchnahme der Abwehrsysteme kommt es zum Bild des *„systemic inflammatory response syndrome" (SIRS)*, das in ein Multiorganversagen münden kann. Das Zuviel an Aggressivität führt in die Katastrophe. Bei Hippokrates lag Gesundheit in der Harmonie der 4 Körpersäfte Blut, Schleim, gelbe und schwarze Galle; heute ist es das Gleichgewicht innerhalb zahlreicher Zellpopulationen mit ihren Signalstoffen und Rezeptormolekülen.

Eine erfolgreiche *Immunreaktion gegen virale Infektionen* erfordert gleichermaßen die zelluläre und humorale Abwehr. *Zelluläre* Abwehrmechanismen sind nötig, da Viren sich intrazellulär vermehren und nur während kurzer Phasen extrazellulär angreifbar sind. *Humorale* Abwehrmechanismen, wie *Antikörper* und *Komplement*, sind nötig, um die Adsorption von Viren an neue Zellen zu verhindern. Bei „immunen" Patienten können sie die Krankheitsentstehung verhindern. Bei der Abwehr der Erregerinvasion auf Schleimhäuten spielen IgA-Antikörper eine wichtige Rolle. Auch bei der Ausbreitung über das Blut (Virämie) sind Viren für Antikörper angreifbar.

Ausgeschleuste Viren können Nachbarzellen direkt befallen, sodass Antikörper sie nicht angreifen können. Sie können nur durch intrazellulär wirksame Mechanismen, wie Interferon, zytotoxische T-Zellen und auch aktivierte Makrophagen, angegriffen werden.

Interferon wird in virusinfizierten Zellen produziert und bewirkt in anderen Zellen eine Hemmung der Virusreplikation. Die Zytolyse durch zytotoxische T-Lymphozyten vernichtet körpereigene virusinfizierte Zellen, d. h. die Virusvermehrung wird unterbrochen, aber auch körpereigene Zellen gehen zugrunde. Durch γ-Interferon werden Makrophagen und Natürliche Killerzellen aktiviert, die zur Virusabwehr beitragen (Tabelle 1-2).

1.5 Abwehrschwäche

Abwehrreaktionen können *lokal* behindert oder *allgemein mangelhaft* sein. Jede Gewebeschädigung führt zu einem locus minoris resistentiae mit *lokaler Infektanfälligkeit*. Eine chirurgische Naht erzeugt durch Minitrauma und Zellstrangulation Nekrosen. Ein mit dem Faden eingeschleppter Staphylococcus aureus kann sich in dieser Umgebung ungehemmt vermehren. Während die intakte Haut Candidahefen einen verlässlichen Widerstand bietet, verliert eine durch Wasser oder Schweiß aufgeweichte Epidermis diese Barrierefunktion mit den Folgen einer Candidainfektion.

Alle sterilen Organsysteme, die nach außen reichen (Harn-, Atemwege, Nasennebenhöhlen) benötigen zur Keimabwehr einen permanenten Sekretfluss. Jede Stase bzw. Obstruktion führt über kurz oder lang zu einer Infektion.

Abwehrreaktionen können allgemein mangelhaft sein. Eine *allgemeine Immundefizienz* kann angeboren oder erworben sein. Genetische Defekte sind selten. Sie können prinzipiell alle Zellen und Systeme des Immunsystems betreffen und klinisch mehr oder weniger in Erscheinung treten. Glücklicherweise sind die Abwehrreaktionen aber so verzahnt, dass Einzeldefekte meist kompensiert werden.

Häufiger sind die erworbenen und iatrogenen Immundefizienzen. Ein bekanntes Beispiel ist die HIV-Infektion. Die Infektanfälligkeit der Diabetiker beruht zum großen Teil auf einer verminderten Aktivität der Granulozyten. Agranulozytosen sind meist medikamentenbedingt, entweder als ungewollte Nebenwirkung – häufig als allergische Reaktion – oder als Begleiterscheinung einer Zytostatikatherapie. Jede Immunsuppression führt per definitionem zu einer Immundefizienz; am häufigsten durch Kortison. Auch Unterernährung und schweres Trauma mindern die Widerstandskraft und leisten Infektionen Vorschub. Die eingangs erwähnte Balance verschiebt sich zugunsten der Angreifer.

KAPITEL 2

Potentielle Infektionserreger

2.1 Bakterien

Bakterien gehören zu den ältesten Lebewesen. Sie sind Prokaryonten, d. h. ihr Chromosom ist nicht von einer Membran umgeben, sondern liegt frei im Zytoplasma (Tabelle 2-1). Außer diesem eigentlichen Genom enthalten sie oft noch kleine DNA-Elemente, sog. Plasmide, die sich unabhängig von der Zellteilung vermehren und durch verschiedene Mechanismen auf andere Bakterien überwechseln können. Aus der Tatsache, dass diese Plasmide oft Resistenzeigenschaften tragen oder Gene für Pathogenitätsmechanismen enthalten, wird verständlich, dass sowohl Resistenzen als auch pathogene Eigenschaften sich horizontal innerhalb derselben und auch verwandten Bakterienarten ausbreiten können. Allerdings können solche Plasmide auch verloren gehen, wodurch die Keime ihren ursprünglich „harmlosen" Zustand zurückgewinnen.

Bakterien sind zwischen 0,2 und 10 µm groß und vermehren sich durch Querteilung. Unter optimalen Bedingungen erfolgt in vitro alle 20 min eine Zellteilung; innerhalb von 12 h sind aus einem Keim 10 Mrd. Keime geworden. Anaerobe Keime, mit Ausnahme der Gasbranderreger, vermehren sich deutlich langsamer. Schon daraus ergibt sich der eher schleichende Verlauf anaerober Infektionen.

Tabelle 2-1. Eigenschaften verschiedener Mikroorganismen

Erreger	Größe [µm]	Nukleinsäuren	Zellkern	Zellwand	Vermehrungsmedium
Bakterien	0,2–10	DNA + RNA	Zellkern-äquivalent	Ja[a] (Peptidoglykan)	Künstliche Nährmedien[a]
Viren	0,02–0,3	DNA oder RNA	Nein	Nein	Zellkulturen
Pilze	>5	DNA + RNA	Ja	Ja (Chitin)	Künstliche Nährmedien
Protozoen	5–50	DNA + RNA	Ja	Nein	Nährmedien/Zellkultur/Versuchstier

[a] Trifft für die meisten, jedoch nicht für alle Bakterien zu.

Man unterscheidet 3 Bakterienformen:
- Kugeln (Kokken),
- Stäbchen,
- Spiralen.

Nach ihrem Wandaufbau unterscheidet man grampositive und gramnegative Keime.

Die grampositiven, z. B. Staphylokokken, Streptokokken, Listerien und Korynebakterien, haben eine dicke Mureinschicht, die gramnegativen Keime eine dünne Mureinschicht, dafür eine äußere Membran mit Lipid A und Polysaccharidketten. Die Gramnegativen sind in ihrer Oberfläche variabler als die Grampositiven, letztere durch die dicke Mureinschicht (sie gibt den Bakterien Form und Festigkeit) aber wesentlich stabiler, z. B. gegen Austrocknung und UV-Licht.

Innerhalb der großen Gruppen gibt es Familien mit jeweils vielen Gattungen und Arten. Sie werden durch biochemische Merkmale („Bunte Reihe"), Wachstumsbedingungen sowie antigene Merkmale und neuerdings auch aufgrund ihrer DNA-Sequenzen voneinander unterschieden.

2.2 Viren

Viren benötigen zur Vermehrung eine Wirtszelle. Sie bestehen aus einem Genom, das in einer Proteinhülle verpackt ist, die bei vielen Virusarten von einer Lipidmembran umgeben ist. Das Genom enthält alle Gene, die zur Virusvermehrung durch die Wirtszelle erforderlich sind. Viren sind meist kleiner als 0,2 µm. Man unterscheidet sie nach Größe und Form, mehr jedoch aufgrund ihrer Strukturmerkmale, insbesondere nach der Struktur des Genoms (DNA, RNA, ein- oder doppelsträngig) und ob sie eine Lipidhülle besitzen. Zytopathogen nennt man Viren immer dann, wenn der Virusbefall zum Zelltod führt.

Stadien der Virusreplikation

1. *Adsorption:* Anhaftung an die Wirtszelle. Ein Strukturelement der Virusoberfläche reagiert mit einem Rezeptor der Zellwand. Während dieser Phase kann das Virus durch Antikörper neutralisiert werden.
2. *Penetration in die Zelle:* Sie erfolgt entweder über Injektion von Nukleinsäuren in Bakterien (z. B. bei Bakteriophagen) oder bei animalen Zellen durch Pinozytose. Letztere ist eine aktive Leistung der Wirtszelle, die durch Einstülpung der Membran das Virus ins Zellinnere befördert. Die Einstülpung erfolgt durch ein Signal, das durch die Virusadsorption ausgelöst wird. Viele umhüllte Viren befördern ihr Genom in das Zellinnere, indem die Virushülle mit der Zellmembran fusioniert und dabei das Viruskapsid mit dem Genom in das Zytosol freisetzt.

3. *Eklipse:* Innerhalb der Zelle wird das Virus zerlegt, die Nukleinsäure enzymatisch „ausgepackt" („uncoating"). Die Zelle beginnt mit der Synthese von Virusnukleinsäuren und -proteinen.
4. *Zusammenbau:* Die synthetisierten Bausteine werden zu einem neuen Virus zusammengesetzt.
5. *Ausschleusung:* Das Virus wird, meist durch Exozytose, d. h.durch eine aktive Leistung der Wirtszelle, aus der Zelle ausgeschleust.

2.3 Pilze

Pilze sind Eukaryonten und stellen ein eigenes Reich zwischen Pflanzen und Tieren. Ihre Zellwand besteht zum großen Teil aus Chitin oder Zellulose.

Für den medizinischen Bedarf hat sich die Einteilung nach dem *D-H-S-Schema* bewährt.

- *D für Dermatophyten* (z. B. Trichophyton, Epidermophyton, Microsporon), spezifiziert nach makro- und mikroskopischen Kriterien z. B. Trichophyton mentagrophytes, T. rubrum.
- *H für Hefen* (z. B. Candida). Die Identifizierung erfolgt nach Stoffwechselleistungen. Die häufigsten Erreger sind Candida albicans (>90%) und andere Candidaspezies, seltener Cryptococcus neoformans, in den USA auch Histoplasma capsulatum und Coccidioides.
- *S für Schimmelpilze* (z. B. Aspergillus). Diese werden nach makro- und mikroskopischen Kriterien identifiziert, z. B. Aspergillus niger, A. fumigatus.

Entsprechend der Art der Infektion unterscheidet man oberflächliche und tiefe Mykosen. Oberflächlich sind z. B. die Hautpilzerkrankungen durch Candida (Soor), Trichophyton, Epidermophyton, Microsporum und Sporothrix. Tiefe Mykosen (Organmykosen und generalisierte Mykosen) werden verursacht durch Candida, Aspergillus, Cryptococcus, außereuropäisch auch Blastomyces, Coccidioides und Histoplasma.

2.4 Protozoen

Protozoen sind einzellige tierische Lebewesen, die sich in ihrer Morphologie, Beweglichkeit und ihrem Lebenszyklus unterscheiden. Die Infektion erfolgt entweder durch orale Aufnahme umweltresistenter Entwicklungsstadien, die von dem ersten Wirt ausgeschieden wurden, oder parenteral durch einen Vektor, meist Insekten.

Nicht alle Protozoen, die man im Menschen nachweisen kann, sind pathogen. Eine Vielzahl lebt als Kommensalen u. a. im Darm (z. B. Entamoeba coli, Entamoeba dispar) oder sogar im Blutkreislauf (z. B. Trypanosoma rangeli). Die wichtigsten Protozoeninfektionen sind in Tabelle 2-2 zusammengestellt.

Tabelle 2-2. Erkrankungen durch Protozoen

Organe	Erreger	Übertragungsweg	Erkrankung
Darm	Entamoeba histolytica	Orale Aufnahme von Zysten mit der Nahrung	Amoebiasis
	Giardia lamblia	Fäkal-oral	Giardiasis
	Kryptosporidien	Fäkal-oral	Kryptosporidiose
	Balantidium coli	Fäkal-oral	Balantidenruhr
	Isospora belli	Fäkal-oral	Isosporiasis
	Cyclospora cayetenensis	Fäkal-oral	Cyclosporiasis
Urogenitaltrakt	Trichomonas vaginalis	Sexuell	Trichomoniasis
Gewebe, z. B. Auge, ZNS, Herz	Toxoplasma gondii	Orale Aufnahme von Zysten in rohem Fleisch, Kontakt mit Katzenkot, diaplazentar	Toxoplasmose
Lymphknoten	Acanthamoeba spp.	Kontakt mit kontaminiertem Wasser beim Baden	Keratitis, Meningoenzephalitis
Blut und Gewebe	Plasmodium vivax	Anophelesmücke	Malaria tertiana
	Plasmodium ovale	Anophelesmücke	Malaria ovale
	Plasmodium malariae	Anophelesmücke	Malaria quartana
	Plasmodium falciparum	Anophelesmücke	Malaria tropica
	Babesien	Zecken	Babesiose
	Trypanosoma brucei spp.	Tsetsefliegen	Schlafkrankheit
	Trypanosoma cruzi	Raubwanzen	Chagas-Krankheit
	Trypanosoma donovani spp.	Sandfliegen	Kala Azar (viszerale Leishmaniose)
	Leishmania tropica	Sandfliegen	Kutane Leishmaniose (alte Welt)
	Leishmania mexicana	Sandfliegen	Kutane Leishmaniose (neue Welt)
	Leishmania brasiliensis	Sandfliegen	Mukokutane Leishmaniose

2.5 Helminthen

Die humanpathogenen Würmer sind dem Stamm der Plathelminthes (Plattwürmer) mit den Klassen Trematoda (Saugwürmer) und Cestoda (Bandwürmer) sowie dem Stamm der Nemathelminthes (Schlauchwürmer) mit der Klasse Nematodes (Fadenwürmer) zuzuordnen.

Der Mensch kann den Helminthen als Endwirt (adulte geschlechtsreife Würmer leben im Menschen) oder als Zwischenwirt (Larvenstadien leben im Menschen) dienen. Eine Ausnahme stellt der Schweinebandwurm (Taenia solium) dar. Mit der Aufnahme von finnenhaltigem Schweinefleisch kommt es zur Infektion. Im Darm wächst ein adulter Schweinebandwurm heran (Mensch = *Endwirt*). Die adulten Würmer geben aus ihren Bandwurmgliedern Wurmeier ab, die sich noch im Darm zu infektionsfähigen Skolizes (Hakenlarven) umwandeln können. Dieses Larvenstadium dringt in die Darmwand ein und gelangt über das Pfortadersystem in den Blutkreislauf. Sie setzen sich u. a. in der Herzmuskulatur sowie im ZNS (Neurozystizerkose) fest und wandeln sich in infektionsfähige Finnen um (Mensch = *Zwischenwirt*).

Für einige tierpathogene Helminthen wird der Mensch zum *Fehlwirt*. Im Fehlwirt kommt es nicht zur Weiterentwicklung der Wurmlarven, z. T. können diese Larven jedoch auf ihrer Wanderschaft durch den Organismus erhebliche Krankheitserscheinungen hervorrufen (Larva migrans, Zerkariendermatitis, Anisakiasis).

Eine Übersicht über die wichtigsten humanpathogenen Helminthen gibt Tabelle 2-3.

Tabelle 2-3. Erkrankungen durch Helminthen

Organe	Erreger	Erkrankung
Darm	**Zestoden (Bandwürmer)**	
	Taenia saginata (Rinderbandwurm)	Taeniasis
	Taenia solium (Schweinebandwurm)	Taeniasis, Zystizerkose
	Diphylobotrium latum (Fischbandwurm)	
	Hymenolepis nana (Zwergbandwurm)	
	Hymenolepis diminuta	
	Nematoden (Fadenwürmer)	
	Ancylostoma duodenale (Hakenwurm)	
	Ascaris lumbricoides (Spulwurm)	Ascariasis
	Enterobius vermicularis (Madenwurm)	Oxyuriasis
	Necator americanus (Hakenwurm)	
	Strongyloides stercoralis (Zwergfadenwurm)	Strongylodiasis
	Trichuris trichiura (Peitschenwurm)	Trichuriasis
Darm/Gewebe	**Trematoden (Saugwürmer)**	
	Schistosoma mansoni, S. japonicum, S. haematobium	Bilharziose
	Paragonimus westermani (Lungenegel)	Paragonimiasis
	Fasciola hepatica (Leberegel)	Fasziolíasis
Gewebe	**Zestoden (Larvenstadium)**	
	Echinococcus granulosus (Hundebandwurm)	Zystische Echinokokkose
	Echinococcus multilocularis (Fuchsbandwurm)	Alveoläre Echinokokkose
	Nematoden (Fadenwürmer)	
	Toxocara canis (Hundespulwurm)	Larva migrans visceralis
	Trichinella spiralis (Trichine)	Trichinellose
	Ancylostoma brasiliensis (Hautmaulwurf)	Larva migrans cutanea
	Dracunculus medinensis (Medinawurm)	Dracunculiasis
	Anisakis spp. (Heringswurm)	Anisakiasis

Tabelle 2-3. *Fortsetzung*

Organe	Erreger	Erkrankung
	Filarien (Fadenwürmer)	
	Brugia malayi (malaiische Filarie)	Elephantiasis
	Brugia timori (timorische Filarie)	Elephantiasis
	Loa loa (Augenwurm)	Kalabar-Schwellung
	Onchocerca volvulus (Knäuelfilarie)	Flussblindheit
	Wucherieria bancrofti (Bancroft-Filarie)	Elephantiasis

2.6 Ektoparasiten

Ektoparasiten sind stationär oder temporär auf der Körperoberfläche lebende tierische Lebewesen, die den Insekten und Spinnentieren zuzuordnen sind. Ektoparasiten lassen sich mit Hilfe einer Lupe leicht erkennen und auch identifizieren. Manche Ekotparasiten dienen als Vektor für bakterielle oder virale Krankheitserreger. Eine Übersicht über die wichtigsten Ektoparasiten gibt Tabelle 2-4.

Tabelle 2-4. Die wichtigsten Ektoparasiten des Menschen

Parasiten	Medizinische Bedeutung
Sarcoptes scabiei (Krätzemilben)	Erreger von Skabies
Dermatobium spp u. a. (Dasselfliegen)	Erreger von Myiasis
Pediculus capitis (Kopflaus)	
Pediculus humanus corporis (Kleiderlaus)	Überträger von Rickettsia prowazekii, B. quintana, B. recurrentis
Phthirus pubis (Filzlaus)	
Ctenocephalides felis (Katzenfloh)	
Ctenocephalides canis (Hundefloh)	
Pulex irritans (Menschenfloh)	Überträger von Yersinia pestis
Zecken	Überträger von Borrelien, FSME, Babesien, Ehrlichia

Organinfektionen II

Kapitel 3

Infektionen des Zentralnervensystems 3

Infektionen können unterschiedliche Teile des ZNS betreffen. Die Entzündung kann die weichen Hirnhäute *(Meningitis)*, das Hirnparenchym *(Enzephalitis)* oder beide erfassen *(Meningoenzephalitis)*. *Myelitis* ist eine Entzündung des Rückenmarks. Die lokale Eiteransammlung im Gehirngewebe wird als *Hirnabszess* bezeichnet, die Eiteransammlung im Subduralraum zwischen Dura mater und Arachnoidea als *subdurales Empyem*. Ein *epiduraler Abszess* ist zwischen Dura mater und dem Knochen lokalisiert.

3.1 Meningitis

Das Gehirn ist gegen Infektionen durch die „Blut-Hirn-Schranke" besonders gut geschützt. Sie basiert auf einer breitflächigen Verklebung – einem System von „tight junctions" – der zerebralen Kapillarendothelien, der Epithelzellen des Plexus chorioideus und der Arachnoidea, die einen Durchtritt von Mikroorganismen, Zellen und Makromolekülen behindert. Dennoch können als seltenes Ereignis hämatogen gestreute Infektionserreger das ZNS erreichen. Den typischen bakteriellen Meningitiserregern gelingt es, an den Endothelspalt zu binden, ihn auseinanderzudrängen und die Gefäßwand zu durchbrechen, bevorzugt im Bereich des Ventrikelplexus. Intrazelluläre Erreger benutzen Monozyten als Vehikel. Rabies- und Herpes-simplex-Viren gelangen auf axonalem Wege ins ZNS.

Die Folge der Invasion sind Entzündungsreaktionen (Einstrom von Leukozyten durch die Freisetzung von Interleukinen, TNF und Prostaglandinen) und Exsudation (Verlust der Kapillarintegrität, Durchtritt intravasaler Flüssigkeit mit Leukozyten). Es entsteht ein zerebrales Ödem mit Volumenzunahme des Gehirns und Anstieg des Hirndrucks. Zusätzlich bewirkt das Ödem eine Ischämie des Gehirns mit Azidose und Schädigung der Gehirnzellen.

Die Entzündung der weichen Hirnhäute kann durch Bakterien, Viren, Pilze oder Protozoen verursacht werden. Die Erkrankung kann je nach Erregern akut, subakut oder chronisch verlaufen. Je nach der Immunantwort auf die Erreger finden sich im Liquor vermehrt Granulozyten (Bakterien, Pilze), Lymphozyen (Viren) oder Monozyten (Listerien), wobei im Anfangsstadium der Erkrankung oft fließende Übergänge vorhanden sind (z. B. Granulozytose auch bei Herpes-simplex-Virusenzephalitis, Tuberkulose, Listeriose).

3.1.1 Akute bakterielle Meningitis

Entstehung und Erreger

Durch Bakterien verursachte Entzündungen der weichen Hirnhäute verlaufen mit wenigen Ausnahmen (z. B. Mycobacterium tuberculosis, Borrelien) als perakute eitrige Meningitis, die sich innerhalb weniger Stunden bis Tage zu einem akut lebensbedrohlichen Krankheitsbild entwickelt. Die Letalität liegt ohne frühzeitige Therapie bei 60–80% und kann durch Antibiotika auf 1–20% gesenkt werden. Die Inzidenz liegt in Deutschland bei 7–10 Fällen/100.000 Einwohner/Jahr. Die Mehrheit der Erkrankten sind Kleinkinder und Säuglinge.
Je nach Lebensalter dominieren verschiedene Erreger:

- Neugeborene: hämolysierende Streptokokken der Gruppe B und E. coli.
- Kleinkinder bis 5 Jahre: Haemophilus influenzae (durch die Impfung selten geworden).
- Kinder bis junge Erwachsene: Neisseria meningitidis, in schweren Fällen an Haut- und Schleimhautblutungen erkennbar.
- Alle Altersstufen: Pneumokokken.
- Ältere Personen und Patienten unter Immunsuppression: Listerien (eher subakuter Verlauf).
- Shuntmeningitis: vorwiegend Staphylokokken, Enterobakterien, Pseudomonaden.

Der Infektionsweg für die Bakterien ist meist hämatogen, wobei die Eintrittspforten für Meningokokken, Pneumokokken und H. influenzae die Schleimhäute der oberen oder unteren Luftwege sind. Seltener entsteht eine Meningitis fortgeleitet, z. B.von einer Otitis media oder Mastoiditis (meist Pneumokokken) oder Sinusitis ausgehend. Listerien werden oral aufgenommen oder intrauterin übertragen (s. Kap. 22.5: „Listeriose“ – in Kap. 22: „Zoonosen“). Bei Schädel-Hirn-Trauma kann eine Meningitis posttraumatisch entstehen bzw. postoperativ nach neurochirurgischen Eingriffen, bei externer Liquordrainage oder Liquorshunt.

SYMPTOME

Kopfschmerzen, Fieber >39°C, Meningismus, d. h. Nackensteifigkeit, positives Kernig-Zeichen[1], positives Brudzinski-Zeichen[2], Übelkeit, manchmal Erbrechen, Bewusstseinstrübung, Verwirrtheit, später Stauungspapille.

Bei Meningokokken: evtl. Hautausschlag, kleinfleckige Hautblutungen (Petechien und Ekchymosen),Waterhouse-Friderichsen-Syndrom (s. unten: „Meningokokkenmeningitis“).

Bei Säuglingen: gespannte, vorgewölbte Fontanelle, schrilles Schreien, Fieber, Erbrechen.

Anmerkungen: [1] Kernig-Zeichen: der Versuch, das gebeugte Knie plötzlich zu strecken, führt zu starkem passivem Widerstand. [2] Brudzinski-Zeichen: bei Beugen des Nackens im Liegen unwillkürliches Beugen von Hüfte und Knie.

Komplikationen

Hirnnervenlähmungen, Hörschäden, Spätabszesse, Hydrozephalus, Krampfleiden.

Bei Meningokokken: in ca. 15% Waterhouse-Friderichsen-Syndrom, d. h. schwere Sepsis mit Gerinnungsstörungen, Verbrauchskoagulopathie, Nebennierenrindennekrose; die Letalität steigt auf 85%.

DIAGNOSE

- Klinik, Anamnese:
  Kleinkinder haben im Rahmen „banaler" Infekte oft Fieber, Kopfschmerzen und Erbrechen. Dann Knie-Kuss-Prüfung. Bei klagloser Ausführung Entwarnung, anderenfalls Meningitisverdacht.
- Liquorgewinnung durch Lumbalpunktion
  (*Vorsicht:* Bei erhöhtem intrakraniellem Druck besteht die Gefahr der Einklemmung!). Durch die granulozytäre Reaktion ist der Liquor meist schon makroskopisch sichtbar trübe.
- Liquoruntersuchung
  a) laborchemisch (Gesamteiweiß, Pandy-Reaktion, Glukose, Laktat, Laktatdehydrogenase),
  b) Zellzahl: bei bakterieller Infektion vorwiegend PMN, bei Tbc und viraler Genese Lymphozyten,
  c) mikrobiologisch (Mikroskopie, Kultur, Antigennachweis).
- Das mikroskopische Präparat gibt Hinweise auf die Erreger (grampositive, gramnegative Diplokokken, Stäbchen).
- Antigennachweis:
  Antigene von Meningokokken, Pneumokoken, Haemophilus influenzae, β-hämolysierenden Streptokokken der Gruppe B können innerhalb weniger Minuten mittels indirekter Agglutination im Liquor oder Serum nachgewiesen werden.
- (Zur Unterscheidung bakterielle/virale Meningitis s. Tabelle 3-1.)
- Zusätzlich Blutkulturen untersuchen (Abnahme vor Beginn der Antibiotikatherapie).
- Eventuell bildgebende Verfahren: CT, MRT (Ventrikelvergrößerung; die Gefahr einer drohenden Einklemmung kann erkannt werden, Hirnödem; Abgrenzung von Enzephalitis).
- Spiegelung des Augenhintergundes (Stauungspapille).
- Bei Verdacht auf fortgeleitete Meningitis:
  Material aus dem Ohr, Nasennebenhöhlen mikrobiologisch untersuchen.

Therapie

1. *Antibiotika:* Ausschlaggebend für die Prognose ist der unverzügliche Therapiebeginn (Tabelle 3-2). Initialtherapie mit einem Cephalosporin der 3. Generation (Cefotaxim, Ceftriaxon), bei Kindern unter 6 Wochen, Immundefizienten oder älteren Personen >50 Jahren ergänzt durch Ampicillin plus Aminoglykosid (wegen der Möglichkeit von Listerien). Nach Erregernachweis und Resistenztestung evtl. Therapieanpassung, z. B. bei Haemophilus influenzae Ampicillin, bei Meningokokken, Pneumokokken Penicillin G (Tabelle 3-3).

Tabelle 3-1. Liquordiagnostik bei Meningitis/Meningoenzephalitis

Liquor	Bakterielle Meningitis	Virale Meningitis
Aussehen	Trüb	Klar bis opaque
Zellen	>300–10.000/µl, >80%PMN	<300/µl Lymphozyten, PMN
Proteingehalt	100–500 mg/dl	<75 mg/dl
Glukose	<40 mg/dl	Normal (45–85 mg/dl)
Laktat	>35 mg/dl	Normal (10–20 mg/dl)

Tabelle 3-2. Kalkulierte Antibiotikatherapie bei akuter bakterieller Meningitis

Alter/Diagnose	Antibiotika
Säuglinge bis 6 Wochen	Cefotaxim/Ceftriaxon plus Ampicillin, evtl. plus Aminoglykosid
Säuglinge >6 Wochen, Kinder, Erwachsene	Cefotaxim/Ceftriaxon
Alter >50 Jahre, Immundefizienz	Cefotaxim/Ceftriaxon plus Ampicillin, evtl. plus Aminoglykosid
Basale Schädelfraktur	Cefotaxim/Ceftriaxon/Ceftazidim, evtl. plus Flucloxacillin
Schädeltrauma nach operativer Versorgung	Cefotaxim/Ceftriaxon/Ceftazidim, plus Vancomycin
Liquorshuntinfektion	Ceftazidim/Meropenem plus Vancomycin/Fosfomycin, evtl. plusAminoglykosid/Rifampicin; evtl. zusätzlich intrathekal Vancomycin oder Aminoglykosid

Da auch bei relativ guter Liquorgängigkeit die Liquorspiegel maximal 20–50% des Serumspiegels erreichen, muss hoch dosiert werden (Tabelle 3-3). Bei Pseudomonasmeningitis kann neben der systemischen Verabreichung von Antibiotika die intrathekale Applikation von Aminoglykosiden erforderlich sein (z. B. Tobramycin 2–5 mg/Dosis). Bei Shuntmeningitis durch grampositive Kokken kann zusätzlich Vancomycin intrathekal verabreicht werden (10–20 mg/Tag für 7–14 Tage).

2. Durch eine frühzeitige Gabe von Kortison können die Entzündungsreaktion und Ödembildung abgeschwächt werden. Neben der antiinfektiösen Therapie wird daher bei Kindern mit Hämophilusmeningitis initial Dexamethason zur Minderung neurologischer Komplikationen empfohlen.
3. Bei fortgeleiteter Meningitis Ausgangsherde sanieren.
4. Bei Liquorshunt/Drainage: Unter Antibiotika Drainage bzw. Shunt wechseln. Ohne Entfernung des infizierten Ableitungssystems ist eine Sanierung nicht zu erreichen.

Tabelle 3-3. Chemotherapie bei Meningitis/Meningoenzephalitis

Erreger	Therapie	Dosierung (Erwachsene/Tag)	Therapiedauer
Meningokokken	Penicillin G[a]	3-mal 10 Mio. E/Tag	7–10 Tage
Pneumokokken	Penicillin G[a] oder Cefotaxim oder Ceftriaxon	3-mal 10 Mio. E/Tag 4-mal 2 g 1- bis 2-mal 2 g	10–14 Tage
Haemophilus influenzae	Cefotaxim[a] oder Ampicillin	4-mal 2 g 3-mal 5 g	10–14 Tage
Listerien	Ampicillin plus Gentamicin	3-mal 5 g 3–5 mg/kgKG/Tag	3–6 Wochen 2 Wochen
Borrelien	Cefotaxim oder Ceftriaxon	3- bis 4-mal 2 g 1- bis 2-mal 2 g	2–4 Wochen
Staphylokokken	Flucloxacillin oder Fosfomycin oder Vancomycin[b]	3-mal 4 g 3-mal 5 g 2-mal 1 g	2–4 Wochen
Enterobakterien	Cefotaxim oder Ceftriaxon oder Meropenem plus Gentamicin[c]	3- bis 4-mal 2 g 1- bis 2-mal 2 g 3-mal 2 g 3–5 mg/kgKG/Tag	1–2 Wochen 1–2 Wochen 1–2 Wochen
Pseudomonas aeruginosa	Ceftazidim oder Meropenem plus Tobramycin[c]	3-mal 2 g 3-mal 2 g 3,5 mg/kgKG/Tag	10–21 Tage 1–2 Wochen
Nocardien	Imipenem/Cilastatin plus Amikacin	3-mal 2 g (nach Spiegel-bestimmung)	3–4 Wochen 1–2 Wochen
M. tuberculosis	Tuberkulostatika (s. Tbc)		
Kryptokokken	Amphotericin B plus 5-Flucytosin oder Fluconazol	bis 1,5 mg/kgKG bis 150 mg/kgKG 1-mal 800 mg	4–12 Wochen
Aspergillus	Amphotericin B, evtl. plus 5-Flucytosin		
Herpes-simplex-Viren	Aciclovir i.v.	30 mg/kgKG	2–3 Wochen
VZV	Aciclovir i.v.	30 mg/kgKG	Mindestens 10 Tage
CMV	Ganciclovir oder Foscarnet		21 Tage
Toxoplasma gondii	Pyrimethamin plus Sulfadiazin	100-(200) mg, ab 4. Tag 50–75 mg 4-mal 1–2 g/Tag	Mindestens 3–6 Wochen

[a] Bei Allergie: Chloramphenicol.
[b] Evtl. zusätzlich Vancomycin intrathekal 10–20 mg/Tag für 7–10 Tage.
[c] Eventuell zusätzlich Tobramycin intrathekal 2–5 mg/Dosis.

Prophylaxe

- *Chemoprophylaxe:* Die prophylaktische Gabe von Antibiotika wird empfohlen für enge Kontaktpersonen bei Meningokokken- und Hämophilusmeningitis: z. B. mit Rifampicin oral oder bei Erwachsenen mit einer Einmaldosis von Ciprofloxacin (s. unten: „Meningokokkenmeningitis" und „Haemophilus-influenzae-Meningitis").
- *Immunisierung:*
  - Bei Meningokokken: Eine aktive Immunisierung ist nur gegen die Typen A, C, Y möglich, die hauptsächlich in Afrika vorkommen. Zu empfehlen bei Auslandsreisen. Gegen den bei uns häufigen Typ B (nicht immunogen) ist eine Vakzinierung nicht möglich.
  - Pneumokokken: Eine Pneumokokkenvakzine, welche die häufigsten Pneumokokkenserotypen enthält, steht zur Verfügung (Pneumovax). Eine Impfung wird empfohlen für Patienten nach Milzexstirpation, besonders Kinder, bei Immunsuppression und für Patienten über 60 Lebensjahre.
  - Haemophilus influenzae: Gegen Haemophilus influenzae Typ B sollten Kinder ab dem 3. Lebensmonat durch eine Impfung (HiB) geschützt werden (s. unten: „Haemophilus-influenzae-Meningitis").

Meldepflicht

Siehe Tabelle 28.1 (Kap. 28).

! **Bei Verdacht auf eine akute bakterielle Meningitis oder Enzephalitis ist die umgehende Klinikeinweisung erforderlich. Die dort durchzuführende Lumbalpunktion vor Therapiebeginn dient zur Sicherung der Diagnose. Lässt sich dies nicht innerhalb maximal 1 h realisieren, muss mit einer Antibiotikatherapie begonnen werden. Die frühzeitige Antibiotikagabe ist die einzige Möglichkeit, die Prognose zu verbessern.**

Spezielle bakterielle Meningitiserkrankungen

Meningokokkenmeningitis (epidemische Meningitis)

Etwa 5–10% der gesunden Erwachsenen sind passager symptomlose Träger von Neisseria meningitidis (= Meningokokken, semmelförmige gramnegative Diplokokken) im Nasen-Rachen-Raum. Sie können die Erreger bei engem Kontakt durch Tröpfcheninfektion an andere, nichtimmune Personen weitergeben, die erkranken können. Insbesondere gefährdet sind Kinder, Jugendliche und Erwachsene bis ca. 30 Jahre, die noch keine Antikörper haben. Bei engem Zusammenleben vieler Menschen, z. B. in Lagern, Kasernen, steigt das Übertragungsrisiko.

Meningokokken kommen weltweit vor. Ihr wichtigster Pathogenitätsfaktor ist eine Polysaccharidkapsel, die vor Phagozytose schützt. Nach den Kapsel-Antigenen werden sie in Typen eingeteilt. Schützende Antikörper werden gegen den Kapseltyp produziert. Die meisten Infektionen weltweit werden durch die Typen A, B, C und Y verursacht. In Deutschland dominiert Typ B, der nicht immunogen ist. Jährlich treten ca. 800 sporadische Fälle auf. Wesentlich häufiger sind

Meningokokkeninfektionen während der Tockenzeit in Afrika entlang des „Meningokokkengürtels".

Die Erreger siedeln sich zunächst im Nasen-Rachen-Raum an, durchdringen die Schleimhaut, werden hämatogen gestreut und verursachen eine Sepsis und/oder Meningitis (Haubenmeningitis). Während der Inkubationsphase klagen viele Erkrankte über Erkältungssymptome in den oberen Luftwegen. Die Inkubationdauer beträgt wenige Tage. Unbehandelt liegt die Letalität bei 85%, bei frühzeitiger Antibiotikabehandlung bei 10–20%.

SYMPTOME

Plötzliches hohes Fieber, Schüttelfrost, Übelkeit, Kopfschmerzen, Nackensteife, Bewusstseinstrübung. Leukozytose. Evtl. petechiales Exanthem.

! Beachte: **Eine Meningitis mit Petechien sollte sofort an Meningokokken als Erreger denken lassen!**

Komplikationen

Ein Waterhouse-Friderichsen-Syndrom tritt bei 15% auf. Es ist gekennzeichnet durch septischen Schock, eine Verbrauchskoagulopathie mit Blutungen in Haut und innere Organe sowie Blutungen mit Nekrosen in der Nebennierenrinde. Die Letalität steigt auf 85%.

Weitere Komplikationen sind Spätschäden wie Hirnnervenlähmungen, Demenz.

DIAGNOSE

- Erregernachweis im Liquor mittels Mikroskopie, Antigennachweis, Kultur.
- Kultureller Erregernachweis in Blutkulturen.

Therapie

Initial Cephalosporin der 3. Generation (Cefotaxim, Ceftriaxon), bei Sepsis evtl. plus Aminoglykosid. Nach Erregernachweis und Resistenztestung evtl. Fortführung der Therapie mit Penicillin G für 7–10 Tage (Tabelle 3-3).

Prophylaxe

- *Immunisierung:* Eine aktive Immunisierung ist möglich gegen die Typen A, C, Y und bei Afrikareisen zu empfehlen. Gegen Typ B ist eine Immunisierung nicht möglich.
- *Chemoprophylaxe:* Da die Trägerrate und damit das Risiko einer Infektion im Umfeld einer Erkrankung enorm ansteigt (von 5–10% auf >40%), wird für direkte Kontaktpersonen eine Umgebungsprophylaxe empfohlen, z. B. Rifampicin (Erwachsene: 2-mal 10 mg/kgKG/Tag oral, maximale Einzeldosis 600 mg; Säuglinge unter 1 Monat: 2-mal 5 mg/kgKGTag) für 2 Tage oder für Erwachsene eine Einmaldosis Ciprofloxacin oral (1-mal 500–750 mg). Die meisten Sekundärerkrankungen treten innerhalb von 5 Tagen nach dem Erstfall auf.
  Erkrankte müssen bis 24 h nach Beginn einer effektiven Therapie isoliert werden.

Meldepflicht
Der Verdacht der Erkankung, Erkrankung und Tod an Meningokokken sind meldepflichtig. Das zuständige Gesundheitsamt sollte umgehend telefonisch benachrichtigt werden, damit eine Umgebungsprophylaxe, z. B. in Schulen, Kindergärten, eingeleitet werden kann.

Pneumokokkenmeningitis

Streptococcus pneumoniae (Pneumokokken; lanzettförmige grampositive Diplokokken) kommen im Nasen-Rachen-Raum vor und werden durch Tröpfcheninfektion übertragen. Ihr wichtigster Pathogenitätsfaktor ist eine Polysaccharidkapsel, gegen die schützende Antikörper gebildet werden. Weltweit gibt es 80 verschiedene Kapseltypen. Gelangen sie vom Nasen-Rachen-Raum aus in Lunge (Pneumonie), Nasennebenhöhlen, Mittelohr, verursachen sie dort Infektionen.

Die Meningen erreichen sie hämatogen oder fortgeleitet bei Otitis media, Mastoiditis oder Sinusitis. Besonders gefährdet für generalisierte Pneumokokkeninfektionen sind Patienten nach Milzexstirpation. Bei Erwachsenen sind Pneumokokken die häufigsten Erreger einer bakteriellen Meningitis, die unbehandelt innerhalb weniger Stunden bis Tage bei 80% tödlich endet.

SYMPTOME

Akuter Beginn mit hohem Fieber, Schüttelfrost, Kopfschmerzen, Nackensteifigkeit, Bewusstseinstrübung.

Komplikationen
Spätschäden wie Hirnnervenlähmungen.

DIAGNOSE

- Erregernachweis im Liquor mittels Präparat, Antigennachweis, Kultur (s. „Meningitis“, S. 21).
- Kultureller Erregernachweis in Blutkulturen oder in den Ausgangsherden wie Ohr, Nasennebenhöhlen.

! **Beachte: Wichtiger Hinweis auf eine Pneumokokkenmeningitis kann eine vorausgegangene Pneumonie, Sinusitis, Otitis media sein. Bei Nachweis einer Pneumokokkenmeningitis sollten diese Organe untersucht und evtl. saniert werden.**

Therapie
1. Initial Cephalosporin der 3. Generation (Cefotaxim, Ceftriaxon) für 10–14 Tage. Bei Nachweis sensibler Pneumokokken evtl. Umstellung auf Penicillin G. In Deutschland sind penicillinresistente Pneumokokken selten (<2%); in anderen Ländern wie Frankreich, Spanien, Ungarn, USA, Südafrika, Südostasien machen multiresistente Stämme jedoch bis zu 70% der Isolate aus. Hier muss evtl. auf Rifampicin, Carbapeneme ausgewichen werden.
2. Ausschluss von Sinusitis, Otitis media, Mastoiditis. Ggf. ist eine Herdsanierung dringend erforderlich.

Prophylaxe
Eine Impfung ist möglich mit einer Vakzine, welche die häufigsten Polysaccharidtypen enthält (Pneumovax). Sie wird empfohlen für Patienten mit Milzexstirpation, Immungeschwächte und Personen über 60 Jahre.

Haemophilus-influenzae-Meningitis

Eine Meningitis durch Haemophilus influenzae (gramnegative Stäbchenbakterien) tritt nur bei Kleinkindern (3 Monate bis 5 Jahre) auf, die nicht mehr durch mütterliche Antikörper geschützt sind und noch keine eigenen Antikörper gebildet haben. Die Gefahr systemischer Infektionen besteht nur bei bekapselten Stämmen, insbesondere Typ b. Schützende Antikörper werden gegen das Kapselpolysaccharid gebildet.

Nach Einführung der wirksamen Schutzimpung gegen H. influenzae Typ b (Hib) ist die Hämophilusmeningitis in Deutschland sehr selten geworden (1998: 10 Fälle in Deutschland). Unbehandelt beträgt die Letalität 80%, bei frühzeitiger Antibiotikagabe 5%.

Haemophilus influenzae siedelt sich auf der Schleimhaut des Nasen-Rachen-Raums an und wird durch Tröpfcheninfektion übertragen. Die Meningen erreichen die Bakterien hämatogen oder fortgeleitet, von einer Sinusitis oder Otitis media ausgehend. Inkubationszeit: wenige Tage.

SYMPTOME

Wie Pneumokokkenmeningitis (hohes Fieber, Schüttelfrost, Kopfschmerzen, Nackensteifigkeit, Bewusstseinstrübung).

Komplikationen
Bei ca. 25% treten Spätschäden auf (Hirnnervenlähmungen, Krampfanfälle).

DIAGNOSE

Erregernachweis im Liquor mittels Mikroskopie, Antigennachweis, Kultur.

Therapie
Initial Ceftriaxon oder Cefotaxim für 10–14 Tage. Nach Erregernachweis evtl. Ampicillin i.v. (in Deutschland sind nur ca. 5% der H.-influenzae-Stämme ampicillinresistent, in vielen südeuropäischen Ländern jedoch bis zu 30%).

Prophylaxe
- *Immunisierung:* Kinder ab dem 3. Lebensmonat sollten vor Haemophilus Typ b durch die gut verträgliche und wirksame Impfung (Hib) geschützt werden (1. Impfung ab dem 3. Lebensmonat 3-mal im Abstand von 6–8 Wochen, Auffrischung im 15.–18. Lebensmonat). Der Impfstoff liegt als Mono- oder Kombinationsimpfstoff vor (z. B. DTP-Hib). Die Immunantwort ist jedoch besser bei dem Einzelimpfstoff.
- *Chemoprophylaxe:* Nichtimmune Kontaktpersonen im Umfeld einer Hämophilusmeningitis oder Epiglottitis sollten eine Rifampicinpropyhylaxe erhalten, z. B. in Haushalt oder Gemeinschaftseinrichtung mit nichtimmunisierten Kin-

dern unter 4 Jahren (Erwachsene: Rifampicin 600 mg/Tag; Säuglinge im 1. Lebensmonat: 10 mg/kgKG/Tag; Kinder unter 12 Jahren: 20 mg/kgKG/Tag; über 4 Tage).

! **Die wichtigste Prophylaxe zur Vermeidung einer Hämophilusmeningitis ist die Hib-Impfung bei Säuglingen.**

Listerienmeningitis

Eine Sepsis bzw. Meningitis durch Listeria monocytogenes (in der Erde, bei Tieren vorkommende grampositive Stäbchenbakterien) betrifft vorwiegend Personen mit geschwächtem Immunsystem (Immundefiziente, Säuglinge, Patienten in hohem Lebensalter). Die Übertragung der Erreger erfolgt oral durch infizierte tierische Lebensmittel (Rohmilch, Käse) oder pflanzliche Nahrungsmittel (Salat). Die Keime gelangen aus dem Darm in die Lymph- und Blutbahn und lassen sich durch Makrophagen in andere Organe, z. B. die Meningen, einschleusen.

Die Listerienmeningitis nimmt eher einen protrahierten Verlauf im Gegensatz zur Meningitis durch Meningokokken oder Pneumokokken. Die Letalität beträgt 20–40%.

SYMPTOME

Fieber, Kopfschmerzen, Erbrechen, evtl. Hepatosplenomegalie, Nackensteife, Bewusstseinstrübung.

DIAGNOSE

- Erregernachweis im Liquor (Mikroskopie, Kultur) und in Blutkulturen.
- Im Liquor Pleozytose mit relativ viel Monozyten.

Therapie

Ampicillin für 3–6 Wochen plus Gentamicin für 2 Wochen. Bei Allergie: Chloramphenicol, Tetracycline (s. Kap. 22: „Zoonosen“, speziell Kap. 22.5: „Listeriose“).

Prophylaxe

Bei Immundefizienz Rohmilchprodukte und Käse mit schmierigem Belag meiden.

Shuntmeningitis

Postoperativ entwickeln 1–3% der Patienten mit externer Liquordrainage oder -shunt eine Meningitis durch aufsteigende Bakterien. Es handelt sich vorwiegend um Hautkeime wie Staphylococcus aureus, koagulasenegative Staphylokokken (Erreger plastikassoziierter Infektionen), aber auch Enterobakterien, Pseudomonaden, Candida. Bei externer Liquordrainage sollte der Liquor in regelmäßigen Abständen (alle 2–3 Tage) mikrobiologisch kontrolliert werden.

SYMPTOME

Fieber, Leukozytose, CRP-Anstieg. Kopfschmerzen, Nackensteife, Bewusstseinstrübung.

DIAGNOSE

Liquoruntersuchung: Nachweis von Leukozyten und Erregern (Mikroskopie, Kultur).

Therapie

1. *Antibiotika:* Wegen des unvorhersehbaren Erregerspektrums möglichst nach Erregernachweis therapieren. Initial: Cefotaxim bzw. Ceftriaxon oder Ceftazidim plus Fosfomycin oder Flucloxacillin, evtl. plus Aminoglykosid. Alternativ: Meropenem plus Fosfomycin oder Rifampicin. Evtl. intrathekal Vancomycin verabreichen (10–20 mg/Tag für 7–14 Tage).
2. Infizierte Drainage bzw. Shunt wechseln.

Bei Shuntmeningitis ist ohne eine Sanierung des Ableitungssystems die Behandlung nicht erfolgversprechend. !

3.1.2 Virale Meningitis

Entstehung und Erreger

Virale Meningitiden ohne Enzephalitis verlaufen meist gutartig und heilen spontan aus. Die Immunantwort wird bestimmt durch eine Aktivierung natürlicher Killerzellen und zytotoxischer T-Lymphozyten; daher sind virale ZNS-Infektionen durch eine lymphozytäre Pleozytose des Liquors gekennzeichnet.

Die dominierenden Erreger mit typischer jahreszeitlicher Häufung von Mai bis Oktober sind Enteroviren (Coxsackie-A- und -B-, ECHO-Viren, Enterovirus 71), gefolgt von Mumpsviren (dabei nur in 50% typische Parotitis, Meningitis typischerweise 6–10 Tage nach Krankheitsbeginn). Selten Adeno-, lymphozytäre Choriomeningitisviren, Herpes-simplex-Viren Typ 2 (bei Primärinfektion oder Rezidiv), FSME-Viren (in Endemiegebieten, meist Meningoenzephalitis). Herpes-simplex-Viren Typ 1, Varizella-zoster-Viren, FSME-, Röteln-, Masern-, Influenza-, Herpes-zoster- und Polioviren verursachen in der Regel eine Meningoenzephalitis (s. Kap. 3.2).

Die Eintrittspforten für die Erreger sind der obere Respirationstrakt (Coxsackie-Viren) oder der Darmtrakt (Enteroviren), bei Herpes-simplex-Viren Typ 2 der Genitalbereich; ferner Zeckenstiche (FSME). Das LCM-Virus wird von Goldhamstern oder Mäusen auf den Menschen übertragen (s. Kap. 22: „Zoonosen").

Die häufigste durch *Enteroviren* verursachte Meningitis erfasst vorwiegend Kinder im Alter von 5–14 Jahren, tritt vom Frühsommer bis Herbst auf, oft mit familiärer Häufung oder als Kleinraumepidemie. Meist gehen der Erkrankung grippeähnliche Symptome voraus.

SYMPTOME

Akut einsetzende, heftige Kopfschmerzen (ohne Bewusstseinstrübung), Fieber, leichte Nackensteifigkeit, Übelkeit, evtl. Erbrechen und Lichtscheu. Manchmal Hautausschlag (Coxsackie-Viren: einzelne kleine Bläschen mit rotem Saum an Hand, Daumen, Fußsohle, Gaumen = Hand-Fuß-Mund-Syndrom). Bei LCM, FSME zweigipfeliger Verlauf: nach zunächst grippalen Symptomen und einem symptomlosen Intervall folgt ein erneuter Fieberanstieg mit Meningitis.

Komplikationen

Selten Enzephalitis oder Myelitis mit Symptomen wie Bewusstseinstrübung, Krämpfen, Paresen.

Verlauf: Die Prognose ist in der Regel gut. Bei Masern und Mumps besteht die Gefahr der Meningoenzephalitis, bei Masern auch der progressiven Panenzephalitis (SSPE; s. Kap. 18: „Kinderkrankheiten" und besonders Kap. 18.3: „Masern").

Differentialdiagnostisch müssen sowohl eine akute bakterielle Meningitis als auch tuberkulöse Meningitis, Neuroborreliose, Listerien- und Kryptokokkenmeningitis abgegrenzt werden.

DIAGNOSE

- Klinik, Anamnese (Jahreszeit, Alter, Kleinraumepidemien).
- Liquoruntersuchung:
  a) laborchemisch (Tabelle 3-1).
  b) Zellzahl: typisch: Lymphozyten im Liquor, eine granulozytäre Phase kann vorausgehen.
  c) Virusnachweis: Bei Enteroviren: direkter Virusnachweis im Liquor am 1./2. Krankheitstag; in Rachenabstrich am 1.–5. Tag, im Stuhl bis 2 Wochen nach Krankheitsbeginn.
  Bei HSV LCM-Virus: Erregernachweis im Liquor mittels PCR.
  Masern, Mumps, FSME, LCM: Nachweis spezifischer IgM Antikörper im Serum bzw. Liquor.
- Bildgebende Verfahren: CT, MRT.
- EEG: zur Differentialdiagnose einer Enzephalitis.

Therapie

1. Symptomatisch, Bettruhe. Wenn nach 1 Woche keine Besserung eintritt, Überprüfung der Diagnose.
2. Bei geringstem Verdacht auf Herpes-simplex-Virus- oder Varizella-zoster-Enzephalitis: sofort mit Aciclovir 30 mg/kgKG beginnen (s. unten Kap. 3.2: „Enzephalitis/Meningoenzephalitis").

Prophylaxe

Mumps-, Masern-, Polio-, FSME-Schutzimpfung.

! **Die virale Meningitis ohne Enzephalitis verläuft in der Regel gutartig und heilt spontan aus.**

3.1.3 Subakute/chronische Meningitis

Entstehung und Erreger

Einige Erreger verursachen subakut beginnende und über Wochen schleichend verlaufende (chronische) Meningitiden. Der Liquor weist erhöhtes Eiweiß, eine überwiegend lymphozytäre Pleozytose und manchmal erniedrigte Glukosespiegel auf. Der *Verlauf* kann progredient sein mit letalem Ausgang innerhalb von Wochen bis Monaten.

Erreger: Mycobacterium tuberculosis, Kryptokokken, Borrelia burgdorferi, Treponema pallidum, Leptospiren (s. Kap. 22: „Zoonosen"), Campylobacter, Nokardien, Candida albicans, Acanthamoeba (außerhalb Mitteleuropas auch Angiostrongylus, Kokzidioidomykose, Histoplasmose und Sporotrichose).

Differentialdiagnostisch müssen auch nichtinfektiöse Erkrankungen bedacht werden (Behçet-Erkrankung, granulomatöse Angiitis, Neoplasien, Sarkoidose, benigne lymphozytäre Meningitis).

SYMPTOME

Protrahierter Beginn mit Fieber, Kopfschmerzen, Verwirrtheit, Lethargie, Übelkeit, Erbrechen und Nackensteifigkeit.

Komplikationen

Hirnnervenlähmungen, Hydrozephalus.

DIAGNOSE

- Klinik, Anamnese. Wegweisend sind Vorerkrankungen wie Tuberkulose, Lyme-Borreliose, Bruzellose, Syphilis. Bei Immundefizienz und Aids sind Toxoplasmose, Kryptokokkose oder Tuberkulose am häufigsten.
- Liquoruntersuchung.
- Laborchemisch (Tabelle 3-1):
  a) Erniedrigte Glukose ist typisch bei Bakterien einschließlich Tbc, Lues, Pilzen, Toxoplasmose, aber auch bei nichtinfektiösen Ursachen wie Karzinom, Sarkoidose.
  b) Zellzahl: Art und Zahl der Zellen im Liquor geben Hinweise auf die Erreger: Eine Pleozytose (>50 Zellen/µl) findet man bei Kryptokokkose, HIV, aber auch bei Behçet- Erkrankung, benigner lymphozytärer Meningitis, Karzinom, Sarkoidose, Vaskulitis.
  Neutrophile sind vermehrt bei bakteriellen Infektionen, Tbc im Frühstadium, bei Pilzen und bei systemischem Lupus erythematodes.
  Lymphozyten sind vermehrt bei Tbc und Viren.
  Eosinophile Pleozytose weist auf Parasiten (Angiostrongylus, Zystizerkus, Schistosoma) oder ein Lymphom hin.
  c) Mikrobiologische Untersuchung:
  Kultureller Nachweis von Bakterien und Pilzen.
  Bei Verdacht auf Tbc: Nachweis von Mykobakterien durch Mikroskopie (Präparat mit säurefester Färbung), PCR, Kultur.

Bei Verdacht auf Borreliose, Lues, Toxoplasmose: Nachweis spezifischer Antikörper im Serum bzw. Liquor.
Bei Kryptokokken: Antigennachweis im Liquor, Pilzkultur.
- Bildgebende Verfahren: CT, MRT (zur Differentialdiagnose Enzephalitis).

Therapie
Je nach Erreger (Tabelle 3-3).

Spezielle subakute/chronische Meningitisformen

Tuberkulöse Meningitis

Eine Meningitis durch Mycobacterium tuberculosis entsteht durch hämatogene Streuung der Erreger aus anderen Organen, meist bei einer Lungentuberkulose. Gefährdet sind Immundefiziente, Kinder <5 Jahren sowie ältere Patienten mit reaktivierter Tbc. Die Entzündung bevorzugt die Hirnbasis, klinisch erkennbar an der Abduzensparese mit Doppelbildern. Typisch ist ein schleichender Beginn mit subfebrilen Temperaturen, Nachtschweiß, Krankheitsgefühl, Depressionen, Wesensveränderungen, dann erst treten Meningitiszeichen auf, oft mit Lähmungen, Hirnnervenausfällen, Krampfanfällen, Hydrozephalus.

DIAGNOSE

- Nachweis von Mykobakterien im Liquor durch säurefeste Färbung, Kultur, PCR.
- Postitiver Tuberkulintest.
- Bildgebende Verfahren: Röntgen, CT; Nachweis von Tbc-Herden in Lunge und anderen Organen.

Therapie

1. Sofortiger Therapiebeginn nach Liquorentnahme mit 4 Tuberkulostatika in maximaler Dosierung, z. B. INH (Erwachsene: 10 mg/kgKG/Tag für 3–4 Wochen, dann 5–7 mg/kgKG/Tag), + Rifampicin (10 mg/kgKG/Tag) + Pyrazinamid (30 mg/kgKG) + Streptomycin (15 mg/kgKG/Tag) oder Ethambutol (20 mg/kgKG/Tag).
   Nach 2–3 Monaten Fortführung der Therapie mit Rifampicin plus Isoniazid (s. Tuberkulose Kap. 16.1).
2. In den ersten 4 Wochen zur Minderung des Hirnödems zusätzlich Dexamethason.

Neuroborreliose

Im Rahmen einer Infektion mit Borrelia burgdorferi (Lyme-Borreliose) kann es im 2. und 3. Stadium der Erkrankung zu einem Befall des Nervensystems kommen (Neuroborreliose). In Stadium 2 (2–10 Wochen nach Zeckenbiss) manifestiert sie sich am häufigsten als *Meningoradikulitis (Bannwarth-Syndrom)*. Vor allem Erwachsene klagen über wechselnde intensiv brennende Schmerzen am

Rücken, zwischen den Schulterblättern. Bei ca 70% der Patienten folgt eine asymmetrische Polyradikulitis mit Gesichtslähmung (N. facialis) oder Abduzensparese; bei ca 20% eine Gliedmaßenparese. Bei Kindern und Jugenlichen sind auch Fälle von lymphozytärer Meningitis mit Fieber und Kopfschmerzen bekannt.

Im Stadium 3 einer Lyme-Borreliose entwickelt sich in seltenen Fällen eine *chronische Neuroborreliose* mit Enzephalopathie. Sie verläuft entweder als chronische lymphozytäre Meningitis (mit Kopfschmerzen, Unwohlsein, Gewichtsverlust, erhöhter Temperatur) oder als chronisch fortschreitende *Enzephalomyelitis* (mit ataktischen Gangstörungen, Blasenlähmung, schließlich spastischer Para- und Tetraparese).

DIAGNOSE

- Lymphozytäre Pleozytose.
- Nachweis spezifischer Antikörper im Serum und Liquor (intrathekale Antikörpersynthese).
- Erregernachweis im Liquor: PCR, Kultur in Speziallabor.

Therapie

Cefotaxim oder Ceftriaxon für 2–4 Wochen (s. „Lyme-Borreliose" Kap. 22.6 in Kap. 22 „Zoonosen").

Kryptokokkenmeningitis

Eine Meningitis durch Crypococcus neoformans betrifft fast ausschließlich Patienten mit T-Zelldefekt, insbesondere bei Aids. In Deutschland entwickeln ca. 4% der Aids-Patienten eine Kryptokokkenmeningitis, in USA 10%, in Afrika 30%. Cryptococcus neoformans kommt in Vogelkot und Staub vor und wird durch Inhalation aufgenommen. In der Lunge entsteht nur ein diskreter oder nicht erkennbarer Befund. Von dort erfolgt eine hämatogene Streuung in verschiedene Organe, bevorzugt in die Meningen. Die Kryptokokkenmeningitis nimmt einen schleichenden Verlauf mit Kopfschmerzen, Verwirrtheit, Übelkeit, Lethargie; nur in 15% tritt eine Nackensteifigkeit auf.

DIAGNOSE

Erregernachweis im Liquor durch Mikroskopie, Antigentest (Sensitivät 99%) und Kultur (Dauer 2–6 Tage).

Therapie

Amphotericin B, evtl. plus 5-Flucytosin. Alternativ: Fluconazol für 1–3 Monate.

Prophylaxe

Die Hälfte der Patienten mit generalisierter Kryptokokkose entwickelt bei anhaltendem Immundefekt Rezidive. Daher wird eine lebenslange Rezidivprophylaxe mit Fluconazol empfohlen.

!

Eine Kryptokokkenmeningitis tritt nur bei Patienten mit T-Zelldefekt auf. (s. Kap. 19: „Infektionen bei immundefizienten Patienten".)

Toxoplamose

Siehe unter Kap. 3.2: „Enzephalitis/Meningoenzephalitis".

3.2 Enzephalitis/Meningoenzephalitis

Entstehung und Erreger

Eine Infektion des Hirnparenchyms ist eine akut lebensbedrohliche Erkrankung, gekennzeichnet durch neurologische Ausfälle, Krämpfe oder Lähmungen und Bewusstseinstrübung. Auch im Fall einer Ausheilung hinterlässt sie oft bleibende Schäden. Insbesondere bei der Herpes-simplex-Enzephalitis ist die Prognose ungünstig. Die Infektion des Hirnparenchyms kann die Großhirnhemisphären, den Hirnstamm und/oder das Kleinhirn betreffen. Die Erreger erreichen das ZNS hämatogen oder entlang der Nervenbahnen (Rabiesviren).

Herpes-simplex-Viren verursachen in Deutschland 50% aller Enzephalitiden. Andere Erreger sind Mumpsviren,Varizella-zoster-, Zytomegalie-, Röteln-, Masern-, FSME-Virus (s. Kap. 22: „Zoonosen" sowie unten „Frühsommermeningoenzephalitis"), Japan-Enzephalitisvirus, HIV, Rabiesvirus, Adenoviren; Listerien, Mykoplasmen (Immunreaktion!), Borrelia burgdorferi, Leptospiren; Toxoplasmen, Malariaplasmodien, Amöben (Naegleria Fowleri, Acanthamoeba; Tabelle 3-4).

SYMPTOME

Fieber, Kopfschmerzen, Erbrechen, Ausfallserscheinungen (Reflexausfälle, Ataxien), Lähmungen, fokale oder generalisierte Krämpfe, Verwirrtheit, Persönlichkeitsveränderungen, Bewusstseinstrübungen, Apathie bis hin zum Koma.

DIAGNOSE

- Klinik, Anamnese, die auf mögliche Erreger hinweist: z. B. Exantheme (Masern, Varizellen), Zeckenbiss (Borrelien, FSME), Tierbisse (Rabies), Reise in Endemiegebiete (Malaria, Japan-Enzephalitis).
- Liquoruntersuchung (s. Kap. 3.1: „Meningitis").
- EEG (meist verändert).
- Bildgebende Verfahren: CT/MRT; Nachweis von Entzündungsherden. Herde in der Temporalregion sind hinweisend auf Herpes-simplex-Enzephalitis).
- Evozierte Potentiale.

Therapie

1. Symptomatische Therpie (Intensivpflege, Antipyrese).
2. Spezifische Therapie: je nach Erreger (Tabelle 3-3). Bei Verdacht auf Herpes-simplex-Enzephalitis unverzüglich Aciclovir.

Prophylaxe

Masern-, Mumps-, Röteln-, FSME-Schutzimpfung.

Tabelle 3-4. Erreger von Meningitis/Meningoenzephalitis

Erreger	Besonderheiten
Akute eitrige bakterielle Meningitis	Vorwiegend betroffen:
Hämolysierende Streptokokken Gruppe B	Neugeborene
E. coli	Neugeborene
Haemophilus influenzae	Kinder (3 Monate bis 5 Jahre)
Neisseria meningitidis	Kinder, Jugendliche
Streptococcus pneumoniae	Alle Lebensalter
Listeria monocytogenes	Immundefiziente
Mycobacterium tuberculosis	Alle Lebensalter
Virale Meningitis	
Enteroviren (Coxsackie-Virus A, B, ECHO-Viren, Enterovirus 71)	Am häufigsten, jahreszeitlich gehäuft im Sommer, Herbst
Mumpsvirus	Zweithäufigster Erreger
Herpes-simplex-Virus 2	Selten
Adenoviren	Selten
Lymphozytäres Choriomeningitisvirus	Sehr selten, „Hamsterkrankheit"
Enzephalitis, Meningoenzephalitis	
Herpes-simplex-Virus 1	Häufigste Enzephalitis, 50% aller Fälle
Mumpsvirus	Komplikation bei Mumps
Varizella-zoster-Virus	Bei Immundefizienz
Zytomegalievirus	Bei Immundefizienz
Rötelnvirus	Komplikation bei Röteln
Masernvirus	Komplikation bei Masern
FSME-Virus	In Risikogebieten mit infizierten Zecken
Rabiesvirus	Sehr selten
Borrelia burgdorferi	Bei Lyme-Borreliose
Listeria monocytogenes	Bei Immundefizienz
Amöben	Selten
Humanes Immundefizienzvirus	Bei Aids, im Spätstadium
Toxoplasma gondii	Bei Reaktivierung unter Immunsuppression, Aids
Plasmodien, Trypanosomen	Nach Tropenaufenthalt

Eine Enzephalitis ist immer ein Notfall und erfordert die stationäre Behandlung. !

Spezielle Meningoenzephalitisformen

Herpes-simplex-Enzephalitis

Herpes-simplex-Viren (meist Typ 1) verursachen in Deutschland 50% aller Enzephalitiden (ca. 200 Fälle/Jahr). 30% der Erkrankten sind Kinder, 50% sind älter als

50 Jahre. Etwa 1/3 sind Primärinfektionen, 2/3 Folge einer Reaktivierung. Die HSV-Enzephalitis manifestiert sich meist als fokal nekrotisierende Temporallappenenzephalitis, da die Herpesviren bevorzugt das limbische System befallen und die Invasion des ZNS retrograd von den Ganglia Gasseri aus erfolgt.

Unbehandelt liegt die Letalität bei 70%; bei Überleben bleiben Dauerschäden bestehen. Eine Besserung der Prognose kann durch sofortige Therapie mit Aciclovir erreicht werden. Bei frühzeitiger Therapie ist bei 40% mit einer kompletten Ausheilung zu rechnen.

Die typische Lokalisation einer Herpes-simplex-Enzephalitis zeigt Abb. 3-1.

SYMPTOME

Das klinische Bild verläuft hochakut. Nach 2–3 Tagen Fieber, Kopfschmerzen und Erbrechen kommt es zu einer rasch progredienten neurologischen Symptomatik mit Krampfanfällen, Bewusstseinstrübung, Lähmungen, Koma.

DIAGNOSE

- Klinik, Anamnese.
- Liquoruntersuchung (wie bei Meningitis):
  a) Laborchemisch (wie bei viraler Meningitis).
  b) Zellzahl: Anfangs dominieren polymorphkernige Leukozyten, später Lymphozyten.
  c) Virusnachweis durch PCR.
- EEG.
- Bildgebende Verfahren: CT, MRT (im MRT sind die Läsionen früher erkennbar als im CT).
- Evozierte Potentiale.

Therapie

Bei Verdacht sofort Aciclovir (30 mg/kgKG i.v.) für 2–3 Wochen.

! Im CT, MRT sind Herde in der Temporalregion hinweisend auf eine Herpes-simplex-Enzephalitis. Bei Verdacht sofortige Therapie mit Aciclovir, das bei frühzeitiger Anwendung die Prognose erheblich verbessert.

Frühsommermeningoenzephalitis (FSME)

Der Erreger, das FSME-Virus, wird durch Zecken (Ixodes ricinus = Holzbock) übertragen. Die unreifen Nymphen der Zecken infizieren sich beim Saugen an virämischen Tieren. Wirtstiere sind Igel, Spitzmäuse, Maulwürfe und Haustiere wie Schafe und Ziegen, die aber nicht erkranken. FSME kommt vor in Russland, den ehemaligen Ostblockländern, in Schweden und in Endemiegebieten von Österreich, der Schweiz und Deutschland (südlich des Mains, insbesondere in Bayern, Baden-Württemberg, aber auch in den neuen Bundesländern). In Endemiegebieten sind 0,1–1% der Zecken infiziert. Bedingt durch den Lebensrhythmus der Zecken treten die meisten Erkrankungen von Juni bis September auf. Eine Übertragung kann auch durch rohe Schaf- oder Ziegenmilch erfolgen.

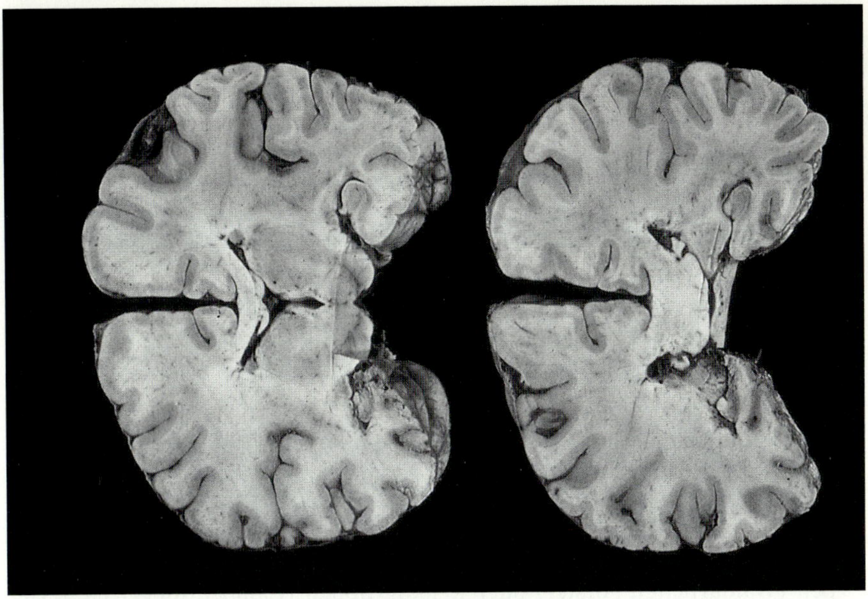

Abb. 3-1. Herpesenzephalitis. Typischer Befall des Temporallappens. (Von W. Schachenmayr, Institut für Neuropathologie, Universität Gießen)

Beim Zeckenbiss gelangt das Virus mit dem Speichel der Zecke in den Organismus. Dazu ist ein längerer Saugakt notwendig. Nach primärer Virusvermehrung am Ort der Injektion erreichen die Erreger über die Blutbahn das ZNS. Die Inkubationszeit beträgt 1–2 (4) Wochen.

Nur 10–30% der Infizierten erkranken, d. h. auch in Endemiegebieten muss nur bei 0,01–0,3% der Zeckenbisse mit FSME gerechnet werden.

SYMPTOME

Zunächst uncharakteristische grippeähnliche Symptome wie leichtes Fieber, Müdigkeit, Kopf- und Gliederschmerzen, Katarrh der oberen Luftwege, evtl. gastrointestinale Beschwerden. Bei 10–30% folgt nach einem beschwerdefreien Intervall von 7–10 Tagen die meningoenzephalitische Phase mit erneutem Fieberanstieg bis 40°C, schwerem Krankheitsgefühl, Meningitis mit oder ohne Enzephalitis.

Verlauf

Meist vollständige Ausheilung nach 1–2 Wochen oder einer längeren Phase mit Krankheitsgefühl und Kopfschmerzen. Bei meningoenzephalitischem Verlauf beträgt die Letalität 1–5%.

Komplikationen

Evtl. neurologische Spätschäden: Hirnnervenausfälle, bei Enzephalomyelitis auch bleibende spinale Lähmungen. Neurologische Spätschäden können auch auftreten, wenn die 2. Phase klinisch nicht in Erscheinung trat.

DIAGNOSE

- Anamnese (Zeckenbiss in Endemiegebiet).
- Nachweis spezifischer IgM-Antikörper im Serum bei neurologischen Manifestationen.
- Erregernachweis im Liquor durch Immunfluoreszenz, PCR.
- Liquor: laborchemische Untersuchung (wie bei Meningitis).

Therapie
Symptomatisch. Bettruhe vermindert die Folgeerkrankungen und verkürzt die Rekonvaleszenz.

Prophylaxe
- *Passive Immunisierung:* Die postexpositionellle Gabe von FSME-Hyperimmunglobulin innerhalb von 2 Tagen verhindert bei 70% eine Erkrankung. Wegen der Nebenwirkungen wird sie für Kinder <15 Jahren nicht empfohlen.
- *Aktive Immunisierung:* Eine aktive Immunisierung kann mit Totimpfstoff erfolgen. Geimpft werden sollten in Endemiegebieten gefährdete Berufsgruppen (Waldarbeiter, Förster) oder Risikogruppen (Camper, Jogger etc.). Der Impfschutz beträgt nach 3-maliger Gabe fast 100%. Die Impfung erfolgt entweder als Kurzzeitschema an Tag 0–7–21 oder als Langzeitschema an Tag 0–28–300. Auffrischung nach 3–5 Jahren. Die Impfung zeigt nur wenige Nebenwirkungen.

Amöbenmeningoenzephalitis

Die Erkrankung ist in Deutschland sehr selten, evtl. nach Reisen in warme Länder. Die Infektion erfolgt durch Erregeraufnahme beim Baden.Die Erreger sind Acanthamoeba, Naegleria Fowleri.

DIAGNOSE

Erregernachweis im Nativpräparat oder Anzüchtung im Speziallabor aus Liquor, Hirnbiopsat.

Therapie
Amphotericin B plus Rifampicin plus Doxycyclin. Bei Acanthamoeba auch Pentamidin, Miconazol, 5-Flucytosin.

Varizella-zoster-Virusmeningoenzephalitis

Komplikation bei progressivem Verlauf von Varizellen oder disseminiertem Herpes zoster (s. Kap. 18.6: „Varizellen (Windpocken) und Zoster“ in Kap. 18: „Kinderkrankheiten“).

Therapie
Aciclovir.

Toxoplasmose

Bei Immundefizienz, insbesondere Aids, kann infolge der Reaktivierung einer „alten“ Toxoplasmose eine Meningoenzephalitis entstehen. Sie ist gekennzeichnet durch uni-oder multifokale Herde mit zentralnervösen Ausfällen durch Parenchymschwund.

DIAGNOSE

- Bildgebende Verfahren: MRT, CT.
- Erregernachweis im Punktionsmaterial, evtl. im Liquor, durch PCR (ein Erregernachweis im Liquor gelingt nur, wenn die Entzündungsherde mit dem Liquorraum kommunizieren).
- Serologie: Der Antikörpernachweis gibt Auskunft über eine stattgehabte Infektion. Die Reaktivierung ist serologisch nicht erkennbar.

Therapie
Pyrimethamin plus Sulfadiazin (s. Kap. 19: „Infektionen bei immundefizienten Patienten“ sowie Kap. 22.19: „Toxoplasmose“ in Kap. 22: „Zoonosen“).

3.3 Hirnabszess

Hirnabszesse sind umschriebene, abgekapselte Entzündungen im Gehirngewebe mit Eiteransammlung und zentraler Erweichung (Abb. 3-2). Ein perifokales Ödem erzeugt einen erhöhten intrakraniellen Druck und kann einen Hirntumor vortäuschen. Unbehandelt verläuft die Erkrankung tödlich. Ein

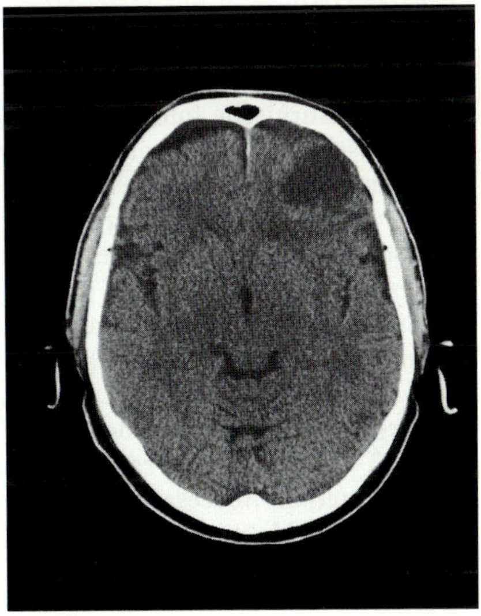

Abb. 3-2. Hirnabszess im Frontallappen links (CT). (Von K. Rauber, Abt. Radiologie, Krankenhaus Wetzlar)

Hirnabszess entsteht entweder fortgeleitet von einer Infektion im Kopfbereich (Sinusitis, Otitis media, Mastoiditis) ausgehend, posttraumatisch, hämatogen durch Streuung aus oft kryptogenen pulmonalen Herden oder embolisch, z. B. bei Endokarditis.

SYMPTOME

Ungewöhnliche Kopfschmerzen, meist langsame Progredienz. Schwindel, Erbrechen. Fokale neurologische Ausfälle oder Krämpfe. Herdsymptomatik, wie Sprachstörungen, Paresen, Lethargie, mentale oder psychische Alterationen. Fieber. Leukozytose.
Akuter Beginn, z. T. mit Sehstörungen, deutet auf bakteriellen Embolus im Rahmen einer Endokarditis hin.

Differentialdiagnosen
Hirntumor, subduraler Erguss, Meningitis, degenerative Erkrankungen.

Erreger
Meist handelt es sich um aerobe/anaerobe Mischinfektionen. Langsame Progredienz deutet auf Anaerobier hin: Peptokokken, Fusobakterien, Bacteroides, Aktinomyzeten, mikroaerophile Streptokokken.
Akuter Verlauf: Staphylococcus aureus, Enterobakterien.
Bei *fortgeleiteten Infektionen:* Pneumokokken, Haemophilus influenzae, bei langsamem Fortgang auch Aspergillus und andere Pilze.

DIAGNOSE

- Bildgebende Verfahren: CT, MRT!
- Mikrobiologische Untersuchung von Abszessmaterial (aerobe, anaerobe Bakterien, Pilze).
- Liquoruntersuchung ist wegen der Gefahr der Einklemmung eher kontraindiziert; zudem sind nur bei wengier als 10% Erreger im Liquor nachweisbar.

Therapie
1. Neurochirurgische Intervention (auch zur Materialgewinnung für die mikrobiologische Diagnostik; anaerober Transport des Untersuchungsmaterials!) mit Sanierung des Ausgangsherdes.
2. *Antibiotika:* Hochdosiert für 3–4 Wochen und länger, abhängig vom Erreger und dessen Resistenz. Kalkulierte Initialtherapie mit Penicillin G (20–30 Mio. E/Tag) oder Cefotaxim (3-mal 2 g) plus Metronidazol (1,5–2 g/Tag); bei Verdacht auf Staphylokokken plus Flucloxacillin oder Fosfomycin oder Vancomycin.
3. Senkung des erhöhten Hirndrucks.

! **Ein Hirnabszess verläuft unbehandelt in der Regel tödlich. Die Diagnose erfolgt durch CT- oder MRT-Untersuchung. Der Erregernachweis sollte aus intraoperativ gewonnenem Abszessmaterial erfolgen. Die Liquorpunktion ist wegen der Gefahr der Einklemmung gefährlich und zum Erregernachweis ungeeignet.**

3.4 Subdurales Empyem

Die Eiteransammlung zwischen Dura mater und Arachnoidea entsteht in den meisten Fällen als Komplikation bei Sinusitis (v. a. S. frontalis, ethmoidalis), Otitis, Schädeltrauma oder -operation; seltener hämatogen. Bei Kindern <5 Jahren kann ein subdurales Empyem auch Folge einer Meningitis sein. Unbehandelt tritt eine rasche Verschlechterung ein bis hin zum Exitus im Koma.

SYMPTOME

Kopfschmerzen über mehrere Tage, Lethargie, Erbrechen, fokale neurologische Ausfälle und Krämpfe. Unbehandelt oft dramatischer Verlauf mit meningealer Beteiligung, Koma, Tod.

Erreger

Staphylococcus aureus, β-hämolysierende Streptokokken, Pneumokokken, Haemophilus influenzae. Bei Kindern nach Meningitis Meningokokken, bei Neugeborenen B-Streptokokken, E. coli.

DIAGNOSE

- Bildgebende Verfahren: CT, MRT vom Schädel einschließlich der Nebenhöhlen und Siebbeinzellen.
- Mikrobiologische Untersuchung von Operationsmaterial und Blutkulturen.
- Liquoruntersuchung ist wegen der Gefahr der Einklemmung eher kontraindiziert.

Therapie

1. Sofortige neurochirurgische Drainage des Empyems mit Sanierung des Ausgangsherdes, z. B. Nasennebenhöhlen. Gewinnung von Material zur mikrobiologischen Untersuchung.
2. Antibiotika, z. B. Cefotaxim (3-mal 2 g) plus Fosfomycin oder Flucloxacillin oder Vancomycin. Alternativ: Meropenem.
3. Senkung des Hirndrucks.

! Ein subdurales Empyem verläuft rasch progredient mit Koma und Exitus. Die Diagnosestellung erfolgt durch CT, MRT.

3.5 Spinaler epiduraler Abszess

Die Eiteransammlung ist zwischen Dura mater und dem Knochen lokalisiert. Ein spinaler Abszess entsteht häufig fortgeleitet durch Ausbreitung von Entzündungen in der Umgebung, z. B. penetrierendes Ulkus, Trauma, oder iatrogen, z. B. nach Lumbalpunktion, seltener als Folge einer hämatogenen Streuung.

SYMPTOME

Fieber, Rückenschmerzen, Radikulitis, z. T. mit Lähmungen.

Erreger
Am häufigsten Staphylococcus aureus, dann Streptokokken, selten gramnegative Stäbchen (z. B. Salmonellen bei generalisierter Infektion), Anaerobier oder Mycobacterium tuberculosis (kalter Abszess).

DIAGNOSE

- Lokalbefund, Druckschmerz, Klopfschmerz.
- Leukozytose, BSG-Erhöhung.
- Bildgebende Verfahren: CT, MRT, Myelographie, Leukozytenszintigraphie.
- Mikrobiologische Untersuchung von Abszessmaterial, Blutkulturen, Liquor (10–25% positiv).

Therapie
1. Chirurgische Intervention.
2. Antibiotika. Initial Cefotaxim/Ceftriaxon plus Clindamycin oder Flucloxacillin, anschließend nach Erreger und Antibiogramm. Therapiedauer 3–4 Wochen, bei Osteomyelitis mindestens 8 Wochen.

3.6 Poliomyelitis (spinale Kinderlähmung)

Durch breite Impfprophylaxe ist die durch Polioviren verursachte Poliomyelitis in den westlichen Industrieländern nahezu verschwunden. Sie ist jedoch endemisch in Entwicklungsländern oder tritt als Epidemie in Balkanländern (Jugoslawien, Griechenland) auf und kann bei Reisen importiert werden.

Das Reservoir der Polioviren (3 Typen) ist der Mensch, zumeist inapparent Infizierte, die den Erreger im Rachensekret (für 5 Tage) und mit dem Stuhl ausscheiden. Die Übertragung erfolgt fäkal-oral oder über Tröpfcheninfektion. Die Erreger vermehren sich lokal in Rachen oder Darm und gelangen über die Blutbahn ins ZNS. Sie wirken zytotoxisch auf motorische Vorderhornneurone (schlaffe Lähmung). Inkubationszeit 7–14 Tage. Die Mehrheit der Infektionen verläuft asymptomatisch.

SYMPTOME

Symptomatische Verläufe beginnen mit Fieber, Halsschmerzen, Durchfall, Erbrechen. In den meisten Fällen ist die Infektion damit beendet. Bei 5–10% folgt nach einer Woche ein Fieberanstieg >39°C, Kopfschmerzen, Nackensteifigkeit, Liquorpleozytose (anfangs Granulozytose, später Lymphozytose). Bei etwa 1% entwickeln sich innerhalb von 2–3 (bis zu 10) Tagen schlaffe Lähmungen meist der Beine, einseitig. Keine Sensibilitätsstörungen. Bei Beteiligung weiterer Rückenmarksegmente Lähmungen von Blase, Darm, Rumpf- oder Zwerchfellmuskulatur.
Die „bulbäre Form“ mit Lähmung von Hirnnerven, Schluckstörungen, Atemlähmung ist selten.

Verlauf
Bei Rückbildung der Lähmungen innerhalb von 6 Monaten ist die Prognose günstig. Bei 1/3 der Patienten bleiben die Lähmungen lebenslang bestehen. *„Postpoliomyelitissyndrom"*: Jahre später treten in den betroffenen Lähmungsbereichen Muskelschwund, Schmerzen, Ermüdung auf.

Differentialdiagnosen
Meningitis anderer Ursache, Hirntumor, Polyradikulitis.

DIAGNOSE

- Klinik, Anamnese.
- Nachweis der Polioviren im Stuhl (bis ca. 4 Wochen nach Erkrankungsbeginn, Ausschluss von aktueller oraler Polioimpfung!), im Rachenabstrich (1 Woche nach Erkrankungsbeginn) oder Liquor (am 1./2. Tag der ZNS-Symptomatik).
- Liquoruntersuchung laborchemisch, zytologisch (siehe Meningitis).
- Nachweis spezifischer Antikörper (zur Diagnostik einer aktuellen Infektion nicht sinnvoll).

Therapie
Symptomatisch: Bettruhe, physikalische Therapie, bei Schmerzen Analgetika. Eventuell Intensivbehandlung mit Beatmung. Krankengymnastische Nachbehandlung zur Besserung der Motorik.

Prophylaxe
Eine *Immunisierung* ist möglich mit Lebendvakzine als orale „Schluckimpfung" (nach Sabin) oder subkutan mit einem injizierbaren Totimpfstoff (IPV). Eine 3-malige Wiederholung ist für einen ausreichenden Impfschutz erforderlich.

Bei der oralen Immunisierung werden die Impfviren bis zu mehreren Wochen im Stuhl ausgeschieden. Nicht Immune können damit infiziert werden und erkranken. Um dieses Risiko auszuschalten, wird in den neuesten Empfehlungen der Ständigen Impfkommission am Robert-Koch-Institut vom Februar 1998 als Impfstoff der Wahl IPV empfohlen (s. Tab. 29-1).

Die Grundimmunisierung kann bei Säuglingen ab dem 3. Lebensmonat zusammen mit Tetanus, Pertussis, Haemophilus, Diphtherie erfolgen. Eine Wiederholung ist zwischen dem 11. und 18. Lebensjahr angezeigt. Im Erwachsenenalter wird bei Reisen in Endemiegebiete und bei beruflicher Exposition eine Boosterinjektion empfohlen, falls die letzte Impfung länger als 10 Jahre zurückliegt.

3.7 Prioneninfektionen

Bei Schafen und Ziegen ist seit langem Scrapie (deutsch: Traberkrankheit) bekannt, eine degenerative, nichtentzündliche spongiforme (d. h. vakuolenbildende) Enzephalopathie, die von Tier zu Tier übertragbar ist. Damit verwandt ist der Erreger der übertragbaren klassischen Creutzfeldt-Jakob-Krankheit (CJK), wobei die Übertragung von Mensch zu Mensch, soweit bekannt, ausschließlich durch

Gehirnextrakt (Wachstumshormone), Gehirngewebe (Dura mater) oder mit Gehirngewebe kontaminierten Instrumenten erfolgt. Auch durch Korneatransplantation soll CJK übertragbar sein.

CJK tritt weltweit mit ca. 1 Fall pro 1 Mio. Einwohner und Jahr auf (spontane CJK). Dabei handelt es sich bei ca. 10% um eine erbliche Form mit bestimmten Mutationen im Priongen. Spontane und erbliche CJK tritt meist im Alter ab 45, am häufigsten um 65 Jahre auf.

Anfang der 1980-er Jahre trat in Großbritannien bei Rindern eine Epidemie an boviner spongiformer Enzephalopathie(BSE) auf mit Höhepunkt Anfang der 1990er Jahre. Seit Beginn des Jahrtausends sind BSE-Fälle bei Rindern auch in anderen Ländern incl. Deutschland bekannt. Im Gegensatz zu Scrapie ist der Erreger oral übertragbar und überspringt dabei auch die Speziesbarriere, die es bei Scrapie und CJK zu geben scheint. In Großbritannien wurden Ende des Jahrtausends rund 80 Fälle einer neuen Variante der CJK (nvCJK) beobachtet, die in Zusammenhang mit BSE gebracht wurden. Die Beendigung der Fütterungspraxis von Rindern mit „Tiermehl", d. h. aufgearbeitete Tierkörperreste einschließlich Gehirn, führte zum Abklingen der BSE, jedoch beträgt die Inkubationszeit beim Rind 4–6 Jahre. Die Inkubationszeit beim Mensch ist noch unbekannt. Ob eine Übertragung von nvCJK von Mensch zu Mensch, anders als bei CJK, auch durch Blut und Organtransplantate oder gar durch enge Kontakte möglich ist, muss die Zukunft erweisen.

Die Krankheit entsteht durch eine konformationelle Umfaltung des Prionproteins, das vorwiegend in neuralen Zellen, aber auch im lymphatischen Gewebe zu finden ist. Dadurch wird das Prionprotein unlöslich, nicht abbaubar und führt zu Ablagerungen, sog. Amyloidplaques, die schließlich von Vakuolen umgeben werden. nvCJK ähnelt auch der Kuru-Krankheit, die früher bei Einwohnern von Neuguinea auftrat. Dort wurde das Gehirn verstorbener Verwandter verspeist. Man nimmt an, dass die spontane Umfaltung des Prionproteins sehr selten erfolgt (spontane CJK), dann aber rasch das ganze Gehirn erfasst. Künstliches Einbringen oder orale Aufnahme des veränderten Prionproteins entspricht praktisch einer Infektion.

Die Infektiosität ist hoch, da das veränderte Prionprotein (und eventuelle Kofaktoren) sehr schwer zu zerstören ist und Natronlauge oder ionische Detergenzien bei 132°C für 30 min erfordert.

Kapitel 4

Infektionen des Auges

4.1 Infektionen der Augenlider

4.1.1 Blepharitis

Akute oder chronische Entzündung des Lidrandes, evtl. ulzerierend.

SYMPTOME

Rötung und Schwellung des Lides, Brennen oder Jucken des Lidrandes, z. T. mit Ulzeration und Destruktion der Wimpernfollikel.

Komplikationen
Bei chronisch rezidivierenden Ulzera Vernarbung der Lidränder, Verlust der Wimpern.

Erreger
Meist Staphylococcus aureus, seltener Moraxella (anguläre Blepharitis).

DIAGNOSE

Klinische Untersuchung.

Therapie
Lokal Augentropfen (Bacitracin, Erythromycin, Gentamicin) oder Tetracyclin-Augensalbe.

4.1.2 Hordeolum und Chalazion

Ein *Hordeolum* (Gerstenkorn) ist eine eitrige Entzündung der Wimpernfollikel. Beim *Chalazion* (Hagelkorn) handelt es sich um eine chronisch granulomatöse Entzündung der Meibom-Drüsen, tiefer lokalisiert als das Hordeolum.

SYMPTOME

Pustel am Lidrand mit lokalisiertem Schmerz, Rötung, Schwellung. Im Zentrum der Induration bildet sich ein gelber Punkt (Abszess).

Tabelle 4-2. Antimikrobielle Lokaltherapie am Auge

Wirkstoffe	Substanzen	Konzentration	Handelsnamen von Augentropfen, -salbe
Antibiotika	**Aminoglykoside:**		
	Gentamicin	0,3%	Gentamytrex, Gentamicin-POS, Refobacin, Gent-Ophthal
	Kanamycin	0,5%	Kanamytrex, Kanamycin-POS, Kan-Ophthal
	Tobramycin	0,3%	Tobramaxin
	Chinolone:		
	Ciprofloxacin	0,3%	Ciloxan
	Norfloxacin	0,3%	Chibroxin
	Ofloxacin	0,3%	Floxal
	Andere:		
	Bacitracin	300 E/g	Nebacetin, Polyspectran
	Chloramphenicol	0,4–1%	Aquamycetin, Berlicetin, Oleomycetin, Thilocanfol
	Erythromycin	0,5–1%	Eupragin, Ecolicin
	Fusidinsäure	1%	Fucithalmic
	Neomycin	0,5%	Nebacetin, Neotracin, Polyspectran, Kombi-Stuln
	Polymyxin B	0,1–0,2%	Polyspectran, Kombi-Stuln
	Sulfacetamid	10%	Albucid
	Tetracycline	0,5–1%	Aureomycin, Oxytetracyclin, Oxy-Biciron, Terramycin
Antimykotika	Natamycin	1%	Pima-Biciron
Virustatika	Aciclovir	3%	Zovirax, Zoliparin, Virupos
	Idoxuridin	1 mg/g	Ophthal-Augensalbe
	Trifluridin	10 mg/ml	TFT Thilo, Triflumann-Augen
	Vidarabin	3%	Vidarabin 3% Thilo

- *Andere virale Konjunktivitiden:* Bei Herpes-simplex-Virus (HSV) ist meist eine Korneabeteiligung vorhanden (sehr schmerzhaft). Hinweise sind gleichzeitig auftretende Herpesbläschen an Lidrändern und Mund. Bei generalisierten Virusinfektionen, wie Masern, Influenza, Varizellen, Röteln, infektiöser Mononukleose, Herpes zoster, kann eine Begleitkonjunktivitis auftreten.

DIAGNOSE

- Klinik.
- Anamnese.
- Augenärztliche Untersuchung.

Therapie

Adenovirusinfektionen heilen spontan außer bei Korneabeteiligung. Symptomatische Therapie mit Tränenersatzmitteln und Salben.

Bei Herpes-simplex-Virusinfektion: Aciclovir-Augensalbe, Trifluridin-Augentropfen, Idoxuridin-, Tromantadin-, Vidarabin-Augensalbe. Bei Zoster ophthalmicus: Aciclovir oral und als Augensalbe (s. Tabelle 4-2).

Chlamydia-trachomatis-Infektionen

Unterschiedliche Serotypen von Chlamydia trachomatis verusachen verschiedene Augen- und Genitalinfektionen.

Einschlusskörperchenkonjunktivitis bei Erwachsenen und Neugeborenen

Die Erkrankung wird hervorgerufen durch Chlamydia trachomatis, Serotypen D–K. Diese verursachen auch genitale Infektionen. Die Übertragung erfolgt durch Schmierinfektion oder während der Geburt.

SYMPTOME

Akute follikuläre Konjuktivitis mit Bindehautrötung, eitrigem Sekret. Beginn meist einseitig.

DIAGNOSE

Erregernachweis im Abstrich durch PCR.

Therapie

Erythromycin oder bei Erwachsenen Tetracycline oral für 2–3 Wochen und lokal als Augensalbe.

Trachom

Chlamydia trachomatis Serotypen A–C verursachen eine chronisch follikuläre Keratokonjunktivitis, die über Jahre zu Vernarbungen und Korneatrübung führt. Sie ist eine häufige Ursache für Erblindung in Ländern der Dritten Welt. Die Übertragung der Chlamydien erfolgt durch Schmierinfektion, z. B. über Handtücher, Waschlappen oder Fliegen.

SYMPTOME

Chronisch follikuläre Keratokonjunktivitis mit gerötetem Auge, eitrigem Sekret.

DIAGNOSE

- Klinisches Bild.
- Eventuell Erregernachweis im Abstrich (PCR).

Therapie
Tetracycline oder Erythromycin für 3–6 Wochen oral und lokal als Augensalbe.

Ophthalmia neonatorum

Konjunktivitis bei Neugeborenen in den ersten 10 Lebenstagen durch unter der Geburt erworbene Erreger wie Chlamydia trachomatis oder Neisseria gonorrhoeae (s. Kap. 17: „Kongenitale und perinatale Infektionen").

4.3 Keratitis

Eine Entzündung der Hornhaut kann durch Bakterien, Viren oder Pilze verursacht werden. Sie ist gekennzeichnet durch starke Schmerzen und Visusverminderung infolge der Hornhauttrübung. Ulzerierende Keratitiden können zu einer Perforation der Hornhaut führen mit der Gefahr einer Endophthalmitis.

Die Hornhautentzündung entsteht entweder fortgeleitet bei bakterieller Konjunktivitis, Dakryozystitis, nach Verletzungen, durch Fremdkörper oder durch kontaminierte Kontaktlinsen (insbesondere weiche Kontaktlinsen). Viral bedingte Keratitiden treten im Verlauf von kutanen Herpes-simplex-Virusinfektionen oder bei Herpes zoster auf. Wenn sich ein Ulcus cornae bildet, beginnt dies als trübe, umschriebene Infiltration der Hornhaut mit sekundärer Einschmelzung bis hin zum Ulkus.

SYMPTOME

Augenrötung meist einseitig, Fremdkörpergefühl, Schmerzen (!), Photophobie, Visusverschlechterung. Häufig keine gesteigerte Sekretion.

Komplikationen
Hornhautperforation, Iritis, Iridozyklitis, Endophthalmitis. Narbenbildung mit Visusverschlechterung.

Erreger
- Bakterien: Staphylococcus aureus, Streptococcus pneumoniae, β-hämolysierende Streptokokken, Moraxella, Pseudomonaden, seltener Enterobakterien.
- Pilze: Candida-, Aspergillus species (v. a. nach Antibiotika- und Corticosteroid-Augentropfen oder Trauma), selten Fusarium. Typisch sind indolente, graue, scharf abgegrenzte Läsionen mit kleinen Satellitenläsionen am Ulkusrand.

- Viren: Am häufigsten Herpes-simplex-Viren (HSV) bei primären oder rezidivierenden Infektionen. Primäre HSV-Infektionen heilen oft spontan ab, bei chronisch rezidivierenden HSV-Infektionen ist eine Sehverschlechterung infolge der Vaskularisierung und Vernarbung der Hornhaut zu befürchten. Seltener Herpes-zoster-Virus.

DIAGNOSE

- Augenärztliche Untersuchung erforderlich (Spaltlampe). Ulzera färben sich mit Fluoreszein grün an und sind gut sichtbar. Wichtiger Hinweis auf HSV: reduzierte Hornhautsensibilität. Bei Herpes zoster einseitige bläschenartige Läsionen.
- Erregernachweis im Abstrich (Bakterien, Pilze).

Therapie

- Bakterielle Infektinonen: Antibiotikahaltige Augentropfen/-salbe, z. B. Erythromycin, Aminoglykoside, Chinolone; bei tiefem Ulkus mit drohender Perforation parenterale Antibiotika, z. B. Cephalosporin plus Tobramycin i.v. oder Chinolon oral.
- Pilze: Lokal Natamycin; evtl. Fluconazol oral oder Amphotericin B i.v. (evtl. plus 5-Flucytosin)
- HSV: Lokal Aciclovir-Augentropfen,- salbe, Trifluridin-Augentropfen, Idoxuridin-Augensalbe. Behandlung bis 3 Tage nach vollständiger Abheilung.
- VZV: Aciclovir oral oder i.v.

!

Erkrankungen der Hornhaut sind in der Regel sehr schmerzhaft. Die ulzerierende Keratitis kann zur Perforation der Hornhaut führen und eine eitrige Entzündung des Augeninneren zur Folge haben. Bei allen Hornhautinfektionen ist der Facharzt zu konsultieren.

4.4 Dakryozystitis

Eine akute oder chronische Entzündung des Tränensacks tritt meist einseitig nach Verlegung des Tränenkanals auf. Sie ist häufiger bei Kindern oder bei Erwachsenen >40 Jahre.

SYMPTOME

Starker Tränenfluss, Rötung, Schwellung, Schmerz am inneren Lidrand.

Erreger

Staphylococcus aureus, β-hämolysierende Streptokokken, Streptococcus pneumoniae, bei chronischer Form auch Candida.

DIAGNOSE

- Klinischer Befund.
- Kultureller Erregernachweis im Augenabstrich.

Therapie

1. Warme Kompressen. Beseitigung der Abflussbehinderung. Spülung des Tränengangs.
2. Bei akuten Fällen systemisch Antibiotika: Flucloxacillin, Cefazolin. Eventuell Inzision, Drainage.

4.5 Uveitis, Iridozyklitis, Chorioretinitis

Bei der Entzündung der Aderhaut wird eine *Uveitis anterior* in Form einer Iritis oder Iridozyklitis (bei Einbeziehung des Ziliarkörpers) und eine *Uveitis posterior* unterschieden. Bei der *Uveitis posterior* betrifft die Entzündung die Chorioidea (Chorioiditis), in die wegen ihrer engen Verbindung die Netzhaut meist einbezogen ist (Chorioretinitis; Abb. 4-1).

4.5.1 Uveitis anterior/Iridozyklitis

SYMPTOME

Rotes Auge, Schmerzen, verengte Pupillen, Lichtscheu, verstärkter Tränenfluss.

Erreger

Herpes-simplex-Virus 1, Zytomegalievirus, Herpes-zoster-Virus.

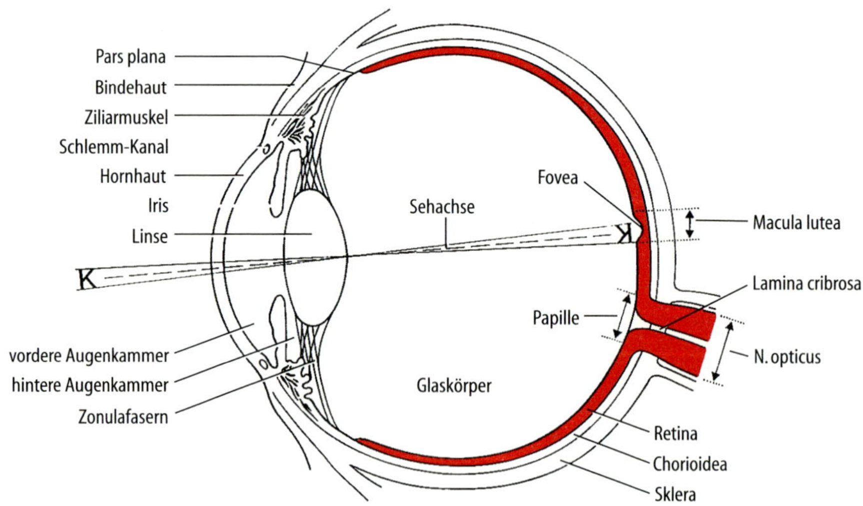

Abb. 4-1. Das Auge. Schematischer Schnitt durch den Augapfel. (Nach Grehn, Augenheilkunde, 1998, S. 6)

DIAGNOSE

Es ist unbedingt eine augenärztliche Untersuchung und Behandlung erforderlich.

Therapie
Bei HSV, VZV Aciclovir. Bei CMV Ganciclovir, Foscarnet.

4.5.2 Uveitis posterior/Chorioretinitis

Eine Chorioiditis oder Chorioretinitis tritt im Rahmen systemischer Infektionen auf, z. B. bei Pilzsepsis, Toxoplasmose, bei CMV-Infektionen von Aids-Patienten oder Organtransplantierten, bei Tuberkulose, Kryptokokkose, Histoplasmose.

SYMPTOME

Visusverschlechterung, Sehstörungen, Gesichtsfeldausfälle. Meist keine Schmerzen.

Erreger
1. Candida albicans bei Candidasepsis (30%).
2. Toxoplasma gondii (25%). Entweder als Spätmanifestation einer konnatalen Infektion, die sich erst im weiteren Verlauf bis zum 40. Lebensjahr ein- oder beidseitig manifestieren kann; oder bei Reaktivierung unter Immunsuppression, Aids (s. Kap. 22.19: „Toxoplasmose").
3. Zytomegalieviren (CMV): bei Aids und nach Organtransplantation.
4. Cryptococcus neoformans : gewöhnlich im Rahmen einer Kryptokokkenmeningitis.
5. Mycobacterium tuberculosis meist im Rahmen einer Miliartuberkulose.
6. Larven von Toxocara canis (Hundespulwurm).
7. Differentialdiagnostisch bei rheumatoider Arthritis, Sarkoidose, Reiter-Syndrom, M. Behçet.

DIAGNOSE

- Ophthalmologische Untersuchung des Augenhintergrundes (Läsionen der Retina).
- Serologischer Antikörpernachweis.
- Bei Verdacht auf hämatogene Streuung: Erregernachweis in Blutkulturen.

Therapie
Entsprechend der Grunderkrankung.

4.6 Endophthalmitis

Eine eitrige Entzündung des Augeninneren einschließlich des Glaskörpers und der Sklera kann postoperativ, z. B. nach Linsenimplantation oder Glaukomoperation, nach perforierendem Trauma oder Hornhautulkus entstehen oder endogen metastasierend im Rahmen einer Bakteriämie auftreten. Bei weniger pathogenen Keimen manifestiert sich die Endophthalmitis oft erst nach Wochen oder Monaten. Die Infektion kann dramatisch verlaufen und zur Erblindung führen.

SYMPTOME

Heftiger Augenschmerz, Gefäßinjektion, Lichtscheu, Chemosis, Lidschwellung, massive Visusverschlechterung.

Erreger

Staphylococcus aureus, Streptokokken, Pneumokokken, gramnegative Keime, Anaerobier; bei Immunsuppression auch Candida.

DIAGNOSE

Mikroskopische und kulturelle Untersuchung von Kammerwasser- oder Glaskörperaspirat.

Therapie

Antibiotika: Neben der lokalen Anwendung ist immer eine systemische Antibiotikagabe in hohen Dosen erforderlich, da im Kammerwasser nur 10–20% des Serumspiegels erreicht werden, z. B. Cephalosporine der 3. Generation (Cefotaxim, Ceftriaxon, Ceftazidim) plus Rifampicin, bei Verdacht auf Anaerobier plus Metronidazol. Alternativ: Carbapeneme (Imipenem/Cilastatin, Meropenem).

Bei Pilzen: Amphotericin B oder Fluconazol.

! **Eine Endophthalmitis kann zur Erblindung führen. Zur Behandlung ist eine systemische, hochdosierte Antibiotikatherapie erforderlich.**

4.7 Orbitalphlegmone

Die Entzündung der (peri)orbitalen Weichteile erfolgt bei 70–80% fortgeleitet durch übergreifende Infektionen der Nasennebenhöhlen, insbesondere einer Sinusitis frontalis oder ethmoidalis. Seltener entsteht eine Entzündung des Orbitalgewebes nach perforierenden Augenverletzungen, Operationen am Auge, Otitis media, Zahninfektionen oder metastasierend bei Sepsis.

SYMPTOME

Zunächst entzündliches Ödem (geschwollene Augenlider meist in Zusammenhang mit Sinusitis), Schmerzen im Orbitalbereich, Fieber, Kopfschmerzen, schmerzhaft eingeschränkte Beweglichkeit des Bulbus, Exophthalmus.
Bei kavernöser Sinusthrombose zusätzlich Visusverschlechterung, Nackensteife, Bewusstseinstrübung.

Komplikationen
Visusverlust durch Neuritis des N. opticus, Thrombophlebitis der ableitenden Venen mit Thrombose des Sinus cavernosus, Panophthalmie, Meningitis.

Erreger
Bei Sinusitis: Streptococcus pneumoniae, Haemophilus influenzae, β-hämolysierende Streptokokken, Staphylococcus aureus, Anaerobier. Postoperativ: meist Staphylococcus aureus.

DIAGNOSE

- Erregernachweis in Augenabstrichen.
- Blutkulturen.
- Untersuchung der Nasennebenhöhlen (Röntgen, CT, Endoskopie).
- Eventuell Liquorpunktion.

Therapie

1. Sofortige hochsodierte Antibiotikatherapie, z. B. mit Cephalosporin der 3. Generation (Cefotaxim, Ceftriaxon) plus Flucloxacillin oder Fosfomycin. Alternativ: Carbapeneme (Imipenem/Cilastatin, Meropenem). Bei β-Laktamallergie: Chloramphenicol plus Vancomycin. Bei kavernöser Sinusthrombose: Dosierung wie bei Meningitis.
2. Bei lokaler Abszedierung Inzision und Drainage.

! **Die Entzündung des Orbitalgewebes ist eine sehr ernsthafte Kompliation, die zur Erblindung, zu Sinus-cavernosus-Thrombose oder Meningitis führen kann. Es muss sofort mit einer systemischen Antibiotikatherapie begonnen werden.**

KAPITEL 5

Hals-, Nasen-, Ohreninfektionen/ Infektionen der oberen Atemwege

5.1 Infektionen des Ohres

5.1.1 Otitis externa

Die Entzündung des äußeren Gehörgangs kann lokal begrenzt (Otitis externa circumscripta, Gehörgangsfurunkel) oder diffus sein. Begünstigend wirken ständige Feuchtigkeit (Schwimmbadotitis) mit Mazeration der Haut, aber auch rezidivierende allergische Ekzeme, Psoriasis, Irritationen durch Fremdkörper (Wattestäbchen) oder Trauma.

SYMPTOME

Das Ohr juckt und wird zunehmend schmerzhaft, der Gehörgang schwillt zu. Eventuell entleert sich übelriechendes Sekret.

Erreger

Staphylococcus aureus, β-hämolysierende Streptokokken, gramnegative Bakterien (Pseudomonas aeruginosa, Enterobakterien), seltener Candida oder Aspergillus, Herpes-simplex-, Varizella-zoster-Viren.

DIAGNOSE

- Otoskopische Untersuchung mit Nachweis von Erythem, Exsudat und Ödem im äußeren Gehörgang.
- Kultureller Erregernachweis (Bakterien, Pilze) im Abstrich (ist nur notwendig bei therapieresistenten oder chronischen Fällen).

Therapie

Reinigung und Spülung des Gehörgangs (Borsäurelösung). Lokale Behandlung mit Antibiotikaohrentropfen, z. B. Polymyxin B, Neomycin, Ofloxacin. Bei Staphylococcus aureus evtl. oral Flucloxacillin. Bei phlegmonösen Formen oder ausgeprägter Lymphadenitis systemische Gabe von Antibiotika (Cefazolin, Flucloxacillin). Bei Abszessen Inzision.

Otitis externa maligna

Bei älteren Diabetikern oder Patienten mit anderen Grunderkrankungen kann sich aus der oberflächlichen Entzündung des äußeren Gehörgangs eine nekrotisierende Form entwickeln, die tieferes Gewebe, Knorpel und Knochen erfassen kann. Unbehandelt beseht die Gefahr von Faszialisparese oder Osteomyelitis, seltener Meningitis.

Erreger
Verursacher ist fast immer Pseudomonas aeruginosa.

Therapie
Lokal und systemisch pseudomonaswirksame Antibiotika, z. B. Ciprofloxacin oder Piperacillin bzw. Ceftazidim bzw. Cefepim für 4–6 Wochen, evtl. plus Tobramycin. Anschließend Weiterbehandlung mit einem oralen Chinolon für Monate. Eventuell operative Beseitigung des Entzündungsherdes.

5.1.2 Otitis media

Die akute Mittelohrentzündung ist die häufigste bakterielle Infektion im Kindesalter, insbesondere in den ersten 3 Lebensjahren. Die bakteriellen Erreger gelangen meist aszendierend vom Nasopharynx über die Tuba Eustachii ins Mittelohr. Eine Besiedelung des Nasopharynx mit pathogenen Bakterien ist die Voraussetzung für die Entstehung. Meist tritt eine bakterielle Otitis media im Anschluss an vorausgegangene Virusinfektionen auf. In 30–40% können noch Viren nachgewiesen werden, am häufigsten „respiratory syncytial virus“, Rhinoviren, Influenza- und Adenoviren. Prädisponierend sind Flüssigkeitsansammlungen im Mittelohr durch Schleimhautschwellung, Adenoide, virale Infektionen der oberen Atemwege.

SYMPTOME

Ohrschmerzen, schlechtes Hören durch Schallleitungsstörung. Rötung, evtl. Vorwölbung des Trommelfells, bei Perforation Ohrfluss. Bei Säuglingen und Kleinkindern häufig Fieber, gestörtes Allgemeinbefinden. Sie fassen sich oft an das betroffene Ohr.
Bei der chronischen Otitis media können die akuten Symptome fehlen, evtl. nur Sekretfluss.

Komplikationen
Perforation des Trommelfells, Mastoiditis, Fazialisparese. Bei Fortleitung der Infektion: Meningitis, Hirnabszess.

Erreger
Akute Otitis media: zunächst Viren (RSV, Rhino-, Influenza-, Adenoviren), dann Streptococcus pneumoniae (30%), Haemophilus influenzae (30%), Moraxella ca-

tarrhalis (10%) β-hämolysierende Streptokokken (8%), Staphylococcus aureus (2%); selten Anaerobier, Enterobakterien, Mykoplasmen oder bei Säuglingen Chlamyda trachomatis.

Chronische Otitis media: Nach mehreren Therapieversuchen wechselt das Erregerspektrum. Es dominieren gramnegative Bakterien (Pseudomonaden, Enterobakterien), Anaerobier, Staphylococcus aureus, Pilze.

DIAGNOSE

- Klinik.
- Otoskopische Untersuchung: Trommelfellbefund, Erguss in der Paukenhöhle, verminderte Beweglichkeit des Trommelfells. Tympanometrie. Gehörprüfung.
- Kultureller Erregernachweis in Mittelohrsekret.
- Röntgenuntersuchung (bei Verdacht auf Komplikationen).

Therapie

- *Akute Otitis media:* 60–80% der akuten Fälle heilen auch ohne Antibiotika spontan aus. Deshalb wird die Antibiotikatherapie kontrovers diskutiert. Eventuell symptomatische Therapie mit abschwellenden Nasentropfen, Wärmebehandlung des Ohrs, Paracetamol. Um Komplikationen zu vermeiden, wird jedoch eine Antibiotikabehandlung empfohlen, z. B. mit Aminopenicillin, evtl. in Kombination mit β-Laktamase-Inhibitor (Amoxicillin/Clavulansäure; Ampicillin/Sulbactam) oder Makrolid (Erythromycin, Clarithromycin, Roxithromycin) für 7 Tage oder Azithromycin für 3 Tage.
  Schwere eitrige Formen können auch parenteral behandelt werden, z. B. mit Cephalosporin der 2. Generation (Cefuroxim, Cefotiam). Tritt innerhalb 1 Woche keine eindeutige Besserung auf oder verschlechtern sich die Beschwerden, muss ein HNO-Arzt konsultiert werden.
- *Chronische Otitis media:* Antibiotikatherapie möglichst nach Erregernachweis; eine chirurgische Sanierung ist anzustreben. Die Behandlung durch den HNO-Arzt ist erforderlich.

! **Die akute Otitis media ist eine ernstzunehmende Erkrankung, die zu Komplikationen wie Mastoiditis, Meningitis oder Hirnabszessen führen kann. Ist eine akute Otitis media innerhalb von 2–3 Wochen nicht abgeheilt, besteht der Verdacht auf eine Mastoiditis.**

5.1.3 Mastoiditis

Eine bakterielle Infektion des Mastoids tritt als Komplikation bei Otitis media auf und hat die eitrige Einschmelzung der knöchernen Anteile des Mastoids zur Folge. Die Entstehung wird begünstigt durch behinderten Sekretabfluss, Immunsuppression, unzureichende Therapie der Otitis media. Die Erkrankung ist heute wegen der effektiven Therapie der Otitis media selten.

SYMPTOME

Fortbestehende Symptome einer Otitis media oder im Anschluss an Otitis media erneute Ohrschmerzen, Fieber, später Schwellung, Rötung, Druckschmerz über Mastoid, Hörverlust, evtl. eitriger Ausfluss nach Perforation des Trommelfells.

Erreger

Streptococcus pneumoniae, Haemophilus influenzae, β-hämolysierende Streptokokken, Staphylococcus aureus, Moraxella catharrhalis; häufig als Mischinfektionen mit Anaerobiern.

DIAGNOSE

- Otoskopische Untersuchung.
- Erregernachweis im eitrigen Sekret (bei nichtperforiertem Trommelfell evtl. Punktion).
- Bildgebende Verfahren: Röntgen (Zielaufnahme), CT.

Therapie

1. Antibiotika, z. B. Aminopenicillin plus β-Laktamase-Inhibitor (Amoxicillin/Clavulansäure; Ampicillin/Sulbactam), Cephalosporin der 2. oder 3. Generation (Cefuroxim, Cefotaxim, Ceftriaxon) oder Cefotaxim plus Clindamycin zur Verhinderung kranialer Komplikationen, wie Hirnabszess, Sinusthrombose, epi- oder subdurales Empyem.
2. Eine Operation zur Herdsanierung ist meist unerlässlich.

! **Hinweis auf Mastoiditis: 2–3 Wochen nach Otitis media erneute Ohrschmerzen, Fieber, Hörverschlechterung. Eine Behandlung durch den HNO-Arzt ist erforderlich.**

5.2 Infektionen der Mundhöhle

5.2.1 Stomatitis aphthosa

Eine Entzündung der Mundschleimhaut mit Bläschenbildung kann durch viele Ursachen ausgelöst werden: als Autoimmunreaktion, durch Avitaminosen, Allergien, im Rahmen generalisierter Hauterkrankungen (Lupus erythematodes, Lichen ruber planus u. a.) oder durch Viren (z. B. Coxsackie-Viren).

SYMPTOME

Schmerzhafte Bläschen und Erosionen, die innerhalb von 10 Tagen abheilen. Häufig rezidivierend. Bei Säuglingen Nahrungsverweigerung.

DIAGNOSE

Typische Klinik.

Therapie

Linderung der Beschwerden durch Oberflächenanästhetikum. Vor dem Essen angewendet, bereitet das Schlucken weniger Schmerzen.

5.2.2 Akut nekrotisierende ulzerierende Gingivitis

Eine Entzündung des Zahnfleischs und der Mundschleimhaut mit ausgedehnteren nekrotischen Bezirken tritt bei Patienten mit Abwehrschwäche auf (Aids, Leukämie, Organtransplantation).

SYMPTOME

Schmerzhafte Ulzera, die sich auf Gingiva und Mundschleimhaut ausbreiten.

Erreger

Anaerobier (Fusobakterien, Borrelien, Prevotella), selten Staphylococcus aureus.

DIAGNOSE

Typische Klinik.

Therapie

Penicillin oder Clindamycin oral.

5.2.3 Oraler Herpes (Gingivostomatitis herpetica)

Eine primäre, akute Infektion durch Herpes-simplex-Viren (im Mundraum meistens HSV-1) tritt vorwiegend bei Kindern oder Jugendlichen auf. Die Herpesviren, die asymptomatisch in den regionalen Ganglien persistieren, können von Zeit zu Zeit reaktiviert werden und als Herpes labialis wiederkehren, ausgelöst z. B. durch Stressfaktoren wie Sonnenbrand, Nahrungsmittelallergie, fieberhafte Erkrankungen. Bei Kleinkindern verläuft die Primärinfektion oft unerkannt.

SYMPTOME

- *Primäre akute Stomatitis herpetica:* Im gesamten Mundraum schmerzhafte Bläschen und flache Ulzera. Eventuell Fieber, Lymphknotenschwellung. Abheilung meist innerhalb von 5–7 Tagen.
- *Rezidivierender Herpes labialis:* Meist am Lippenrand, zunächst Brennen, Jucken, Spannung im Lippenbereich, dann Bildung von Bläschen, die verkrusten. Abheilung innerhalb von 10 Tagen.

DIAGNOSE

- Klinik.
- Ein Erregernachweis aus Bläscheninhalt ist möglich.

Therapie

Lokalanästhetikum (vor dem Essen zur Linderung der Beschwerden), Bepanthen-Salbe. In schweren Fällen von oralem Herpes: Aciclovir oral. Herpes labilalis: lokal Aciclovir-Salbe (Wirkung umstritten).

Siehe auch Kap. 13.1: „Mukokutane Herpesvirusinfektionen" in Kap. 13: „Haut-, Wund- und Weichteilinfektionen").

5.2.4 Mundsoor

Oraler Soor tritt bei Erwachsenen häufig als Begleiterscheinung bei Immundefizienz auf (Aids, Immunsuppression, Kortisontherapie), ferner nach Bestrahlung oder Langzeitantibiotikatherapie, oder ist Ausdruck miserabler Mundhygiene. Bei Säuglingen ist Mundsoor häufig bei Therapie mit inhalativen Kortikoiden. Eine Mundspülung nach Inhalation vermindert das Risiko.

SYMPTOME

Weiße käsige Beläge auf dem hinteren Oropharynx, der Zunge, auf Gaumen- und Wangenschleimhaut, bei Befall des Oesophagus Schluckschmerzen. Bei Säuglingen Nahrungsverweigerung.

Erreger

Meist Candida albicans, gelegentlich auch andere Candida-Arten.

DIAGNOSE

- Klinik.
- Mikroskopischer oder kultureller Pilznachweis.

Therapie

Lokal Nystatin, Miconazol oder Amphotericin B als Suspension, Mundgel oder Lutschtabletten.Bei Immunsuppression Fluconacol oder Itraconazol oral. Bei Aids und rezidivierendem Verlauf Dauerprophylaxe mit 50–400 mg Fluconazol p.o. pro Tag.

5.2.5 Parotitis

Eine bakterielle Infektion der Speicheldrüsen und der Parotis erfolgt aszendierend, z. B. bei Sekretstau durch Speichelsteine oder nach einer Operation. Dabei entleert sich auf Druck Eiter aus dem Parotisausführungsgang. Sie ist zu unterscheiden von der Mumpsparotitis (s. Kap. 18.4: „Mumps“ in Kap. 18: „Kinderkrankheiten“), bei der die Parotis derb-geschwollen ist, meist beidseitig.

SYMPTOME

Eitrige Parotitis: schmerzhafte Schwellung über der Parotis, evtl. Fieber. Eiterentleerung aus dem Ausführungsgang.

Erreger
Meist Staphylococcus aureus, β-hämolysierende Streptokokken.

DIAGNOSE

- Klinik.
- Bakteriologische Untersuchung des Eiters.

Therapie
Cefalexin oder Makrolid oral. Eventuell chirurgische Drainage.

5.3 „Erkältung"/„grippaler Infekt"

Fast jeder macht ein oder mehrmals im Jahr eine „Erkältung“ mit Pharyngitis und seröser Rhinitis durch, besonders während der kalten Jahreszeit. Erreger sind 200 verschiedene Viren, die durch Nasopharyngealsekret übertragen werden, überwiegend durch Schmierinfektion mit den Händen, seltener durch Tröpfcheninfektion.

Die Viren vermehren sich im Epithel des oberen Respirationstraktes. Die Symptome sind Ausdruck der Interferon-, Interleukin- und Zytokinsynthese im Rahmen der Virusabwehr. Die Beschwerden klingen spontan innerhalb weniger Tage ab.

SYMPTOME

Schnupfen mit wässrig-schleimigem Nasensekret, behinderte Nasenatmung, Niesen, Halskratzen, Husten, evtl. Schluckbeschwerden, leichtes Krankheitsgefühl mit Gliederschmerzen, Fieber meist unter 38°C, bei Kindern bis 39°C.

Komplikationen
Sinusitis, Otitis media, Bronchitis durch bakterielle Superinfektionen.

Erreger
Rhinoviren (20–50%, etwa 100 Typen), Coronaviren (10–20%), je ca. 5% Parainfluenza-, Respiratory-syncytial-, Influenza-, Adenoviren (47 Typen).

DIAGNOSE

- Die Diagnose ergibt sich aus dem klinischen Bild. Die körperliche Untersuchung dient zum Ausschluss bakterieller Komplikationen.
- Im Normalfall ist es überflüssig, den Erreger zu isolieren, da sich daraus keine Konsequenzen ergeben.

Therapie
Keine spezifische Therapie. Symptomatische Therapie mit abschwellenden Nasentropfen (z. B. Xylometazolin), Inhalation von Wasserdampf oder Kamillendampf, Rotlichtanwendungen, bei hohem Fieber und schwerem Krankheitsgefühl Paracetamol oder Acetylsalicylsäure.

! **Wichtig ist die Unterscheidung von banalem Infekt und bakteriellen Sekundärinfektionen (Sinusitis, Bronchitis, Pneumonie), die eine Antibiotikabehandlung notwendig machen. Wichtiger Hinweis auf eine bakterielle Beteiligung: hohes Fieber, eitriges Nasensekret oder Sputum, eitriger Belag auf den Tonsillen.**

5.4 Sinusitis

Eine eitrige Entzündung der Nasennebenhöhlen entsteht, wenn sich durch Abflussbehinderungen Sekret in den Nasennebenhöhlen anstaut, in das pathogene Bakterien aus dem Nasen-Rachen-Raum einwandern. Es können eine oder mehrere Nasennebenhöhlen betroffen sein (Sinusitis maxillaris: Kieferhöhlenentzündung; Sinusitits frontalis: Stirnhöhlenentzündung; Sinusitis ethmoidalis: Siebbeinhöhlenentzündung; Sinusitis sphenoidalis: Keilbeinhöhlenentzündung; Abb. 5-1).

Häufig treten akute bakterielle Nasennebenhöhlenentzündungen im Anschluss an virale Infektionen auf. Prädisponierend sind Abflussbehinderungen wie Polypen, Septumdeviation, Verlegung der Kieferhöhlen- bzw. der Stirnhöhlenostien, z. B. durch nasalen Tubus bei Langzeitintubation.

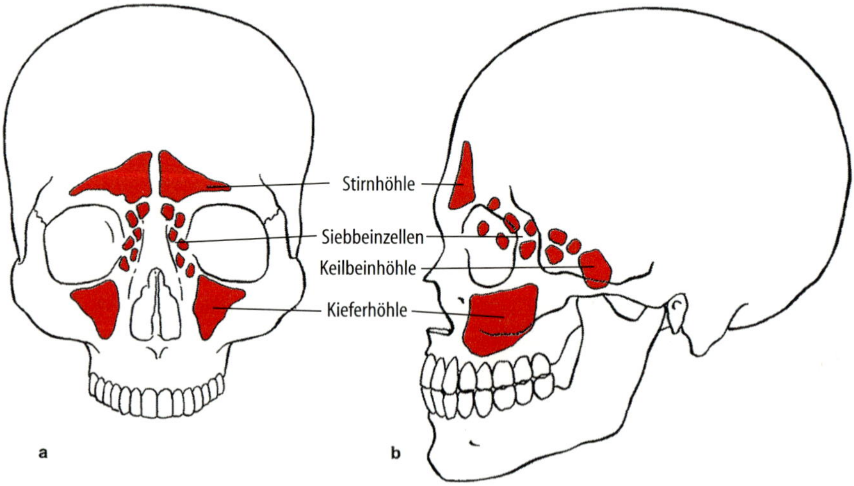

Abb. 5-1. Topographie der Nasennebenhöhlen. (Nach Boenninghaus, Hals-, Nasen- Ohrenheilkunde, 1996, S. 169)

SYMPTOME

Gelb-eitriges Nasensekret, verstopfte Nase, Kopfschmerzen, Druckschmerz über den Augen, bzw. Stirn- und Kieferhöhle, Krankheitsgefühl, mäßiggradiges Fieber.

Erreger

Pneumokokken, Haemophilus influenzae (zusammen 80–90%), seltener Moraxella catarrhalis, Staphylococcus aureus, β-hämolysierende Streptokokken der Gruppe A. Bei chronischen Verläufen zusätzlich Anaerobier (Peptokokken, Fusobakterien, Bacteroides), Mykoplasmen oder auch Pilze wie Candida und Schimmelpilze.

DIAGNOSE

- Klinik (Schmerzen, behinderte Nasenatmung, Sekretfluss nach außen oder in den Rachen).
- Erregernachweis: Bei rezidivierenden, therapieresistenten und chronischen Verläufen. Als Untersuchungsmaterial eitriges Nasensekret (am einfachsten frisch in Tempotaschentuch geschnäuzt, mit Abstrichtupfer in Transportmedium transferiert) oder Nasenhöhlenaspirat entnehmen. Bei operativen Eingriffen Abstriche und Punktionsmaterial.
- Bildgebende Verfahren: Endoskopie, Diaphanoskopie, Ultraschall, Röntgen, CT (Abb. 5-2).

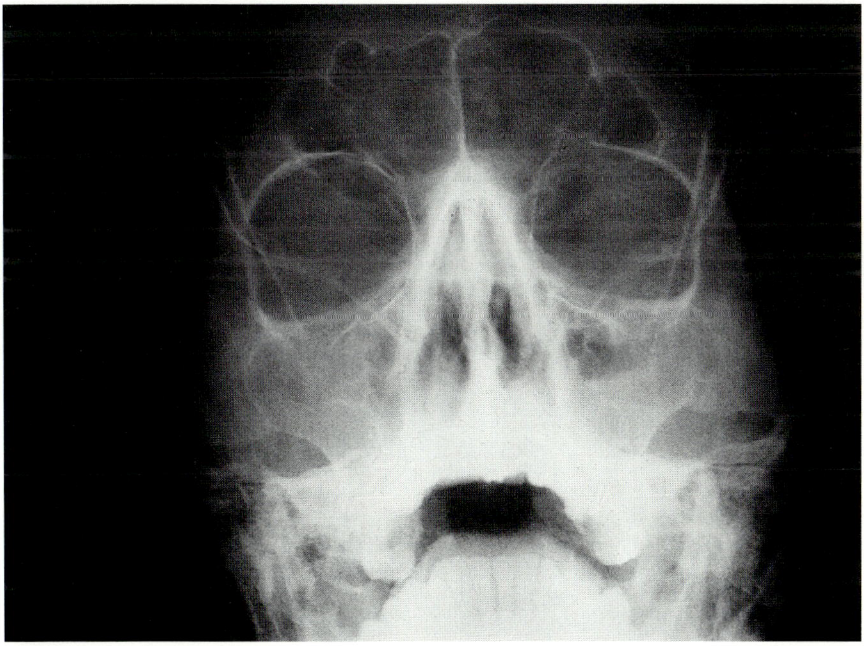

Abb. 5-2. Sinusitis maxillaris beidseits mit rechts komplett verschatteter Kieferhöhle und deutlicher Spiegelbildung links. (Von K. Rauber, Abt. Radiologie, Krankenhaus Wetzlar)

Komplikationen
Oberkieferosteomyelitis, Sepsis, Orbitalphlegmone, Meningitis (Abb. 5-3).

Therapie
Symptomatisch: Wichtig ist es, für Sekretabfluss zu sorgen, daher Sekretverflüssigung (oral Acetylcystein, Ambroxol), abschwellende Nasentropfen. Wärmeanwendung (Inhalation von Wasserdampf oder Kamillendampf; Rotlichtanwendung) wird als angenehm empfunden und fördert die Durchblutung. In schweren Fällen Antibiotika, z. B. Aminopenicillin, evtl. plus β-Laktamase-Inhibitor (Amoxicillin/Clavulansäure; Ampicillin/Sulbactam).

Alternativen: Makrolid oder Cephalosporin (z. B. Cefuroxim-Axetil, Loracarbef, Cefpodoxim-Proxetil u. a.).

Bei Pneumokokken: Penicillin. Therapiedauer ca. 5 Tage. Bei akuter Sinusitis frontalis, ethmoidalis, sphenoidalis: parenterale Antibiotika, z. B. Cefuroxim, Cefotaxim, Ceftriaxon.

Bei rezidivierenden Verläufen: Behandlung durch den HNO-Arzt. Eventuell operative Sanierung mit Beseitigung von Abflusshindernissen im infektionsfreien Intervall oder unter Antibiotikaschutz.

! **Vorsicht: Eine eitrige Sinusitis kann lebensbedrohliche Komplikationen wie Sepsis, Orbitalphlegmone, Meningitits, ein subdurales Empyem oder Hirnabszesse zur Folge haben. Verschlechtert sich das Krankheitsbild dramatisch, ist ein Spezialist zu konsultieren. Ein wichtiger Risikofaktor für nosokomiale Sinusitis bei Beatmungspatienten ist die nasale Langzeitintubation.**

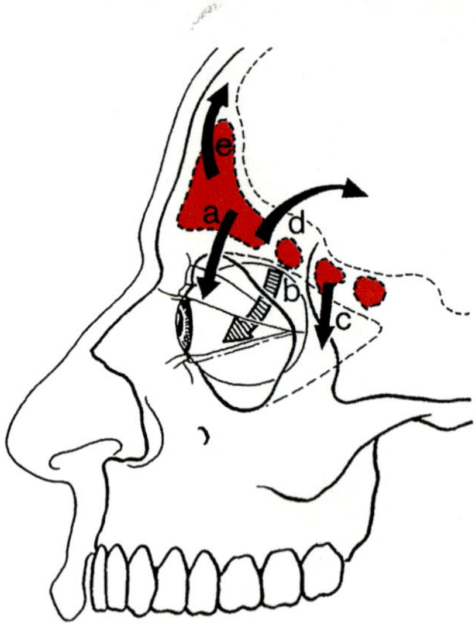

Abb. 5-3. Komplikation bei Stirnhöhlen- und Siebbeinhöhlensinusitis. *a* Durchbruch am Boden der Stirnhöhle; *b* Durchbruch im Nasen-Augen-Winkel (Siebbein); *c* Durchbruch in die hintere Orbita (Siebbein); *d* Durchbruch zum Schädelinneren; *e* Stirnbeinosteomyelitis. (Nach Boenninghaus, Hals-, Nasen-, Ohrenheilkunde, 1996, S. 223).

5.5 Pharyngitis, Tonsillitis

Die Entzündung des Pharynx mit Schwellung der Tonsillen kann durch Bakterien, Viren oder Pilze verursacht werden. Die Einengung durch Schwellung führt zu Hals- und Schluckmerzen (Angina = Enge), begleitet von Krankheitsgefühl und Fieber. Bei Inspektion geben die Symptome Hinweise auf die Erreger (Tabelle 5-1).

5.5.1 Virale Pharyngitis

Eine virale Pharyngitis tritt im Rahmen einer „Erkältung" der oberen Atemwege auf (s. oben: Kap. 5.3: „Erkältung"/"grippaler Infekt").

SYMPTOME

Diffuse Rötung des Pharynx, Ödem, prominente Lymphfollikel.

Erreger

Bei Erkältung: überwiegend Rhinoviren, Coronaviren, seltener Parainfluenza-, Respiratory-syncytial-, Influenza-, Adenoviren.

Tabelle 5-1. Symptomatik der Pharyngotonsillitiden

Erreger/Diagnose	Symptome					
	Rötung	Auflagerung	Ulzera	Fieber	Blutbild	Lymphadenopathie
Rhino-/ Coronaviren	++	Keine Auflagerungen, diffuse Rötung	0	0	Normal	0
Adenoviren	++	Exsudat	0	+	Normal	0
EBV	++	Grauer abwischbarer Belag	++	++	Monozytose	+++
Herpes-simplex-Viren	++	Bläschen, Ulzera	++	0	Normal	+
Coxsackie-Viren	++	Bläschen	0	+++	Normal	0
Streptokokkenangina	+++	Dickes eitriges Exsudat	+	+++	Leukozytose	+++
Plaut-Vincenti-Angina	++	Grauer Belag	++	0	0	+
Diphtherie	++	Pseudomembranöse Beläge		++	Leukozytose	+++
Soor	++	Weißer Belag		0	0	0

Einige spezielle Krankheitsbilder können durch andere Viren verursacht werden.

- *Pharyngokonjunktivales Fieber:* Schwere Pharyngitis mit Lymphknotenschwellung und Konjunktivitis, tritt endemisch bei Kindern auf. Erreger sind Adenoviren Typ 3, 4.
- *Herpangina:* Pharyngitis mit Bläschenbildung, hohem Fieber, Myalgien, Kopfschmerzen, Pharynxenanthem. Betroffen sind vorwiegend Kinder oder Jugendliche. Die Erreger sind Coxsackie-Viren der Gruppe A.
- *Dreitagefieber (Exanthema subitum):* Diskrete Pharyngitis mit Exanthem am Ende einer 3-tägigen Fieberphase oder mononukleoseähnliches Krankheitsbild ohne Exanthem, wird hervorgerufen durch humanes Herpesvirus 6.
- *CMV-Infektion:* Pharyngitis mit Fieber und Lymphozytose, kann bei Primärinfektion durch Zytomegalieviren ausgelöst werden.

Die Übertragung der jeweiligen Erreger erfolgt durch Tröpfchen- oder Schmierinfektion.

DIAGNOSE

Klinik. Ein Erregernachweis ist nicht erforderlich.

Therapie

Symptomatisch.

5.5.2 Herpes-simplex-Virus-Primärinfektion

Bei Primärinfektion mit Herpes-simplex-Viren (meist HSV-1) kann bei Kindern oder Jugendlichen eine Pharyngitis mit Bläschenbildung auftreten.

SYMPTOME

Bläschen und flache Ulzera mit gerötetem Randsaum im Rachen- und Gaumenbereich, z. T. mit druckschmerzhaft geschwollenen Halslymphknoten.

DIAGNOSE

- Klinik.
- Ein Erregernachweis in Bläscheninhalt ist möglich.

Therapie

Aciclovir, symptomatisch schmerzstillende Lokaltherapie (s. Kap. 13.1: „Mukokutane Herpesvirusinfektionen“ in Kap. 13: „Haut-, Wund- und Weichteilinfektionen“).

5.5.3 Infektiöse Mononukleose (Pfeiffersches Drüsenfieber)

Die Allgemeininfektion mit Angina, Lymphknotenschwellung und manchmal Hepatosplenomegalie tritt meist im Alter von 15–25 Jahren auf. Das verursachende Epstein-Barr-Virus wird hauptsächlich durch Speichel übertragen („kissing disease").

Das Virus vermehrt sich in den Epithelzellen der Mundhöhle und wird durch B-Lymphozyten in andere Organe transportiert. Es persistiert lebenslang in den Epithelien der Ohrspeicheldrüse und der Mundhöhle. Im Blutbild findet man atypische Lymphoidzellen (mononukleäre Zellen), die der Krankheit den Namen gaben. Bei 50% verläuft die Infektion inapparent. Die Durchseuchung beträgt bis zum 30. Lebensjahr nahezu 100%. Inkubationszeit 10–14 Tage (bei Erwachsenen bis zu 8 Wochen).

SYMPTOME

Halsschmerzen, Schluckschmerzen, weiße Beläge auf den Tonsillen. Lymphadenopathie, Kopfschmerzen, starke Müdigkeit, Abgeschlagenheit, hohes Fieber, mononukleäre Leukozytose. Oft Splenomegalie. Manchmal Exanthem, Bauchschmerzen, Hepatitis, Transaminasenanstieg, Ikterus. Selten gibt es chronisch rezidivierende Verläufe über Monate.

Komplikationen

Hepatitis, Menigitis, Polyneuritis, Myo-, Perikarditis, Pneumonie.

Erreger

Epstein-Barr-Virus (EBV).

DIAGNOSE

- Nachweis spezifischer Antikörper. Beachte: Der Mononukleoseschnelltest wird evtl. erst nach 10–14 Tagen positiv. Im Frühstadium ist es besser, spezifische IgM-, IgG-Antikörper nachzuweisen. Am frühesten treten Virus-Kapsid-IgM- (VCA-IgM-), Virus-Kapsid-IgG-(VCA-IgG-) und „Early-antigen-" (EA-IgG-)Antikörper auf. EBNA1-Antikörper („Epstein-Barr-nuklear-antigen") treten erst Wochen nach der Primärinfektion bei Viruspersistenz auf. Ihr Nachweis schließt eine frische Infektion aus (Abb. 5-4).
- Blutbild: atypische Monozytose.

Therapie

Symptomatisch. Bei chronischer Infektion oder Aids: Aciclovir plus Interferon.

! **Bei infektiöser Mononukleose keine Therapie mit Antibiotika! Auf Aminopenicilline reagieren fast 100% der Patienten mit einem Exanthem.**

5.5.4 Streptokokkenangina (Angina tonsillaris)

Eine eitrige Angina mit schwerem Krankheitsgefühl und hohem Fieber, wird durch β-hämolysierende Streptokokken der Gruppe A hervorgerufen. Die Erreger werden durch Tröpfcheninfektion übertragen. Inkubationszeit: 2–4 Tage. Bei to-

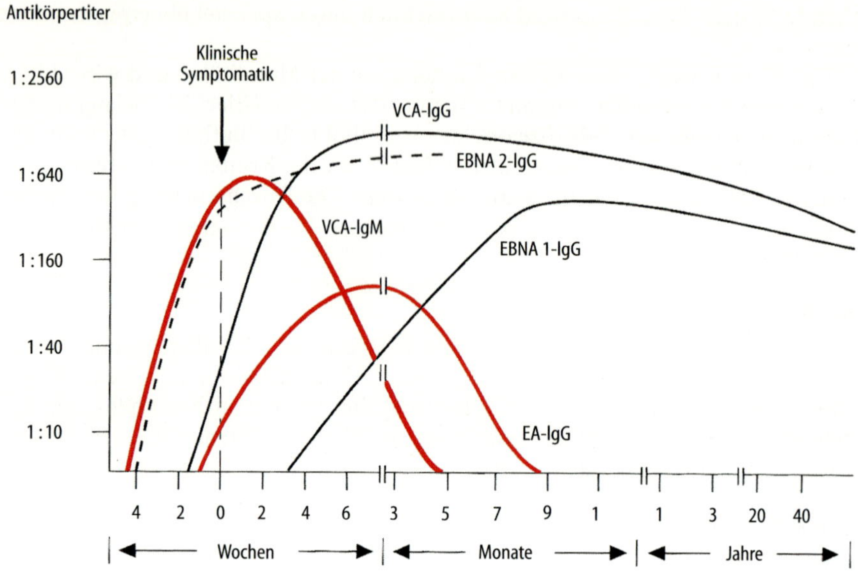

Abb. 5-4. Serologischer Verlauf einer EBV-Infektion: Auftreten von VCA (Viruskapsid) Antikörper, EBNA-1 und -2 (Epstein-Barr-Nuklear-Antigen) sowie EA- („early antigen"-)Antikörpern. (Nach Hahn et al., Medizinische Mikrobiologie und Infektiologie, 1999, S. 650)

xinproduzierenden Stämmen (pyrogene Exotoxine A, B, C) tritt gleichzeitig ein Hautausschlag auf (Scharlach). Im Anschluss an die akute Erkrankung besteht die Gefahr immunologisch bedingter Folgeerkrankungen wie rheumatisches Fieber oder akute Glomerulonephritis, die bleibende Schäden an den Herzklappen oder der Niere hinterlassen können.

SYMPTOME

Akuter Beginn mit Schluckschmerzen, hohem Fieber, schwerem Krankheitsgefühl. Pharynx tiefrot geschwollen, Tonsillen mit eitrigem Exsudat, meist als gelbliche Stippchen. Druckschmerzhaft vergrößerte Halslymphknoten. Leukozytose. Eventuell als *Scharlach* mit Hautausschlag: wenige Tage nach Krankheitsbeginn kleinfleckiges Exanthem, am Hals beginnend und über den Rumpf die Extremitäten erreichend. Im Gesicht periorale Blässe, Himbeerzunge (s. Kap. 18.1: „Scharlach").

Komplikationen

Peritonsillarabszess. Unbehandelt kommt es bei 3–4% der Patienten zu immunologisch bedingten Folgeerkrankungen wie rheumatisches Fieber, Polyarthritis, akute Glomerulonephritis (s. Kap. 23: „Postinfektiöse Komplikationen").

DIAGNOSE

Nachweis der A-Streptokokken im Rachenabstrich mittels Schnelltest oder durch Kultur.

Therapie

Penicillin V für 10 Tage, Erwachsene 3-mal 1,2–1,5 Mio. IE/Tag p.o.; Kinder 60.000–100.000 IE/kg/Tag. Alternativen: Oralcephalosporin (Cefalexin, Cefuroxim, Loracarbef); bei Allergie Makrolid (Erythromycin, Azithromycin, Clarithromycin, Roxithromycin) oder Clindamycin. Die Therapie muss auch bei rascher klinischer Besserung 10 Tage durchgeführt werden (bei Azithromycin 3 Tage) zur Vermeidung von Poststreptokokkenfolgekrankheiten.

Bei ca. 15% der Patienten persistieren die Erreger in geringer Keimzahl, wahrscheinlich ohne Folgen für den Träger und Kontaktpersonen. Zur Sicherheit kann ein Sanierungsversuch mit Penicillin oder Clindamycin oder Aminopenicillin plus β-Laktamase-Inhibitor (Ampicillin/Sulbactam; Amoxicillin/Clavulansäure) unternommen werden.

Prophylaxe

Bei engen Kontaktpersonen Prophylaxe mit Penicillin V. Nach 3–4 Wochen sollte eine Nachuntersuchung erfolgen: kardiologische Untersuchung zum Ausschluss von rheumatischem Fieber, Urinuntersuchung zum Ausschluss einer akuten Glomerulonephritis (s. Kap. 23.3: „Rheumatisches Fieber“, Kap. 23.4: „Akute Glomerulonephritis“ in Kap. 23: „Postinfektiöse Komplikationen“ sowie Kap. 18.1: „Scharlach“ in Kap. 18: „Kinderkrankheiten“).

!

Eine Streptokokkenangina muss wegen der Gefahr von Folgeerkrankungen (rheumatisches Fieber, akute Glomerulonephritis), die eine irreversible Schädigung der Herzklappen oder der Nieren bewirken können, möglichst frühzeitig und effektiv mit Anbiotika behandelt werden, z. B. mit Penicillin für 10 Tage.

5.5.5 Plaut-Vincenti-Angina

Eine meist einseitige Angina mit unangenehmem Mundgeruch, aber nur wenig gestörtem Allgemeinbefinden, wird durch anaerobe Mundkeime (Borrelien, Fusobakterien) hervorgerufen (Tabelle 5-2).

SYMPTOME

Meist einseitige nekrotisierende Angina mit schmierigem Belag. Fauliger Mundgeruch, Schluckschmerzen, Lymphknotenschwellung im Kieferwinkel, wenig gestörter Allgemeinzustand.

DIAGNOSE

- Klinik (Diskrepanz zwischen Lokalbefund und wenig beeinträchtigtem Allgemeinzustand).
- Mikroskopischer Erregernachweis (die Erreger sind schwer kultivierbare Anaerobier).

Therapie

Bei schwerem Verlauf Penicillin oder Clindamycin.

Tabelle 5-2. Ursachen für Halsschmerzen

Ursachen	Erreger
Infektionen	
a) Pharyngitis, Tonsillitis:	
Virale Pharyngitis, „Erkältung"	Meist Rhinoviren, Coronaviren, seltener Parainfluenza-, Respiratory-syncytial-, Influenza-, Adenoviren
Herpangina	Coxsackie-Viren A
Streptokokkenangina	β-hämolysierende Streptokokken
Plaut-Vincenti-Angina	Fusobakterien, Borrelien
Infektiöse Mononukleose	Epstein-Barr-Virus
Oraler Herpes	Herpes-simplex-Viren
Exanthema subitum	Humane-Herpesviren 6
Primärinfektion Zytomegalie	Zytomegalievirus
Frühphase HIV-Infektion	Humanes Immundefizienzvirus
b) Peritonsillarabszess	β-hämolysierende Streptokokken, Anaerobier
c) Diphtherie	Corynebacterium diphtheriae
Sonstige Ursachen	
Tonsillenhyperplasie	
Malignome der Tonsillen oder des Zungengrundes	

5.5.6 Diphtherie

Die Erkrankung entsteht durch das von Corynebacterium diphtheriae (grampositive Stäbchenbakterien) produzierte Diphtherietoxin. Die Erreger werden durch Tröpfcheninfektion übertragen, sie vermehren sich an der Eintrittspforte, meist dem Nasen-Rachen-Raum, und sezernieren Toxin. Das hochpotente Zellgift ist verantwortlich für die lokalen Nekrosen, die sich mit „Schorf" in Form von Pseudomembranen überziehen. Nach Adsorption zerstört es verschiedenste Zellsysteme mit den Folgen von Myokarditis, Neuritis und Fokalnekrosen in Leber, Nieren und Nebennieren. Unbehandelt ist die Diphtherie bei Kindern und Personen über 60 Jahre oft tödlich infolge einer toxischen Myokarditis oder durch Ersticken.

SYMPTOME

Nach einer Inkubationszeit von 2–6 Tagen Halsschmerzen, Krankheitsgefühl, Fieber, oft Übelkeit, Erbrechen. Helle bis dunkelgraue fest haftende Membranen auf Tonsillen, Pharynx (Pseudomembranen), die sich im gesamten Nasen-Rachen-Raum ausbreiten. Bei Verlegung des Larynx Erstickungsgefahr. Der Halsbereich ist ödematös geschwollen (Cäsarenhals). Süßlicher Mundgeruch.

Komplikationen
Myokarditis und Herzversagen, Nierenversagen, Lähmungen, z. B. Polyneuritis mit Gaumensegellähmung.

DIAGNOSE

- Klinik.
- Erregernachweis in lokalen Läsionen mit Nachweis der Toxinbildung.

Therapie

1. Frühzeitige Gabe von Antitoxin (bereits bei Verdacht!). Bei Pferdeserum ist vorher ein Allergietest notwendig mit 1:10 verdünntem Antiserum intrakutan. Im positiven Fall zunächst eine Desensibilisierung mit kleinen und steigenden Dosen vornehmen, bis die therapeutische Dosis erreicht ist. In der Schweiz ist ein humanes Diphtherieantiserum verfügbar.
   Die Empfehlung der American Academy of Pediatrics lautet: 20.000–40.000 IE bei Erkrankungen von weniger als 48 h Dauer, die sich auf Pharynx oder Larynx beschränken. 40.000–60.000 IE bei nasopharyngealer Ausbreitung. 80.000–100.000 IE bei weiterer Ausdehnung der Beläge und einer Krankheitsdauer von mehr als 3 Tagen. Das Antiserum wird i.m. injiziert, in bedrohlichen Fällen kann ein Teil der Dosis auch i.v. infundiert werden.
2. Antibiotika haben nur einen geringen Einfluss auf den Ablauf der Erkrankung. Sie dienen zur Abtötung der Diphtheriebakterien, um Umgebungsinfektionen zu vermeiden, z. B. Penicillin (Procain-Penicillin 600.000 IE i.m.alle 12 h oder Penicillin G 10 Mio. IE i.v./Tag) oder Makrolide (z. B. Erythromycin 4-mal 500 mg p.o. oder parenteral) für die Dauer von 7–10 Tagen.
3. GegebenenfallsFreilegung der Atemwege, Tracheotomie.

Prophylaxe
Aktive Immunisierung mit Adsorbatimpfstoff, auch in Kombination mit Tetanustoxoid und Pertussis (DPT-Impfung) oder zusammen mit Haemophilus, Polio, ab dem 3. Lebensmonat. Auffrischung im 6. und zwischen dem 11. und 18. Lebensjahr, danach alle 10 Jahre.

In Deutschland ist die Diphtherie nach Einführung der aktiven Immunisierung selten geworden. Der Impfschutz bei Erwachsenen ist meist unvollständig. Bei Reisen z. B. nach Osteuropa, wo endemische Erkrankungen auftreten, besteht die Gefahr der Erkrankung oder Einschleppung von Erregern auf der Rachenschleimhaut Geimpfter, die selbst nicht erkranken.

Direkte Kontaktpersonen von Erkrankten mit unzureichendem Impfschutz sollten prophylaktisch Penicillin erhalten. Nach 4 Tagen Penicillintherapie sind meist keine Erreger mehr nachweisbar. Diphtheriekranke müssen isoliert werden. Als nicht mehr infektiös gilt der Patient erst dann, wenn 3 Rachenabstriche im Abstand von mindestens 24 h negativ sind. Der erste Abstrich ist 24 h nach Absetzen des Antibiotikums zu entnehmen.

Meldepflicht
Verdacht, Erkrankung und Tod an Diphterie ist meldepflichtig (s. auch Tabelle 28-1).

! Diphtherie ist eine toxinbedingte akute Allgemeinerkrankung, die neben der Erstickungsgefahr eine Schädigung des Herzmuskels, der Nieren sowie Lähmungen zur Folge hat. Bereits bei Verdacht ist unverzüglich Antitoxin zu verabreichen.

5.5.7 Peritonsillarabszess

Lokale Komplikation einer Streptokokkenangina.

SYMPTOME

Schwere Schluckschmerzen, meist einseitige Rötung und Schwellung der Tonsillen. Bei beidseitigem Befall Erstickungsgefahr. Vergrößerte schmerzhafte Halslymphknoten.

Erreger
β-hämolysierende Streptokokken oft als Mischinfektion mit Anaerobiern.

DIAGNOSE

- Klinik.
- Eventuell Erregernachweis in Abstrich.

Therapie
Aminopenicillin plus β-Laktamase-Inhibitor oral (z. B. Amoxicillin/Clavulansäure oder Ampicillin/Sulbactam); alternativ Clindamycin. Chirurgische Eröffnung des Abszesses, evtl. Abszesstonsillektomie.

5.6 Laryngitis

Etwa 20% aller Pharyngitiden werden von einer Laryngitis begleitet.

SYMPTOME

Heiserkeit, trockener Husten, bei Kindern manchmal mit erheblicher Obstruktion.

Erreger
Meist Virusinfektion, an erster Stelle Influenzaviren, ansonsten wie bei Pharyngitis (s. oben Kap. 5.5.1). Häufig Sekundärinfektionen mit Streptokokken der Gruppe A, Haemophilus influenzae.

Diagnose und Therapie
Entsprechend der Pharyngitis.

5.6.1
Akute Laryngotracheobronchitis

Die Erkrankung tritt fast ausschließlich bei Kleinkindern im Alter von 6 Monaten bis 6 Jahren auf (mit einem Maximum im 2. Lebensjahr), bevorzugt in der kalten Jahreszeit. Knaben sind 2- bis 3-mal häufiger betroffen. Meist geht eine Atemwegsinfektion mit Rhinitis, Pharyngitis, Bronchitis voraus. Die Symptome entstehen durch eine entzündlich bedingte Einengung des subglottischen Raums.

SYMPTOME

Meist abends oder in der Nacht beginnend. Heiserkeit, ziehendes Atemgeräusch, trockener, bellender Husten, schließlich inspiratorischer Stridor, Tachypnoe, mäßige Temperaturerhöhung. Häufig rascher Wechsel zwischen Besserung und Verschlechterung innerhalb von Stunden. Morgens geht es den Kindern dann besser. Dauer in der Regel 3–4 Tage. Nur selten Übergang in ein lebensbedrohliches Krankheitsbild mit starker Atemnot. Im Unterschied zur Epiglottitis kein Schluckschmerz oder Speichelfluss.

Erreger

Zahlreiche Viren, v. a. Parainfluenzaviren; aber auch Mycoplasma pneumoniae (1–5%, v. a. bei Kindern über 5 Jahre).

DIAGNOSE

Klinik.

Therapie

Beruhigung, Aufregung vermeiden! Feuchte Luft (Kinder in das Badezimmer oder an das offene Fenster tragen). In leichten Fällen Prednisolon p.o. oder als Suppositorium. In schweren Fällen O2-Gabe, vernebeln von Epinephrin, evtl. Dexamethason (0,3–0,6 mg/kgKG) 1-mal oder 2- bis 4-mal im Abstand von 6 h. Bei Dyspnoe Klinikeinweisung.

5.7
Epiglottitis

Die Entzündung der Epiglottis und ihrer Umgebung mit Ödembildung führt zur Behinderung des Luftstroms. Die akute, lebensbedrohliche Erkrankung betrifft besonders Kinder, meist Knaben im Alter von 2–4 Jahren, und ist nicht an die kalte Jahreszeit gebunden.

SYMPTOME

Nach kurzem Fieberstadium mit Halsschmerzen und Heiserkeit rasch zunehmende Atemnot mit oder ohne inspiratorischen Stridor. Die Kinder sitzen nach vorn gebeugt, sie schlucken nicht wegen starker Schmerzen beim Schlucken, der Speichel läuft ihnen aus dem Mund. Gefahr der kompletten Atemwegsverlegung innerhalb von Minuten!

Erreger

Bei Kindern fast ausschließlich Haemophilus influenzae, fast immer mit Bakteriämie. Bei Erwachsenen daneben auch Staphylococcus aureus, β-hämolysierende Streptokokken oder Pneumokokken.

DIAGNOSE

- Die Diagnose wird klinisch gestellt: Luftnot, Kopfhaltung, Stridor, druckschmerzhafter Larynxbereich.
- Laryngoskopie (nur in Intubationsbereitschaft!): Ödematöse, himbeerrote Epiglottis.
- Laborwerte: mäßige Leukozytose.
- Erregernachweis im Epiglottisabstrich und evtl. in Blutkulturen.

Differentialdiagnose

Fremdkörperaspiration (kein Fieber), Diphtherie (Pseudomembranen).

Therapie

1. Schon bei Verdacht sofortige Krankenhauseinweisung (Notarztwagen)!
2. *Antibiotika:* Unverzüglich Cephalosporine der 3. Generation, z. B. Cefotaxim (50–180 mg/kgKG pro Tag in 4 Dosen) bzw. Ceftriaxon (80 mg/kgKG pro Tag in 1–2 Dosen) für 7–10 Tage.
3. Eine günstige Wirkung von Kortison oder Epinephrin ist nicht belegt.

Prophylaxe

Impfung gegen H. influenzae Typ b.

! **Die Epiglottitis ist eine perakute lebensbedrohliche Erkrankung, die eine sofortige Klinikeinweisung mit Notarzt und O_2-Zufuhr erforderlich macht. Die Intubation kann schwierig sein und sollte nur von Erfahrenen durchgeführt werden.**

5.8 Keuchhusten (Pertussis)

Die Erreger, Bordetella pertussis (gramnegative Stäbchenbakterien), werden durch Tröpfcheninfektion übertragen. Sie sind sehr kontagiös und können in der Umgebung, z. B. in Kleidern, sehr lange überleben. Sie besiedeln die Schleimhäute des Oropharynx, vermehren sich dort und produzieren Toxine, welche für die Zilienschädigung und die typischen krampfartigen Hustenanfälle verantwortlich sind (Tabelle 5-3). Es erkranken fast nur Säuglinge und Kleinkinder. Erwachsene sind meist durch Antikörper geschützt, können aber als symptomarme Überträger fungieren. Erkrankte sind bereits während des Inkubationsstadiums kontagiös. Inkubationszeit 1–2 Wochen.

Tabelle 5-3. Klinische Stadien des Keuchhustens

Stadien	Dauer	Klinik
Inkubationszeit	1–2 Wochen	Keine
Stadium catarrhale	1–2 Wochen	Katarrh der oberen Luftwege, Husten, Fieber
Stadium convulsivum	3–8 Wochen	Typische Hustenanfälle, evtl. mit Erbrechen. Leukozytose mit Lymphozytose
Stadium decrementi	2–4 Wochen	Abnahme der Hustenanfälle

SYMPTOME

Die Erkrankung verläuft in Stadien: Zunächst für 1–2 Wochen Prodromalstadium (Stadium catarrhale) mit Schnupfen, Husten, erhöhter Temperatur und Erkältungssymptomatik. Danach Stadium convulsivum mit den typischen stakkatoartigen Hustenattacken mit Apnoe und inspiratorischem Keuchen am Ende. Expektoration von zähem Sekret, evtl. Zyanose oder Erbrechen. Die Hustenanfälle dauern 3–6 (8) Wochen und flachen danach im Stadium decrementi ab.

Komplikationen

Pneumonie durch Sekundärinfektionen, durch starken Husten ausgelöste konjunktivale oder intrazerebrale Hämorrhagien; zerebrale Anfälle.

Differentialdiagnostisch sind Krupp, Bronchiolitis oder Asthma abzugrenzen.

DIAGNOSE

- Die Diagnose wird klinisch gestellt.
- Blutbild: Typisch ist eine Lymphozytose (ca. 20.000/µl).
- Erregernachweis: Die Kultur aus Nasopharyngealabstrichen auf Spezialnährmedien gelingt meist nicht, da die Erreger bei Ausbruch der typischen toxinbedingten Krankheitssymptome oft nicht mehr vorhanden sind. Eventuell Nachweis der Erreger durch Immunfluoreszenz, PCR oder serologisch durch Nachweis von Antikörpern.

Therapie

1. Symptomatische Therapie mit Antitussiva und Expektoranzien.
2. Erythromycin ist zwar wirksam gegen die Erreger, vermag den Krankheitsverlauf aber nur abzuschwächen, wenn es innerhalb der ersten Tage vor Beginn des typischen Hustenstadiums verabreicht wird. Erythromycin eliminiert jedoch noch vorhandene Erreger, sodass die Kinder nicht mehr kontagiös sind.

Prophylaxe

Expositionsprophylaxe mit Erythromycin bei engen Kontaktpersonen, z. B. Geschwistern. *Aktive Immunisierung:* ab dem 3. Lebensmonat (3 Injektionen im 1. Lebensjahr im Abstand von 4–6 Wochen), Auffrischungsimpfung nach 1 Jahr und nach 10 Jahren. Die Impfung bietet eine Schutzrate von 70–90%, der Impfschutz hält 3–12 Jahre an.

Meldepflicht
Siehe Tabelle 28-1.

Wiederzulassung zur Schule, Kindergarten
5 Tage nach Beginn einer Erythromycintherapie; ohne Antibiotikatherapie erst 3 Wochen nach Auftreten der ersten Symptome.

KAPITEL 6

Infektionen der tiefen Atemwege und des Brustkorbs

6

6.1 Akute Bronchitis

Die akute Bronchitis ist meistens Teil einer unkomplizierten Atemwegsinfektion. Bevorzugt tritt sie in der kalten Jahreszeit auf mit Gipfel im Januar und Februar.

SYMPTOME

Husten, anfangs trocken, dann muköser, später auch eitriger Auswurf. Dauer 2–3 Wochen, bei Rauchern länger. Gelegentlich Fieber. Bei schwerer Tracheitis atemabhängiges Brennen hinter dem Sternum. Keine Ateminsuffizienz.

Erreger

In über 90% Viren: Rhinoviren und Coronaviren (trockener Husten, meist ohne Fieber); Influenza-, Parainfluenza-, RS- und Adenoviren (eher mit Fieber). Seltener Bakterien: Mycoplasma pneumoniae (lokale Häufung) und Chlamydia pneumoniae, beide mit Fieber (Tabelle 6-1).

Häufig sind bakterielle Sekundärinfektionen mit Pneumokokken, Haemophilus influenzae oder Moraxella catarrhalis, die gekennzeichnet sind durch produktiven, eitrigen Husten und weiteren Fieberanstieg.

DIAGNOSE

- Die Diagnose wird klinisch gestellt. Ein Erregernachweis ist nur bei ungewöhnlichem Verlauf erforderlich.
- Bei länger als 2 Wochen dauerndem Husten sollte differentialdiagnostisch ein Bronchialkarzinom ausgeschlossen werden.

Therapie

1. *Symptomatische Therapie mit Antitussiva:* Die Wirkung von Mukolytika ist nicht belegt. Bei grippalen Beschwerden Acetylsalicylsäure oder Paracetamol, nach Bedarf Bronchospasmolytika (Theophyllin, β_2-Sympathomimetika).
2. *Antibiotika:* Bei eitriger Bronchitis, d. h. Verdacht auf bakterielle Infektion, können gefährdeten Personen (Säuglinge, ältere Patienten, Lungenvorerkrankung, Immunschwäche) Makrolide gegeben werden. Alternativen sind Amoxicillin, evtl. plus β-Laktamase-Inhibitor (Ampicillin/Sulbactam, Amoxicillin/Clavulansäure), orale Cephalosporine der 2. oder 3. Generation (Cefuroxim-Axetil, Loracarbef, Cefixim, Cefpodoxim-Proxetil u. a.), bei Erwachsenen auch neue Chinolone (Moxifloxacin).

Tabelle 6-1. Erreger von Atemwegsinfektionen

Erkrankung	Vorwiegend Betroffene	Erreger
Akute Laryngotracheitis	Kinder von 6 Monaten bis 3 (6) Jahre	Parainfluenza-, Influenzaviren, Mycoplasma pneumoniae; selten RSV, Adenoviren
Epiglottitis	Kinder 2–6 Jahre	Haemophilus influenzae
Akute Bronchitis	Jedes Alter	Rhino-, Influenza-, Parainfluenzaviren, RSV, Mycoplasma pneumoniae, Chlamydia pneumoniae; *Sekundärinfektionen:* Streptococcus pneumoniae, Haemophilus influenza, Moraxella catarrhalis
Exazerbation chronische Bronchitis	Jedes Alter, besonders COPD, Asthma, Raucher	Streptococcus pneumoniae, Haemophilus influenazae, Moraxella catarrhalis, Staphylococcus aureus, Enterobakterien, selten Pseudomonaden
Bronchiolitis	Kinder 1–2 Jahre	RSV, Parainfluenzaviren; selten Influenza-, Adenoviren
Keuchhusten	Kinder 3 Monate bis 6 Jahre	Bordetella pertussis
Influenza	Jedes Alter	Influenzaviren

Bei Verdacht auf Mykoplasmen oder Chlamydien: Erythromycin oder andere Makrolide (Azithromycin, Clarithromycin, Roxythrocin) oder Doxycyclin. Therapiedauer jeweils 2–3 Tage über die klinische Besserung (verschwinden der Sputumpurulenz) hinaus.

6.1.1 Influenza (Virusgrippe)

Der Erreger ist das Influenzavirus. Es gibt die 3 Typen A, B, C (eingeteilt nach dem Kapsidantigen) mit diversen Subtypen. Typ A ist am häufigsten und zeigt einen regelmäßigen Antigenwandel: Alle 10–20 Jahre treten neue Subtypen auf, die Pandemien verursachen können. Dazwischen treten durch Mutation der Aminosäuresequenz kleinere Antigenänderungen ein, die zu Subtypenvarianten führen. Oft entstehen neue Varianten in Tieren (z. B. Schwein, Vögel), die dann auf den Menschen übergehen, der keine schützenden Antikörper gegen diese neuen Varianten besitzt. Diese Variantenänderung muss bei der Impfstoffherstellung berücksichtigt werden.

Epidemien treten hauptsächlich in der kalten Jahreszeit auf. Die Übertragung des Virus von Mensch zu Mensch erfolgt durch Tröpfcheninfektion. Inkubationszeit 2–3 Tage. Das Virus befällt den Respirationstrakt, insbesondere die Bronchialschleimhaut.

SYMPTOME

Fieber, Kopfschmerzen, Glieder-, Muskelschmerzen, Husten, Pharyngitis, Bronchitis, Laryngotracheitis, evtl. Pneumonie.

Komplikationen
Sekundäre bakterielle Infektionen sind häufig. In seltenen Fällen tritt eine Myokarditis auf. Besonders bei älteren, geschwächten Patienten kann die Erkrankung tödlich verlaufen.

DIAGNOSE

- Klinik.
- Eine Virusisolierung ist in den ersten 3 Tagen nach Krankheitsbeginn aus Rachenspülwasser oder Nasensekret möglich (nur zu epidemiologischen Untersuchungen erforderlich).
- Nachweis spezifischer Antikörper im Serum.

Therapie
Spezifische antivirale Therapie mit Amantadin oder Rimantadin oder Inhalation von Neuraminidasehemmern (z. B.Oseltamivir) kürzt im Frühstadium den Verlauf ab. Symptomatisch: Acetylsalicylsäure oder Paracetamol, nach Bedarf Antitussiva.

Prophylaxe
Grippeschutzimpfung (Totimpfstoff, der an die jeweiligen Antigentypen angepasst wird). Zur Zeit wird ein Nasalspray-Lebendimpfstoff erprobt.

! **Jährlich sterben viele Patienten an den Folgen einer Influenza. Die beste Prophylaxe gegen Influenza ist die Grippeschutzimpfung, die insbesondere für Risikopatienten (hohes Alter, chronische Atemwegserkrankungen, Asthma) zu empfehlen ist.**

Meldepflicht
Der Nachweis von Influenzaviren ist meldepflichtig.

6.2 Akute Exazerbation einer chronischen Bronchitis

Die chronische Bronchitis ist eine unspezifische Atemwegserkrankung mit anhaltendem Husten und Auswurf, die häufig mit Bronchusobstruktion und einem Emphysem einhergeht. Im Verlauf der Erkankung treten oft akute Exazerbationen auf, die durch bakterielle Superinfektionen hervorgerufen werden.

SYMPTOME

Vermehrt Auswurf eines purulenten, zähen Sputums. Dyspnoe durch verstärkte Obstruktion. Allenfalls mittelgradiges Fieber.

Komplikationen
Obstruktives Emphysem, Cor pulmonale, Bronchopneumonie, Lungenabszess, sekundäre Bronchiektasen.

Erreger
Breites bakterielles Erregerspektrum, insbesondere Streptococcus pneumoniae, Haemophilus influenzae, Moraxella catarrhalis, Staphylococcus aureus, Enterobakterien, selten Pseudomonaden.

DIAGNOSE

Die Diagnose wird klinisch gestellt. Bei therapierefraktären Fällen sollte ein Erregernachweis im Sputum angestrebt werden (s. Kap. 6.4: „Pneumonie").

Therapie
1. *Antibiotika:* Aminopenicillin plus β-Laktamase-Inhibitor (Ampicillin/Sulbactam, Amoxicillin/Clavulansäure), Makrolide (Erythromycin, Azithromycin, Clarithromycin, Roxithromycin), Cotrimoxazol, Oral-Cephalosporine der 2. oder 3. Generation (Cefuroxim-Axetil, Loracarbef, Cefixim, Cefpodoxim-Proxetil u. a.), Doxycyclin, bei Erwachsenen neue Chinolone (Moxifloxacin). Dauer der Behandlung bis zur Fieberfreiheit und Verschwinden der Sputumpurulenz. In therapierefraktären Fällen oder bei schwerem Cor pulmonale sollte möglichst nach Erregernachweis und Antibiogramm therapiert werden.
2. *Symptomatisch:* Antitussiva. Bei grippalen Beschwerden Acetylsalicylsäure oder Paracetamol, nach Bedarf Bronchospasmolytika (Theophyllin, β-Sympathomimetika). Eventuell Mukolytika.

Prophylaxe
Patienten mit einer chronisch obstruktiven Atemwegserkrankung (COPD) sollten geeignete Antibiotika vorrätig halten und bei einem erneutem Schub sofort mit der Therapie beginnen. Wechsel des Antibiotikums bei jedem Schub. Rauchverbot. Grippeschutzimpfung. Bei häufigen Schüben kann der Versuch gemacht werden, über den Winter jeweils für 1 Woche/Monat eines der oben angegebenen Antibiotika prophylaktisch einzunehmen.

6.3 Bronchiolitis

Die Entzündung der Bronchien und Bronchiolen ist eine gefährliche Infektion bei Kindern in den ersten 2 Lebensjahren.

SYMPTOME

Meist gehen Husten und Schnupfen für 2–3 Tage voraus. Dann Verschlechterung des Allgemeinzustands (Lethargie, Appetitlosigkeit), Husten, exspiratorischer Stridor, Tachypnoe, Tachykardie ohne Fieberanstieg; inspiratorisches Einziehen der Brustwand und der Nasenflügel. Temperatur nur mäßig erhöht. Langsame Erholungsphase (Wochen).

Erreger
Meist Respiratory-syncytial-Virus (RSV), ferner Parainfluenzaviren, selten Influenza- oder Adenoviren.

DIAGNOSE

- Die Diagnose wird klinisch gestellt. Bei der Auskultation findet sich ein allenfalls leises Geräusch (feinblasiges Rasseln).
- Erregernachweis: Bei RSV kann ein Antigennachweis in Rachenspülwasser versucht werden.

Differentialdiagnostisch abzugrenzen sind Asthma, Obstruktion durch Fremdkörperaspiration, zystische Fibrose, angeborene Herzfehler.

Therapie

1. Stationäre Aufnahme, O_2-Insufflation, evtl. Beatmung.
2. Bei RSV kann Ribavirin als Aerosol intermittierend einige Stunden pro Tag für 3–5 Tage gegeben werden.

Beachte: **Bronchiolitis ist eine bei Kleinkindern gefährliche Erkrankung mit asthmaähnlichen Symptomen.** !

6.4 Pneumonie

In gesundem Zustand sind die Atemwege unterhalb des Larynx steril. Dafür sorgt die Filterleistung der Nase, das mukoziliare System, das den kontinuierlichen Fluss eines „antiinfektiösen" Schleims gewährleistet, und ein intakter Hustenreflex. Jede Stase fördert die Infektionsentstehung durch Persistenz und Vermehrung potenzieller Erreger.

Ursachen für Stase sind

1. herabgesetzte Aktivität der Zilien, z. B. durch Rauchen (bei jeder tiefen Inhalation werden die Bronchialepithelien mit Milliarden freier O_2-Radikale bombardiert) oder andere inhalative Noxen sowie durch angeborene Defekte wie beim Kartagener-Syndrom;
2. Viskositätserhöhung des Schleims wie bei der zystischen Fibrose;
3. „Obstruktion" bei chronischer Entzündung der Bronchien mit Destruktion, Fibrosierung und bronchiektatischen Deformierungen.

Neben der lokalen Abwehrsituation beeinflussen die humoralen und zellulären Abwehrleistungen das Zustandekommen und den Ablauf einer pulmonalen Infektion. Jede Pneumonie ist das Ergebnis einer ungenügenden Abwehrleistung, überfordert entweder durch besonders virulente Erreger oder den Einbruch von Erregermassen (Aspirationspneumonie).

Pneumonien werden nach verschiedenen Kriterien eingeteilt: nach klinischen Gesichtspunkten in Bronchopneumonie, Lobärpneumonie, typische und atypische (interstitielle) Pneumonie und nach der Anamnese in ambulant oder nosokomial erworbene Pneumonie, Beatmungspneumonie (Tabelle 6-2).

Ambulant erworbene Pneumonien

Wesentlich ist die Zuordnung zu *typischer* oder *atypischer* Pneumonie (Tabellen 6-3 und 6-4).

Tabelle 6-2. Erreger ambulanter Pneumonien und ihre Empfindlichkeit gegen Antibiotika

Erreger	Häufigkeit [%]	Antibiotika Pen	Ery	Tetra	Ampi+ BLI	Ceph. 2. Gen.
Str. pneumoniae	25–60	+++	++	+	++	++
Haemophilus influenzae	5–15	+	++	+	++	++
Staph. aureus	1–2	+	+	+	++	++
Klebsiella pneumoniae	1–2	0	0	+	++	++
Mycoplasma pneumoniae	5–15	0	++	++	0	0
Chlamydien	5–10	0	++	++	0	0
Legionellen	5–10	0	++	0	0	0
Coxiella burnetii	Endemisch	0	0	++	0	0

+++ sehr gut empfindlich, ++ gut empfindlich, + austesten, manche Stämme empfindlich, 0 resistent; *Pen* Penicillin, *Ery* Erythromycin u. a. Makrolide, *Tetra* Doxycyclin, Tetracycline, *Ampi+BLI* Aminopenicillin + β-Laktamase-Inhibitor, *Ceph. 2. Gen.* Cephalosporine der 2. Generation

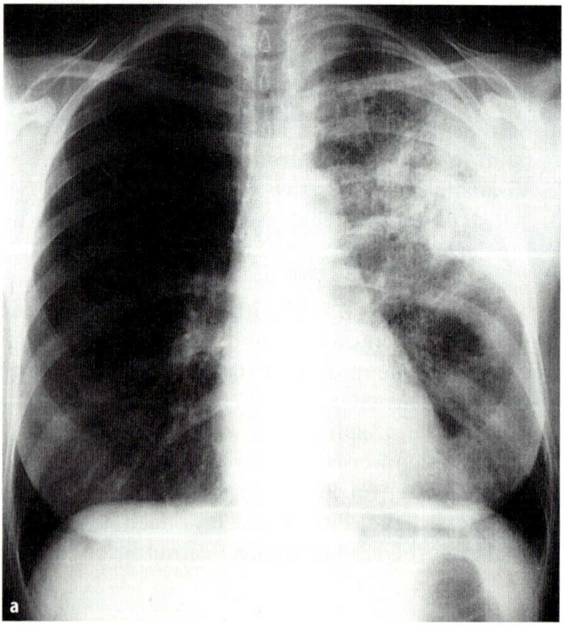

Abb. 6-1 a, b. Lobärpneumonie in p.a.- (**a**) und seitlicher (**b**) Lungenaufnahme. (Von K. Rauber, Abt. Radiologie, Krankenhaus Wetzlar)

Typische Pneumonie

Bei der typischen (klassischen bakteriellen) Pneumonie betrifft die Entzündung den Alveolarraum. Es sammelt sich eitriges Exsudat in den Alveolen an (Abb. 6-1, 6-2). Prädisponierende Faktoren sind hohes Alter, chronische obstruktive Lungenerkrankungen, virale Atemwegsinfektionen, Herzinsuffizienz, Bewusstseinstrübung, starkes Rauchen.

SYMPTOME

Akuter Beginn, eitriger Auswurf, Fieber >39°C, Schüttelfrost; Tachypnoe, Tachykardie, Leukozytose. Pneumonischer Auskultationsbefund, röntgenologisch nachweisbare Infiltrate.

Komplikationen
Sepsis, Pleuraempyem, Lungenabszess.

Abb. 6-1 b.

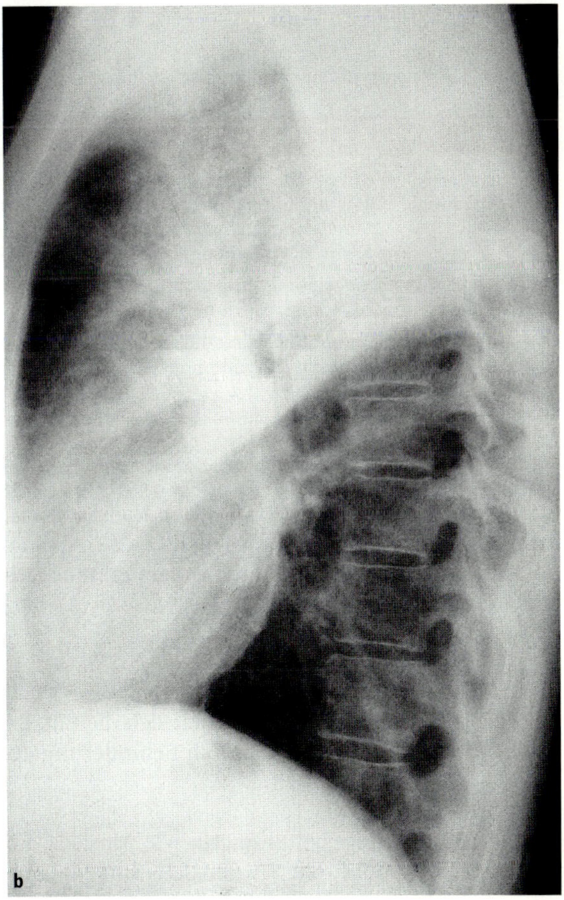

Tabelle 6-3. Differentialdiagnose bei typischer und atypischer Pneumonie

Befunde	Typische Pneumonie (alveoläre Pneumonie)	Atypische Pneumonie (interstitielle Pneumonie)
Beginn	Akut, plötzlich	Langsam
Prodromi	Nein	Myalgien, Kopfschmerzen
Husten	Produktiv	Trocken
Fieber	>39°C	<39°C
Schüttelfrost	Häufig	Nein
Sputum	Eitrig	Mukulent
Tachypnoe (>30/min)	Ja	Selten
Tachykardie (>120/min)	Ja	Selten
Pleuritis	Häufig	Selten
Perkussion	Dämpfung	Nein
Auskultation	Rasselgeräusche	Nein
Leukozytose	Ja, mit Linksverschiebung	Selten
Röntgen, Infiltrate	Lobär, bronchopneumonisch	Diffus

Tabelle 6-4. Erreger typischer und atypischer Pneumonien

Patienten	Erreger bei typischer Pneumonie	Erreger bei atypischer Pneumonie
Ambulant erworbene Pneumonie	Streptococcus pneumoniae, Haemophilus influenzae, selten Staphylococcus aureus, Klebsiella pneumoniae	Mycoplasma pneumoniae, Chlymydien, Legionellen, Coxiella burnetii, Influenzaviren, selten Masernvirus, RSV, VZV
Nosokomiale Pneumonie	Siehe oben, zusätzlich Enterobakterien, Pseudomonaden	Siehe oben
Immundefizienz	Siehe oben, zusätzlich Enterobakterien, Pseudomonaden, Candida	Siehe oben, zusätzlich Pneumocystis carinii, Candida, Aspergillus, Zytomegalievirus

Erreger
Streptococcus pneumoniae (30–60%), Haemophilus influenzae (5–15%), Staphylococcus aureus (1–2%), Klebsiellen (1–2%, Alkoholiker). Bei COPD, Aspiration oder Lungeninfarkt spielen auch andere gramnegative Bakterien und Anaerobier eine Rolle.

Atypische Pneumonie

Bei der atypischen Pneumonie spielt sich die Entzündung im Interstitium ab mit Ödem und Zellinfiltration, dadurch Behinderung der Diffusion.

SYMPTOME

Zunächst Erkältungssymptomatik wie Muskel-, Kopf- und Gliederschmerzen. Trockener, unproduktiver Husten, langsam zunehmende Atemnot, mäßiges Fie-

Abb. 6-2 a, b. Bronchopneumonie (a) und zugehöriges Seitenbild. (Von K. Rauber, Abt. Radiologie, Krankenhaus Wetzlar)

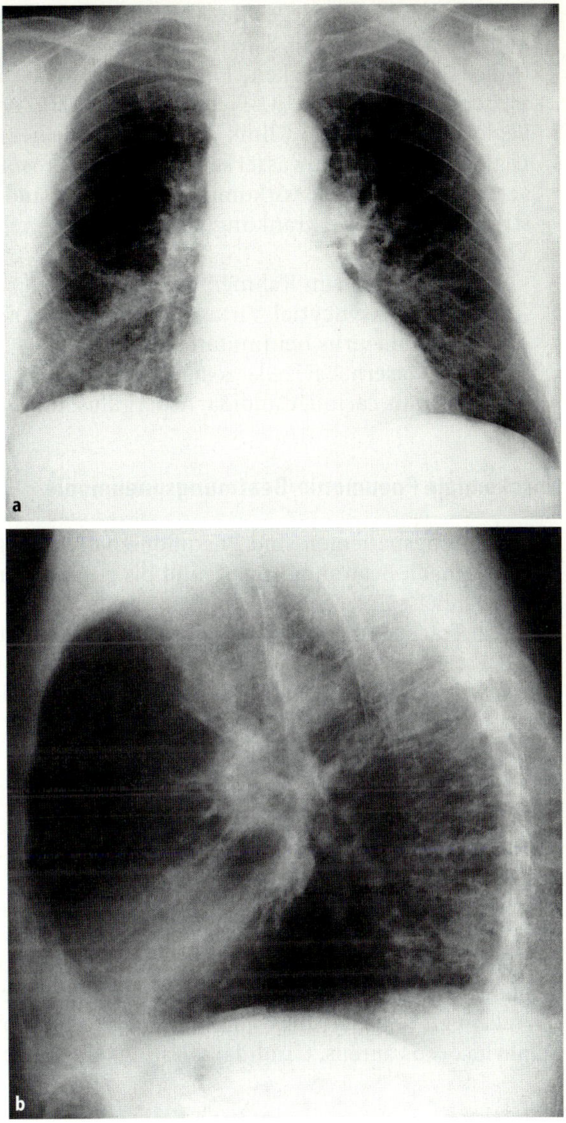

ber. Unauffälliger Auskultations- und Perkussionsbefund. Röntgenologisch nachweisbare, meist diffuse Infiltrate.

Erreger

- Mycoplasma pneumoniae (5–15%), v. a. bei Jugendlichen, jungen Erwachsenen, oft mit familiärer Häufung.
- Chlamydia pneumoniae (5–10%, häufiger im Kindesalter).
- Chlamydia psittaci bei Kontakt mit Vögeln.

- Coxiella burnetii, Erreger des Q-Fiebers: oft Kleinepidemie in ländlicher Region nach Kontakt mit Schafen, Ziegen, Rindern oder deren Ausscheidungen (Milch, Amnionflüssigkeit, Plazenta, Kot). Oft starke Kopfschmerzen, hohes Fieber (s. Kap. 22.14.1: „Q-Fieber" in Kap. 22: „Zoonosen").
- Legionellen (5–10%): Klinik zwischen typischer und atypischer Pneumonie. Legionellen sind Süßwasserkeime, die im Aerosol von Klimaanlagen, Wasserverneblern, Duschen vorkommen. Betroffen sind oft ältere Patienten mit obstruktiver Lungenerkrankung (s. unten: „Legionellose/Legionärskrankheit").
- Viren:
  - Influenzaviren (im Rahmen von Pandemien);
  - Respiratory-syncytial-Virus (bei Kleinkindern);
  - Zytomegalievirus bei Immundefizienz;
  - selten: Masern, Varizella-zoster-Virus.
- Pneumocystis carinii, Candida, Aspergillus: nur bei Immundefizienz.

Nosokomiale Pneumonie/Beatmungspneumonie

Bei Beatmungspatienten sind Pneumonien die häufigsten infektiösen Komplikationen. Je nach Beatmungsdauer sind bis zu 70% der Patienten davon betroffen. Hauptsächliche Erreger sind oropharyngeale Besiedelungskeime, die durch Aspiration in Trachea und Lunge gelangen („stille Aspiration").

Bei Patienten mit Stressulkusprophylaxe, d. h. Anheben des Magensaft-pH-Werts, wird eine Besiedelung des neutralisierten Magens mit Darmkeimen als Ausgangsquelle vermutet.

SYMPTOME

Wie bei der typischen Pneumonie (s. oben).

Erreger

Das Erregerspektrum variiert je nach Beatmungsdauer. Anfangs dasselbe Erregerspektrum wie bei ambulant erworbener, typischer Pneumonie (Streptococcus pneumoniae, Haemophilus influenzae, Staphylococcus aureus, anaerobe Mundkeime). Nach einigen Tagen wird der Oropharyngealraum mit gramnegativen Darmkeimen besiedelt, die dann dominieren (Enterobakterien, Pseudomonaden, Staphylococcus aureus, Candida; s. Kap. 20.4: „Nosokomiale Pneumonien").

Aspirationspneumonie

Eine Aspirationspneumonie entsteht bei Makroaspiration von Oropharyngealsekret, Blut, Magensaft oder Erbrochenem bei Bewusstlosigkeit, Narkose, auch bei Schlucklähmung, Tracheobronchialfistel, gastroösophagealem Reflux.

Erreger

Meist Mischinfektion von aeroben und anaeroben Mundkeimen: Staphylococcus aureus, Streptococcus pneumoniae, Haemophilus influenzae, mitunter Enterobakterien, Bacteroides, Peptokokken, Fusobakterien, Candida.

Pneumonie bei Immundefizienz

Bei immundefizienten Patienten können neben den üblichen Pneumonieerregern eine Reihe von opportunistischen Keimen (Pneumocystis carinii, Candida, Aspergillus, Zytomegalieviren) eine Pneumonie verursachen. (s. Kap. 19: „Infektionen bei immuninkompetenten Patienten").

DIAGNOSE der Pneumonie

- Klinik, Anamnese.
- Auskultation.
- Perkussion.
- Röntgenuntersuchung.
- *Erregernachweis:* Ein Erregernachweis ist anzustreben bei ungewöhnlichen Verläufen, pulmonalen Vorerkrankungen, Erkrankungshäufungen (Epidemie), Patienten mit Immundefizienz und nicht kalkulierbarem Erreger. Der Erregernachweis steht und fällt mit der Probengewinnung und dem Probentransport in das Labor.
- Bei ambulant erworbener Pneumonie am besten „*Morgensputum*" gewinnen nach gründlicher Mundreinigung (der Speichel, der sich jedem abgehusteten Material beimischt, enthält gerade morgens viele Millionen Bakterien aus der Mundflora, die eine Kultur empfindlicher Pneumonieerreger unmöglich machen): Länger als gewöhnlich Zähne putzen, anschließend den Mund mehrfach gründlich mit Wasser spülen, dann Sekret aus den tiefen Atemwegen hochhusten und in das Sputumgefäß hinein expektorieren. Dies gelingt bei allen typisch eitrigen Pneumonien oder Bronchopneumonien. Kann ein kooperationswilliger Patient kein eitriges Sputum produzieren, spricht dies für eine atypische Pneumonie. Die Sputumprobe muss innerhalb von längstens 4–6 h im Labor sein, anderenfalls verringern sich die Chancen, den Erreger anzuzüchten.
- *Bronchiallavage (BAL):* Bei Patienten mit Immundefizienz oder sonstigen schweren Vorerkrankungen sollte vor der Antibiotikatherapie eine Bronchiallavage zur Probengewinnung durchgeführt werden.
- Bei *Beatmungspatienten:* Kontrolle von Trachealsekret oder bronchoskopisch gewonnenem Material.
- Bei Verdacht auf Legionellen, Mykoplasmen, Coxiellen und Chlamydien gelingt die Kultur nur ausnahmsweise (die ersten beiden auf Spezialmedien, die beiden letzteren Erreger in der Zellkultur). Je nach Labor ist ein DNA-Nachweis möglich; anderenfalls Serum einsenden zum Nachweis spezifischer Antikörper.

Therapie

Die Auswahl der Antibiotika richtet sich nach dem klinischen Erscheinungstyp. Es sollte hochdosiert bis zur deutlichen klinischen Besserung behandelt werden (5–10 Tage). Ist nach 3 Tagen keine eindeutige Besserung erfolgt, muss die Therapie umgestellt werden. Erfolgt auch danach keine Besserung, besteht der Verdacht auf eine Retentionspneumonie, z. B. durch ein Bronchialkarzinom (radiologische bzw. bronchoskopische Abklärung).

Die Antibiotikatherapie kann beendet werden, wenn folgende Kriterien erfüllt sind: Temperatur <38°C, Leukozyten <10.000/µl, CRP <30 mg/l. Eine Normalisierung des Röntgenbildes muss nicht erreicht werden.

1. **Antibiotika**
   - *Lobärpneumonie* (Erreger: Pneumokokken): Penicillin (in Deutschland nur 2% resistente Stämme, in Spanien, Frankreich, Ungarn und anderen Ländern 20 – 60% resistente Stämme).
   - *Typische Pneumonie (ambulant erworben):* Aminopenicillin + β-Laktamase-Inhibitor (Amoxicillin/Clavulansäure, Ampicillin/Sulbactam). Alternativen: Cephalosporin der 2. Generation (Cefuroxim, Cefotiam) oder der 3. Generation (Cefotaxim, Ceftriaxon) oder Makrolid (Erythromycin).
   - *Atypische Pneumonie* (einschließlich Legionellen): Erythromycin oder andere Makrolidantibiotika (Clarithromycin, Roxithromycin, Azithromycin). Alternativen: Doxycylin (nicht gegen Legionellen) oder Chinolone. Bei Legionellen Erythromycin plus Rifampicin oder Ciprofloxacin 3-mal 200–400 mg i.v. Bei Coxiella burnetii: Doxycyclin (s. Tabelle 6-5).
     Atypische Erreger reagieren nicht so prompt, deshalb 3–5 Tage abwarten, Therapiedauer 10–14 Tage.
   - *Exazerbation einer obstruktiven Atemwegserkrankung:* In leichten Fällen ambulant: Tetracycline (Doxycyclin), Cotrimoxazol, Aminopenicilline + β-Laktamase-Inhibitor (Ampicillin/Sulbactam, Amoxicillin/Clavulansäure). In schweren Fällen Klinikeinweisung. Parenterale Therapie mit Cephalosporin der 2. oder 3. Generation (Cefuroxim, Cefotiam, Cefotaxim, Ceftriaxon) evtl. plus Clindamycin; Aminopenicillin plus β-Laktamase-Inhibitor oder Acylureidopenicillin plus β-Laktamase-Inhibitor (Piperacillin/Sulbactam oder Piperacillin/Tazobactam); Chinolon (Ciprofloxacin, Levofloxacin, Moxifloxacin) evtl. plus Clindamycin; Carbapenem (Imipenem/Cilastatin, Meropenem) jeweils evtl. plus Aminoglykosid.
   - *Aspirationspneumonie:* Krankenhauseinweisung. Acylureidopenicillin plus β-Laktamase-Inhibitor (Piperacillin/Sulbactam, Piperacillin/Tazobactam) oder Cephalosporin der 3. Generation (Cefotaxim, Ceftriaxon) mit Clindamycin bzw. Metronidazol; oder Carbapenem (Imipenem/Cilastatin, Meropenem), evtl. jeweils plus Aminoglykosid. Alternativ: Chinolon (Ciprofloxacin, Levofloxacin, Moxifloxacin) plus Clindamycin.
   - *Beatmungspneumonie/Nosokomiale Pneumonie:* In der 1. Woche: Aminopenicillin plus β-Laktamase-Inhibitor (Ampicillin/Sulbactam, Amoxicillin/Clavulansäure) oder Cephalosporin der 2. Generation (Cefuroxim, Cefotiam). Später möglichst Weiterbehandlung entsprechend Erregernachweis und Antibiogramm.
     Kalkuliert: Cephalosporin 3. Generation (Cefotaxim, Ceftriaxon, Ceftazidim) plus Flucloxacillin oder Clindamycin evtl. plus Aminoglykosid; Piperacillin plus Sulbactam oder Tazobactam, evtl. plus Aminoglykosid; Carbapenem (Imipenem/Cilastatin, Meropenem) evtl. plus Aminoglykosid; Chinolon (Ciprofloxacin-Hochdosistherapie) evtl. plus Clindamycin (s. Tabelle 6-5)

Tabelle 6-5. Antibiotikatherapie bei Pneumonie mit bekanntem Erreger

Erreger	Antibiotika	Alternative
Streptococcus pneumoniae	Penicillin	Cephalosporin, Makrolid
Haemophilus influenzae	Aminopenicillin	Aminopenicillin plus Betalaktamase-Inhibitor; Cefotiam, Cefotaxim, Ceftriaxon, Levofloxacin, Ciprofloxacin, Moxifloxacin
Staphylococcus aureus	Flucloxacillin	Cefazolin, Clindamycin, Vancomycin
Klebsiella pneumoniae, u. a. Enterobakterien	Cefotaxim, Ceftriaxon evtl. plus Aminoglykosid	Chinolon, Piperacillin plus Sulbactam oder Tazobactam
Pseudomonas aeruginosa	Ceftazidim plus Tobramycin	Ciprofloxacin, Piperacillin, Imipenem/Cilastatin, Meropenem
Mycoplasma pneumoniae	Doxycyclin	Makrolid
Chlamydien	Doxycyclin	Makrolid
Coxiella burnetii	Doxycyclin	Chinolon
Legionellen	Erythromycin plus Rifampicin	Chinolon
Candida albicans	Fluconazol	Amphotericin B evtl. plus 5-Flucytosin

2. **Krankenhauseinweisung**
   Die Pneumonie ist eine bedrohliche Erkrankung, aber nicht jede Pneumonie macht eine Krankenhauseinweisung erforderlich. Sie kann bei folgenden Voraussetzungen unterbleiben:
   - Alter unter 65 Jahre,
   - sonst guter Allgemeinzustand, keine chronischen Lungenerkrankungen,
   - kein Hinweis auf Sepsis, kein hohes Fieber,
   - kein Verdacht auf Aspiration,
   - O_2-Partialdruck >60 mmHg, CO_2-Partialdruck <50 mmHg,
   - Röntgenbefund: Beschränkung auf einen Lungenlappen,
   - Compliance des Patienten (er muss in der Lage sein, Medikamente zu schlucken und Anordnungen zu befolgen).

!

Wichtig für die Therapieentscheidung bei Pneumonie ist, ob die Infektion ambulant oder nosokomial erworben wurde und ob es sich um eine „typische" Pneumonie (mit Flüssigkeits- und Eiteransammlung in den Alveolen) oder eine „atypische", d. h. interstitielle Pneumonie handelt. Die einzelnen Formen werden durch ein sehr unterschiedliches Erregerspektrum verursacht und erfordern eine unterschiedliche Antibiotikatherapie.

Sonderformen der Pneumonie

Legionellose/Legionärskrankheit

Der Erreger „Legionella pneumophila" wurde entdeckt, nachdem 1976 bei einem Treffen von Kriegsveteranen in einem Hotel in Philadelphia 221 Teilnehmer erkrankten und 34 starben.

Legionellen sind Wasserkeime, die sich in Warmwasserbereitungssystemen (Brauchwasser, Klimaanlagen) bei Temperaturen bis 60°C vermehren. Die Infektion erfolgt durch Inhalation von erregerhaltigen Aerosolen, z. B. beim Duschen. Eine Übertragung von Mensch zu Mensch findet nicht statt. Meist treten Kleinraumepidemien in Hotels, Altersheimen, Krankenhäusern auf. Nur ein kleiner Teil der exponierten Personen erkrankt. Die ersten Symptome treten nach einer Inkubationszeit von 2–10 Tagen auf.

SYMPTOME

Das Krankheitsbild variiert von einem grippalen Infekt bis zu schwerer Pneumonie. Beginn mit Schüttelfrost, hohem Fieber >39°C, Kopfschmerzen, Myalgien, trockenem Husten, Brustschmerz, Atemnot, Tachypnoe. Häufig Durchfall, Übelkeit, Erbrechen, neurologische Symptome wie Verwirrtheit, Bewusstseinstrübung. Meist nur mäßige Leukozytose. Oft Nieren- und Leberfunktionsstörungen (Proteinurie, Hämaturie, Hyponatriämie, Hypophosphatämie, Transaminasenanstieg). Röntgenologisch nachweisbare Infiltrate (Abb. 6-3).

Das *Pontiac-Fieber* ist eine nichtpneumonische Form mit kurzer Inkubationszeit (1–2 Tage) und grippeähnlichen Symptomen (trockener Husten, Brustschmerzen, Pharyngitis, Krankheitsgefühl).

Komplikationen

Myo-, Perikarditis, Nephritis, Osteomyelitis.

Erreger

Legionella pneumophila (in 90% Serotyp I, seltener andere Serotypen), L. bozemanii, L. micdadei u. a.

DIAGNOSE

- Anamnese.
- Auskultation (Rasselgeräusche).
- Röntgenaufnahme des Thorax (Infiltrate).
- Nachweis der Erreger mittels fluoreszierender Antikörper oder Nachweis spezifischer DNA mittels PCR in Bronchialsekret, BAL und/oder Antigennachweis im Urin. Der kulturelle Erregernachweis gelingt meist nur im Speziallabor. Der Nachweis von Antikörpern im Serum ist unsicher, ein signifikanter Titeranstieg erfolgt oft erst nach Wochen.

Therapie

Erythromycin (3- bis 4-mal 1 g/Tag i.v.), in schweren Fällen plus Rifampicin (1200 mg/Tag i.v.). Nach Besserung Makrolide oral (Erythromycin, Clarithromy-

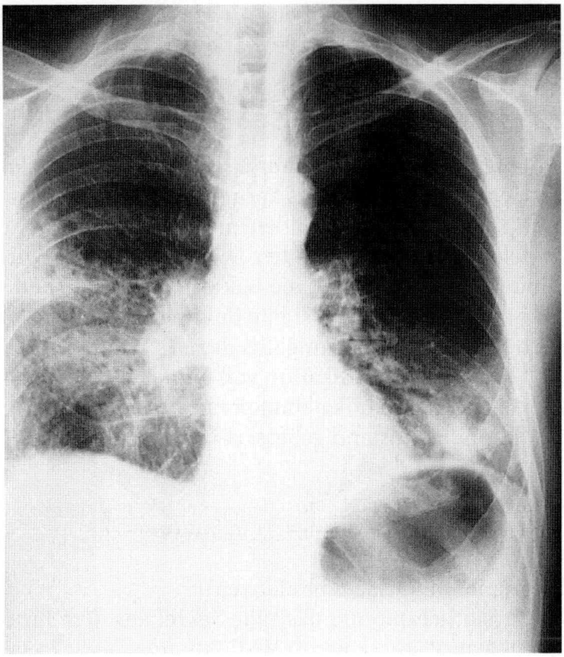

Abb. 6-3. Legionellose mit interstitiellen Infiltraten über beiden Lungenfeldern. (Von K. Rauber, Abt. Radiologie, Krankenhaus Wetzlar)

cin, Roxithromycin, Azithromycin). Behandlungsdauer 10–21 Tage. Alternative: Ciprofloxacin (3-mal 400 mg/Tag i.v.) In leichten Fällen Makrolide (Erythromycin, Clarithromycin, Roxithromyicn, Azithromycin)oder Chinolone oral (Ciprofloxacin; Moxifloxacin).

Prophylaxe
Genügend hohe Erhitzung von Brauchwasser (>60°C), Sanierung von Klimaanlagen.

Meldepflicht
Der Nachweis von Legionellen ist meldepflichtig (s. Tabelle 28-1.)

Pneumonie bei zystischer Fibrose (Mukoviszidose)

Mukoviszidose ist eine angeborene Erkrankung, die auf Mutationen innerhalb eines Gens beruht, das für das CFTR („cystic fibrosis transmembrane conductance regulator")-Protein, einem Chloridkanal in der apikalen Zellmembran, kodiert. Bisher sind mehr als 700 verschiedene Mutationen beschrieben. Die Folge ist eine unterschiedlich ausgeprägte Dyskrasie aller exokrinen Drüsen, mit chronisch obstruktiver Lungenerkrankung, exokriner Pankreasinsuffizienz, Maldigestion und erhöhter Salzkonzentration im Schweiß.

Die erhöhte Viskosität des Bronchialsekrets und die verminderte mukoziliare Clearance begünstigen die Persistenz von Erregern mit immer wieder aufflammenden Infektionsschüben. Die Erreger selbst, ihre Toxine sowie die Sauerstoffradikale von Leukozyten verstärken die Entzündungsreaktion und Gewebszerstörung.

Erreger

Anfangs Staphylococcus aureus, Haemophilus influenzae. Später chronische Infektion mit Pseudomonas aeruginosa, die im Verlauf oft eine mächtige Schleimkapsel aus Alginat ausbilden und nach wiederholten Antibiotikabehandlungen zunehmend resistent werden. Die Schleimkapsel wirkt immunsuppressiv und behindert die Antibiotika, die Bakterien zu erreichen. In fortgeschrittenen Stadien kommen auch multiresistente Bukholderia cepacia, Stenotrophomonas maltophilia oder Aspergillus fumigatus dazu (s. Tabelle 6-6).

Verlauf: Eine Eradikation von einmal etablierten Ps. aeruginosa ist nicht möglich. Durch Antibiotika können nur bei Exazerbation die Erreger vermindert und der klinische Zustand gebessert werden.

DIAGNOSE

Kultureller Erregernachweis in Sputum.

Therapie (in Spezialambulanzen)

1. Physiotherapie, um das zähe Sekret aus dem Brochialsystem zu entfernen.
2. Inhalationstherapie zur Verflüssigung des Sekrets. Inhalation von Colistin oder Tobramycin zur Verminderung der Erreger, entweder kontinuierlich, bei klinischer Verschlechterung oder intermittierend alle 3–4 Monate für jeweils 2 Wochen.
3. Antibiotika bei akuter Exazerbation: möglichst nach Erregernachweis. Anfangs sind die Pseudomonasstämme noch sensibel gegen Chinolone (Ciprofloxacin, Levofloxacin), pseudomonaswirksame β-Laktamantibiotika (Piperacillin, Ceftazidim, Cefepim, Imipenem/Cilastatin, Meropenem) oder Aminoglykoside (Tobramycin, Certomycin, Amikacin). Im Verlauf von Therapiezyklen treten zunehmend Resistenzen auf, sodass am Ende die Behandlung sehr eingeschränkt ist.
4. Bei zunehmendem Funktionsverlust der Lunge ist die Lungentransplantation die letzte Chance.

Tabelle 6-6. Erreger pulmonaler Infektionen bei Mukoviszidose

Stadium der Erkrankung	Erreger
Anfangsstadium	Staphylococcus aureus, Haemophilus influenzae
Fortgeschrittenes Stadium	Pseudomonas aeruginosa mit Alginatschleimkapsel
Spätstadium	Multiresistente Pseudomonas aeruginosa
	Pseudomonas fluoreszens
	Burkholderia cepacia
	Stenotrophomonas maltophilia
	Aspergillus fumigatus u. a. Schimmelpilze

Tuberkulose

Siehe Kap. 16.1: „Tuberkulose“.

6.5
Aspergillose

Aspergillen (Schimmelpilze, Fadenpilze) kommen ubiquitär in der Erde, an verrottenden Pflanzen, in Humus, Kompost vor (Topfpflanzen, Biotonnen!). Durch Inhalation gelangen ihre Sporen in die Lunge und können je nach Immunstatus oder Vorerkrankung lokale oder invasive Infektionen verursachen:
a) allergische Aspergillose,
b) Aspergillom,
c) akute, invasive Aspergillose bei immuninkompetenten Patienten.

Erreger
Aspergillus fumigatus, seltener A. niger, A. flavus, A. nidulans u. a.

Allergische Aspergillose

Nach Besiedelung des Bronchialsystems mit Aspergillus lösen ihre Sporen allergische Reaktionen aus mit vermehrter Produktion von spezifischen IgE- und IgG-Antikörpern. Die chronischen allergischen Reaktionen führen zu Bronchiektasen und fibrotischer Lungenveränderung mit Funktionsstörungen.

SYMPTOME

Asthmabeschwerden.

DIAGNOSE

- Nachweis spezifischer IgE- und IgG-Antikörper.
- Eosinophilie.
- Hautallergietest.

Therapie
Symptomatisch, bronchodilatatorische Therapie.

Aspergillom

Bei Patienten mit vorgeschädigter Lunge (Tuberkulose, Sarkoidose, Bronchiektasen) kann in den präformierten Kavernen ein Pilzknoten entstehen (Abb. 6-4).

SYMPTOME

Chronischer Husten, häufig mit blutigem Auswurf.

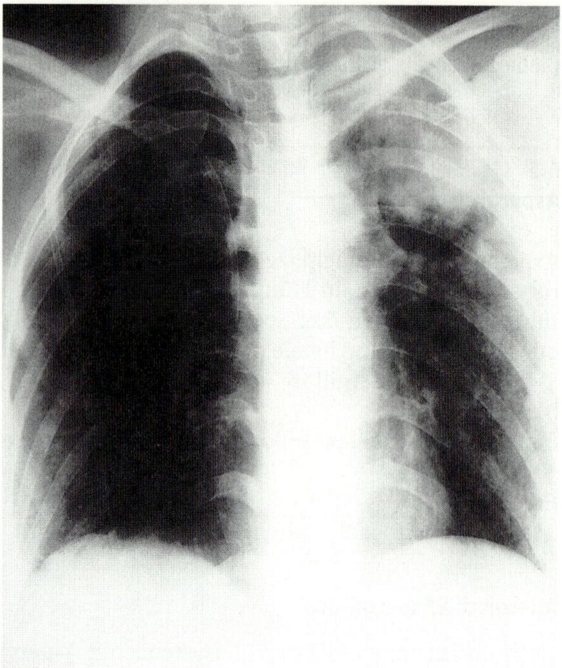

Abb. 6-4. Aspergillom im linken Lungenoberlappen. (Von K. Rauber, Abt. Radiologie, Krankenhaus Wetzlar)

DIAGNOSE

- Klinik.
- Bildgebende Verfahren (Röntgen, CT).

Therapie
Operation, evtl. Nachbehandlung mit Itraconazol.

Akute invasive Aspergillose

Bei immuninkompetenten Patienten (Granulozytopenie unter 500/μl, Kortisontherapie oder Zytostase) kann von einer Aspergilluspneumonie eine Generalisierung ausgehen, die fast immer tödlich endet. Nach invasivem Einbruch der Erreger in die Blutbahn werden sie in andere Organe gestreut und bilden Metastasen im Auge (Endophthalmitis), Niere, Leber, ZNS.

SYMPTOME

Fieber, Leukozytose, Anstieg der Entzündungsparameter, Pneumoniesymptome.

DIAGNOSE

- Klinik.
- Röntgen (Infiltrate), CT.

- Laborparameter wie bei Pneumonie.
- Erregernachweis: u. U. durch invasive Diagnostik (Bronchoskopie, BAL, Biopsie) Material gewinnen zum mikroskopischen und kulturellen Nachweis der Schimmelpilze.
- Antigennachweis im Serum.

Therapie

Möglichst frühzeitig Amphotericin B (bis 1 mg/kgKG) oder Ambisome (1–3 mg/kgKG), evtl. plus 5-Flucytosin. Künftig evtl. Voriconazol, Caspofungin (nach Zulassung).

Prophylaxe

Auf Stationen mit Risikopatienten dürfen keine Topfpflanzen oder Begrünung der Außenwände vorhanden sein. Bei Knochenmarktransplantation, Neutropenie: zur Prophylaxe Inhalation von Amphotericin B.

! **Die invasive, generalisierte Aspergillose endet bei Immundefizienten fast immer tödlich. Die einzige lebensrettende Möglichkeit ist eine sehr frühzeitige antimykotische Therapie.**

6.6 Pleuraempyem

Eine Eiteransammlung in der Pleurahöhle entsteht als Komplikation bei einer bakteriellen Pneumonie (insbesondere Aspirationspneumie) oder eines Lungenabszesses, seltener fortgeleitet von abdominalen oder thorakalen Herden ausgehend (Rippenosteomyelitis, subphrenischer Abszess, Leberabszess) oder transthorakal nach Ösophagusruptur, Trauma oder Operation.

SYMPTOME

Thoraxschmerz, Dyspnoe, Fieber, Leukozytose, Gewichtsverlust, Nachtschweiß.

Erreger

40% aerobe/anaerobe Mischinfektionen, in 25% aerobe Keime (Streptococcus pneumoniae, Staphylococcus aureus, β-hämolysierende Streptokokken, bei Kindern Haemophilus influenzae; mitunter Enterobakterien, Pseudomonaden); in 35% Anaerobier (Bacteroides, Peptokokken, Fusobakterien).

DIAGNOSE

- Anamnese.
- Auskultation, Perkussion.
- Bildgebende Verfahren (Röntgen, CT).
- Erregernachweis in Punktat: Mikroskopie (Präparat gibt Hinweise auf Entzündungszellen und Erreger) und Kultur.

Therapie

1. Antibiotika: Mindestens für 2 Wochen, hochdosiert, am besten nach Erregernachweis und Antibiogramm. Kalkuliert z. B. Acylureidopenicillin (Mezlocillin, Piperacillin) plus β-Laktamase-Inhibitor (Sulbactam, Tazobactam). Alternativen: Cephalosporin der 3. Generation (Cefotaxim, Ceftriaxon) plus Clindamycin; Carbapenem (Imipenem/Cilastatin, Meropenem).
2. Wesentlich ist der Abfluss des Eiters (Saugdrainage, evtl. Dekortikation).

6.7 Lungenabszess

Ein abgekapselter Lungenabszess (Abb. 6-5) kann als Komplikation nach einer Aspirationspneumonie, Retentionspneumonie, mitunter auch Lobär- oder Bronchopneumonie entstehen; seltener als Folge einer Bakteriämie.

SYMPTOME

Meist wochenlanges Krankheitsgefühl mit Fieber, Husten, Gewichtsverlust, Anämie und zunehmendem, z. T. übelriechendem Auswurf (Anaerobier).

Erreger

Häufig aerobe/anaerobe Mischinfektion von Staphylococcus aureus, seltener Klebsiellen oder Pseudomonas aeruginosa mit Anaerobiern (Bacteroides, Peptokokken, Fusobakterien).

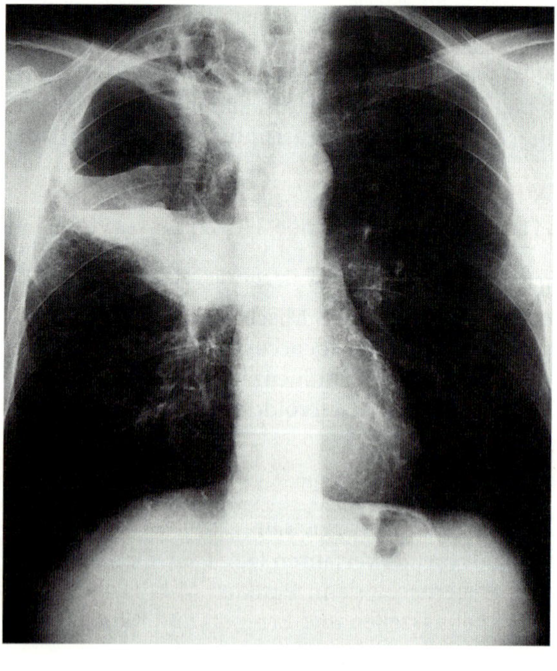

Abb. 6-5. Lungenabszess. (Von K. Rauber, Abt. Radiologie, Krankenhaus Wetzlar)

DIAGNOSE

- Klinik.
- Bildgebende Verfahren (Röntgen, CT).
- Bronchoskopie.
- Mikrobiologische Untersuchung von bronchoskopisch gewonnenem Material.

Differentialdiagnostisch sind u. a. Tumor, Tbc, Fremdkörperaspiration, Nokardiose, Aktinomykose, Aspergillom oder Echinokokkenzysten auszuschließen.

Therapie

1. *Antibiotika:* Hochdosiert, über Wochen. Bei fehlendem Erregernachweis kann mit Acylureidopenicillinen (Mezlocillin, Piperacillin) plus β-Laktamase-Inhibitor (Sulbactam, Tazobactam) oder mit Cephalosporinen der 3. Generation (Cefotaxim, Ceftriaxon) plus Clindamycin behandelt werden. Alternative: Carbapeneme (Imipenem/Cilastatin, Meropenem).
2. Bei fehlender Rückbildung ist eine operative Sanierung erforderlich.

6.8 Mediastinitis

Die akute Mediastinitis ist selten und prognostisch ungünstig. Sie entsteht entweder als Folge einer Ösophagusperforation, wobei Oropharyngealsekret direkt in das Mediastinum gelangt (z. B. durch Tumor, Fremdkörper, Traumen oder iatrogen nach Endoskopie des oberen Gastrointestinaltraktes, Ösophagusdilatation), ferner postoperativ (z. B. nach medialer Sternotomie).

SYMPTOME

Anfangs unauffällig, dann zunehmende Brustschmerzen, Atemnot, Dysphagie, Fieber, Tachykardie. Bei 50% herzsynchrone kratzende Geräusche über dem Thorax. Leukozytose. Später Sepsis.

Komplikationen

Pleuraerguss, Pneumomediastinum, Pneumoperitoneum, Sepsis.

Erreger

Bei Ösophagusperforation aerobe/anaerobe Mischflora, nach Herzchirurgie vorwiegend Staphylococcus aureus.

DIAGNOSE

- Klinik.
- Bildgebende Verfahren: Röntgenaufnahme des Thorax, Darstellung der Ösophagusperforation durch Kontrastösophagographie, CT.
- Erregernachweis in intraoperativen Abstrichen

Therapie

1. Chirurgische Sanierung und Drainage.
2. *Antibiotika:* Cephalosporin der 3. Generation (Cefotaxim, Ceftriaxon, Ceftazidim, Cefepim) plus Clindamycin. Alternativen: Piperacillin plus β-Laktamase-Inhibitor (Sulbactam, Tazobactam); Carbapenem (Imipenem/Cilastatin, Meropenem) evtl. plus Aminoglykosid.

! **Eine akute Mediastinitis ist prognostisch ungünstig und erfordert die chirurgische Sanierung und eine breite Antibiotikatherapie.**

KAPITEL 7

Kardiovaskuläre Infektionen

7.1 Endokarditis

Die Inzidenz einer bakteriellen Entzündung der Herzklappen liegt in Deutschland bei 1–2 Fällen pro 100.000 Einwohner pro Jahr. Unbehandelt endet die Erkrankung meistens tödlich; bei akuter Endokarditis innerhalb weniger Wochen (z. B. bei einer Staphylococcus-aureus-Endokarditis) oder nach mehreren Monaten bei der Endocarditis lenta (meist durch vergrünende Streptokokken).

Risikofaktoren: Rheumatische und degenerative Klappenveränderungen, Septumdefekte, angeborene Klappenveränderungen, intravenöser Drogenabusus, herzchirurgische Eingriffe: künstliche Herzklappen, Gefäßprothesen.

Akute Endokarditis

Eine *akute Endokarditis* tritt auch bei nicht vorgeschädigten Herzklappen auf.

SYMPTOME

Akute Endokarditis: hohes Fieber, oft intermittierend. Herzgeräusch. Rasch fortschreitende Herzinsuffizienz. Myalgien. Gelenkschmerzen.

Komplikationen
Herzinsuffizienz durch Klappenzerstörung, embolische Infarkte.

Erreger
Hauptsächlich Staphylococcus aureus (bei Katheterinfektionen, Drogenabhängigen), seltener β-hämolysierende Streptokokken, die eine vollständige Zerstörung der Klappen bewirken.

Endokarditis lenta

Eine *subakute Endokarditis (Endocarditis lenta)* entsteht, wenn sich an vorgeschädigten Herzklappen (rheumatische, kongenitale oder degenerative Veränderungen) Bakterien anlagern. Bei den Erregern handelt es sich meist um physiologische Florakeime, die beispielsweise bei invasiven Eingriffen in die Blutbahn eingeschwemmt werden. Am häufigsten sind vergrünende Streptokokken, die z. B.

bei Zahnextraktion ins Blut gelangen. Urologische oder gynäkologische Eingriffe fördern die Einschwemmung von Enterokokken.

Etwa 50% der Endokarditispatienten geben in der Anamnese einen instrumentellen Eingriff an.

An den befallenen Klappen bilden sich Auflagerungen (Vegetationen) aus Bakterien, Thrombozyten und Fibrin. Sie sind die Quelle für bakteriämische Schübe und septische Thromben.

SYMPTOME

Endocarditis lenta: Fast immer subfebrile Temperaturen. Leistungsschwäche, Abgeschlagenheit, Nachtschweiß, Gewichtsabnahme, Anämie. Neues oder verändertes Herzgeräusch. Häufig Arthralgien/Myalgien, Splenomegalie. Oslersche Knötchen: kleine druckschmerzhafte Knötchen an Fingern oder Zehen. Janeway Läsionen: kleinfleckige Hämorrhagien an Fingerkuppen, Fußsohlen, Konjuktiven, seltener in der Retina (mit akuten Sehstörungen).

Komplikationen

Herzinsuffizienz durch Klappenzerstörung (Obstruktion, Destruktion), embolische Infarkte in Gehirn, Milz, Niere, Lunge.

Erreger

Am häufigsten (ca. 60%) Streptokokken (meist vergrünende Streptokokken, z. B.Str. sanguis, mutans, milleri, bovis u. a.), 10% Enterokokken (nach Eingriffen im Urogenitalbereich), ferner Staphylokokken, β-hämolysierende Streptokokken. Selten Enterobakterien oder schlecht kultivierbare Keime, wie Haemophilus, Actinobacillus, Cardiobacterium, Eikenella und Kingella (= HACEK-Gruppe). Raritäten sind Candida, Rickettsien, Coxiella burnetii, Chlamydien.

Sonderformen von Endokarditis

Endokarditis bei i.v. Drogenabhängigen

Bei intravenösem Drogenabusus sind Bakteriämien häufig, verursacht durch Hautkeime bzw. Kontaminationskeime des Infusionsbestecks. Resultiert daraus eine Endokarditis, verläuft sie meist akut. In über der Hälfte der Fälle ist die Trikuspidalklappe („Rechtsherzendokarditis", oft ohne Herzgeräusche); in 25% die Aortenklappe, in 20% die Mitralklappe betroffen.

Erreger

Staphylococcus aureus (>50%), Streptokokken oder Enterokokken (15%), Candida (10%), auch Mischinfektionen mit gramnegativen Stäbchen, einschließlich Pseudomonas aeruginosa.

Endokarditis nach Klappenersatz und Gefäßprothesen

Betrifft 10–20% der Endokarditisfälle. Man unterscheidet eine Früh- und eine Spätform.

Frühform

Die Frühform tritt innerhalb von 2 Monaten nach der Operation auf und nimmt meist einen akuten Verlauf. Die Erreger gelangen intraoperativ oder durch Eintrittspforten, z. B. Katheter, Drainagen, Schrittmacher, in die Blutbahn.

Erreger

Über 50% Staphylokkken, insbesondere koagulasenegative Staphylokokken, 15% Candida, 10% gramnegative Stäbchen.

Spätform

Die Spätform tritt später als 2 Monate nach der Operation auf. Ursache sind transiente Bakteriämien (s. oben „Endocarditis lenta“) z. B. aufgrund unterlassener Endokarditisprophylaxe bei invasiven Eingriffen.

Erreger

Am häufigsten vergrünende Streptokokken, Enterokokken, koagulasenegative Staphylokokken, selten Enterobakterien (Abb. 7-1).

DIAGNOSE der Endokarditis

- Klinik, Anamnese.
- *Auskultation:* neues oder verändertes Herzgeräusch.
- *Echokardiographie:* evtl. transösophageal, Nachweis von Vegetationen.
- *Laborwerte:* Leukozyten normal oder erhöht; BSG, CRP, Serumglobuline meist erhöht. Oft Anämie, Proteinurie, Mikrohämaturie.
- *Der Erregernachweis in Blutkulturen ist zwingend und gelingt in 95% der Fälle:* Vor Therapiebeginn 4–6 Blutkulturen im Abstand von 30–60 min abnehmen. Da meist eine kontinuierliche Bakteriämie vorliegt, sind die Erreger in fast allen Kulturen vorhanden. Das ist z. B. bei koagulasenegativen Staphylokokken wichtig für die Unterscheidung zwischen Kontamination und Infektion.

Abb. 7-1. Erreger von Endokarditis

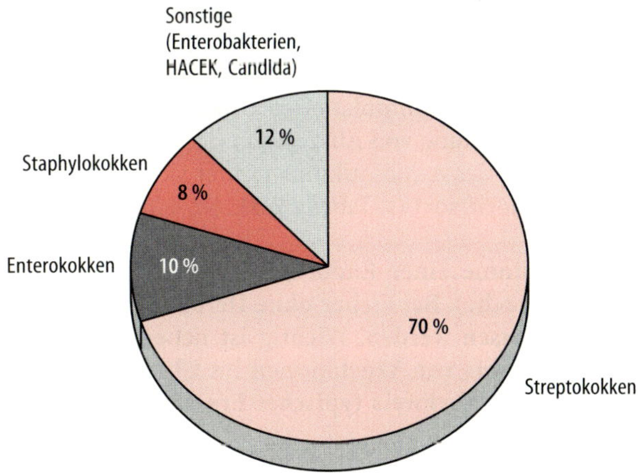

Negative Kulturen trotz echokardiographischem Nachweis von Vegetationen lassen auf Erreger der HACEK-Gruppe oder auf Coxiella burnetii, C. psittaci oder Borrelien schließen. In letzteren Fällen ist der Versuch einer serologischen Diagnose angezeigt. Etwa 5% der Fälle bleiben ungeklärt, oft wegen vorausgegangener Antibiotikatherapie. Hier ist u. U. eine Antibiotikapause von einigen Tagen angezeigt, bevor erneut Blutkulturen gewonnen werden.

Therapie

1. *Antibiotika:* β-Laktam-Antibiotikum bzw. Glykopeptid hochdosiert für 4–6 Wochen plus Aminoglykosid für 2 Wochen.
   - *Akute Endokarditiso oder bei Drogenabhängigen:* Initialtherapie mit Cephalosporin der 3. Generation (Cefotaxim, Ceftriaxon, Ceftazidim) plus Vancomycin plus Gentamicin.
   - *Endokarditis lenta:* Nach Möglichkeit das Ergebnis der Blutkulturen abwarten und Therapie nach dem Erregernachweis (s. Tabelle 7-1).
   - *Prothesenendokarditis:* Vancomycin (2-mal 1 g) für 6–8 Wochen plus Gentamicin (3–5 mg/kgKG/Tag) für 2 Wochen evtl. plus Rifampicin (3-mal 300 mg) für 6–8 Wochen evtl. plus Fosfomycin (3-mal 5 g) für 6–8 Wochen.
2. *Klappenersatzoperation:* Die Notwendigkeit einer Operation ist eine jeweils individuelle Entscheidung, abhängig von der Größe der Vegetationen und dem Grad der Klappeninsuffizienz. Wenn möglich, erst die Infektion sanieren. Die Prothesenendokarditis erfordert bei allen Erregern den Prothesenersatz, außer bei penicillinempfindlichen Streptokokken.

Endokarditisprophylaxe

Bei Patienten mit durchgemachter rheumatischer oder bakterieller Endokarditis, mit Klappenprothesen, Vitien oder Anomalien ist bei allen diagnostischen oder therapeutischen Eingriffen mit potentiellem Bakteriämierisiko zur Prävention einer Endokarditis eine kurzzeitige Antibiotikaprophylaxe angezeigt.

Solche Eingriffe sind:

- im Oropharynx: zahnärztliche Eingriffe mit Blutung, Operation im Nasen-Rachen-Raum, Bronchoskopie, nasale Intubation,
- im Gastrointestinal- oder Urogenitaltrakt: sämtliche Endoskopien mit oder ohne weitere Manipulationen;Geburt,
- Haut: Eröffnung von Abszessen.

Die Wahl des Antibiotikums richtet sich nach dem Risiko (s. Tabelle 7-2) und dem Eingriffsort (s. Tabelle 7-3).

! **Die Symptome einer Endocarditis lenta sind sehr unspezifisch (Fieber, Leistungsschwäche). Bei Fieber ohne Herdnachweis sollte immer eine Endokarditis ausgeschlossen werden. Wichtig ist neben der Herzuntersuchung (Herzgeräusche, Nachweis von Vegetationen im Ultraschall) die Abnahme mehrerer Blutkulturen mit Nachweis typischer Erreger, z. B. vergrünende Streptokokken, Enterokokken.**

Tabelle 7-1. Antibiotikatherapie der Endokarditis bei Erregernachweis

Arzneistoff und Dosierung	Dauer
Vergrünende Streptokokken:	
Penicillin G 3-mal 10 Mio. IE	4–6 Wochen
plus Gentamicin 3–5 mg/kgKG/Tag	2 Wochen
– bei Allergie:	
Vancomycin 2-mal 1 g	4–6 Wochen
plus Gentamicin 3–5 mg/kgKG/Tag	2 Wochen
Enterokokken:	
Ampicillin 3-mal 5 g	4–6 Wochen
plus Gentamicin 3–5 mg/kgKG/Tag	2 Wochen
– bei Allergie:	
Vancomycin 2-mal 1 g	4–6 Wochen
plus Gentamicin 3–5 mg/kgKG/Tag	2 Wochen
Staphylococcus aureus:	
Flucloxacillin 3-mal 4 g	4–6 Wochen
oder Cefazolin 3- bis 4-mal 2 g	4–6 Wochen
plus Gentamicin 3–5 mg/kgKG/Tag	2 Wochen
– bei Allergie oder Oxacillinresistenz:	
Vancomycin 2-mal 1 g	4–6 Wochen
plus Gentamicin 3–5 mg/kgKG/Tag	2 Wochen
oder Fosfomycin 3-mal 5 g	
oder Rifampicin 3-mal 300 mg	
Enterobakterien oder Verdacht HACEK:	
Cephalosporin 3. Generation,	4–6 Wochen
z. B. Cefotaxim 3-mal 2 g	
plus Gentamicin 3–5 mg/kgKG/Tag	2 Wochen
Candida:	
Amphotericin B 0,6–1 mg/kgKG/Tag	Mindestens 6 Wochen
evtl. plus 5-Flucytosin 150 mg/kgKG/Tag	

Tabelle 7-2. Risikofaktoren für Endokarditis

Mäßiges Risiko	Hohes Risiko
Angeborene, rheumatische oder andere erworbene Vitien	Zustand nach bakterieller Endokarditis
Mitralklappenprolaps mit Mitralinsuffizienz	Herzklappenprothesen
Hypertrophe Subaortenstenose	Kongenital-zyanotische Vitien

Tabelle 7-3. Endokarditisprophylaxe*

Eingriff	Mäßiges Risiko	Hohes Risiko
Oropharynx, Atemwege	Amoxicillin 3 g oral 1 h vor Operation	Ampicillin 2 g i.v./i.m. 30 Min. vor Operation oder Amoxicillin 3 g oral 1 h vor Operation. Evtl. Ampicillin 1 g i.v./i.m. oder Amoxicillin 1,5 g oral nach 6 h
	Bei Allergie: Clindamycin 600 mg oder Azithromycin 500 mg oder Clarithromycin 500 mg oral 1 h vor Operation	Vancomycin 1 g i.v. 1 h vor Operation, evtl. 1 g nach 12 h
Urogenital-/ Gastrointestinaltrakt	Amoxicillin 3 g oral 1 h vor Operation	Ampicillin 2 g i.v./i.m. plus Gentamicin 1,5 mg/kgKG i.v. 30 min vor Operation und Ampicillin 1 g i.v. oder Amoxicillin 1,5 g oral nach 6 h
	Bei Allergie: Vancomycin 1 g i.v. 1 h vor Operation	Vancomycin 1 g i.v. plus Gentamicin 1,5 mg/kgKG i.v. 1 h vor Operation, evtl. nach 8 h wiederholen
Hautabszesse	Clindamycin 600 mg oral oder Vancomycin 1 g i.v. 1 h vor Operation	Clindamycin 600 mg oral 1 h vor Operation und Clindamycin 300 mg oral nach 6 h oder Vancomycin 1 g i.v. 1 h vor Operation

* Recommendations of the American Heart Association (JAMA 277: 1794, 1997) und PEG-Empfehlungen (Chemotherapie-Journal 4: 151, 1999).

7.2 Myokarditis

Eine Entzündung des Herzmuskels tritt meist als Folge einer Infektion, seltener als Folge toxischer Schädigungen (z. B. Diphtherie, Bestrahlung, chemische Noxen) auf.

SYMPTOME

Müdigkeit, Atemnot; mitunter Angina pectoris. Fieber, Tachykardie, Arrhythmien.

Erreger

Die häufigsten Erreger sind Viren. An erster Stelle steht Coxackie-Virus B: Die Erkrankung heilt meist folgenlos aus, selten erfolgt ein Übergang in einen chronischen Verlauf mit dilatatorischer Kardiomyopathie. Eine Begleitmyokarditis kann auftreten bei Infektionen mit Influenza- und Adenoviren (Anamnese: vorausgegangener respiratorischer Infekt), ferner bei Mumps, Röteln, EBV, Zytomegalie. Bei HIV wird eine subklinische Myokarditis mit Perikarderguss durch direkten Virusbefall des Herzens beschrieben.

Bakterien verursachen eine Myokarditis im Rahmen einer bakteriellen Endokarditis durch Staphylococcus aureus, seltener durch Enterokokken. Eine Begleitmyokarditis kann auftreten bei Diphtherie (toxisch bedingt), Ornithose, Q-Fieber, Typhus, Infektionen durch Chlamydia pneumoniae, Mycoplasma pneumoniae. Eine immunologisch bedingte Myokarditis findet sich nach Streptokokkeninfektionen bei rheumatischem Fieber. Bei ca. 10% der Borrelieninfektionen tritt eine Lyme-Myokarditis auf, meist subklinisch in Form von Reizleitungsstörungen (s. Kap. 22.6: „Lyme-Borreliose“ in Kap. 22: „Zoonosen“).

DIAGNOSE

- *Die Verdachtsdiagnose ergibt sich aus Klinik und EKG-Veränderungen:* ST-Strecken- und T-Wellenabnormitäten, Verlängerung PR- oder QRS-Intervall. Arrhythmien.
- *Laborwerte:* manchmal Erhöhung myokardialer Enzyme im Serum (CK).
- *Bildgebende Verfahren:* im Röntgenbild evtl. Herzvergrößerung.
- *Erregernachweis:* gelingt meist nur indirekt durch den Nachweis spezifischer Antikörper.

Therapie

Bei viralen Infektionen keine spezifische Therapie. Bettruhe. Symptomatische Therapie mit nichtsteroidalen Antirheumatika (nicht Kortison). Bei Ornithose und Q-Fieber: Doxycyclin; bei Borreliose: in leichteren Fällen Doxycyclin oder Amoxicillin oral, in schwerenFällen Ceftriaxon (s. Kap. 22.6: „Lyme-Borreliose“).

Virale Myokarditiden heilen in der Regel unter symptomatischer Therapie aus. Bei bakterieller Myokarditis ist eine Antibiotikatherapie erforderlich. !

7.3 Perikarditis

Die Entzündung des Perikards kann klinisch inapparent oder selbstlimitierend verlaufen, in schweren Fällen jedoch zum plötzlichen Herzversagen führen. Die Infektion erfolgt entweder im Rahmen einer Myokarditis, einer pulmonalen Infektion, durch hämatogene Streuung, traumatisch oder intraoperativ.

Während sich im Herzbeutel normalerweise nur wenig Flüssigkeit befindet, kommt es bei Erkrankung zur Ergussbildung mit Mengen zwischen 50 ml und mehr als 1 l. Durch die Flüssigkeitsansammlung wird die Herztätigkeit beeinträchtigt. Die Perikarditis kann serös, fibrinös, hämorrhagisch oder purulent sein. Menge und Art der zellulären Reaktion hängen von der auslösenden Ursache ab. Plötzliche oder größere Ergussbildungen können zur Tamponade führen. Klinisch wird die akute Form (Dauer unter 6 Wochen) von der subakuten Form (6 Wochen bis 6 Monate) und von der chronischen Form (länger als 6 Monate) unterschieden.

SYMPTOME

Thoraxschmerz, Fieber, Dyspnoe, allgemeines Krankheitsgefühl. Perikardreiben. Hämodynamisch wirksame Ergüsse führen zu Tachykardie und Blutdruckabfall bis hin zum Schock.

Komplikationen
Herzversagen durch Tamponade.

Erreger
Die häufigsten Verursacher sind Viren: insbesondere Coxsackie-Viren, seltener Varizella-zoster-, Echo-, Adeno-, Mumps-, Influenza-, Epstein-Barr-, Zytomegalieviren, oft zusammen mit Myokarditis. Protrahierter Verlauf über 3–4 Wochen, meist selbstlimitierend.

Eine bakterielle, eitrige Perikarditis wird am häufigsten durch Staphylococcus aureus verursacht (z. B. bei Staphylokokkenpneumonie, -endokarditis, nach Operationen oder bei hämatogener Streuung), bei Kindern durch Haemophilus influenzae bei entsprechender Pneumonie. Seltene Erreger sind Meningokokken, Salmonellen oder Enterobakterien (bei hämatogener Streuung), Anaerobier (bei Lungenabszess), Mykoplasmen, Legionellen, Chlamydien, Borrelien oder Pilze im Rahmen entsprechender Infektionen.

Differentialdiagnostisch müssen nichtinfektiöse Ursachen ausgeschlossen werden: rheumatisches Fieber, Herzinfarkt, Tumor, Sarkoidose, Kollagenosen, rheumatoide Arthritis, M. Still, Lupus erythematodes, Urämie, Myxödem, medikamentös-allergische Reaktionen.

DIAGNOSE

- Klinik.
- Auskultationsbefund (Perikardreiben).
- EKG: Veränderungen.
- Bildgebende Verfahren:
  - Sonographie des Herzens zum Nachweis eines Perikardergusses.
  - Röntgen: Veränderung der Herzsilhouette.
  - CT, MRT: Verdickung des Perikards.
- Erregernachweis aus eitrigem Perikardpunktat. Im Fall schwer kultivierbarer Bakterien oder von Viren DNA- bzw. RNA-Nachweis (PCR) oder Versuch einer serologischen Diagnose.

Therapie
Virale Perikarditis: Bettruhe, symptomatische Therapie mit nichtsteroidalen Antirheumatika (kein Kortison).

Eitrige bakterielle Perikarditis: Möglichst gezielte Antibiotikatherapie, bei unbekanntem Erreger Cephalosporin der 3. Generation (Cefotaxim, Ceftriaxon, Cefepim) plus Clindamycin.

Bei drohender Tamponade Perikardiozentes

7.4 Eitrige Thrombophlebitis

Eine bakteriell bedingte Entzündung der Venenwand tritt meist infolge oder mit Thrombenbildung auf. Die Infektion erfolgt lokal-fortgeleitet bei oberflächlicher Thrombophlebitis oder hämatogen bei tiefen infizierten Thrombosen.

Oberflächliche Thrombophlebitis

Die Infektion geht häufig von Venenkatheterinfektionen oder Hautinfektionen aus.

SYMPTOME

Lokale Entzündungszeichen: Rötung, Schwellung, Schmerz, Berührungsempfindlichkeit. Am Katheteraustritt Eiter.

Tiefe Thrombophlebitis

Betroffen ist z. B. V. jugularis, V. subclavia, V. cava. Ursache ist meist ein infizierter zentraler Venenkatheter. Eine Beckenvenenthrombophlebitis kann nach gynäkologischen Eingriffen, Geburt, oft assoziiert mit Endometritis, oder bei Beckenabszessen entstehen. Eine Sinus-cavernosus-Thrombophlebitis tritt auf nach Lippenfurunkel.

SYMPTOME

Fieber, Sepsis, evtl. septische Embolien, z. B. Lungenembolie mit Infarktpneumonie. Lokale Entzündungszeichen können fehlen.

Erreger

An erster Stelle Staphylokokken, v. a. koagulasenegative Staphylokokken, weniger häufig Enterobakterien oder Pseudomonaden, selten Pilze (Malassezia furfur bei fetthaltigen Infusionen). Bei Beckenvenenthrombose auch Streptokokken, Enterokokken und Anaerobier.

DIAGNOSE

Erregernachweis in Eiter, Blutkulturen und Katheter.

Therapie

1. Entfernung des Verweilkatheters.
2. Antibiotika: Vancomycin plus Cephalosporin der 3. Generation (Cefotaxim, Ceftriaxon, Cefepim, Ceftazidim) evtl. plus Aminoglykosid (Gentamicin, Tobramycin). Bei Beckenvenenthrombophlebitis Cephalosporin der 3. Generation (Cefotaxim, Ceftriaxon, Ceftazidim) plus Clindamycin.
   Alternativ: Carbapeneme (Imipenem/Cilastatin, Meropenem).
3. Heparinisierung.

! Bei katheterassoziierter Thrombophlebitis ist die Entfernung des Verweilkatheters wichtig.

einfachsten der Ureaseschnelltest durchgeführt (hohe Sensitivität und hohe Spezifität), aufwendiger ist die Kultur oder der histologische Nachweis. Der kulturelle Nachweis mit Resistenztestung sollte insbesondere bei Therapieversagen angestrebt werden, da Resistenzen zunehmen (30% Resistenz gegen Metronidazol, 2–3% gegen Makrolide).
Helicobacter pylori sind sehr labil und temperaturempfindlich (zum Transport ins Labor Spezialtransportmedien verwenden). Beim Ulcus duodeni genügt eine Biopsie aus Antrum und Korpus, beim Magenulkus sollten neben den Ulkusrand- und Ulkusgrundbiopsien weitere Gewebeentnahmen aus Antrum und Korpus erfolgen.
Ein indirekter Erregernachweis ist mit dem Harnstoffatemtest möglich.
- *Serologie:* Nachweis von Antikörpern gegen H. pylori im Serum. Bei der Persistenz der Erreger vor einer Ersttherapie kann ein positives Ergebnis als Beleg einer aktiven Infektion gelten.
- Die Zuverlässigkeit eines Tests zum Nachweis von Helicobacterantigen im Stuhl ist in Erprobung.

Differentialdiagnose
Differentialdiagnostisch abzugrenen ist eine Gastritis verursacht durch Medikamente, z. B. durch Acetylsalicylsäure und andere nichtsteroidale Antirheumatika, durch Stress oder als Manifestation eines Zollinger-Ellison-Syndroms.

Therapie
Ziel ist die Eradikation von Helicobacter pylori. Durch geeignete Kombinationstherapien (Protonenpumpeninhibitoren plus 2 Antibiotika) werden 90%ige Eradikationsraten erreicht (Tabelle 8-1). Der Erfolg gewährt jahrelange bis dauerhafte Heilung; eine erneute Infektion ist allerdings möglich.

Tabelle 8-1. Therapie von Helicobacter-pylori-Infektionen

Medikamente	Dosierung	Dauer
Protonenpumpenhemmer, z. B. Omeprazol	2-mal 20 mg/Tag	7 Tage
+ Clarithromycin	2-mal 250 mg/Tag	7 Tage
+ Metronidazol[a]	2-mal 400 mg/Tag	7 Tage
Protonenpumpenhemmer, z. B. Omeprazol	2-mal 20 mg/Tag	7 Tage
+ Clarithromycin	2-mal 500 mg/Tag	7 Tage
+ Amoxicillin	2-mal 1 g/Tag	7 Tage
Bei Therapieversagen:		
Protonenpumpenhemmer, z. B. Omeprazol	2-mal 20 mg/Tag	10–14 Tage
+ Wismutsalz		10–14 Tage
+ Tetracyclin	4-mal 500 mg/Tag	10–14 Tage
+ Metronidazol	3-mal 400 mg/Tag	10–14 Tage

[a] Bei Rezidiven ist eine Metronidazolresistenz (30%) anzunehmen. Die Kombination mit Clarithomycin + Amoxicillin ist dann zu bevorzugen.

Die Eradikation ist bei folgenden Bedingungen indiziert: bei Ulcus duodeni oder Ulcus ventriculi sowie Blutungsnotfall bei peptischem Ulkus, bei Riesenfaltengastritis, MALT-Lymphom im frühen Stadium, bei funktioneller Dyspepsie.

Die Prophylaxe des Magenkarzinoms bei asymptomatischen Helicobacterträgern gilt nicht als Therapieindikation.

Bei jeder chronischen Gastritis oder Verdacht auf peptisches Ulkus sollte eine Diagnostik zum Nachweis von Helicobacter pylori durchgeführt werden. Bei rezidivierenden Infektionen ist die Erregerkultivierung mit Resistenztestung wichtig, da Resistenzen gegen Metronidazol und Makrolide ständig zunehmen. !

8.2 Durchfallerkrankungen und Lebensmittelvergiftungen

Viele Erreger (Bakterien, Viren, Protozoen) verursachen eine Gastroenteritis oder Enterokolitis. Anamnese und Klinik geben Hinweise auf die Erreger und bestimmen das weitere Vorgehen (Tabelle 8-2). Das setzt Grundkenntnisse über die Pathogenese voraus. Prinzipiell werden verschiedene Pathogenitätsprinzipien unterschieden.

Pathogenitätsprinzipien

Enteroadhäsives Prinzip

Die Erreger kolonisieren die Mikrovilli der Enterozyten im Dünndarm, was zu deren Abflachung führt. Mäßige Entzündungsreaktion und verminderte Resorptionsfläche verursachen Durchfall und manchmal leichtes Fieber.

Erreger

Enteropathogene E. coli (EPEC) bei Kindern bis 2 Jahren, Protozoen wie Giardia lamblia (besonders in warmen Ländern) oder Cryptosporidien (meist Aids-assoziiert). Enteroaggregative E. coli (EaggEC) besitzen spezielle Haftpili, welche die Erreger untereinander vernetzen. Darüberhinaus scheinen sie Enterotoxine abzugeben (Epidemien in Chile, Mexiko, Kenia, Japan).

SYMPTOME

Dyspepsie, wässrige Stühle, bei Protozoen manchmal über Wochen; meist kein Fieber. Gewichtsabnahme.

Enterotoxisches Prinzip

Die Erreger haften an Enterozyten im unteren Dünndarm. Sie geben ein Toxin ab, das die Öffnung der Chloridkanäle bewirkt. Anionen (Cl^- und Bicarbonat) werden sezerniert, Na^+ und Wasser folgen passiv. Es resultieren rein funktionelle Störungen ohne histomorphologische Veränderungen, keine Entzündungsreaktion (allenfalls sekundär als Folge extremer Exsikkose).

Tabelle 8-2. Erreger und Symptome bei Durchfall

Anamnese/Alter	Stuhlbeschaffenheit	Fieber – kein Fieber	– mäßig	– mittelgradig	– hoch
Gruppenerkrankung wenige Stunden nach gemeinsamer Mahlzeit	Wässrig-breiig	Lebensmittelvergiftung durch Staph. aureus, Clostridium perfringens			
Kinder bis 2 (3) Jahre	Wässrig-breiig		EPEC	Rotaviren	
Kinder, Jugendliche	Wässrig-breiig (blutig)			Yersinien	
Alle Altersgruppen	Wässrig-breiig (blutig)			Enteritische Salmonellen, Campylobacter, Yersinien	
HUS/TPP	Blutig-schleimig	EHEC	EHEC		
Antibiotikatherapie	Blutig-schleimig		Clostridium difficile		
Nach Auslandsaufenthalt	Wässrig-breiig (blutig)			Enteritische Salmonellen	
	Blutig-schleimig			Shigellen	
	Fest, wässrig (blutig)				Salmonella typhi, Salmonella para-typhi A,B,C
	Wässrig	ETEC, Cholera			
	Breiig (chronisch)	Giardia lamblia, Amöben,			
Aids	Wässrig-breiig (chronisch)	Kryptosporidien, Mikrosporidien			
	Wässrig-breiig (chronisch)		Mycobacterium avium intracellulare		

Erreger
In Mittel- und Nordeuropa selten, in südlichen Ländern ETEC oder in Endemiegebieten Cholera.

SYMPTOME

Übelkeit, Bauchschmerzen, wässriger bis reiswasserähnlicher Durchfall, kein Fieber.

Enteroinvasives Prinzip

Erreger durchdringen die Mukosa im unteren Dünndarm
Sie treffen dort auf Lymphozyten und Makrophagen. Die Folge sind heftige Entzündungsreaktionen mit hohem Fieber (außer bei Alten und Säuglingen). Der Durchfall kann blutig sein.

Erreger
Salmonellen, Campylobacter, Yersinien.

SYMPTOME

Übelkeit, z. T. Erbrechen, Bauchschmerzen, Durchfall, manchmal blutig. Fieber.

Erreger dringen in die Mukosa des Dickdarms ein
Sie breiten sich in der Mukosa aus und rufen Erosionen oder leicht blutende Ulzera hervor. Bei Immungesunden werden die Erreger innerhalb weniger Tage in der Submukosa des Darms abgetötet.

Erreger
Shigellen und enteroinvasive E. coli (EIEC).

SYMPTOME

Blutige, schleimige Stühle, mäßiges Fieber, schmerzhafter Stuhldrang (Dysenterie).

Generalisierte Infektionen
Salmonella typhi und S. paratyphi, die Erreger von Typhus bzw. Paratypus, überleben intrazellulär in den Phagozyten, werden von diesen verschleppt und führen regelmäßig zu einer generalisierten Infektion. Erst nach Aktivierung der Makrophagen durch CD4-Zellen gelingt es, die Erreger abzutöten. Der Aktivierungsprozess benötigt etwa 1 Woche, so lange herrscht „Dauersepsis", klinisch gekennzeichnet durch permanent hohes Fieber (Kontinua) und zunehmende Somnolenz (Typhus). Die Rekonvaleszenz ist langsam. Die Keime können in einzelnen Organen persistieren und z. B. zu Osteomyelitis, Arthritis, Nephritis oder Cholezystitis führen. (s. Typhus, Paratyphus.).

Erreger
Salmonella typhi, Salmonella paratyphi.

SYMPTOME

Schweres Krankheitsgefühl, Übelkeit, Bauchschmerzen, Durchfall, Fieber über 39°C (siehe Typhus abdominalis).

Zytotoxisches Prinzip

Zerstörung des Zytoskeletts

Die Erreger haften bevorzugt an der Kolonmukosa und produzieren Exotoxine, die zum Zelltod führen, z. B. durch Blockade der Proteinsynthese oder durch Zersörung des Zytoskeletts wie bei Clostridium difficile. Die Mukosa wird entblößt. Koloskopisch sind flache Geschwüre nachweisbar.

Erreger

Shigella dysenteriae, Clostridium difficile.

SYMPTOME

Blutig-schleimige Stühle, Fieber.

Endothelschädigung

Bei enterohämorrhagischen E. coli (EHEC) hat das Zytotoxin eine besondere Affinität zu Gefäßendothelien. Lokal führt das zu Mikrothromben in den Kapillaren der Darmmukosa mit flacher Geschwürbildung. Bei einem Teil der Patienten – besonders Kindern unter 10 Jahren – gelangt das Toxin in die Blutbahn und verursacht Endothelschäden an den Nierenglomerula mit der Folge eines hämolytisch-urämischen Syndroms (HUS) oder durch Plättchenablagerung einer thrombotisch-thrombozytopenischen Purpura (TTP).

Erreger

Enterohämorrhagische E. coli (EHEC).

SYMPTOME

Wässrig-schleimige bis blutige Stühle, Fieber nur bei schweren Verläufen. Oligurie und hämolytische Anämie bei HUS. Blutungsneigung bei TTP.

Lebensmittelvergiftungen

Toxine von Staphylococcus aureus, Bacillus cereus, Clostridium perfringens

Bakterielle Toxine, die mit der Nahrung aufgenommen werden, rufen innerhalb weniger Stunden eine Lebensmittelvergiftung hervor. Im Vordergrund stehen Übelkeit und Brechreiz, manchmal gefolgt von Durchfall. Die häufigsten Ursachen sind Enterotoxine von Staphylococcus aureus in Lebensmitteln, die mit Staphylokokken kontaminiert sind. Auch Toxine von Bacillus cereus oder Clostridium perfringens verursachen ähnliche Symptome. Die Erkrankung ist in der Regel nach einigen Stunden bis Tagen selbstlimitierend.

SYMPTOME

Kurze Zeit nach Nahrungsaufnahme (30 min bis wenige Stunden) Übelkeit, Erbrechen, manchmal Durchfall, kein Fieber. Oft Gruppenerkrankungen.

Therapie

1. Symptomatisch, evtl. Ersatz der Flüssigkeitsverluste.
2. Allgemeine Maßnahmen: Intoxikationsquelle eruieren und beseitigen, evtl. Nahrungsmittel asservieren zur definitiven Diagnose. Bei Gruppenerkrankungen muss das Gesundheitsamt eingeschaltet werden.

Botulismus

Eine schwerwiegende Lebensmittelvergiftung wird durch das Toxin von Clostridium botulinum hervorgerufen. Clostridium botulinum sind anaerobe, sporenbildende grampositive Bakterien, die ubiquitär in Erde, Kot vorkommen und ein hochpotentes Neurotoxin (Botulinustoxin) produzieren, das bereits in geringen Mengen tödlich wirkt. Die Sporen der Clostridien sind sehr hitzeresistent. Werden kontaminierte Lebensmittel (Gemüse, Wurst, Fisch), z. B. in Konserven, ungenügend erhitzt, überleben die Sporen und keimen im sauerstoffarmen Milieu zu toxinproduzierenden Bakterien aus. Durch Erhitzen auf 100°C kann das Toxin inaktiviert werden.

Nimmt man Spuren des Toxins zu sich, gelangt es über den Magen-Darm-Trakt in die Blutbahn und entfaltet seine Wirkung an den peripheren Nervenenden. Durch Hemmung der Freisetzung von Acetylcholin aus den Nervenendigungen wird die neuromukuläre Reizübertragung gestört mit der Folge schlaffer Lähmungen.

SYMPTOME

12–36 h nach Toxinaufnahme Störungen der Augenmuskulatur (Augenflimmern, Doppeltsehen, Akkomodationsstörungen), Mundtrockenheit, Schluck- und Sprachstörungen. Später periphere Lähmungen und schließlich Atemlähmung.

DIAGNOSE

Toxinnachweis in Serum, Mageninhalt oder vermutetem Nahrungsmittel (mittels Tierversuch).

Therapie

Sofortige Klinikseinweisung! Gabe von Antitoxin (tierisches Antiserum). Symptomatische Maßnahmen bis hin zu intensivmedizinischer Betreuung.

Meldepflicht

Krankheitsverdacht, Erkrankung und Tod an Botulismus müssen umgehend dem Gesundheitsamt gemeldet werden (s. Tabelle 28-1).

!

Botulismus ist die gefährlichste Lebensmittelvergiftung, verursacht durch das Neurotoxin von Clostridium botulinum. Bereits Spuren des hochpotenten Toxins wirken tödlich. Im Gegensatz zu anderen Lebensmittelvergiftungen stehen nicht gastrointestinale Symptome, sondern Lähmungen im Vordergrund.

DIAGNOSTIK von Durchfallerkrankungen

- Bei Einzelerkrankungen ist ein Erregernachweis meist nicht erforderlich.
- Bei Kleinkindern, Schwangeren, Immunsupprimierten, z. B. HIV-Infizierten, Patienten unter Kortisontherapie, Zytostatika, Zustand nach Transplantation, Neugeborenen, Patienten in hohem Alter sowie bei Gruppenerkrankungen sollte ein kultureller Erregernachweis aus Stuhl angestrebt werden, bei Verdacht auf septische Streuung aus Blutkulturen (Abb. 8-1).

Therapie

1. *Allgemeine Therapierichtlinien:* Bei jeder Durchfallerkrankung ist auf die Einhaltung von Hygiene zu achten: *Händedesinfektionsmittel* verordnen, Händedesinfektion in der Toilette vor dem Händewaschen, Desinfektion des Toilettensitzes. Keine Antidiarrhoika verordnen.
2. *Flüssigkeits- und Elektrolytsubstitution:* Rehydrierung mit WHO-Trunk (Prinzip: Glukose und Salz in viel Wasser; Glukoseresorption wird durch Enterotoxin nicht gestört, mit der Glukose wird Wasser passiv aufgenommen).
   Rezeptur: 30 g Glukose, 2,5 g NaCl, 1,5 g KCl, 2,5 g $NaHCO_3$ auf 1 l abgekochtes Wasser.
   Alternative: käufliche Produkte (Elotrans, Saltadol und Oralpädon), bei denen das Fertigpulver in Wasser gelöst wird, oder „Sportdrinks", z. B. Isostar, Aquarius u. a.

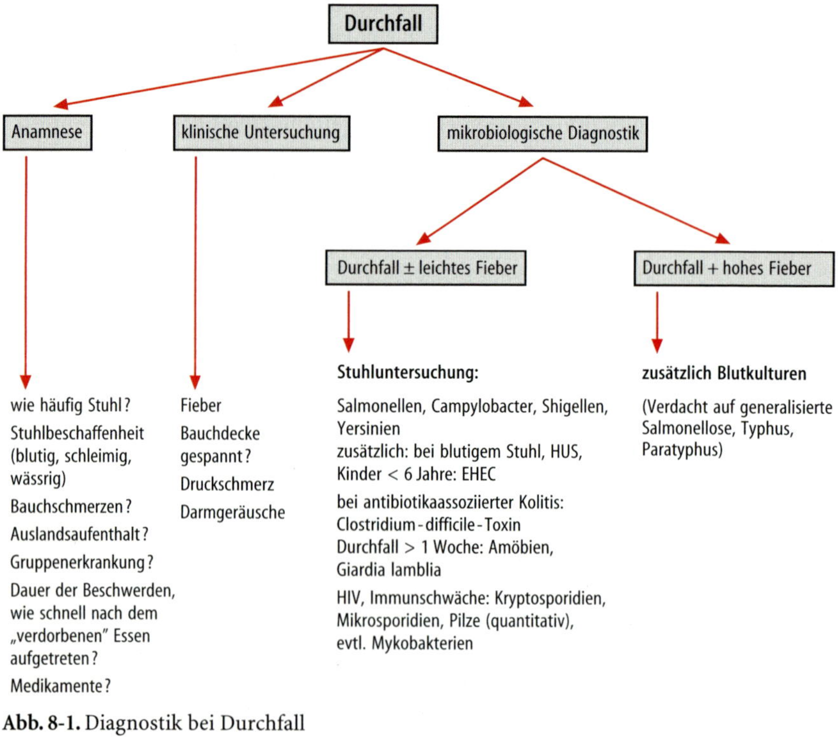

Abb. 8-1. Diagnostik bei Durchfall

„Hausrezeptur“: 3 Esslöffel Rohrzucker, 1/2 Teelöffel Kochsalz, 1 Teelöffel Backpulver und 1 Glas Orangensaft auf 1 l Wasser. Für leichte Fälle: Coca-Cola mit Salzstangen.

3. *Antibiotika:* Eine Antibiotikabehandlung ist absolut indiziert bei septischen Erkrankungen wie Typhus und Paratyphus. Ferner bei fieberhaften Durchfallerkrankungen (Temperatur über 38,5°C), v. a. bei immuninkompetenten Patienten. Erwachsene erhalten Ciprofloxacin (2-mal 500 mg für 1–3 Tage), Kinder Amoxicillin oder Cotrimoxazol, jeweils bis zur Entfieberung.
   Bei Normalpatienten mit wässrigem Durchfall und Temperaturen unter 38,5°C sind Antibiotika nicht erforderlich. Bei ihnen genügt eine symptomatische Therapie mit Bettruhe, reichlich Flüssigkeitszufuhr und Nahrungsaufnahme entsprechend dem Appetit. Bei starkem Flüssigkeitsverlust Rehydrierung.

Prophylaxe
Wichtig ist es, eine entsprechende Lebensmittelhygiene einzuhalten. Da tierische Produkte, speziell Geflügel und Eier, die Hauptinfektionsquelle mit Salmonellen darstellen, ist Vorsicht bei der Zubereitung geboten: Auftauwasser nicht mit anderen Lebensmitteln in Kontakt bringen, Eierspeisen gut erhitzen. Bei Reisen in warme Länder: kein unabgekochtes Wasser oder nichterhitzte Speisen verzehren (s. Kap. 21.1: „Reisediarrhö“ in Kap. 21: „Infektionen nach Auslandsaufenthalt“).

Für Kinder besteht, solange der Durchfall anhält, Kindergarten-, Schul- und Schwimmbadverbot (s. unten „Salmonellose“). Bei Berufstätigen orientiert sich die Krankschreibung an der Klinik. Mitarbeiter in Lebensmittelbetrieben, die Durchfall haben oder darmpathogene Keime ausscheiden, dürfen beruflich keinen Umgang mit offenen Lebensmitteln haben.

Meldepflicht
Siehe Tabelle 28-1.

Spezielle Durchfallerkrankungen durch Bakterien

Salmonellose

In Mittel- und Nordeuropa wie auch den USA sind Salmonellen (gramnegative Stäbchenbakterien, Enterobakterien) die häufigsten bakteriellen Enteritiserreger. In Deutschland werden pro Jahr etwa 100.000 Salmonellainfektionen diagnostiziert und gemeldet. Man schätzt, dass dies nur ca. 10% der tatsächlichen Erkrankungen ausmacht.

Es gibt ca. 800 verschiedene Serotypen enteritischer Salmonellen. In Deutschland herrschen Salmonella enterica Serotyp enteritidis, für die Hühner und deren Produkte die häufigste Infektionsquelle sind, sowie Salmonella enterica Serotyp typhimurium vor. Salmonellen kommen bei Tieren vor und werden durch ungenügend erhitzte tierische Lebensmittel auf den Menschen übertragen. Die Erreger werden oral aufgenommen, die ersten Krankheitserscheinungen treten nach 8–72 h auf.

Enteritische Infektionen verlaufen klinisch sehr variabel, meist sind sie selbstlimitierend. In der Regel bleiben sie auf den Darm beschränkt, im Gegensatz zu

Infektionen mit Salmonella typhi und S. paratyphi. In Ausnahmefällen und bei Immunschwachen (Säuglinge, Kleinkinder, Immundefizienz, alte Patienten) können sie jedoch auch generalisierte Infektionen mit hämatogener Erregeraussaat in andere Organe verursachen.

SYMPTOME

Übelkeit, Erbrechen, Bauchschmerzen, Durchfall, manchmal blutig. Fieber.

Verlauf

In der Regel endet die Erkrankung nach 4–8 Tagen. Die Erreger werden über einen Zeitraum von wenigen Wochen bis zu 8 Monaten mit dem Stuhl ausgeschieden, wobei die Ausscheidungszeit in etwa mit der Schwere der Erkrankung korreliert; je schwerer die Erkrankung, desto länger die Ausscheidung. Im Durchfallstadium sind die Bakterien massenweise, später in geringer Keimzahl vorhanden.

Der Grund, warum die Salmonellen letztlich meist verschwinden, liegt wahrscheinlich an dem bakteriellen Antagonismus der physiologischen Darmflora (Bakteriozine, Colizine). Antibiotika verändern die Darmflora und tragen so dazu bei, die Quote der Langzeitausscheider zu vergrößern. Bei Typhus und Paratyphus liegt die Rate der Dauerausscheider bei 3–5% (einschließlich Gallenwegsinfektionen), bei enteritischen Salmonellosen unter 2%.

DIAGNOSE

- Kultureller Erregernachweis im Stuhl.
- Bei Generalisierung Erregernachweis in Blutkulturen

Therapie

- *Unkomplizierte Fälle:* Symptomatisch, keine Antidiarrhoika, keine Antibiotika.
- *Bei kompliziertem Verlauf (Fieber >38,5°C, blutiger Durchfall):* Ciprofloxacin (2-mal 500 mg) oral bis 2 Tage über Fieberfreiheit. Schwere Fälle: Ciprofloxacin (2- bis 3-mal 400 mg) i.v. bis 3–5 Tage Fieberfreiheit. Alternativen: bei Kindern Cotrimoxazol, Ampicillin oder Amoxicillin. Bei Generalisierung (Salmonellen in Blutkultur nachweisbar) Ciprofloxacin oder Ceftriaxon für 10 Tage.

Prophylaxe

Lebensmittelhygiene. Tierische Lebensmittel ausreichend erhitzen.

Meldepflicht

Erkrankungen durch Salmonellen müssen dem Gesundheitsamt gemeldet werden (s. Tabelle 28-1). Ausscheidern ist nach den Vorschriften des Infektionsschutzgesetzes der gewerbliche Umgang mit offenen Lebensmitteln oder bei Kindern der Besuch des Kindergartens untersagt, solange Erreger ausgeschieden werden. Das kann bei Langzeit- oder Dauerausscheidern zu Problemen führen. In Absprache mit dem Gesundheitsamt und dem Kindergartenpersonal können Kinder den Kindergarten besuchen, wenn ihnen dort eine eigene Toilette zur Verfügung steht.

Infektionen mit enteritischen Salmonellen bleiben in der Regel auf den Darm beschränkt. Bei Personen mit Immunschwäche (Säuglinge, Kleinkinder, alte Personen, Immundefiziente) können auch generalisierte Infektionen die Folge sein.

Typhus abdominalis und Paratyphus

Die Erreger, Salmonella typhi bzw. S. paratyphi A, B, C kommen nur beim Menschen vor. Sie verursachen immer generalisierte septische Erkrankungen. Die Übertragung erfolgt fäkal-oral durch kontaminierte Lebensmittel oder Wasser. Die Erreger werden von den M-Zellen im distalen Ileum durch die Mukosa transportiert. Sie überleben in Makrophagen (intrazelluläre Parasiten) und werden von diesen in die mesenterialen Lymphknoten und über den Ductus thoracicus in die Blutbahn verschleppt. Eine Absiedelung erfolgt in Leber, Milz und Knochenmark. Von dort erfolgt oft eine Reinvasion in das Blut. Die Letalität sinkt bei Antibiotikatherapie auf 1%, ohne Antibiotika 15%.

SYMPTOME

Die Erkrankung läuft in mehreren Stadien ab. Nach einer Inkubationszeit von 7–21 Tagen Appetitlosigkeit, Kopfschmerzen, Bauchschmerzen, täglicher Fieberanstieg bis 39°C am Ende der 1. Woche. In der 2. Krankheitswoche gleichbleibend hohes Fieber (Kontinua), z. T. mit Bewusstseinstrübung, Durchfall oder Obstipation. Relative Bradykardie.

In etwa der Hälfte der Fälle entwickelt sich ein Hautausschlag im Abdominalbereich (Roseolen), der nach wenigen Tagen verschwindet. Splenomegalie, seltener Hepatomegalie. Selten Myokarditis, Pneumonie. In der 3. Woche langsame Besserung infolge der Keimabtötung durch T-zellaktivierte Makrophagen. Gefahr der Darmblutung und Darmperforation durch nekrotisierende Peyer-Plaques.

Komplikationen

Bei Persistenz der Erreger in einzelnen Organen z. B. Cholezystitis, Organabszesse, Osteomyelitis insbesondere der Wirbelsäule, eitrige Arthrits. Bei Paratyphus milderer Verlauf als bei Typhus.

DIAGNOSE

- Erregernachweis in der 1. und 2. Woche in Blutkulturen, ab Ende der 2. Woche im Stuhl.
- *Laborparameter:* anfangs Leukozytose, später Neutropenie.
- *Retrospektiv:* Antikörpernachweis.

Therapie

Ciprofloxacin (2-mal 500 mg/Tag oral, in schweren Fällen 2- bis 3-mal 400 mg i.v.), bis 3–5 Tage Fieberfreiheit. Alternativen: Cefotaxim (Erwachsene: 3-mal 2 g/Tag); Ceftriaxon (am 1. Tag 1-mal 4 g, dann 1-mal 2 g) oder Chloramphenicol (50 mg/kgKG/Tag) i.v. oder p.o. oder Cotrimoxazol (2-mal 960 mg/Tag oral, i.v.) oder Ampicillin (3-mal 2–5 g/Tag).

Bei Dauerausscheidern (3–5% der Patienten) kann der Versuch einer Sanierung mit Ciprofloxacin (2-mal 500 mg/Tag p.o. für 2–4 Wochen) unternommen werden; bei Cholezystitis Cholezystektomie.

Prophylaxe
Lebensmittelhygiene beachten. Zur aktiven Immunisierung gibt es zwei Typhusimpfstoffe : eine orale Lebendvakzine (3 Dosen an Tag 1, 3,5), die einen 60- bis 90%igen Impfschutz für 1–3 Jahre verleiht oder eine i.m oder s.c. zu verabreichende Vakzine aus Vi-Kapselpolysaccharid (Einmaldosis, Impfschutz für ca. 3 Jahre). Die Impfung bewirkt keinen absoluten Schutz, sondern mildert die Krankheit ab.

Meldepflicht
Erkrankung, Verdacht der Erkrankung, Tod und Dauerausscheidung sind meldepflichtig (s. Tabelle 28-1).

! Typhus und Paratyphus sind generalisierte Infektionen mit hämatogener Streuung der Erreger und Absiedlung in diversen Organen. Im Gegensatz zu enteritischen Salmonellosen ist immer eine umgehende Antibiotikatherapie erforderlich. Der Erregernachweis ist am Anfang der Erkrankung nur im Blut, später auch im Stuhl möglich.

Yersiniose

Die Erreger, Yersinia enterocolitica (in Deutschland vorwiegend Serotypen O:3, O:9) und Yersinia pseudotuberculosis kommen bei Tieren vor (gramnegative Stäbchenbakterien, Enterobakterien). Sie werden durch tierische Lebensmittel oder durch Schmierinfektion auf den Mensch übertragen. Nach oraler Aufnahme durchwandern sie die M-Zellen des terminalen Ileums und verursachen Läsionen in der Schleimhaut oder den Peyer-Plaques. Bei Immunschwäche können sie hämatogen in andere Organe gestreut werden. Die Erkrankung durch Y. enterocolitica oder Y. pseudotuberculosis kann entweder als *akute Enterokolitis* verlaufen (besonders bei Kindern) oder als *mesenteriale Lymphadenitis*, die eine Appendizitis vortäuschen kann (besonders bei Jugendlichen).

SYMPTOME

- *Enterokolitis:* Nach einer Inkubationszeit von 4–7 Tagen Übelkeit, z. T. Erbrechen, Bauchschmerzen, Durchfall, manchmal blutig. Fieber. Selbstlimitierend nach ca. 1 Woche.
- *Mesenteriale Lymphadenitis, Ileitis:* Schmerzhafte Lymphadenitis (Pseudoappendizitis), die evtl. ein akutes Abdomen vortäuschen kann.

Verlauf
Postinfektiöse Arthritiden, insbesondere bei Patienten mit HLA B27 kommen vor und treten wenige Wochen nach der akuten Erkrankung auf (s. Kap. 23.5 „Reiter Syndrom“ in Kap. 23: „Postinfektiöse Komplikationen“sowie Kap. 12.2.2: „Postinfektiöse reaktive Arthritis“ in Kap. 12: „Infektionen der Knochen und Gelenke).

DIAGNOSE

- Bei Enteritis Erregernachweis im Stuhl.
- Bei Arthritis Antikörpernachweis im Serum.

Therapie
Bei Yersinienenterokolitis Chinolon, z. B. Ciprofloxacin (2-mal 500 mg oral), oder Tetracycline oder Cotrimoxazol.

Meldepflicht
Siehe Tabelle 28-1.

Shigellose/Shigellenruhr

Für Shigellen (gramnegative Stäbchenbakterien, Enterobakterien) ist der Mensch das einzige Reservoir. Sie sind säurestabil und werden durch die Magensäure schlecht inaktiviert, d. h. es genügen bereits 10 Keime als Infektionsdosis. Sie sind typische Erreger von Massenerkrankungen bei mangelhafter Hygiene wie in Flüchtlingslagern. In Entwicklungsländern kommen Shigellen häufig vor. Die Übertragung erfolgt fäkal-oral durch Schmierinfektion, kontaminierte Lebensmittel oder Wasser. Die Virulenz der verschiedenen Shigellen (Sh. dysenteriae,Sh. flexneri, Sh. boydii, Sh. sonnei) nimmt in der angegebenen Reihenfolge ab. Die Letalität liegt in der Regel unter 1%. Die Erkrankung endet spontan nach ca. 1 Woche.

SYMPTOME

Nach einer Inkubationszeit von 1–4 Tagen blutig-schleimige Stühle, schmerzhafter Stuhldrang, Fieber.

Komplikationen
Kolonperforation, Peritonitis.

DIAGNOSE

Kultureller Erregernachweis im Stuhl.

Therapie
1. Flüssigkeit und Elektrolytsubstitution.
2. *Antibiotka:* in schweren Fällen z. B. Ciprofloxacin, Ampicillin, Cotrimoxazol.

Meldepflicht
Siehe Tabelle 28-1.

Campylobacterenteritis

Campylobacter jejuni (gekrümmte gramnegative Stäbchenbakterien) kommen bei Mensch und Tieren vor. Sie können. insbesondere bei Kindern, nach oraler Aufnahme (geringe Infektionsdosis genügt) eine ulzerierende Kolitis auslösen. In den Entwicklungsländern ist C. jejuni einer der häufigsten Enteritiserreger. Bei rezidivierenden Infektionen kann eine Colitis ulcerosa imitiert werden. Generalisierte septische Infektionen sind selten. Inkubationszeit 1–2 Tage.

SYMPTOME

Anfangs wässriger, später blutiger Durchfall. Bauchschmerzen, Fieber.

Verlauf

Spontanheilung nach 1–7 Tagen. Bei 10% verlängerter Verlauf, in 5–10% Rückfälle. Postinfektiös kann eine reaktive Arthritis oder ein Guillain-Barré-Syndrom folgen (s. Kap. 23: „Postinfektiöse Komplikationen").

DIAGNOSE

Erregernachweis im Stuhl. Mikroskopisch: rotierende, „tanzende" gekrümmte Stäbchen im Phasenkontrastmikroskop. Kultur: die mikroaerophilen Keime wachsen nur unter besonderen Kulturbedingungen.

Therapie

Behandlung mit Erythromycin, Clindamycin oder Tetracyclinen.

Meldepflicht

Siehe Tabelle 28-1.

Cholera

Cholera kommt endemisch in Südostasien (Indien), bzw. Süd- und Mittelamerika vor. Importierte Einzelfälle treten in Europa auf. Der Erreger, Vibrio cholerae (gramnegative, kommaförmige Stäbchenbakterien) und Biotyp El Tor (gemäßigtere Erkrankung), kommt nur beim Menschen vor. Die Infektion erfolgt durch fäkal kontaminiertes Wasser. Da die Keime im sauren Magensaft inaktiviert werden, ist eine hohe Infektionsdosis notwendig, damit einige Bakterien die Magenpassage überstehen. Im alkalischen Milieu des Dünndarmes heften sich die Erreger an die Dünndarmzellen und produzieren ein Enterotoxin (Choleratoxin), das über Aktivierung der Adenylzyklase zu einem Anstieg von cAMP und einer Störung des Wasserhaushaltes mit hohem Flüssigkeits- und Elektrolytverlust führt. Unbehandelt ist die Letalität hoch (60%), durch Behandlung kann sie auf <1% gesenkt werden.

SYMPTOME

Nach einer Inkubationsdauer von 2–5 Tagen Erbrechen und reiswasserartige Durchfälle (bis zu 25 l/Tag). Die Folge sind Exsikkose und Elektrolytverluste (Azidose, Hyponatriämie, Hypokaliämie) mit der Gefahr von hypovolämischem Schock.

DIAGNOSE

- Klinik.
- Erregernachweis im Stuhl (Mikroskopie, Kultur auf Spezialmedien mit alkalischem pH-Wert).

Therapie

1. Am wichtigsten ist die ausreichende Substitution von Flüssigkeit und Elektrolyten, entweder i.v. oder oral (WHO-Trunk, siehe Therapie von Durchfallerkrankungen).
2. In schweren Fällen Antibiotika, z. B. Tetracycline, Ciprofloxacin.

Prophylaxe

Wichtigste Präventivmaßnahme ist die Vermeidung fäkaler Wasserkontamination. Eine Vakzine aus abgetöteten Erregern vermittelt einen unvollständigen Impfschutz (50–60% für 3–6 Monate).

Meldepflicht

Verdacht, Erkrankung, Tod und Ausscheider sind meldepflichtig. Erkrankte Patienten sind Quarantäne-pflichtig.

Cholera kommt als Seuche bei schlechten Hygieneverhältnissen vor. Die hohe Letalität ist bedingt durch den großen Flüssigkeits- und Elektrolytverlust mit der Gefahr eines hypovolämischen Schocks. Wichtigste Therapiemaßnahme ist die Substitution von Flüssigkeit und Elektrolyten. !

Virusgastroenteritiden

Die viral bedingte Gastroenteritis ist eine wichtige Ursache für die Säuglingssterblichkeit in den Entwicklungsländern. Man schätzt, dass pro Jahr über eine Million Todesfälle bei Säuglingen darauf zurückzuführen sind.Viren, die eine Gastroenteritis verursachen, sind in erster Linie die Rota- und Adenoviren (bei Säuglingen und Kleinkindern), seltener Caliciviren (z. B. Norwalk-Viren bei Jugendlichen, Erwachsenen, eine Ursache für Reisediarrho), sowie Astro- und Coronaviren (s. Tabelle 8-3).

Tabelle 8-3. Erreger von Virusgastroenteritis

Erreger	Inkubationszeit (Tage)	Patienten	Krankheitsdauer	Nachweis
Rotaviren	1–3	Häufig Säuglinge und Kleinkinder, Erwachsene selten	4–7 Tage	Im Stuhl Nachweis von Antigen, Elektronenmikroskopie
Adenoviren	8–10	Häufig Säuglinge und Kleinkinder, Erwachsene selten	7–10 Tage und länger	Im Stuhl Nachweis von Antigen, PCR
Astroviren	1–4	Häufig Säuglinge und Kleinkinder, Erwachsene selten	2–3 Tage	Antigen, PCR im Stuhl
Caliciviren	1–3	Häufig Erwachsene, Jugendliche	2–3 Tage	Elektronenmikroskopisch im Stuhl

Die Übertragung erfolgt fäkal-oral. Die Viren müssen die saure Magensaft-Passage überstehen und in den Dünndarm gelangen. Die Dünndarmproteasen fördern die Infektionsentstehung.

Rotavireninfektion

Rotaviren sind die häufigsten Erreger viraler Gastroenteritiden bei Säuglingen und Kleinkindern bis 3 Jahren, v. a. im Winter. Sie sind sehr kontagiös, es treten auch Endemien in Krankenhäusern auf. Die Viren werden mit dem Stuhl ausgeschieden, die Ausscheidung dauert bei primären Infektionen 8–14 Tage. Die Übertragung erfolgt fäkal-oral durch Schmierinfektion oder kontaminíertes Wasser. Rotaviren befallen das Zottenepithel des Dünndarms und bewirken eine Zerstörung des Epithels, das sich jedoch schnell regeneriert. Pathophysiologisch resultiert daraus eine verminderte Enzymproduktion mit sekundärer Malabsorption, z. B. sind die Disaccharidasen vermindert. Die Infektion bleibt auf den Dünndarm beschränkt, da die Viren Dünndarm-Proteasen zu ihrer Infektiosität benötigen. Diese Proteasen spalten virales Glykoprotein und erhöhen dadurch die Infektiosität der Viren. IgA-Antikörper schützen vor Erkrankung, sie sind z. B. in Muttermilch enthalten.

SYMPTOME

Nach einer Inkubationszeit von 1–3 Tagen wässrige Durchfälle, z. T. mit Schleimbeimengungen. Erbrechen, Dehydrierung. Bei 25–75% tritt Fieber auf, selten über 39°C. Krankheitsdauer 4–7 Tage.

DIAGNOSE

- Virusnachweis im Stuhl (Antigennachweis durch ELISA, evtl. Elektronenmikroskopie) ab 1.–3. Krankheitstag. Ausscheidung selten länger als 2 Wochen.
- Ab dem 5. Krankheitstag sind IgM-Antikörper im Serum nachweisbar.

Therapie
Flüssigkeits- und Elektrolytsubstitution. Prophylaktisch sind Hygienemaßnahmen bedeutsam.

Andere virale Gastroenteritiden

Erreger
Adenoviren (bei Säuglingen und Kleinkindern), seltener Caliciviren (z. B. Norwalk-Viren bei Jugendlichen, Erwachsenen), Astro-, Coronaviren.

SYMPTOME

Wässerige Diarrhö, Erbrechen, Fieber.

DIAGNOSE

- Klinik.
- Ein Erregernachweis ist nur zu epidemiologischen Zwecken sinnvoll.

Therapie
Symptomatisch.

Durchfallerkrankungen durch Protozoen

Bei anhaltenden, nicht fieberhaften Durchfällen von mehr als 10 Tagen und Gewichtsverlust sollte an eine parasitär bedingte Diarrhö gedacht werden.

Giardiasis

Die Infektion mit Giardia lamblia ist die häufigste enterale Protozoenerkrankung. Die umweltstabilen Zysten von Giardia lamblia werden durch kontaminiertes Wasser, Nahrungsmittel oder Schmierinfektion aufgenommen; sie wandeln sich im oberen Dünndarm in Trophozoiten um, vermehren sich und haften am Bürstensaum der Enterozyten. Der Durchfall erfolgt aufgrund einer Entzündungsreaktion mit sekundärer Malabsorption. Die Trophozoiten wandeln sich in stabile Zysten um, die mit dem Stuhl ausgeschieden werden. Inkubationszeit 6–15 Tage.

SYMPTOME

Leichte Infektionen verlaufen asymptomatisch. Bei schweren Verläufen innerhalb 1 Woche nach Infektion Durchfall mit dünnflüssigen, übelriechenden Stühlen, im Regelfall für 1–2 Wochen, aber auch mit chronischen Verläufen. Oft intermittierende Diarrhöen mit Flatulenz.

DIAGNOSE

- Erregernachweis im Stuhl. Mikroskopisch: Zysten und Trophozoiten (Warmstuhl) und/oder immunologisch: Giardia-Antigene mittels Enzym-Immuno-Assay (EIA).
- Erregernachweis in Duodenalaspirat: mikroskopisch (bewegliche Trophozoiten).

Therapie
Tinidazol (50 mg/kgKG) als Einmaldosis (maximal 2 g) oder Metronidazol (3-mal 0,25 g) für 7 Tage; oder Paromomycin (3-mal 10 mg/kgKG/Tag, maximal 3-mal 500 mg/Tag) für 10 Tage.

! **Infektionen mit Giardia lamblia kommen besonders in Ländern mit warmem Klima vor. Typisch sind über Wochen anhaltende Durchfälle mit übelriechendem Stuhl.**

Amöbiasis (Amöbenruhr)

Der Erreger, Entamoeba histolytica, kommt weltweit vor. Erkrankungen sind am häufigsten in tropischen und subtropischen Ländern. Symptomlose Amöbenträger können Amöbenzysten im Stuhl ausscheiden. Die Infektion erfolgt durch orale Aufnahme der Zysten mit Wasser oder Lebensmitteln. Im Darm adhärieren die Magnaformen an der Mukosa. Es entstehen zunächst oberflächliche Herde, dann ausgedehnte Ulzerationen in der Dickdarmmukosa (intestinale Amöbiasis). Dadurch können Trophozoiten in den Blutkreislauf gelangen und in Leber und andere Organe gestreut werden (extraintestinale Amöbiasis).

SYMPTOME der invasiven intestinalen Amöbiasis

Nach Tagen oder Wochen treten zunächst geringe, später massive Schleim-, Eiter- und Blutbeimengungen im Stuhl auf. Eosinophilie. Später intermittierende Diarrhöen mit übelriechenden Stühlen, Flatulenz und Bauchschmerzen. Fieber tritt nur in etwa 1/3 der Fälle auf.

Komplikationen

Blutungen aus Ulzera, Kolonperforation mit Peritonitis. Hämatogene Streuung in Leber, Lunge, Milz, Gehirn. Am häufigsten ist ein *Leberabszess:* Monate oder Jahre nach einer intestinalen Amöbiasis Druckschmerz im rechten Oberbauch, Fieber, schweres Krankheitsgefühl. Das Abszesspunktat enthält dünnes, gelbes oder grünes Sekret, aber keine Leukozyten oder Amöben! (s. Kap. 9.3 „Leberabszess“).

DIAGNOSE

- Reiseanamnese, Symptome.
- Rektoskopie/Koloskopie: Ulzerationen.
- Mikroskopischer/immunologischer Erregernachweis in frischem Stuhl.
- Bei extraintestinaler: Antikörpernachweis im Serum.

Therapie

Der Nachweis von E. histolytica erfordert immer, unabhängig von eventuellen Symptomen, eine spezifische Therapie. Eine Therapie von E. dispar, der apathogenen Form, wird nicht mehr empfohlen. Eine Unterscheidung zwischen E. histolytica und E. dispar ist immunologisch möglich.

- *Invasive und extraintestinale Amöbiasis:*
  Metronidazol (3-mal750 mg/Tag) p.o./i.v. für 5–10 Tage oder
  Nimorazol (2-mal 25 mg/kgKG/Tag, maximal 2-mal 1 g/Tag) für 5–10 Tage oder
  Tinidazol (2-mal 25 mg/kgKG/Tag, maximal 2-mal 1 g) für 5–7 Tage.
  Bei extraintestinaler Manifestation (z. B. Amöbenleberabszess) evtl. zusätzlich Chloroquin (1-mal 5 mg Base/kgKG/Tag) für 15–20 Tage. Eine Therapie mit Diloxanidfuroat sollte immer angeschlossen werden, um evtl. im Darmlumen vorhandene E. histolytica sicher zu eliminieren.
- *Zystenausscheider:*
  Therapie wie oben oder
  Paromomycin (3-mal 10 mg/kgKG/Tag, maximal 3-mal 500 mg/kgKG/Tag) für 5–10 Tage.
  Diloxanidfuroat (Furamide: 3-mal 500 mg/Tag) für 10 Tage.

!

Amöbeninfektionen treten in Ländern mit tropischem oder subtropischem Klima auf. Die Diarrhöen mit übelriechendem Stuhl halten oft wochenlang an. Als Komplikation können Leberabszesse auftreten, die bei Männern häufiger sind.

Kryptosporidien, Mikrosporidien, Isospora, Cyclospora

Cryptosporidium parvum, Isospora belli, Cyclospora cayetanensis oder Mikrosporidien spielen nur bei immuninkompetenten Patienten, insbesondere bei Aids, eine Rolle. Die Infektion erfolgt durch orale Aufnahme von Zysten.

SYMPTOME

Bei Immungesunden meist keine Krankheitszeichen, allenfalls leichter wässriger Durchfall. Gewichtsabnahme. Bei Aids chronischer, oft intermittierender Durchfall, der lebensbedrohlich sein kann.

DIAGNOSE

Erregernachweis (mikroskopisch oder immunologisch) im Stuhl.

Therapie

- Cryptosporidium parvum: Keine sicher effektive Therapie verfügbar. Bei Aids-Patienten kann eine Therapie mit Paromomycin (4-mal 500 mg/Tag) für mehrere Wochen eine klinische Besserung bewirken (s. Kap. 19, Infektionen bei immundefizienten Patienten).
- Isospora: Cotrimoxazol (4-mal 160 mg Trimethoprim plus 4-mal 800 mg Sulfamethoxazol/Tag) für 10 Tage, anschließend 2-mal 160 mg Trimethopirm plus 2-mal 800 mg Sulfamethoxazol/Tag für 3 Wochen. Alternativ: Pyrimethamin (50–75 mg/Tag) plus Folinsäure (7,5–15 mg/Tag) für 4–6 Wochen.
- Mikrosporidien: Albendazol (2-mal 400 mg/Tag) für 4–6 Wochen.
- Cyclospora: Cotrimoxazol (2-mal 160 mg Trimethoprim plus 2-mal 800 mg Sulfamethoxazol/Tag) für 7 Tage.

Balantidiasis (Balantidienruhr)

Balantiden sind häufige Parasiten bei Wildschweinen. Infektionen kommen jedoch auch bei Hausschweinen (bei 2–5% der Hausschweine lassen sich Balantidenzysten im Kot nachweisen) und gelegentlich bei Ratten und Affen vor. Die Infektion beim Menschen erfolgt durch Aufnahme von Zysten, die aus dem Schweinekot stammen. Die Verbreitung ist weltweit.

SYMTOME

Die Symptome gleichen der Amöbenruhr: blutig-schleimige Durchfälle, starke Leibschmerzen und Tenesmen. Neben dem akuten Krankheitsbild werden auch chronische Verläufe über Monate bis Jahre beobachtet.

DIAGNOSE

Erregernachweis (mikroskopisch) im Stuhl.

Therapie

Tetracyclin (4-mal 10 mg/kgKG/Tag; maximal 4-mal 500 mg/Tag) für 10 Tage oder Metronidazol (3-mal 40 mg/kgKG/Tag; maximal 3-mal 750 mg/Tag) für 5 Tage.

8.3 Antibiotikaassoziierte Kolitis

Übelkeit und Durchfall sind häufige Nebenwirkungen bei einer Antibiotikatherapie. Treten jedoch blutige Stühle mit Leukozyten, Bauchkrämpfe und Fieber auf, weist dies auf eine Kolitis hin. Eine Kolitis mit oder ohne Pseudomembranen ist die Folge einer antibiotikabedingten Veränderung der Darmflora, in der nun toxinproduzierende Clostridium-difficile-Stämme vorherrschen. Diese sind normalerweise in niedriger Keimzahl bei 3–5% der Erwachsenen im Stuhl zu finden, im Fall einer Hospitalisation bei 10–30% (Hospitalismusinfektion?).

Die meisten Stämme produzieren 2 Zytotoxine (A und B), die das Mukosaepithel zerstören. Die Läsionen werden durch Fibrin abgedichtet (Pseudomembranen). Betroffen ist das ganze Kolon einschließlich Rektosigmoid. Die Erkrankung wurde zuerst unter Clindamycin beschrieben, kann aber durch fast alle Antibiotika ausgelöst werden, sowohl bei oraler als auch intravenöser Applikation. Die antibiotikaassoziierte Kolitis tritt typischerweise 4–9 Tage nach Therapiebeginn auf, seltener erst einige Wochen nach Absetzen des Antibiotikums. Unbehandelt beträgt die Letalität 10–20%.

SYMPTOME

Wässriger oder schleimiger, übelriechender grüner Durchfall, oft blutig. Bauchkrämpfe, Fieber, Leukozytose.

Komplikationen

Kolonperforation. Toxisches Megakolon. Durchwanderungsperitonitis. Nekrotisierende Kolitis. Sepsis.

DIAGNOSE

- Antibiotikaanamnese.
- *Bei Verdachtsdiagnose:* Sigmoidoskopie, Koloskopie.
- Eine Bestätigung der Diagnose durch Nachweis von Cl. difficile-Toxin im Stuhl (ELISA, Zytotoxizitätstest, Amplifikation toxinkodierender Gene) sollte angestrebt werden.

Differentialdiagnose

Differentialdiagnostisch sind M. Crohn, Colitis ulcerosa, bakterielle Darminfektionen, z. B. durch Salmonellen, auszuschließen.

Therapie

1. Antibiotikum absetzen.
2. In leichen Fällen Metronidazol oral (4-mal 400 mg/Tag), in schweren Fällen i.v., 2–5 Tage über die Beschwerdefreiheit hinaus. In schweren Fällen oder bei Therapieresistenz: Vancomycin oral 4-mal 125 mg/Tag (Gefahr: Selektion vancomycinresistenter Enterokokken im Darm).

Bei Diarrhö mit blutigen übelriechenden grünen Stühlen im Anschluß an eine Antibiotikatherapie muss an eine Kolitis gedacht werden. !

8.4 M. Whipple

Bei der Erkrankung handelt es sich um eine seltene, langsam fortschreitende systemische Infektion durch Tropheryma whippelii, ein grampositives, aktinomycetenähnliches, bisher nicht kultivierbares Bakterium. Betroffen sind v. a. Menschen zwischen 50 und 70 Jahren, häufiger Patienten mit HLA B27. Möglicherweise ist auch ein T-Zelldefekt prädisponierend.

SYMPTOME

Initial oft Arthralgien (meist in großen Gelenken über Jahre). Allmähliche Entwicklung von Diarrhö, Malabsorption, Gewichtsverlust, Bauchschmerzen, subfebrilen Temperaturen. Anämie (90%), Hyperpigmentierung der Haut (50%), Endokarditis (25%). Oft ZNS-Befall mit neurologischen Ausfällen (Ophthalmoplegie, Ataxien, Paresen, Hyperreflexien, Hör- oder Sehstörungen).

DIAGNOSE

- *Klinik:* Gewichtsverlust, Durchfall, Bauchschmerzen nach vorausgegangenen Arthralgien.
- *Dünndarmbiopsie:* histologische Verdachtsdiagnose.
- Erregernachweis im Elektronenmikroskop oder Nachweis spezifischer DNA durch PCR.
- *Labordaten:* Blutbild meist normal, Hypoalbuminämie, Hypocholesterinämie, Hypokaliämie, Anämie, Eisenmangel.

Therapie

1. Antibiotika: z. B. Cotrimoxazol forte (2-mal 960 mg/Tag p.o.) für 1 Jahr. Bei schwerer Erkrankung initial 3-mal 960 mg/Tag i.v. für 2 Wochen, evtl. zusätzlich 2-mal 3 mg Folinsäure/Woche. Alternativen: Penicillin V, Tetracycline. Bei refraktärer Neuropathie Chloramphenicol (1 g/Tag) für 6–12 Monate als Versuch.
2. Bei dystrophen Patienten Vitamine und Eisen substituieren.
3. Langzeitkontrollen wegen Rezidivrisiko noch nach Jahren erforderlich.

Bei Diarrhö mit blutigen übelriechenden grünen Stühlen [illegible] nach einer Antibiotikatherapie muss an eine Kolitis gedacht werden.

Kapitel 9

Intraabdominelle Infektionen

9.1 Infektionen der Gallenwege

9.1.1 Cholezystitis

Eine *akute Cholezystitis* entsteht fast immer sekundär infolge einer Abflussbehinderung durch mechanischen Verschluss (Konkremente, Tumor, Papillenstenose). Gallensteine sind die häufigste Ursache für eine Obstruktion des Ductus cysticus (90%). Bei sekundär bakterieller Besiedelung der entzündeten Gallenblase entsteht eine eitrige Cholezystitis (80%).

SYMPTOME

Plötzliche kolikartige Schmerzen im rechten Oberbauch, oft mit Ausstrahlung in das rechte Schulterblatt. Übelkeit, Erbrechen, lokale Abwehrspannung der Bauchdecke rechts, Fieber, Leukozytose, evtl. Ikterus.

Komplikationen
Gallenblasenempyem, nekrotisierend-gangränöse Cholezystitis, Perforation der Gallenblase mit Peritonitis, Sepsis, Pankreatitis, Leberabszess.

Erreger
Am häufigsten Enterobakterien (E. coli, Klebsiellen, Serratia) und Enterokokken, oft in Kombination mit Anaerobiern (Bacteroides fragilis, Peptokokken, Clostridien), seltener Pseudomonas aeruginosa oder Candida.

Die *emphysematöse Cholezystitis* mit typischem Gangrän entsteht bei einer Mischinfektion mit Clostridium perfringens. Sie ist selten und verläuft meist letal.

DIAGNOSE

- Klinik.
- *Bildgebende Verfahren:* Ultraschall, Röntgen, Cholezystographie, CT.
- Eventuell Erregernachweis in Gallenflüssigkeit, die bei ERCP oder Operation gewonnen wird.
- Bei Fieber Anlegen von Blutkulturen, die aber nicht immer positiv sind.
- *Laborwerte:* Leukozytose, Erhöhung von CRP, SGPT, alkalische Phosphatase und Bilirubin im Serum.

Differentialdiagnose

Pankreatitis, Appendizitis, perforiertes Magen- oder Duodenalulkus, Myokardinfarkt, intestinale Obstruktion.

Therapie

Entscheidend ist die alsbaldige Beseitigung des Abflusshindernisses, entweder durch Sofortoperation oder als elektiver Eingriff im beschwerdefreien Intervall nach Abheilung der akuten Cholezystitis, z. B. durch Antibiotika. Bei drohenden Komplikationen muss sofort operiert werden. Die Antibiotikatherapie sollte möglichst mit Präparaten erfolgen, die in hohen Dosen über die Galle ausgeschieden werden und auch bei Cholestase in der Galle wirksam sind (Tabelle 9-1). In leichten Fällen können Aminopenicilline plus β-Laktamase-Inhibitor i.v. oder oral (Amoxicillin/Clavulansäure, Ampicillin/Sulbactam) oder Ciprofloxacin oral gegeben werden. In schweren Fällen Acylureidopenicillin plus β-Laktamase-Inhibitor (z. B. Mezlocillin oder Piperacillin plus Sulbactam bzw. Tazobactam).

Alternativen: gallegängige Cephalosporine wie Ceftriaxon oder Cefoperazon (hat auch Pseudomonaswirksamkeit) plus Metronidazol, bei septischen Komplikationen plus Aminoglykosid. Doxycyclin ist zwar gut gallegängig, wird aber in der Galle (pH-Wert >7) inaktiviert.

Tabelle 9-1. Antibiotikakonzentrationen in der Galle (ohne Cholestase). (Nach Gilbert et al. The Sanford Guide to Antimicrobial Therapy 2000)

Antibiotika	Relative Konzentration in der Gallenflüssigkeit im Verhältnis zum Serum (Serum = 1)
Ampicillin	1–3
Mezlocillin[a]	10–60
Piperacillin	1–6
Sulbactam	<1
Cefazolin	0,3–3
Cefuroxim	0,3–0,8
Cefotaxim	0,2–0,7
Ceftazidim	0,1–0,5
Ceftriaxon	2–5
Cefoperazon	8–12
Imipenem/Cilastatin	<0,1
Gentamicin	0,1–0,6
Clindamycin	3
Metronidazol[a]	1
Vancomycin	0,5
Ciprofloxacin[a]	30
Doxycyclin[a]	2–30
Rifampicin	100

[a] Penetration in Pankreassaft und -gewebe: Mezlocillin (20% der maximalen Serumspiegel), Metronidazol (50%), Ciprofloxacin (160%), Doxycyclin (30%), Chloramphenicol (60%).

Beendigung der Antibiotikatherapie, wenn Temperatur, Blutbild und CRP normal sind.

Die akute Cholezystitis bessert sich innerhalb von 2–3 Tagen mit vollständiger Abheilung innerhalb einer Woche. Bei Abweichungen von diesem Verlauf an Komplikationen denken. Hohes Fieber, Leukozytose, Abwehrspannung deuten auf Perforation, Empyem oder Gangrän hin, die eine sofortige chirurgische Intervention erfordern. Bei Erhöhung der Amylase ist an eine Gallensteinpankreatitis zu denken.

!

Die *chronische Cholezystitis* ist gekennzeichnet durch rezidivierende Cholezystitisschübe, meist ausgelöst durch Gallensteine. Zur Sanierung ist eine elektive Cholezystektomie angezeigt.

9.1.2 Cholangitis

Die Infektion gestauter extra- und intrahepatischer Gallenwege (meist durch Steine) erfolgt durch einwandernde Darmbakterien.

SYMPTOME

Bauchschmerzen, Ikterus, Fieber mit Schüttelfrost (= Charcot-Trias).

Komplikationen
Sepsis, Pankreatitis, Peritonitis.

Erreger
Enterobakterien (E. coli, Klebsiellen, Serratia) und Enterokokken, oft in Kombination mit Anaerobiern (Bacteroides fragilis, Peptokokken, Clostridien).

DIAGNOSE

- Klinik.
- *Bildgebende Verfahren:* Ultraschall, Cholangiographie, ERCP, CT.
- *Laborwerte:* Leukozytose, deutliche Erhöhung von CRP, Bilirubin, SGPT, alkalischer Phosphatase im Serum.

Therapie
Chirurgische oder endoskopische Beseitigung der Abflussbehinderung und Antibiotikatherapie wie bei Cholezystitis.

9.2 Virushepatitiden

Hauptsächliche Ursachen für die Entzündung der Leber sind die Hepatitisviren A–E (Tabelle 9-2). Entzündliche Leberschädigungen können aber auch durch To-

Tabelle 9-2. Manifestionsformen bei Hepatitis

Hepatitisvirus	Inkubationszeit	Übertragung	Ausscheidung, infektöses Material	Akute Hepatitis	Ausheilung	Chronifizierung
HAV	20–40 Tage	Fäkal-oral	Stuhl, (Blut)	Fast immer (Kinder oft subklinisch)	Fast immer nach 4–8 Wochen; bei 10% bis zu 1 Jahr	Keine
HBV	1–6 Monate	Parenteral, sexuell, perinatal	Blut, Körpersekrete, Muttermilch	Erwachsene[a] 25–30%, Neugeborene 10%, fulminanter Verlauf <1%	Erwachsene 90%	Erwachsene 10%, Kleinkinder 30%, Neugeborene 90%
HCV	3–12 Wochen	Parenteral (i.v.-Drogenabusus!), sexuell (?), intrauterin	Blut	25%, fulminanter Verlauf <0,5%	15%	85%

[a] Immungesunde.

xine, Alkohol, Stoffwechselerkrankungen, Medikamente oder Autoimmunprozesse bedingt sein. Auch eine Begleithepatitis bei Zytomegalie, Epstein-Barr-, Coxsackie-Virusinfektionen, Leptospirose, Brucellose, Malaria ist zu bedenken.

9.2.1 Hepatitis A

Das Hepatitis-A-Virus (HAV) infiziert nur den Menschen. Weltweit werden ca. 1,5 Mio. Erkrankungsfälle pro Jahr geschätzt. Hochendemiegebiete sind v. a. Länder mit niedrigem Hygienestandard, während die Durchseuchungsrate in den Industrieländern abnimmt. In Deutschland werden jährlich ca. 4000 Hepatitis-A-Fälle gemeldet, vornehmlich nach Reisen in Endemiegebiete.

Die Übertragung des Virus erfolgt fäkal-oral über infizierte Lebensmittel oder Wasser. Nach der oralen Aufnahme gelangt das Virus über den Darm ins Pfortaderblut und in die Leber, wo es die Hepatozyten infiziert. Die infizierten Zellen werden durch die Viren selbst nur wenig beeinträchtigt. Sie scheiden das Virus sowohl in die Blutbahn als auch über die Galle in den Darm aus. Die Erkrankung mit Zerstörung der infizierten Hepatozyten wird durch die zelluläre Immunantwort verursacht (Immunpathogenese). Blut enthält kurzzeitig Viren und kommt nur bei Inokulation größerer Mengen als Infektionsquelle in Betracht.

Die Inkubationszeit beträgt 20–40 Tage. Die Viren sind jedoch bereits 1–2 Wochen vor Krankheitsbeginn in großer Menge im Stuhl, d. h. die Patienten sind bereits vor dem Auftreten von Krankheitszeichen infektiös. Die Virusausscheidung endet meist in der Ausheilungsphase.

Die Erkrankung verläuft bei Erwachsenen in der Regel akut und heilt spontan aus. Bei Kindern und Jugendlichen ist der Verlauf oft subklinisch. Bei älteren Erwachsenen kann die Erkrankung fulminant verlaufen (2–5%) mit Leberversagen und u. U. tödlichem Ausgang.

SYMPTOME

Appetitlosigkeit, Übelkeit, Brechreiz, Schwächegefühl, Druckgefühl im Oberbauch, Fieber, Diarrhö, Juckreiz, Arthralgien, Myalgien. Ikterus („Gelbsucht") mit Dunkelfärbung des Urins durch Ausscheidung der Bilirubinstoffwechselprodukte, heller Stuhl. Anstieg von Transaminasen und Bilirubin im Blut.

Verlauf

Die Erkrankung heilt meist nach 4–8 Wochen aus, bei ca. 10% findet ein protrahierter Verlauf statt bis zu einem Jahr. Eine Chronifizierung oder eine Viruspersistenz sind nicht bekannt. In wenigen Fällen kann nach mehreren Monaten ein Rückfall auftreten. Klinisch kann die Hepatitis A von anderen Virushepatitiden nicht unterschieden werden.

DIAGNOSE

- Anstieg von Transaminasen und Bilirubin im Serum.
- Nachweis spezifischer IgM-/IgG-Antikörper im Serum. Anti-HAV-IgM ist bei Beginn der Krankheitszeichen bereits vorhanden (Abb. 9-1).
- Bei protrahiertem Verlauf bleibt Anti-HAV-IgM bis zur Ausheilung nachweisbar.
- Der Virusnachweis im Stuhl ist möglich (Antigennachweis oder PCR), spielt für die Routinediagnostik aber keine Rolle.

Therapie

Symptomatisch, evtl. Flüssigkeits- und Elektrolytsubstitution. Eine wirksame spezifische Therapie gibt es nicht.

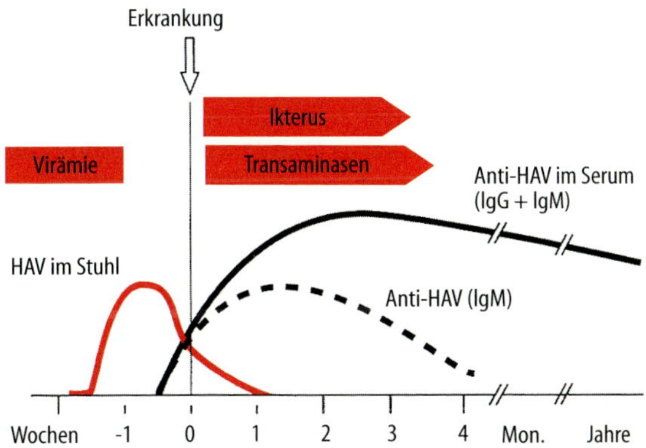

Abb. 9-1. Ablauf einer Hepatitis-A-Infektion. Zu Beginn der Erkrankung sind bereits IgM-Antikörper nachweisbar. (Nach Hahn et al. Medizinische Mikrobiologie und Infektiologie, 1999, S. 658)

Prophylaxe

- Aktive Immunisierung: Die aktive Immunisierung mit inaktiviertem Virus (es existiert nur ein HAV-Serotyp) wird empfohlen vor Reisen in Endemiegebiete, für beruflich exponierte Personen (Laborpersonal mit Stuhlkontakt, Kanalisationsarbeiter, Personal in Kindertagesstätten) und für homosexuelle Männer sowie für Hämophiliepatienten.
- Passive Immunisierung: Postexpositionell ist eine Immunglobulingabe sinnvoll, speziell in Kindergärten.
- Lebensmittelhygiene: In Endemiegebieten kein Verzehr von ungekochten Speisen oder Wasser nach der alten Tropenregel: „Cook it, boil it, peel it or forget it." Eine häufige Infektionsquelle sind rohe oder nicht ausreichend erhitzte Muscheln und Austern.
- Wiederzulassung zur Schule, Gemeinschaftseinrichtungen: 2 Wochen nach Auftreten der ersten Symptome oder eine Woche nach Auftreten des Ikterus.

Meldepflicht

Siehe Tabelle 28-1.

! **Ein negativer Anti-HAV-IgM-Nachweis bei erhöhten Transaminasen schließt bei immunkompetenten Patienten eine Hepatitis A aus, da die Erkrankung durch eine Immunpathogenese ausgelöst wird.**

9.2.2 Hepatitis B

Hepatitis B ist weltweit eine der wichtigsten Infektionskrankheiten. Man geht von etwa 300 Mio. chronisch mit dem Hepatitis-B-Virus (HBV) Infizierten aus. Etwa10% davon sterben an den möglichen Langzeitfolgen der Infektion wie Leberzirrhose oder Leberzellkarzinom. Die höchsten Trägerraten finden sich in Afrika und Südostasien. In Deutschland ist die Trägerrate relativ gering: 0,3–0,8% der Bevölkerung, d. h. 250.000–650.000 Personen, sind Träger von HBV. Jährlich werden ca. 5000 Neuinfektionen gemeldet, wobei die tatsächliche Zahl der Infizierten wesentlich höher angenommen werden muss. Das größte Risiko besteht für i.v. Drogenabhängige. Die Hepatitis B ist neben der Hepatitis C die wichtigste Ursache für chronische Lebererkrankungen mit den möglichen Folgen von Leberzirrhose oder Leberzellkarzinom.

Das Hepatitis-B-Virus (HBV) wird parenteral übertragen. Es gelangt direkt aus den befallenen Hepatozyten ins Blut (bis 10^{10} infektiöse Einheiten/ml) und befindet sich in geringer Konzentration auch in Körpersekreten wie Sperma, Urin, Speichel, Galle, Muttermilch. Die Übertragung erfolgt durch kleinste Blutmengen (Gefahr durch Stichverletzungen) oder durch Schleimhautkontakt (z. B. Geschlechtsverkehr). In Hochendemiegebieten ist die perinatale Übertragung die wichtigste Infektionsquelle.

Zielzellen für das Virus sind Hepatozyten, möglicherweise auch Leukozyten. Wie bei Hepatitis A werden die Hepatozyten durch die Virusreplikation nur gering geschädigt. Die Zerstörung der infizierten Zellen erfolgt durch zytotoxische T-Lymphozyten (Immunpathogenese).

Die Inkubationszeit beträgt je nach Infektionsdosis 1–6 Monate. Das Virus befindet sich bereits vor Auftreten klinischer Symptome im Blut und erreicht die höchsten Konzentrationen kurz vor Beginn der Erkrankung. Etwa 10% der immunkompetenten Erwachsenen und 90% der Säuglinge sowie ein mit dem Lebensalter abnehmender Anteil der Kinder bleiben für viele Jahre bis Jahrzehnte Virusträger.

Gegen einzelne Bestandteile des Virus werden Antikörper gebildet: gegen die äußere Hülle (HBs-Antigen): Anti-HBs-Antikörper; gegen die innere Hülle, das „Core“ (HBc-Antigen): Anti-HBc-Antikörper; gegen lösliches Core-Protein (HBe-Antigen): Anti-HBe-Antikörper.

Akute Hepatitis B

2/3 der HBV-Infektionen verlaufen subklinisch, 1/3 manifestiert sich als *akute Hepatitis*, die in einigen wenigen Fällen (0,5–1%) einen fulminanten Verlauf mit akutem Leberversagen nehmen kann.

SYMPTOME

Zunächst uncharakteristisch, Appetitlosigkeit, Oberbauchschmerzen, Übelkeit, Erbrechen, evtl. Gelenkbeschwerden. Bei schwerer Verlaufsform zunehmend hohes Fieber >39°C, nach 2–3 Tagen Gelbsucht mit Dunkelfärbung des Urins und Gelbfärbung der Augenskleren für wenige Tage bis 6 Wochen.

Verlauf:

Etwa 90% der Infektionen heilen einige Wochen bis Monate nach Elimination des Virus aus. Chronische Verläufe mit persistierender Virämie findet man bei ca.10% der Erwachsenen, aber bei 30% der Kleinkinder und 90% der Neugeborenen oder Immunsupprimierten, oft ohne akute Erkrankung. Die chronische HBV-Infektion kann weitgehend asymptomatisch, als relativ gutartige *chronisch-persistierende Hepatitis* oder als *chronisch-aggressive Hepatitis* mit fortschreitendem Leberzellschaden und zirrhotischem Umbau der Leber verlaufen. Zusätzlich ist das Risiko eines hepatozellulären Karzinoms in der Spätphase 100- bis 200fach höher als bei nicht mit HBV Infizierten.

Chronisch-persistierende Hepatitis B

Gutartige Form der chronischen Hepatitis B. Meist nach mildem Verlauf einer akuten Hepatitis-B-Erkrankung.

SYMPTOME

Erhöhung der Transaminasen, Müdigkeit, Leistungsabfall.

Verlauf

Meist spontane Ausheilung, selten Übergang in chronisch-aggressive Hepatitis B.

Chronisch-aggressive Hepatitis B

Fortschreitender Leberzellverlust mit fibrotischem Umbau. Die Prognose ist schlecht. Nach 4 Jahren haben 40% der Patienten eine Leberzirrhose entwickelt. Spontanheilungen sind selten.

Die Unterscheidung in chronisch-perisistierende oder aggressive Hepatitis ist nur durch den Verlauf und die histologische Untersuchung von Leberbiopsiematerial möglich.

DIAGNOSE der Hepatitis B-Infektion

- Nachweis von Antikörpern (Anti-HBs, Anti-HBc, Anti-HBe).
- Nachweis von HBV-Antigen im Blut (HBsAg, HBcAg, HBeAg).
- Nachweis von HBV-DNA (PCR), vorzugsweise quantitativ.
- Anstieg von Transaminasen (GPT, GOT) und Bilirubin im Serum.

Verlauf

Bei positivem Ergebnis gibt der Verlauf des Antigen- und Antikörpermusters Hinweise auf den Krankheitsverlauf (Abb. 9-2).

- *Akute Hepatitis B:* Bereits einige Wochen vor Erkrankungsbeginn HBs-Antigen im Serum, kurze Zeit später HBeAg. Das Verschwinden von HBsAg nach mehreren Wochen bis Monaten zeigt das Ausheilen der Erkrankung an; ein Persistieren von HBsAg >6 Monate ist Zeichen einer chronischen HBV-Infektion.

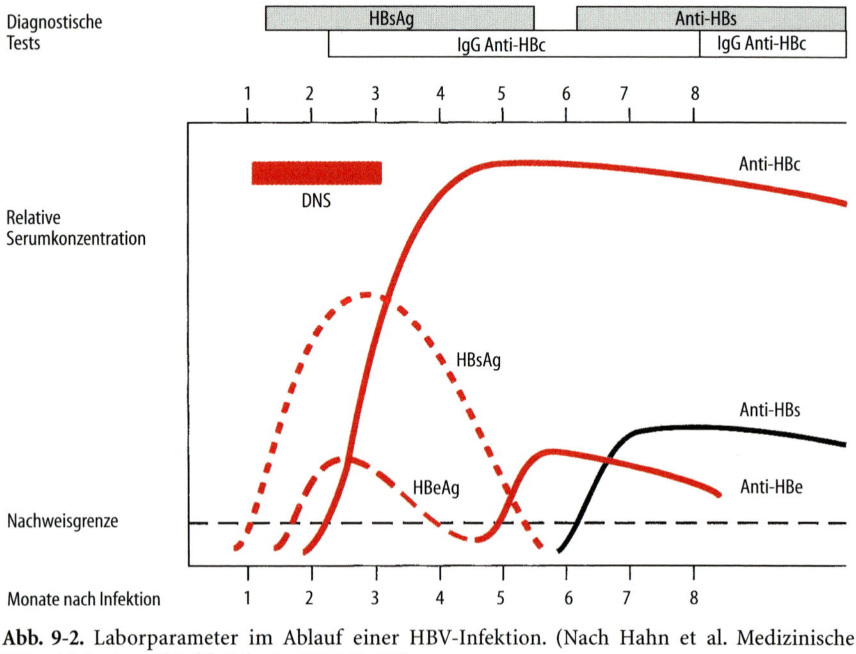

Abb. 9-2. Laborparameter im Ablauf einer HBV-Infektion. (Nach Hahn et al. Medizinische Mikrobiologie und Infektiologie, 1999. S. 664)

Mit Beginn der Krankheit sind Anti-HBc-Antikörper vorhanden, die jahrelang, oft lebenslang, persistieren; nach einigen Wochen meist auch Anti-HBe-Antikörper, die bei chronischen Infektionen ebenfalls persistieren. Erst nach Monaten treten Anti-HBs-Antikörper auf, die bei ausgeheilter HBV-Infektion meist jahrelang, mitunter lebenslang, nachweisbar bleiben.Erfolgreich geimpfte Personen haben nur Anti-HBs-Antikörper, deren Höhe über den Impfschutz entscheidet.

- *Chronisch persistierende Hepatitis B:* Neben erhöhten Transaminasen HBsAg-positiv, bei 50% HBeAg-positiv. Prognostisch tragen Patienten mit positivem HBs- und HBe-Antigen ein größeres Risiko für eine chronisch-aggressive Hepatitis.
- *Chronisch aggressive Hepatitis B:* Die „Leberwerte“ sind erhöht, HBs- und z. T. HBe-Antigen im Serum bleiben positiv.

Ist bei klinischen Symptomen und erhöhten Transaminasen bei immunkompetenten Patienten der Nachweis von Anti-HBc-Antikörpern negativ, ist eine HBV-Infektion ausgeschlossen, da die Infektion durch eine Immunpathogenese ausgelöst wird.

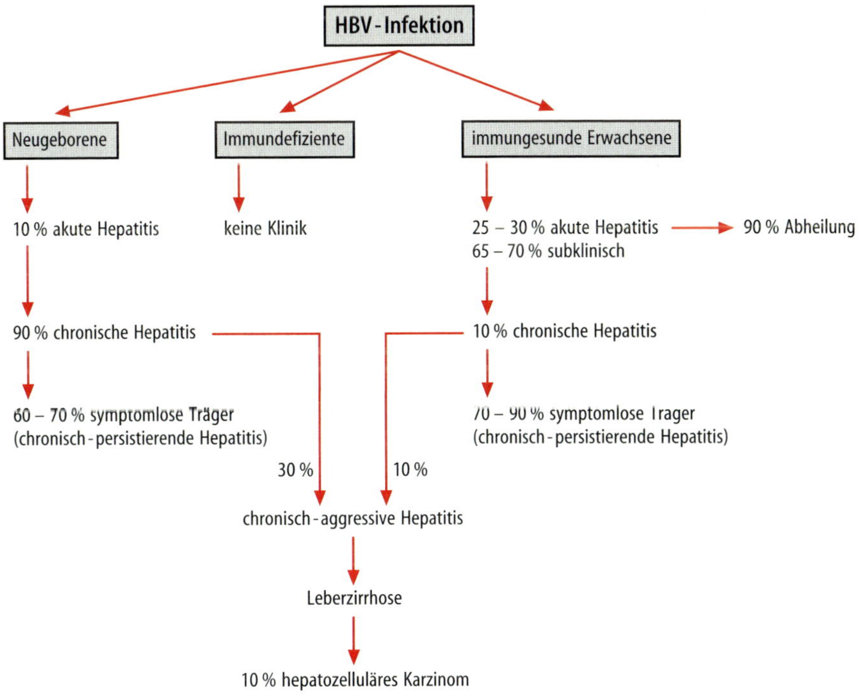

Abb. 9-3. Klinischer Verlauf von HBV-Infektionen

Hepatitis-B-Virusträger (Carrier)

Als Virusträger werden Personen bezeichnet, bei denen nach einer meist asymptomatischen HBV-Infektion mindestens 6 Monate HBs-Antigen nachzuweisen ist. Die meisten sind symptomfrei, was einen Übergang zur chronischen Hepatitis nicht ausschließt.

Es gibt zwei prinzipiell unterschiedliche Phasen des Trägerzustandes. Bei fehlender spezifischer Immunabwehr gegen HBV (auch bei sonst Immunkompetenten möglich) entstehen sehr hohe Virustiter (bis 10^{10} Partikel/ml Serum) und HBs- sowie HBe-Antigenämie bei zugleich minimaler Symptomatik. Diese oft unerkannten Träger sind hochinfektiös. Nach jahre- bzw. jahrzehntelanger massiver Virämie kann es zu einer spontanen Ausbildung einer vorwiegend zellulären Immunität kommen mit weitgehender Unterdrückung der Virämie, Verschwinden des HBe-Antigens, aber Verbleiben des HbsAg. Anti-HBe erscheint meistens. Auch dieser Zustand ist meist asymptomatisch und wird nicht selten erst auf dem Boden einer unbemerkt entstandenen Leberzirrhose entdeckt. In der Spätphase kann auch HBs-Antigen verschwinden, ohne dass deswegen eine Ausheilung der irreversiblen Zirrhose noch möglich wäre.

Wenn HBeAg-negative Mutanten entstehen (nicht bei Genotyp A), kann eine Virämie auch bei positivem Anti-HBe vorliegen.

Der sicherste Marker für die Infektiosität ist der quantitative Nachweis von HBV-DNA. Eine geringe Infektiosität für Kontakte besteht bei Werten $<10^6$ Genomen/ml.

Therapie

Bei akuter *Hepatitis* B wird auf eine Therapie bislang verzichtet, bei schwerem Verlauf symptomatische Therapie. Alkoholkarenz, Vermeidung lebertoxischer Medikamente. Bei fulminantem Verlauf: Lebertransplantation.

Bei persistierender Infektion mit deutlicher Virämie ($>10^6$ Genome/ml) ist eine Therapie mit dem Reverse-Transkriptase-Inhibitor Lamivudine angebracht, der die Virämie weitgehend unterdrückt, ohne das Virus in der Leber zuverlässig eliminieren zu können. Therapie bis mehrere Monate nach Normalisierung der GPT und Verschwinden der HBV-DNA bzw. bis zum Erscheinen resistenter Varianten (in 10–20% der Fälle). Kombination mit Interferon ist in Erprobung, desgleichen Kombination mit immuntherapeutischen Hepatitis-B-Impfstoffen oder anderen (meist weniger verträglichen) Nucleosidanaloga. Monotherapie mit Interferon ist nur bei Patienten mit deutlicher Transaminasenerhöhung und nicht zu hoher HBV-Konzentration aussichtsreich.

Prophylaxe

- *Postexpositionelle passive Immunisierung mit Hyperimmunglobulin* sollte nach Exposition von Nichtimmunen erfolgen, z. B. bei Nadelstichverletzungen nicht immunisierter Personen, bevorzugt gleichzeitig mit Beginn der aktiven Impfung.
- Zur *aktiven Immunisierung* gibt es 2 Impfstoffe: inaktivierte Vakzine aus dem Plasma chronischer HBsAg-positiver Träger (nicht in Deutschland erhältlich) und Vakzine mit HBs-Partikeln (vorzugsweise verwendet), die mittels rekombinanter DNA in Hefe exprimiert werden (rekombinante Vakzine).

Geimpft werden sollte: medizinisches und zahnmedizinisches Personal, Laborpersonal, Dialysepatienten, Patienten mit häufigen Blutübertragungen, Hämophile, Kinder HBsAg-positiver Mütter (s. unten), enge Kontaktpersonen von HBsAg-positiven Personen, Reisende in Hepatitis-B-Hochrisikogebiete, Risikogruppen wie homosexuelle Männer, Drogenabhängige, Prostituierte. Seit 1997 wird auch in Deutschland eine generelle Immunisierung ab dem 3. Lebensmonat und von ungeimpften Jugendlichen befürwortet.

- *Grundimmunisierung:* 3 Impfungen nach 0, 1 und 6 Monaten. Bei Immundefizienten sollte mit doppelter Dosis geimpft werden.
  Neugeborene HbsAg-positiver Mütter: unmittelbar nach der Geburt Simultanimpfung mit Hepatitis-B-Immunglobulin plus aktive Immunisierung.
  Die Schutzdauer der aktiven Immunisierung ist abhängig von der Anti-HBs-Konzentration im Serum, die bei Personen mit erhöhtem Risiko etwa 4 Wochen nach der letzten Grundimmunisierung bestimmt werden sollte. Empfehlungen der STIKO zu Auffrischungsimfungen:
  - Bei Anti-HBs-Titer <10 IE/l: sofortige Wiederimpfung und erneute Kontrolle.
  - Bei Anti-HBs-Titer 10–100 IE/l erneute Impfung innerhalb eines Jahres und Kontrolle.
  - Bei Anti-HBs-Titer >100 IE/l Auffrischungsimpfung nach 10 Jahren.
  - Nonresponder: ca. 5% (bei Immundefizienten, Älteren, Rauchern, Übergewichtigen ein höherer Prozentsatz) zeigen keine ausreichende Immunantwort auf die Aktivimpfung. Bei 50–70% der Nonresponder gelingt es, durch 2 zusätzliche Boosterungen eine Immunisierung zu erreichen.

Meldepflicht

Siehe Tabelle 28-1.

9.2.3 Hepatitis C

Häufigster Erreger der früher als Non-A-Non-B-Hepatitis bezeichneten Virushepatitis ist das Hepatitis-C-Virus (HCV, in Europa am häufigsten die Genotypen 1a, 1b, 2a, 2b, 3a). Es kommt weltweit vor, jedoch meist weniger häufig als HBV. Die Prävalenz liegt in Westeuropa bei 0,1–2%, weltweit bei 3%, in manchen Regionen Afrikas, z. B. Ägypten, bei bis zu 20%.

Die Übertragung erfolgt parenteral durch Blut. Das größte Risiko tragen i.v. Drogenabhängige (70% der Infektionen). Die Übertragung durch andere Körpersekrete, z. B. durch Geschlechtsverkehr, ist nicht gesichert und scheint insgesamt sehr selten zu sein. Vor Einführung des Blutspender-Screenings 1991 war die Übertragung durch Transfusionen und Blutprodukte häufig. Eine erhöhte Infektionsrate findet man bei Dialysepatienten und Kindern HCV-positiver Mütter (Übertragung intrauterin oder durch Verletzungen bei der Geburt; keine Übertragung durch Stillen).

Die Inkubationszeit beträgt 3–12 Wochen. Infizierte sind meist symptomfrei, dennoch ist das Blut infektiös.

SYMPTOME

Meist asymptomatisch, allenfalls grippeähnlicher Verlauf mit mäßiger Transaminasenerhöhung. Bei 25% der Patienten schwerere Krankheitszeichen mit Gelbsucht (s. oben Kap. 9.2.2: „Hepatitis B“).

Verlauf

Rund 85% der Infektionen persistieren, aber nur bei 15% mit klinisch bedeutsamer chronischer Hepatitis. Bei diesen Fällen besteht oft eine ungünstige Prognose mit weiterer Verschlechterung innerhalb von 10 Jahren mit Zirrhose und evtl. Leberkarzinom. Ein schwererer Verlauf ist wahrscheinlich bei Alkoholabusus und Infektion in höherem Alter (>40 Jahre) und evtl. bei höherer Infektionsdosis (Bluttransfusion); kein eindeutiger Einfluss durch Immundefizienz (Abb. 9-4).

DIAGNOSE

- Erhöhte Transaminasen.
- Anti-HCV-Antikörper sind bei Auftreten klinischer Symptome oft, aber nicht immer vorhanden. Sie treten manchmal erst nach Wochen auf. Bei positivem Anti-HCV-Titer im ELISA steht als serologischer Bestätigungstest der rekombinante Immunoblot-Assay zur Verfügung. Der Anti-HCV-Titer ist kein zuverlässiger Parameter für Ausheilung, Chronifizierung oder Verlaufsprognose.
- Nachweis von HCV-RNA, auch semiquantitativ, insbesondere wichtig zur Therapieindikation und -kontrolle. HCV-RNA ist bereits vor dem Auftreten von Antikörpern nachweisbar.

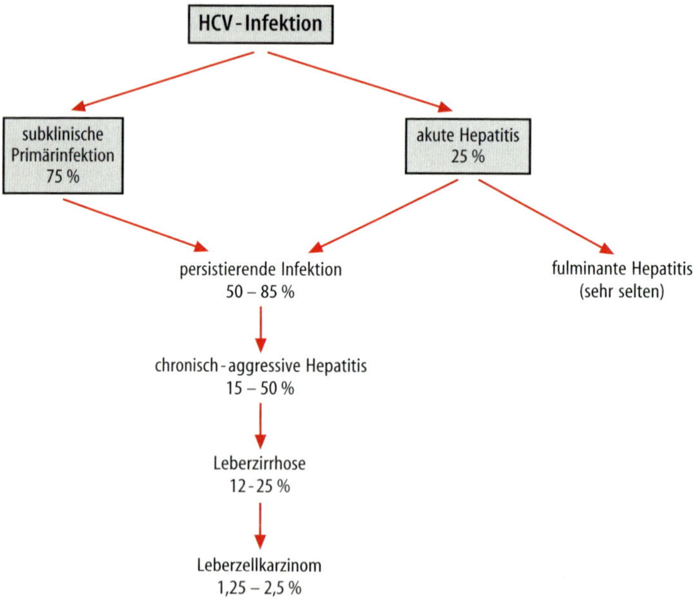

Abb. 9-4. Verlauf von HCV-Infektionen

- Die Abgrenzung symptomloser Carrier/chronisch persistierende oder chronisch-aggressive Hepatits C ist nur durch histologische Untersuchung von Leberbiopsiematerial möglich.

Therapie

1. Möglichst frühzeitig mit α-Interferon, kombiniert mit Ribavirin, bei Genotyp 1 für 48 Wochen, bei anderen Genotypen 24 Wochen. Je später begonnen wird, umso geringer werden die Erfolgschancen. Ob die Behandlung anspricht, lässt sich bereits nach wenigen Wochen durch Abfall der Viruskonzentration feststellen.
2. Wichtig ist die Alkoholkarenz!
3. Bei Leberversagen ist eine Lebertransplantation zu erwägen.

Prophylaxe

Eine aktive oder passive Immunisierung steht derzeit nicht zur Verfügung.

Wichtig ist ein Screening von Blutprodukten. Eine Entbindung durch Sectio bei HCV-positiven Müttern vermindert nicht das Risiko der Übertragung.

Dialysepatienten sollten in vierteljährlichen Abständen durch PCR-Nachweis von HCV-RNA kontrolliert werden.

Meldepflicht

Siehe Tabelle 28-1.

Antikörper gegen HCV treten oft erst einige Wochen nach Transaminasenanstieg auf. Bei negativem Ergebnis sollte der Test nach 4 Wochen wiederholt werden. !

9.2.4 Hepatitis D

Das Hepatitis-D-Virus (HDV) führt nur zusammen mit Hepatitis-B-Virus zur Infektion, da ihm Enzyme zur Replikation fehlen. Der Übertragungsweg entspricht dem der Hepatitis B. Die Infektion mit beiden Viren kann gleichzeitig erfolgen (Koinfektion) oder als Superinfektion bei bestehender Hepatitis B. Superinfektionen sind häufiger und verlaufen klinisch schwerer. Sie sind oft ein Grund für den Übergang zur chronisch aggressiven Hepatitis.

DIAGNOSE

Nachweis von Anti-HDV-Antikörpern. Angebracht bei symptomatischen HBs-Ag-positiven Patienten (s. Tabelle 9-3).

Verlauf

Die Chronifizierungsrate beträgt bei Koinfektion ca. 2%, bei Superinfektion bis zu 90%.

Therapie

Eine Therapie mit Interferon ist möglich, aber meist mit geringem Erfolg.

Tabelle 9-3. Praxixorientierte serologische Diagnostik bei Verdacht auf Hepatitis

Klinik/Risiko	Vermutete Infektion	Untersuchung	Ergebnis – Interpretation
Transaminasen- (GPT, GOT), Bilirubinanstieg	Hepatitis A	Anti-HAV-IgM	**Negativ:** bei Immungesunden HAV-Infektion ausgeschlossen.
Transaminasen- (GPT, GOT), Bilirubinanstieg	Hepatitis B	Anti-HBc-Antikörper (IgM, IgG), in Frühphase HBsAg	**Anti-HBc-Antikörper negativ:** bei Immungesunden HBV-Infektion ausgeschlossen. **Positiv:** Bestimmung von HBsAg. Verlaufskontrolle des HBsAg bis Anti-HBs-Antikörper positiv wird[a]
Zusätzlich nach: Bluttransfusion vor 1991, Operation; bei Hämophilie, Dialyse, Nadelstichverletzung, Drogenabusus	Hepatitis C	Anti-HCV-Antikörper; bei Immundefizienz bzw. vermuteter Frühphase: HCV-RNA	**Negativ:** Untersuchung nach 4 Wochen wiederholen! Evtl. Virusnachweis durch PCR im Serum. **Positiv:** HCV-RNA-Bestimmung und Genotypisierung.
Bei HBsAg-Positiven	Hepatitis D	Anti-HDV-Antikörper	**Positiv:** HDV-Infektion, zusätzlich zur HBV-Infektion.
Patienten <30 Jahre mit Fieber, Lymphknotenschwellung	Infektiöse Mononukleose	Anti-EBV-Antikörper (VCA-IgM, EA-IgG)	Siehe Infektiöse Mononukleose

[a] Verschwinden von HBsAg und Anstieg von Anti-HBs-Antikörpern zeigt Ausheilung an. Persistenz des HBsAg länger als 6 Monate weist auf Chronifizierung hin.

Prophylaxe
Die sicherste Prophylaxe ist die Hepatitis-B-Immunisierung.

Meldepflicht
Siehe Tabelle 28-1.

9.2.5 Hepatitis E

Das Hepatitis-E-Virus (HEV) ist in Zentraleuropa sehr selten, endemisch tritt es in Gebieten mit schlechtem Trinkwasser auf, z. B. HEV-Ausbrüche bei Überschwemmungen in Asien, Indien, Nepal. Die Infektion erfolgt fäkal-oral wie bei Hepatitis A. Die Prophylaxemaßnahmen sind entsprechend.

DIAGNOSE

Nachweis von Anti-HEV und/oder HEV-RNA.

Verlauf
Eine Chronizität ist nicht bekannt. Asymptomatische Verläufe sind häufig, bei Schwangeren oft fulminanter Verlauf.

Meldepflicht
Siehe Tabelle 28-1.

9.2.6
Infektionen durch weitere Hepatitisviren

Bei einigen Patienten mit Hepatitis ist eine ätiologische Klärung noch nicht möglich. Es wird vermutet, dass weitere bisher unbekannte Hepatitisviren existieren.

Eine Beteiligung des sog. „Hepatitis-G-Virus" bzw. GB-Virus Typ C (GBVC) an Hepatitiden ist nicht erwiesen und eher unwahrscheinlich. Gleiches gilt für das TT-Virus. („GBV" und „TT-Virus" sind nach Patienteninitialen benannt).

Extrahepatische Manifestationen der Hepatitisviren

Alle Hepatitisviren können in seltenen Fällen aplastische Anämie hervorrufen, daneben HBV und insbesondere HCV über Immunkomplexe Vaskulitis, Periarteritis nodosa, Kryoglobulinämie, Arthritis, Hautsymptome (Porphyria cutanea tarda, Lichen ruber planus), Glomerulonephritis. Eine antivirale Therapie ist in diesen Fällen wirksamer als die Immunsuppression.

9.3
Leberabszess

Leberabszesse entstehen im Rahmen von Entzündungen im Bereich der Gallenwege (30%) oder der Pfortader (15%), fortgeleitet bei Appendizitis (5%) oder hämatogen als septische Metastasen.

SYMPTOME

Fieber, Übelkeit, Erbrechen, Anorexie, Gewichtsverlust. Bei großen Abszessen (meist im rechten Leberlappen) Hepatomegalie. Eventuell Juckreiz, selten Ikterus.

Komplikationen
Abszessruptur, Peritonitis, Sepsis.

Erreger
Meist handelt es sich um Mischinfektionen von Enterobakterien mit Anaerobiern (Bacteroides, Peptokokken). Bei hämatogener Entstehung auch Staphylokokken. Bei Immunsuppression auch Candida oder Aspergillus. Nach Auslandsaufenthalt Amöben.

DIAGNOSE

- *Bildgebende Verfahren:* Ultraschall, CT (Abb. 9-5), MRT, Leberszintigraphie.
- Erregernachweis in Abszesspunktat, evtl. auch in Blutkulturen (Amöben lassen sich im Punktat nicht nachweisen!).
- *Bei Verdacht auf Amöbenleberabszess:* Nachweis spezifischer Antikörper im Serum.
- *Laborwerte:* Leukozytose. BSG, CRP, alkalische Phosphatase, Bilirubin erhöht.

Therapie

1. Entscheidend ist die chirurgische Therapie (Drainage, Exstirpation). Nur bei kleinen Abszessen oder Amöbiasis ist die Chemotherapie allein ausreichend.
2. Antibiotika: z. B. Acylureidopenicillin (Mezlocillin, Piperacillin) plus β-Laktamase-Inhibitor (Sulbactam, Tazobactam) oder Cephalosporin (Ceftriaxon, Cefoperazon) plus Metronidazol. Evtl. zusätzlich Aminoglykosid. Alternative: Carbapenem (Imipenem/Cilastatin, Meropenem). Dauer der Therapie bis zum Verschwinden der Abszesse und Normalisierung der Laborwerte (oft viele Wochen).
   Bei Amöbenabszess: Metronidazol (3-mal 750 mg/Tag) p.o./i.v. für 5–10 Tage. Alternativ: Nimorazol (2-mal 25 mg/kgKG/Tag) für 5–10 Tage oder Tinidazol (2-mal 25 mg/kgKG/Tag) für 5–7 Tage. Eventuell zusätzlich Chloroquin (1-mal 5 mg Base/kgKG/Tag) für 15–20 Tage. Eine Therapie mit Dilosanidfuroat sollte immer angeschlossen werden, um evtl. im Darmlumen vorhandene E. histolytica sicher zu eliminieren (s. „Amöbiasis (Amöbenruhr)" in Kap. 8.2: „Durchfallerkrankungen und Lebensmittelvergiftungen").

! **Bei Leberabszess nach Auslandsaufenthalt sollte immer eine Amöbeninfektion ausgeschlossen werden.**

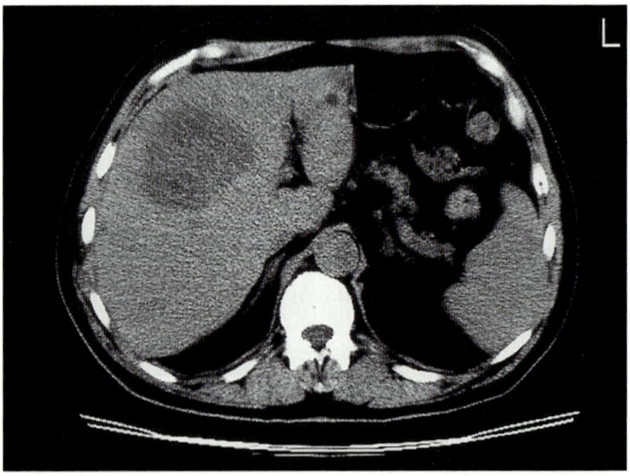

Abb. 9-5. Leberabszess vor Drainage (CT). (Von K. Rauber, Abt. Radiologie, Krankenhaus Wetzlar)

9.4 Echinokokkose

Die Infektion des Menschen mit dem Hundebandwurm (*Echinococcus granulosus*) führt zur *zystischen Echinokokkose*, mit dem Fuchsbandwurm (*Echinococcus multilocularis*) zur *alveolären Echinokokkose*. Die Letalität liegt bei einer Infektion mit E. granulosus bei 2–4%, bei E. multilocularis bei >90%, unter Chemotherapie und Operation bei 10–14%.

Infektionsweg: Die mit Eiern gefüllten Bandwurmglieder werden von den Tieren mit dem Kot ausgeschieden. Die Aufnahme erfolgt beim Hundebandwurm oral durch Schmierinfektion oder beim Fuchsbandwurm durch Verzehr von Waldfrüchten, die mit Fuchslosung kontaminiert sind. Die Inkubationsphase bis zum Auftreten erster Krankheitszeichen dauert schätzungsweise 5–15 Jahre.

Im Darm des infizierten Menschen schlüpfen die Larven aus, durchdringen die Darmwand und gelangen über Blut und Lymphe in die Leber, bei E. granulosus mitunter auch in Lunge oder Gehirn. Dort bilden sich Blasen (Finnen) aus, an deren Innenseite Tausende von Larven knospen. E. granulosus bildet bis zu kindskopfgroße Blasen, die von einer Bindegewebskapsel umgeben und mit Flüssigkeit gefüllt sind (verdrängendes Wachstum). E. multilocularis bildet kleinere Blasen, die jedoch infiltrativ wachsen. Durch Platzen der Blasen kann es zu miliarer Aussaat und Metastasierung kommen.

SYMPTOME

Die klinischen Symptome sind uncharakteristisch und treten oft erst nach Jahren durch raumfordernde oder destruktive Prozesse auf. Bei Leberzysten: Lebervergrößerung, rechtsseitige Oberbauchbeschwerden, Ikterus, Anstieg der Leberenzyme.

Komplikationen

Allergische Reaktionen nach Platzen von Blasen.

DIAGNOSE

- *Bildgebende Verfahren:* Ultraschall, CT, MRT.
- Serologischer Antikörpernachweis.
- Im Differentialblutbild meist Eosinophilie.
- *Achtung:* Die diagnostische Blasenpunktion ist wegen der Gefahr der Aussaat und schwerer allergischer Reaktionen kontraindiziert.

Therapie

1. Therapie der Wahl ist die operative Sanierung, wobei ein Platzen der Blasen vermieden werden muss.
2. Nach miliarer Aussaat oder bei inoperablen Fällen Albendazol als Langzeittherapie: bei E. granulosus für mindesten 3–6 Monate, bei E. multilocularis für mindestens 2 Jahre.
3. Bei zystischer Echinokokkose und inoperablen Zysten ist die PAIR-Behandlung in Erprobung: Punktion der Zysten, Aspiration der Zystenflüssigkeit, In-

jektion von 95% Äthanol für mindestens 15 min, Reaspiration des Zysteninhalts, ergänzt durch eine gleichzeitige Chemotherapie mit Albendazol, die 4 Tage vor dem Eingriff beginnt und für einen Monat mit Albendazol oder für 3 Monate mit Mebendazol fortgeführt wird.

! **Echinokokkeninfektionen führen zur Zystenbildung in Leber, Lunge oder Gehirn. Insbesondere beim Fuchsbandwurm ist die Prognose schlecht durch das infiltrative Wachstum der Finnen.**

9.5 Pankreatitis

Eine akute Pankreatitis ist in der Regel die Folge einer Autodigestion der Bauchspeicheldrüse, ausgelöst durch Gallenwegserkrankungen, Alkoholabusus, Hypertriglyzeridämie, Hyperkalzämie, seltener durch Traumen, ERCP, Medikamente, Tumoren oder Mumpsviren. Bei ca. 30% der Patienten ist eine Ursache nicht eruierbar. Vor allem schwere Formen der Pankreatitis (hämorrhagisch-nekrotisierend) sind von Sekundärinfektionen durch Darmbakterien bedroht. Bei 1–2% der Patienten mit akuter Pankreatitis bildet sich ein Pankreasabszess.

SYMPTOME

Vernichtende, oft gürtelförmige Bauchschmerzen, Übelkeit, Erbrechen, Fieber, Leukozytose; in schweren Fällen Kreislaufkollaps.

Erreger

Die akute Pankreatitis ist zunächst eine sterile Entzündung (Autodigestion des Pankreasgewebes und der Umgebung). Sekundärinfektionen des nekrotischen Gewebes mit E. coli und anderen Enterobakterien sowie Enterokokken, Anaerobiern, Staphylococcus aureus, Candida oder seltener Pseudomonas aeruginosa sind zu befürchten.

DIAGNOSE

- Klinischer Verdacht.
- *Sicherung der Diagnose durch bildgebende Verfahren:* Ultraschall, CT.
- *Laborwerte:* Lipase, Amylase, Elastase 1 im Serum erhöht. Leukozytose.
- Bei Sekundärinfektionen kann ein Erregernachweis in intraoperativen Abstrichen versucht werden.

Differentialdiagnose

Differentialdiagnostisch abzugrenzen sind u. a. Magen- und Duodenalulkus, Mesenterialinfarkt, Herzinfarkt, Ileus, Gallenkolik, Appendizitis, Divertikulitis.

Therapie

Bei schweren Verläufen wird neben der Intensivtherapie (Infusionstherapie, parenterale Ernährung, Katecholamine, evtl. Dialyse) eine chirurgische Ausräumung (Débridement) erforderlich. Bei nekrotisierender Pankreatitis ist der prophylaktische Nutzen von Antibiotika wie Ciprofloxacin oder Imipenem belegt.

9.6 Peritonitis

Die akute Entzündung der Bauchhöhle wird in der Regel durch Bakterien, seltener durch Pilze verursacht (Tabelle 9-4). Sie kann in seltenen Fällen als primäre Peritonitis entstehen, ohne sonstige Infektionsherde im Bauchraum. Meist ist sie jedoch sekundär bedingt, von entsprechenden Entzündungsprozessen in der Bauchhöhle ausgehend, in der Regel von Perforationen des Gastrointestinal- oder Urogenitaltraktes. Bei Peritonealdialyse ist die CAPD-Peritonitis eine häufige Komplikation.

SYMPTOME

Bauchschmerzen, Abwehrspannung der Bauchdecke, Übelkeit, Erbrechen, Fieber (bis 42°C, manchmal auch Hypothermie), Tachykardie, Darmparalyse. Leukozytose, CRP-Anstieg.

Komplikationen

Dehydratation und Elektrolytverschiebungen durch den Flüssigkeitsverlust, Sepsis, Multiorganversagen. Intraperitoneale Abszesse.

9.6.1 Primäre Peritonitis

Bei der seltenen primären Peritonitis wird das Peritoneum ohne Infektionsherd in der Bauchhöhle infiziert, am häufigsten hämatogen, z. B. bei Erwachsenen mit Leberzirrhose und Aszites oder bei Kindern mit nephrotischem Syndrom. Alternativ ist eine Durchwanderung der intakten Darmwand oder eine aufsteigende Infektion über das Genitale bei Frauen möglich (insbesondere mit Pneumokokken, Gonokokken, Chlamydien, Streptokokken).

Tabelle 9-4. Erreger von Peritonitis

Primäre Peritonitis	Sekundäre Peritonitis	CAPD-Peritonitis
E. coli u. a. Enterobakterien, Streptokokken, Pneumokokken, Enterokokken, Staphylokokken, Neisseria gonorrhoeae, Chlamydia trachomatis	Mischinfektionen mit E. coli u. a. Enterobakterien, Enterokokken und Anaerobiern (Bacteroides fragilis, Peptokokken, Clostridien), Candida	Koagulasenegative Staphylokokken, Staphylococcus aureus, Enterokokken, Enterobakterien, Pseudomonaden, Candida

Erreger
Meist Monoinfektionen mit E. coli (50%) oder anderen Enterobakterien (20%), ferner Streptokokken, Pneumokokken, Enterokokken (25%), Staphylokokken (5%); Gonokokken, Chlamydien.

Therapie
Cefotaxim (3-mal 2 g/Tag) plus Metronidazol (3-mal 500 mg/Tag) für 5 Tage.

9.6.2 Sekundäre Peritonitis

Häufigste Ursachen sind Perforationen des Gastrointestinal- oder Urogenitaltraktes: Trauma, Tumor, Appendizitis, Ulcus ventriculi, Ulcus duodeni, Enteritis, Kolitis, Divertikulitis, Cholezystitis, Pankreatitits, Uterusperforation. Auch bei lokalen Mikrozirkulationsstörungen oder paralytischem Ileus können Bakterien aus dem Darmlumen in die Bauchhöhle gelangen (Tabelle 9-4).

Eine chemische Peritonitis entsteht, wenn Galle, Magen- oder Pankreassaft in die Bauchhöhle gelangen; dies fördert den Infektionsprozess.

Erreger
Meist aerob-anaerobe Mischinfektionen mit Darmkeimen, insbesondere E. coli (60%) und anderen Enterobakterien, Enterokokken, Anaerobiern (Bacteroides fragilis, Peptokokken, Clostridien); seltener Candida.

DIAGNOSE

- *Klinischer Befund:* gespannte Bauchdecke bis brettharter Bauch; Schmerzen. Fehlende Darmgeräusche (klassisches „akutes Abdomen“).
- *Bildgebende Verfahren:* Ultraschall, Röntgen, CT.
- Erregernachweis in Punktaten, Peritonealflüssigkeit, Peritoneallavage, intraoperativen Abstrichen und evtl. Blutkulturen. Ein mikroskopisches Präparat gibt Hinweise auf gramnegative/ grampositive Erreger, quantitative Leukozytenbestimmung belegt die Infektion (meist 100–500 Zellen/mm^3).

Therapie
1. Am wichtigsten ist die chirurgische Herdsanierung und Reinigung des Peritonealraums. Spülung der Bauchhöhle mit NaCl, Ringer-Lösung, CAPD-Lösung zur Entfernung von Endotoxin und anderen toxischen Produkten, z. B. als programmierte wiederholte Lavage.
2. Antibiotika sollen die Ausbreitung der Bakterien und septische Komplikationen verhindern, z. B. Acylureidopenicillin (Mezlocillin, Piperacillin) plus β-Laktamase-Inhibitor (Sulbactam, Tazobactam) evtl. plus Aminoglykosid. Alternativen: Cephalosporin der 3. Generation (Cefotaxim, Ceftriaxon, Ceftazidim, Cefepim) plus Clindamycin oder Metronidazol evtl. plus Aminoglykosid. Carbapenem (Imipenem/Cilastatin, Meropenem) evtl. plus Aminoglykosid.
   Bei Mischinfektion mit Candida zusätzlich Fluconazol oder Amphotericin B. Dauer der Therapie 10–14 Tage.

Die Peritonitis ist eine akut verlaufende Infektion, die unbehandelt rasch Kreislaufversagen, Sepsis und Multiorganversagen zur Folge hat. Die umgehende Klinikeinweisung und chirurgische Sanierung des Bauchraums ist vordringlich.

9.6.3 Peritonitis bei Peritonealdialyse (CAPD-Peritonitis)

Die Peritonitis ist eine der wichtigsten Komplikationen bei Peritonealdialyse. Die Infektion entsteht meist durch Kontamination des Dialysates mit Hautkeimen beim Anschließen oder Abkoppeln des extrakorporalen Katheterendes, seltener durch Tunnelinfektion oder Darmperforation. Es ist mit einer Infektion alle 1–3 CAPD-Jahre zu rechnen. Die Prognose ist günstig, die Infektion wird durch Antibiotika meist innerhalb weniger Tage beseitigt. Nur 1% der Mortalität bei CAPD-Patienten ist direkt auf eine Peritonitis zurückzuführen.

Erreger

Meist Monoinfektionen mit Hautkeimen, vorherrschend koagulasenegative Staphylokkken, Staphylococcus aureus; seltener Enterokokken, Enterobakterien, Pseudomonaden oder Candida. Bei 5–10% gelingt kein Erregernachweis im Dialysat, evtl. bedingt durch den großen Verdünnungseffekt.

DIAGNOSE

- *Klinik:* Bauchschmerzen, erschwerte Dialyse, trübes Dialysat.
- Nachweis von Leukozyten und Erregern im Dialysat (s. oben).

Therapie

1. Antibiotika: initial systemische Gabe z. B. von Vancomycin plus Aminoglykosid evtl. plus Cephalosporin der 3. Generation (Cefotaxim, Ceftriaxon, Ceftazidim). Dann Weiterbehandlung nach Erregernachweis für 2 Wochen. Alternativen: Zusatz von Antibiotika zur Spüllösung für 2–3 Wochen: z. B. Vancomycin (25 mg/l), Gentamicin (4 mg/l), evtl. Amphotericin B (2 mg/l).
2. Eine Entfernung bzw. Wechsel des Katheters ist notwendig bei persistierender Infektion (>7 Tage) oder bei kurzzeitig rezidivierenden Infektionen.

Prophylaxe

Schulung von Patienten und Pflegepersonal sowie Verwendung von Kathetern mit Dacron-Cuff.

Kapitel 10

Harnwegsinfektionen

Infektionen der Harnwege entstehen in der Regel aufsteigend über die Urethra (s. Kap. 11.1: „Urethritis"), Blase und Ureter bis in die Niere. Die Erreger stammen meist aus dem Darm. Je nach Lokalisation unterscheidet man untere (*Zystitis, Urethritis*) und obere (*Pyelonephritis*) Harnwegsinfektionen (HWI). Selten kann eine Infektion der Niere (*Nierenabszess*) hämatogen erfolgen.

10.1 Akute Harnwegsinfektionen

Eine Unterscheidung in obere und untere Harnwegsinfektion ist anhand des Kranhkeitsbildes meistens, jedoch nicht in allen Fällen möglich. Im Unterschied zur Zystitis ist die Pyelonephritis eine ungleich schwerwiegendere Erkrankung, die eine Urosepsis oder bei Chronifizierung eine Nierenschädigung zur Folge haben kann.

Begüstigend für Harnwegsinfektionen ist bei Frauen die kurze Urethra. Frauen sind daher wesentlich häufiger davon betroffen. Weitere begüstigende Faktoren sind Obstruktionen, die einen Harnstau zur Folge haben (Abb. 10-1).

Abb. 10-1. Risikofaktoren für Harnwegsinfektionen

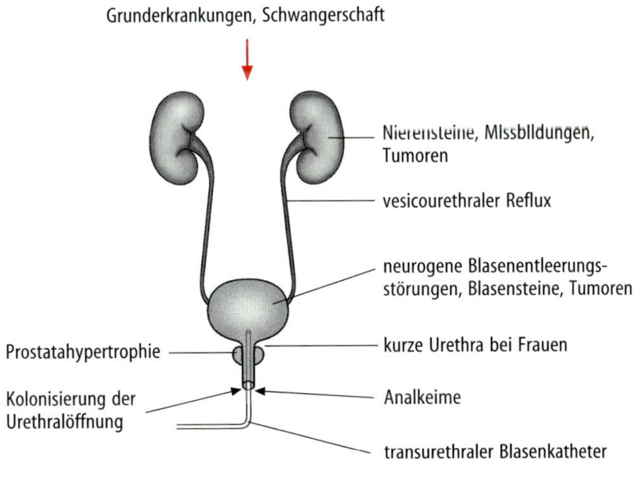

Risikofaktoren für Harnwegsinfektionen

1. Harnabflussstörungen oder Blasenentleerungsstörungen mit Restharn, wie Missbildungen, Strikturen, Tumoren, Steine, Prostatahypertrophie, Schädigung der Sphinkterenfunktion, neurogene Blasenentleerungsstörungen.
2. Vesicoureteraler Reflux: häufig bei Kindern mit oder ohne anatomische Ursachen.
3. Transurethraler Blasenkatheter (Hauptrisikofaktor bei nosokomialen Infektionen!).
   Die Infektion erfolgt entweder beim Legen des Katheters durch Bakterien, die in die Blase geschoben werden. Oder bei liegendem Katheter durch Aszension von Keimen durch das Katheterlumen oder zwischen Katheter- und Urethralwand. Begünstigend für die Keimaszension ist die Bildung einer Schleimschicht zwischen Katheterwand und Urethralschleimhaut. Die Inzidenz einer Harnwegsinfektion nimmt bei transurethralem Dauerkatheter auch bei geschlossenem System pro Tag um 5–10% zu.
4. Grunderkrankungen, z. B. Diabetes mellitus, Abwehrschwäche.
5. Mechanische Irritation, z. B. Geschlechtsverkehr bei Frauen.
6. Schwangerschaft: Während der Schwangerschaft treten häufiger Bakteriurien auf (hormonell bedingte Gewebsveränderung, Druck auf die Harnblase). Unbehandelt entwickeln 30–40% dieser Frauen eine Pyelonephritis.

Bei Patienten ohne Risikofaktoren verursachen nur „uropathogene Bakterien“, die über geeignete Virulenzfaktoren verfügen, eine Harnwegsinfektion. Beispielsweise nur bestimmte Serotypen von E. coli, die Pili ausbilden, mit denen sie an Kohlenhydratstrukturen des Uroepithels anhaften (Typ-1-Pili in den unteren Harnwegen, Typ-P-Pili im Nierenbecken) bzw. ein die Immunabwehr schädigendes Hämolysin produzieren und Serumresistenz aufweisen.

Erreger

Die Keime entstammen der Darmflora, in mehr als 95% als Monoinfektion.

- Ambulant erworbene HWI: 60–80% E. coli, 20–30% Enterokokken, selten β-hämolysierende Streptokokken der Gruppe B oder Enterobakterien wie Proteus, Klebsiellen, Enterobacter u. a. Bei jungen sexuell aktiven Frauen ist Staphylococcus saprophyticus relativ häufig („Honeymoon-Zystitis“).
- Nosokomiale HWI: Rund 40% E. coli, 20–30% Enterokokken, häufig auch andere Enterobakterien (Proteus, Enterobacter, Klebsiellen u. a.) und Pseudomonaden.

DIAGNOSE

- Klinik.
- *Urinuntersuchung:* quantitativer Nachweis von Leukozyten (Sticks, Zählkammer) und Bakterien. Bei ambulant erworbener, unkomplizierter unterer HWI ist ein Erregernachweis mit Resistenzbestimmung nicht in jedem Fall notwendig. Dies sollte jedoch angestrebt werden bei Versagen der empirischen Therapie, Rezidiven, Abflussstörungen, oberer und nosokomialer HWI. Der Nachweis von Nitrit im Urin (Sticks) ist ein wichtiger Hinweis auf Bakteriurie, jedoch sind nicht alle Bakterien in der Lage, Nitrat zu Nitrit zu reduzieren.

- Materialgewinnung:
  - *Mittelstrahlurin:* Am besten „Morgenurin", sonst nach mindestens 3-stündiger Urinierpause. Nach gründlicher Reinigung des Genitalbereichs erste Urinprobe verwerfen, mittlere Portion auffangen. Männer waschen die Glans penis mit Seife und Wasser; Frauen sei die Dusche empfohlen.
  - *Katheterurin:* Bei Patienten mit Dauerkatheter (geschlossenes System) Urinentnahme mit steriler Monovette (Einmalhandschuhe tragen, Desinfektion der Punktionsstelle).
- *Beurteilung:* Bei einer Verweildauer des Urins von mindestens 3 h in der Blase sind bei einer Infektion neben Leukozyten im Regelfall $>10^5$ Keime/ml Mittelstrahlurin nachweisbar, meist einer Keimart. Keimzahlen $<10^4$, insbesondere bei Mischinfektionen, sprechen für eine Kontamination. Keimzahlen zwischen 10^4 und 10^5 sollten kontrolliert werden. In Urinproben ohne ausreichend lange Verweildauer in der Blase (Säuglinge), bei Katheterurin/Blasenpunktionsurin oder bei chronischer Pyelonephritis sind auch geringere Keimzahlen signifikant.
  Da Urin ein gutes Nährmedium für Bakterien ist, vermehren sich die Keime bei längerer Lagerdauer und täuschen „signifikante" Keimzahlen vor. Der Urin muss daher innerhalb von 2 h verarbeitet oder darf maximal 12 h bei 4°C gelagert werden. Bei längerer Transportdauer Objektträgerkulturen, z. B.Uricult-System, verwenden.
- Bei Leukozyturie ohne Keimnachweis evtl. Spezialuntersuchungen zum Nachweis von Chlamydien, Ureaplasma urealyticum, Trichomonas vaginalis, Mycobacterium tuberculosis.
- *Bei Verdacht auf Pyelonephritis:* Ultraschall, Pyelogramm, CT.

10.1.1 Zystitis

Eine lokale Entzündung der Harnblase ist bei Frauen als „unkomplizierte Harnwegsinfektion" (ohne Abflussstörungen oder Grunderkrankungen) häufig, bedingt durch die kurze Urethra. Sie ist durch eine Kurzzeitantibiotikatherapie sanierbar. Bei Männern sind Harnwegsinfektionen immer „kompliziert", d. h. durch Obstruktionen, Katheterisierung oder Grunderkrankungen bedingt. Wichtige Ausgangsquelle ist die Prostatitis.

SYMPTOME

Brennen beim Wasserlassen (Dysurie), häufiger Harndrang, suprapubischer Schmerz. Leukozyturie, evtl. Hämaturie. Der Urin ist trübe durch Leukozyten und Bakterien. Kein oder nur geringes Fieber. Katheterinfektionen sind oft symptomlos.

DIAGNOSE

Urinuntersuchung: quantitativer Nachweis von Bakterien und Leukozyten (s. oben Kap. 10.1: „Akute Harnwegsinfektion").

Therapie

Antibiotika.

- Bei der *unkomplizierten unteren Harnwegsinfektion bei Frauen:* Cotrimoxazol (2-mal 960 mg/Tag) oder Amoxicillin (3-mal 1 g/Tag) bzw. Ampicillin/Sulbactam, Amoxicillin/Clavulansäure oder Gyrasehemmer (Ofloxacin, Levofloxacin, Ciprofloxacin) für 1–3 Tage.
- Bei *rezidivierenden oder nosokomial erworbenen HWI* Antibiotika nach Erregernachweis und Antibiogramm.
- Bei *asymptomatischer Bakteriurie* ist eine Antibiotikatherapie nur in der Schwangerschaft erforderlich, z. B.Amoxicillin (3-mal 750 mg/Tag) oder Cephalosporin oral (Cefalexin, Cefuroxim-Axetil u. a.) für jeweils 7 Tage.
- Bei *Harnwegsinfektionen von Männern* erfolgt die Antibiotikatherapie möglichst gezielt über 7–10 Tage (s. Tabelle 10-1). Eine urologische Abklärung ist erforderlich.

Prophylaxe

Nach Möglichkeit transurethralen Dauerkatheter vermeiden. Alternativen wie intermittierende Katheterisierung oder suprapubischen Blasenkatheter bevorzugen. Beim Legen des Katheters ist die Händedesinfektion und gründliche Desinfektion der Urethralöffnung wichtig, d. h. mit Desinfektionsmittel getränkten Tupfer mindestens 2 min auf Orificium externum liegen lassen. Atraumatisches Legen des Katheters. Urinauffangbeutel nicht über Blasenniveau heben (Rückfluss).

Bei rezidivierenden Infektionen Antibiotikarezidivprophylaxe (s. unten Kap. 10.2: „Rezidivierende Harnwegsinfektionen“).

! Der wichtigste Risikofaktor für nosokomiale Harnwegsinfektionen ist ein transurethraler Blasendauerkatheter, der deshalb nach Möglichkeit vermieden werden sollte.

Tabelle 10-1. Antibiotikatherapie bei Harnwegsinfektionen

Infektion	Antibiotika	Therapiedauer (Tage)
Unkomplizierte untere HWI bei Frauen	Cotrimoxazol, Aminopenicillin + β-Laktamase-Inhibitor, Chinolon	1–3
Untere HWI bei Männern	Cotrimoxazol, Chinolon	7–10
Pyelonephritis	Chinolon, Aminopenicillin + β-Laktamase-Inhibitor[a] Acylureidopenicillin + β-Laktamase-Inhibitor[a], Cephalosporin 2. oder 3. Generation[a]	10–14

[a] Evtl. plus Aminoglykosid.

10.1.2
Pyelonephritis

Die Entzündung von Nierenbecken und Nierenparenchym ist eine schwerwiegende Erkrankung. Die Erreger sind von dort schwieriger zu eliminieren als aus der Harnblase. Die akute Erkrankung geht mit Fieber und Nierenklopfschmerz einher und birgt die Gefahr von Urosepsis oder bei Persistenz der Erreger von chronischer Nephritis, die letzlich zur Schrumpfniere mit Nierenversagen führt.

SYMPTOME

Fieber (>38°C), Nierenklopfschmerz, Übelkeit, Erbrechen, oft kombiniert mit Symptomen der Zystitis. Leukozyturie, evtl. Hämaturie, Proteinurie. Leukozytose, CRP-Anstieg.

Komplikationen

Urosepsis, chronische Nephritis, renaler Bluthochdruck.

Eine chronische Pyelonephritis führt zur Vernarbung des Parenchyms, zur Papillenschädigung mit tubulointerstitieller Atrophie, zur Schrumpfniere. Bei 2–3% der Fälle endet dies nach Jahren mit Nierenversagen und macht eine Dialyse oder Nierentransplantation notwendig.

DIAGNOSE

- Klinische Untersuchung (Nierenklopfschmerz, Fieber, Leukozytose).
- Urinuntersuchung (s. oben Kap. 10.1: „Akute Harnwegsinfektion").
- *Bildgebende Verfahren:* Sonographie, Pyelogramm, CT.

Therapie

Bei der Pyelonephritis erfolgt die Antibiotikabehandlung möglichst nach dem Erregernachweis, z. B. Chinolon (Ofloxacin, Levofloxacin, Ciprofloxacin) oder Amino- bzw. Acylureidopenicillin plus β-Laktamase-Inhibitor (Ampicillin/Sulbactam, Amoxicillin/Clavulansäure, Piperacillin/Sulbactam, Piperacillin/Tazobactam) oder Cephalosporin der 2. oder 3. Generation (Cefuroxim, Cefotaxim, Ceftriaxon) für 10–14 Tage; evtl. plus Aminoglykosid. In schweren Fällen Therapiebeginn i.v., nach Fieberfreiheit orale Sequenztherapie. Bei rezidivierenden Infektionen Behandlungsdauer auf 4–6 Wochen ausdehnen.

!

Die Unterscheidung obere/untere HWI orientiert sich an der Klinik. Bei Pyelonephritis meist Fieber, Flankenklopfschmerz, Leukozytose und CRP-Anstieg, die bei Zystitis fehlen. Eine Pyelonephritis ist im Unterschied zur Zystitis eine schwerwiegende Erkrankung, die eine irreversible Nierenschädigung zur Folge haben kann. Die Antibiotikatherapie ist bis zur Eliminierung der Erreger für 10–14 Tage erforderlich.

10.2 Rezidivierende Harnwegsinfektionen

Die Rezidive können von persistierenden Erregern in der Niere oder Prostata ausgehen oder von Besiedelungen des Darms oder der Vagina mit uropathogenen Stämmen. Wichtig ist zu klären, ob es sich jeweils um den gleichen Stamm oder Re-Infektionen mit anderen Erregern handelt. Im ersten Fall muss eine Sanierung durch Langzeitantibiotikatherapie (4–6 Wochen) erfolgen.

DIAGNOSE

- Urinuntersuchung (s. oben Kap. 10.1: „Akute Harnwegsinfektion").
- Fachärztliche Abklärung der Ursachen (Sonographie, Uroflow, Urographie) und ggf. Sanierung.

Therapie

1. Antibiotika nach Erregernachweis.
2. Gegebenenfalls Beseitigung von Obstruktionen.

Prophylaxe

Bei rezidivierenden unteren HWI (mehr als 1 Infektion/Monat) kann eine Re-Infektionsprophylaxe mit niedrig dosierten Antibiotika durchgeführt werden, z. B. 1- bis 3-mal/Woche abendliche Einnahme von Trimethoprim (50 mg) oder Cotrimoxazol (240 mg) oder Nitrofurantoin (50 mg) oder Amoxicillin (500 mg) oder Cefalexin (500 mg).

10.3 Nierenabszess/perinephritischer Abszess

Ein Nierenabszess entsteht als Komplikation einer Pyelonephritis oder durch hämatogene Streuung von Bakterien.

SYMPTOME

Fieber, Schüttelfrost, einseitige Flankenschmerzen, oft Dysurie. Eventuell Übelkeit, Erbrechen, Hämaturie, Leukozyturie.

Erreger

Dieselben wie bei Harnwegsinfektionen (s. oben). Bei hämatogener Streuung Staphylococcus aureus.

DIAGNOSE

- *Bildgebende Verfahren:* Ultraschall, Röntgen, CT.
- Erregernachweis in Urin, bei septischem Schub in Blutkulturen.

Therapie

1. Perkutane Drainage, evtl. chirurgische Sanierung.
2. Antibiotika nach Erregernachweis (s. oben Kap. 10.1.2: „Pyelonephritis").

Kapitel 11

Urogenitale Infektionen und sexuell übertragbare Erkrankungen

11.1 Urethritis

Eine Entzündung der Harnröhre wird meist durch sexuell übertragbare Erreger verursacht, selten entsteht sie im Rahmen einer unteren Harnwegsinfektion. Bei Frauen bleibt sie oft symptomlos und unbemerkt, oder sie ist mit einer Kolpitis/Zervizitis kombiniert. Bei Männern können aszendierende Infektionen die Folge sein.

SYMPTOME

Brennen beim Wasserlassen, häufiger Harndrang. Ausfluss, der bei Männern häufiger wahrgenommen wird als bei Frauen; je nach Erreger eitrig oder glasig. Bei chronischer Urethritis verschwinden die Symptome bis auf ein morgendliches „Bonjour-Tröpfchen" an der Urethralöffnung beim Mann.

Komplikationen

Bei rezidivierenden Infektionen Harnröhrenstrikturen, aszendierende Infektionen, z. B. Prostatitis, Epididymitis.

Erreger

- Nichtgonorrhoische Urethritis (glasiger Ausfluss): Chlamydia trachomatis, Ureaplasma urealyticum, seltener E. coli und andere Enterobakterien.
- Gonorrhoische Urethritis (gelb-eitriger Ausfluss): Neisseria gonorrhoeae.

Bei Frauen besteht oft eine Beteiligung der Urethra im Rahmen einer Kolpitis/Zervizitis durch Gardnerella vaginalis, Chlamydia trachomatis, Candida albicans, Trichomonas vaginalis, Herpes-simplex-Viren (bei Vulvitis, Bläschen).

DIAGNOSE

Erregernachweis aus Harnröhren- oder Zervixabstrich, bei Chlamydien in Urin (Beachte: erste Urinportion auffangen, sie enthält Zellen und Erreger). Bei Gonokokken bzw. Chlamydien DNA-Nachweis oder Antigennachweis. Beim Mann lassen sich Gonokokken auch im mikroskopischen Präparat nachweisen.

Therapie

- Nichtgonorrhoische Urethritis (Chlamydien bzw. Mycoplasmen): Doxycylin (2-mal 100 mg/Tag) oral für 7 Tage oder Azithromycin 1-mal 1 g als Einmaltherapie.

- Gonokokken: Penicillin oder Cephalosporin, z. B. Ceftriaxon (1-mal 250–500 mg i.m.) oder Cefuroxim (1-mal 1,5 g). Alternativ: Spectinomycin (1-mal 2 g) oder Chinolone, z. B. Ciprofloxacin (500 mg), (Ofloxacin 400 mg; s. unten Kap. 11.4.1: „Gonorrhö").
  Da Doppelinfektionen mit Chlamydien und Gonokokken häufig sind (bei 15–30%), empfiehlt das CDC folgendes Vorgehen: Einmalgabe z. B. von Ceftriaxon (1-mal 250–500 mg) oder eines Chinolons, z. B. Ofloxacin (400 mg), Ciprofloxacin (500 mg), anschließend Doxycyclin (2-mal 100 mg) oral für 7 Tage oder Azithromycin (1-mal 1 g) als Einmaldosis.
- Candida: Lokal Nystatin oder Imidazole (Miconazol, Clotrimazol). Bei rezidivierenden Infektionen Fluconazol (200 mg/Tag) oral für 1–3 Tage.
- Enterobakterien: Chinolon (Ofloxacin, Ciprofloxacin) für 3–5 Tage.
- Gardnerella vaginalis: Metronidazol (2-mal 400 mg/Tag) oral für 7 Tage.
- Trichomonas vaginalis: Metronidazol (2-mal 400 mg/Tag) oral für 7 Tage oder Tinidazol als Einmaldosis [s. Kap. 11.3.2: „Vaginitis (Kolpitis)].
- Herpes simplex: Aciclovir (5-mal 200 mg/Tag) oral für 5 Tage.
  Bei sexuell übertragbaren Erregern Partner mitbehandeln.

11.2 Infektionen des Genitaltraktes beim Mann

11.2.1 Prostatitis

Die Entzündung der Prostata erfolgt meist aszendierend im Rahmen einer Harnwegsinfektion durch Reflux infizierten Urins. Begünstigend wirken Urethralkatheter. Seltener ist eine Prostatitis nach Urethritis durch sexuell übertragbare Erreger.

Akute Prostatitis

SYMPTOME

Dysurie, Harndrang, Miktionsbeschwerden, Fieber, perinealer Schmerz oder Rückenschmerzen.

Komplikationen

Prostataabszess, Epididymitis, chronisch bakterielle Prostatitis, Pyelonephritis, Sepsis.

Erreger

E. coli und andere Enterobakterien (s. Kap. 10: „Harnwegsinfektionen"), Streptokokken, Chlamydia trachomatis, Ureaplasma urealyticum, seltener Gonokokken.

DIAGNOSE

- Quantitativer Nachweis von Leukozyten und Bakterien im Urin oder Urethralabstrich.

- *Prostatapalpation:* Bei rektaler Untersuchung ist die Prostata geschwollen, äußerst schmerzhaft und hart. Vorsicht: bei akuter bakterieller Infektion der Prostata ist die Prostatamassage wegen der Schmerzhaftigkeit und der Gefahr von Bakteriämie kontraindiziert.

Therapie

1. Antibiotika, die gut in das Prostataparenchym diffundieren, z. B. Cotrimoxazol (2-mal 960 mg/Tag) oral, oder Gyrasehemmer, z. B. Ofloxacin (2-mal 200 mg/Tag), Levofloxacin (500 mg/Tag) oder Ciprofloxacin (500 mg/Tag) oral für 10–14 Tage. Bei Verdacht auf Gonorrhö: Ceftriaxon (1-mal 2 g/Tag i.v./i.m). Bei Mycoplasmen, Chlamydien: Doxycyclin (200 mg/Tag) für 2 Wochen.
2. Antiphlogistika.

Chronische bakterielle Prostatitis

Die chronische Prostatitis ist eine wichtige Quelle für untere Harnwegsinfektionen. Die Erreger persistieren in der Prostata, die bei chronischer Entzündung derb geschwollen erscheint. Charakteristisch sind deshalb rekurrierende Harnwegsinfektionen mit demselben Erreger. Zwischenzeitlich sind die Patienten meist symptomfrei.

SYMPTOME

Manchmal perinealer Schmerz, abgeschwächter Harnstrahl, Dysurie. Rezidivierende Harnwegsinfektionen sind ein wichtiger Hinweis, insbesondere bei Männern im mittleren Lebensalter.

Erreger

E. coli und andere Enterobakterien, Enterokokken, Ureaplasma urealyticum., Chlamydia trachomatis.

DIAGNOSE

- *Klinik, Anamnese:* rezidivierende Harnwegsinfektionen.
- Prostatapalpation (Prostata leicht schmerzhaft, Verhärtungen).
- *3-Gläser-Probe:* Quantitativer Nachweis von Leukozyten und Bakterien in 3 Urinportionen. Probe 1 (erste 10 ml, Keim- und Leukozytenzahlen am höchsten bei Urethritis); Probe 2 (Mittelstrahlurin, Keime und Leukozyten am höchsten bei Zystitits); Probe 3: Urin nach Prostatamassage (Keime und Leukozyten am höchsten bei Prostatitis).

Differentialdiagnose

Differentialdiagnostisch abzugrenzen ist die chronische abakterielle Prostatitis unklarer Genese.

Therapie

Antibiotika: Nach Antibiogramm, z. B. Cotrimoxazol oder Chinolon (z. B. Ofloxacin, Levofloxacin, Ciprofloxacin) oral für 1–3 Monate. Bei Mykoplasmen, Chlamydia trachomatis Doxycylin (2-mal 100 mg/Tag) oral für mindestens 2 Wochen. Bei rezidivierenden Harnwegsinfektionen Reinfektionsantibiotikaprophylaxe (s. Kap. 10.2: „Rezidivierende Harnwegsinfektionen“).

> **!** **Die chronsiche Prostatitis ist eine wichtige Quelle für rezidivierende Harnwegsinfektionen.**

11.2.2 Epididymitis

Die Infektion der Nebenhoden erfolgt meist als Komplikation bei bakterieller Urethritis und Prostatitis durch sexuell übertragbare Erreger oder urinogen bei Blasenentleerungsstörungen oder nach urologischen Eingriffen bzw. bei Blasendauerkatheter. Sie kann sich ein- oder beidseitig manifestieren.

SYMPTOME

Schmerzhafte Schwellung und Induration der Nebenhoden. Oft mit Dysurie, Fieber.

Komplikationen
Skrotalabszess, Pyozele, Sterilität.

Differentialdiagnose
Hodentorsion.

Erreger
Bei urinogener Infektion: E. coli und andere Enterobakterien, Enterokokken, Pseudomonaden. Bei Urethritis: Chlamydia trachomatis, Neisseria gonorrhoeae. Bei Prostatitis auch Ureaplasma urealyticum.

DIAGNOSE

- Entsprechende Klinik.
- Erregernachweis in Urin oder Prostatasekret.

Therapie
1. Symptomatisch: Hodenhochlagerung, Eisbeutel, Bettruhe, Analgetika.
2. Antibiotika: z. B. Chinolon (Ofloxacin, Levofloxacin, Ciprofloxacin, Moxifloxacin) oder Cotrimoxazol oder Cephalosporin der 3. Generation (Cefotaxim, Ceftriaxon).

11.2.3 Orchitis

Die Hodenentzündung wird am häufigsten durch Mumpsviren verursacht. Bei 20% der postpubertalen Mumpspatienten tritt ca. 1 Woche nach Beginn der

Parotitis eine Orchitis auf (s. Kap. 18.4: „Mumps“ – in Kap. 18: „Kinderkrankheiten“).

Die *eitrige Orchitis* wird durch Bakterien hervorgerufen, die meist fortgeleitet bei Epididymitis, selten durch hämatogene Streuung das Hodengewebe erreichen.

SYMPTOME

Hodenschwellung, starke Schmerzen, Fieber.

Erreger

Eitrige Orchitis: E. coli und andere Enterobakterien, Pseudomonaden, Streptokokken, Staphylokokken.

DIAGNOSE

- Klinik.
- Erregernachweis in Urin oder Prostataexprimat.

Differentialdiagnose

Differentialdiagnostisch muß eine Hodentorsion ausgeschlossen werden.

Therapie

1. Antibiotika: Cephalosporin der 3. Generation (Cefotaxim, Ceftriaxon) oder Chinolon oral (Ofloxacin, Levofloxacin, Ciprofloxacin, Moxifloxacin).
2. Hodenhochlagerung, Bettruhe, Analgetika.

11.3 Gynäkologische Infektionen

11.3.1 Bartholinitis

Ein Abszess der Bartholin-Drüsen entwickelt sich nach Obstruktion des Ausführungsgangs und tritt meist unilateral auf.

SYMPTOME

Schmerzhafte Schwellung an Labien, Schmerzen beim Gehen, Sitzen, der Defäkation.

Erreger

Staphylococcus aureus, E. coli, Anaerobier, seltener Chlamydia trachomatis, Neisseria gonorrhoeae.

DIAGNOSE

Inspektion und Palpation.

Therapie

1. Chirurgisches Ausschälen der infizierten Zyste.
2. Eventuell Antibiotika, z. B. Aminopenicillin plus β-Laktamase-Inhibitor (Amoxicillin/Clavulansäure, Ampicillin/Sulbactam). Alternativen: Cefuroxim oder Ciproflexacin plus Metronidazol; Clindamycin.

11.3.2 Vaginitis (Kolpitis)

Vulva und Vagina der erwachsenen Frau sind mit einer physiologischen Bakterienflora besiedelt. Lactobacillen dominieren und sorgen für einen sauren pH-Wert, der die Ansiedelung anderer Bakterien oder Candida verhindert. Wird das physiologische Gleichgewicht gestört, z. B. durch Antibiotika, Hormone, begünstigt dies die Infektionsenstehung. Eine Vaginitis (Kolpitis) ist oft von einer Vulvitis, Zervizitis oder Urethritis begleitet. Die Infektion erfolgt entweder aufsteigend von der Perianalflora aus oder durch Geschlechtsverkehr. Die häufigsten Infektionen sind: *Candidakolpitis, bakterielle Vaginose* (Aminkolpitis) und *Trichomonadenkolpitis* (s. Tabelle 11-1).

Candidavulvovaginitis

Pilzinfektionen der Scheide (Vaginalsoor) sind häufige und unangenehme Lokalinfektionen bei Frauen. Die Erreger sind fast immer Candida albicans, selten andere Candidaspezies. Candida albicans kommt bei etwa 30% gesun-

Tabelle 11-1. Diagnose und Therapie der Vaginitis

Erreger	Candida	Gardnerella vaginalis	Trichomonas vaginalis	Herpes simplex
Symptome	Weißer Fluor, Juckreiz, Vulva gerötet	Aminkolpitis, keine Vulvitis	Vagina gerötet, schaumiges Exsudat, selten Vulvitis	Ulzerierende Bläschen
Ausfluss	Dick-weiß, krümelig, nicht riechend	Dünnflüssig, Fischgeruch	Dünnflüssig, süßlicher Geruch	Fehlt
Mikroskopie/ Nachweis	Sproßpilze, Pseudomyzel	Gramnegative Stäbchen, „clue cells“	Begeißelte Trichomonaden	Erregernachweis in Bläscheninhalt
Therapie	Lokal Nystatin oder Imidazole, Rezidive: oral Fluconazol, Itraconazol	Oral Metronidazol, während der Schwangerschaft Amoxicillin	Oral Mitronidazol oder Tinidazol	Aciclovir, Valaciclovir, Famciclovir
Partner-behandlung	Nicht erforderlich	Nicht erforderlich	Erforderlich	Nicht erforderlich

der Personen als harmloser Begleitkeim auf der Haut oder den Schleimhäuten in Mund und Darm vor. Eine Infektion der Vagina erfolgt endogen von der Darmflora ausgehend. Begünstigend wirkt die Störung der Vaginalflora, z. B. durch Hormone, Kontrazeptiva, Antibiotika. Quälend sind rezidivierende Infektionen, die nur nach einer Pilzsanierung des Darms erfolgreich therapierbar sind.

SYMPTOME

Starker Juckreiz, Rötung und Ödem der Vulva- und Vaginalschleimhaut evtl. mit weißen Auflagerungen, weißer, krümeliger, wenig riechender Fluor.

DIAGNOSE

- Mikroskopischer oder kultureller Nachweis von Candida.
- Bei rezidivierenden Infektionen: kultureller Erregernachweis mit Speziesidentifizierung, da nicht alle Candida-Arten gegen Azolderivate empfindlich sind.

Therapie
Lokal Antimykotika, z. B. Nystatin oder Imidazole (Clotrimazol, Miconazol, Econazol) als Vaginaltabletten und Creme. Bei rezidivierenden Infektionen Fluconazol (200 mg/Tag) oder Itraconazol (200 mg/Tag) oral für 1–3 Tage.

Bakterielle Vaginose (Aminkolpitis)

Die Erreger sind Gardnerella vaginalis (gramnegative Stäbchenbakterien), synergistisch mit anaeroben Keimen (Bacteroides, Peptokokken, Mubiluncus sp.). Die Keime kommen in kleiner Anzahl in der Vaginalflora gesunder Frauen vor. Bei starker Vermehrung infolge Störung der übrigen Vaginalflora, z. B. durch Antibiotika, Hormone, führen sie zur bakteriellen Vaginose.

SYMPTOME

Reichlich grau-weißer oder gelblicher dünnflüssiger überlriechender Ausfluss, der durch den Gehalt an Aminen fischartig riecht.

DIAGNOSE

Die mikroskopische Untersuchung von Vaginalsekret zeigt typische „clue cells“, d. h. Plattenepithelien dicht besetzt mit Bakterien. Gibt man zum Vaginalsekret Kalilauge hinzu, entwickelt sich starker Fischgeruch durch Amine (Aminkolpitis). Vaginaler pH-Wert >4,5.

Therapie
Metronidazol (2-mal 400 mg/Tag) oral für 7 Tage. Alternativ: Lokaltherapie mit Metronidazol-Vaginaltabletten (im Vergleich zur oralen Therapie weniger zuverlässig); oder oral Clindamycin. In der Schwangerschaft: Amoxicillin.

Trichomonadenkolpitis

Die Erreger, Trichomonas vaginalis (Protozoen aus der Familie der Flagellaten), können in der Vaginalflora vorkommen und sich bei Florastörungen vermehren. Die Übertragung erfolgt durch Geschlechtsverkehr oder Schmierinfektion (Handtücher, Badewasser). Die Infektion kann auch Urethra, Zervix, Uterus und Darm erfassen.

SYMPTOME

Übelriechender, schaumiger Fluor, Pruritus, Brennen beim Wasserlassen, fleckförmige Rötungen an Vulva, Vagina und Zervix, evtl. Petechien der Zervix.

DIAGNOSE

Mikroskopische Untersuchung von Vaginalsekret: im Nativpräparat bewegliche, birnenförmige Trichomonaden.

Therapie
Metronidazol (2-mal 400 mg/Tag) oral für 7 Tage oder Tinidazol (1-mal 500 mg) als Einzeldosis. In der Schwangerschaft Clotrimazol-Vaginaltabletten. Eine Mitbehandlung der Sexualpartner ist empfehlenswert.

Herpes-simplex-Vulvovaginitis und -Zervizitis

Die Erreger, Herpes-simplex-Viren (mehrheitlich HSV-2), werden durch Geschlechtsverkehr oder engen Hautkontakt übertragen. Die Erkrankung kann als primäre Infektion oder chronisch rezidivierend auftreten. Nach der primären Infektion gelangen die Viren zentripedal in lumbosakrale Ganglien, wo sie lebenslang persistieren. Bei genitaler HSV-Infektion der Mutter können die Viren perinatal das Neugeborene infizieren und besonders bei Primärinfektion der Mutter eine systemische, lebensbedrohliche Infektion auslösen (s. Kap. 17.2.4: „Herpes-simplex-Virusinfektionen des Neugeborenen“ – in Kap. 17: „Kongenitale und perinatale Infektionen“). Die Durchseuchung mit HSV-2 beträgt im Erwachsenenalter 25%.

SYMPTOME

Einzelne oder zahlreiche ulzerierende Bläschen an Zervix, Vagina, Vulva und Damm. Bei Primärinfektion verbunden mit Fieber, Kopfschmerzen, Myalgien.

DIAGNOSE

- Klinik.
- Erregernachweis aus Bläscheninhalt: durch Kultur, Antigennachweis oder PCR.

Therapie
Aciclovir (5-mal 200 mg/Tag) oral für 5 Tage. Alternativ: Famciclovir, Valaciclovir. In der Schwangerschafat nur lokal Aciclovir. Bei häufigen Rezidiven Suppressionsbehandlung mit Aciclovir für 1 Jahr (s. unten Kap. 11.4.5: „Genitaler Herpes“).

11.3.3 Zervizitis

Vesikuläre Läsionen an der Zervix entstehen im Rahmen einer genitalen Infektion mit Herpes-simplex-Viren. Die mukopurulente Zervizitis wird durch Chlamydien oder Gonokokken verursacht (s. unten Kap. 11.4: „Sexuell übertragbare Erkrankungen", besonders Kap. 11.4.1: „Gonorrhö", 11.4.4: „Infektionen durch Chlamydia trachomatis", 11.4.5: „Genitaler Herpes").

11.3.4 Endometritis

- Isolierte Endometritis: Die Infektion des Uterus erfolgt meist aszendierend, ausgehend von Kolpitis, Zervizitis oder Adnexitis. Begünstigend sind Menstruation, Geburt, Abort, intrauterine Eingriffe, Intrauterinpessare, Uterustumor.
- Puerperalendometritis: Die puerperale Endometritis kann einen akuten, dramatischen Verlauf mit Sepsis und Schock nehmen. Die Entstehung wird begünstigt durch vorzeitigen Blasensprung, unvollständige Plazentablösung, Sectio caesarea, Lochialstau.

SYMPTOME

Die *isolierte Endometritis* verläuft symptomarm. Hinweise sind Unregelmäßigkeiten bei der Menstruation (Hypermenorrhö, Zwischenblutungen).
Bei *Puerperalendometritis:* eitriger, übelriechender Lochialfluss. Bei Salpingitis und Adnexitis Schmerzen im Unterbauch, Fieber. Insbesondere bei A-Streptokokken oft akuter, dramatischer Verlauf bis hin zum septischen Schock.

Erreger
β-hämolysierende Streptokokken der Gruppen A oder B, Anaerobier (Bacteroides, Clostridien), E. coli und andere Enterobakterien. Bei puerperaler Endometritis oder infiziertem Abort oft Mischinfektionen.

DIAGNOSE

Bei klinischem Verdacht Erregernachweis in Zervikal- oder Lochialsekret, evtl. auch in Blutkulturen.

Therapie
- Isolierte Endometritis:
  1. Antibiotika: z. B. Aminopenicillin plus β-Laktamase-Inhibitor (Ampicillin/Sulbactam; Amoxicillin/Clavulansäure) oder Cephalosporin der 1. oder 2. Generation (Cefalexin, Cefazolin, Cefuroxim) evtl. plus Metronidazol.
     Bei Streptokokken: Penicillin G oder Erythromycin.
  2. Bei Blutungen zusätzlich Östrogene, evtl. Abrasio.
- Puerperale Endometritis:
  1. Kombinationstherapie gegen aerobe und anaerobe Keime, z. B. Cephalosporin der 3. Generation (Cefotaxim, Ceftriaxon) plus Metronidazol evtl. plus

Aminoglykosid. Alternativen: Piperacillin plus Sulbactam oder Tazobactam evtl. plus Aminoglykosid; Carbapenem evtl. plus Aminoglykosid.
2. Bei septischem Abort ist die Endometritis durch Antibiotika meist nicht sanierbar; lebensrettend kann hier die Uterusexstirpation sein.

! **Die puerperale Endometritis kann einen rasch progredienten Verlauf mit Sepsis und Schock nehmen. Wegen des unvorhersehbaren Erregerspektrums ist eine breite Antibiotikatherapie indiziert.**

11.3.5 Adnexitis

Die Entzündung der Eileiter und/oder Eierstöcke entsteht meist aszendierend bei Zervizitis, seltener fortgeleitet z. B. bei Appendizitis, Darmperforation oder Proktitis. Eine häufige Folge sind Tubenverklebungen, die eine Ursache für Sterilität oder Tubengravidität bilden.

SYMPTOME

Heftige Unterbauchschmerzen, oft einseitig, plötzliches Fieber, manchmal Ausfluss. Im Bereich der Adnexen gespanntes und druckschmerzhaftes Abdomen. Eventuell Übelkeit, schmerzhafte Defäkation und Miktion. Obstipation oder Diarrhö. Dysmenorrhö.

Komplikationen
Peritonitis, Douglas-Abszess, Retroflexio uteri, Sterilität, Extrauteringravidität.

Erreger
Chlamydia trachomatis oder Neisseria gonorrhoeae; seltener Mykoplasmen, Streptokokken, Staphylokokken, Enterobakterien, Anaerobier (häufig Mischinfektionen).

DIAGNOSE

- Die Diagnose wird durch den gynäkologischen Untersuchungsbefund gesichert einschließlich Sonographie.
- *Laborwerte:* Leukozytose, BSG erhöht.
- *Erregernachweis:* Zum Nachweis von Chlamydien, Gonokokken und Mykoplasmen sind Zervikalabstriche geeignet (DNA-Amplifikation, Spezialkulturen, Antigennachweis) Zum Nachweis anderer Erreger eignet sich Material, das bei der Laparoskopie oder Punktion gewonnen wurde.

Differentialdiagnose
Extrauteringravidität, Appendizitis, Ovarialzysten, entzündliche Darmerkrankung.

Therapie
1. Antibiotika: Bei Chlamydien und Mykoplasmen Doxycyclin oder Makrolide. Bei Gonokokken Ceftriaxon oder Penicillin. Sonst entsprechend dem Erreger-

nachweis. Empirisch z. B. Ampicillin/Sulbactam bzw. Amoxicillin/Clavulansäure oder Cephalosporin 2. oder 3. Generation (Cefuroxim, Cefotaxim, Ceftriaxon) plus Clindamycin bzw. plus Metronidazol oder Doxycyclin oder Makrolid.
2. Zusätzlich evtl. Antiphlogistika und Analgetika.

11.3.6 „Pelvic Inflammatory Disease"

Die „pelvic inflammatory disease" (PID) umfasst einen Komplex aus Endometritis, Salpingitis, evtl. Peritonitis. Häufigste Ursache sind aufsteigende Genitalinfektionen wie mukopurulente Zervizitis durch Chlamydien oder Gonokokken; Mykoplasmen. Auch iatrogene Infektionen, z. B. nach Kürettage oder Sectio caesarea, kommen vor.

SYMPTOME

Unspezifisch z. B. Ausfluss, leichtes Krankheitsgefühl, suprapubischer Schmerz, Dysmenorrhö, chronisches Fieber, Gewichtsverlust bis hin zur akuten Peritonitis.

Erreger

Chlamydien, Gonokokken, Mykoplasmen, aber auch Enterobakterien und Anaerobier.

DIAGNOSE

- Gynäkologische Untersuchung einschließlich Sonographie.
- Untersuchung von Zervixsekret (Zytologie, Erregernachweis).
- Eventuell Laparoskopie.

Therapie

Cefuroxim oder Ceftriaxon plus Doxycyclin (in der Schwangerschaft Makrolid). Alternativ: Carbapenem (Imipenem/Cilastatin, Meropenem) plus Doxycyclin. Bei Tuben- oder Ovarialabszess Antibiotiotikatherapie für 2 Wochen i.v., danach für 6–8 Wochen orale Nachbehandlung, z. B. mit Ciprofloxacin.

11.4 Sexuell übertragbare Erkrankungen

Das Spektrum der sexuell übertragbaren Erkrankungen hat sich in den letzten 2 Jahrzehnten gewandelt. Weltweit die größte Bedeutung hat die Zunahme von HIV-Infektionen. In den Industrieländern sind klassische „Geschlechtskrankheiten" wie Lues und Gonorrhö deutlich rückläufig, während Infektionen durch Papilloma- und Herpesviren sowie durch Chlamydia trachomatis Serotypen D–K zunehmen.

Berücksichtigt sind in diesem Kapitel nur die „typischen Geschlechtskrankheiten" im engeren Sinn. Zu beachten ist, dass es daneben auch viele andere Erreger systemischer Erkrankungen gibt, für die der Hautpübertragungsweg ein anderer ist, die aber auch durch Geschlechtsverkehr übertragen werden (s. Tabelle 11-2).

Tabelle 11-2. Sexuell übertragbare Erreger

Mikroorganismen	Erreger	Erkrankung
Bakterien	Chlamydia trachomatis Serogruppen D–K	Urethritis, Zervizitis, Prostatitis, Epididymitis, Salpingitis
	Mycoplasma hominis	Urethritis, Prostatitis, Salpingitis
	Ureaplasma urealyticum	Urethritis, Prostatitis, Salpingitis
	Neisseria gonorrhoeae	Gonorrhö
	Treponema pallidum	Lues
	Gardnerella vaginalis	Aminkolpitis
	Chlamydia tachomatis Serogruppen L1–L3	Lymphogranuloma venerum (in den Tropen)
	Haemophilus ducreyi	Ulcus molle (Chancroid, in den Tropen)
	Calymmatobacterium granulomatis	Granuloma inguinalis (Entwicklungsländer)
Pilze	Candida, insbesondere Candida albicans	Soorkolpitis
Viren	Herpes-simplex-Virus 2 (seltener HSV-1)	Genitaler Herpes
	Humanes Immundefizienzvirus (HIV)	Aids
	Humanes Papillomavirus (HPV)	Genitalwarzen, Zervixkarzinom (HPV 16, 18)
	Zytomegalievirus	Zytomegalie
	Hepatitis-B-Virus	Hepatitis
	Hepatitis-C-Virus (selten)	Hepatitis
	Hepatitis-D-Virus	Hepatitis
	Molluscum-contagiosum-Virus	Papeln im Genitalbereich
	Humanes T-Zellleukämievirus (HTLV1)	T-Zellleukämie (in Japan, USA)
Protozoen	Trichomonas vaginalis	Vaginitis, Urethritis

11.4.1 Gonorrhö

In der BRD werden jährlich ca. 9000 Erkrankungen gemeldet. Die tatsächliche Zahl der Infektionen ist wesentlich höher, da besonders bei Frauen viele Infektionen unbemerkt verlaufen.

Die Erreger, Neisseria gonorrhoeae (gramnegative Diplokokken), sind äußerst empfindlich gegen Umwelteinflüsse wie Kälte oder Trockenheit. Eine Übertragung ist daher nur durch direkten Schleimhautkontakt möglich; bei Erwachsenen in der Regel durch Geschlechtsverkehr, bei Neugeborenen im Geburtskanal. Die Infektion betrifft fast immer die Schleimhäute des Urogenitaltraktes (beim Mann die Urethralmukosa, bei der Frau Zervix und Urethra); bei Neugeborenen die Konjunktiven.

Je nach Sexualpraktiken können auch die Pharynx- oder Anorektalregion betroffen sein. Eine hämatogene Ausbreitung mit Organmanifestationen ist selten.

SYMPTOME

Beim *Mann* zunächst wässriger, später schleimiger und gelb-eitriger Ausfluss aus der Urethra, häufig begleitet von dysurischen Beschwerden.
Bei *Frauen:* 60% symptomlos. Bei 40% nach einigen Tagen Harndrang, schmerzhafte Miktion, Ausfluss.

Verlauf und Komplikationen

Bei *Männern* heilt die Mehrzahl der Infektionen nach einigen Wochen spontan aus. Bei 10–20% entwickelt sich eine häufig symptomlose chronische Urethritis (s. Abb. 11-1). Evtl. aufsteigende Infektionen wie Prostatitis, Epididymitis; periurethrale Abszesse, Harnröhrenstrikturen.

Bei *Frauen:* In 10–20% aszendierende Infektionen, z. B. Endometritis, Salpingitis, Adnexitis, tuboovarialer Abszess, Peritonitis (= „pelvic inflammatory disease", PID). Häufige Folge sind Tubenverklebungen mit der Gefahr von Tubengravidität und Sterilität. Nach einer einmaligen Gonorrhö sind ca. 20% der Frauen steril, nach 3-maliger Erkrankung 75%.

- *Disseminierte Infektionen:* Sie treten bei 0,5–3% auf, insbesondere bei Frauen während der Schwangerschaft sowie bei Defekten des Komplementsystems. Mitunter finden sich Fieber, Exantheme, Perimyokarditis; bei Ablagerung in Gelenken auch Arthritis, Polyarthralgien.
- *Eitrige Konjunktivitis (Ophthalmia neonatorum):* entsteht bei Infektion des Neugeborenen unter der Geburt (s. Kap. 17.2.3: „Neugeboreneninfektionen durch Chlamydia trachomatis und Neisseria gonorrhoeae").

DIAGNOSE

Erregernachweis in Abstrichen von Urethra, Zervix bzw. Konjunktiven (Mikroskopie, DNA- oder Antigennachweis, Kultur), bei Generalisierung in Blutkulturen, Gelenkpunktaten.

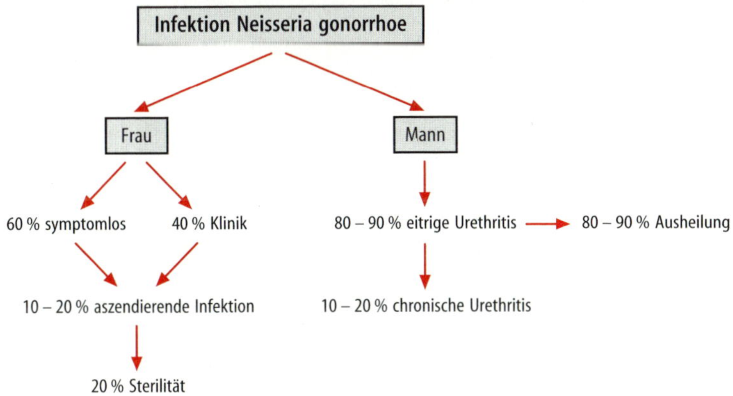

Abb. 11-1. Verlauf von Infektionen mit Neisseria gonorrhoeae

Therapie

Wegen zunehmender Penicillinresistenz bei unkomplizierter Gonorrhö: Einmaldosis von Ceftriaxon (250–500 mg) oder Cefuroxim (1,5 g). Alternativ: Spectinomycin (1-mal 2 g) oder Chinolon, z. B. Ciprofloxacin (500 mg) oder Ofloxacin (400 mg), oral. Wegen des Risikos von Mischinfektion mit Chlamydien wird eine Folgetherapie mit Doxycyclin (2-mal 100 mg/Tag), oral für 7 Tage, oder Azithromycin (1-mal 1 g) als Einmaldosis empfohlen.

Bei Komplikationen: z. B. Adnexitis, Prostatitis Ceftriaxon (2 g/Tag) oder Cefotaxim (2- bis 3-mal 2 g/Tag) i.v. oder Cefuroxim (1,5 g/Tag) für 7–10 Tage; bei septischer Arthritis für 2–4 Wochen.

Ophthalmia neonatorum: Ceftriaxon oder Cefotaxim i.v., zusätzlich Erythromycin-Augentropfen bzw. -salbe.

Bei Gonorrhö der Mutter erhält das Neugeborene sofort nach der Geburt eine Injektion von Ceftriaxon oder Cefotaxim (100 mg/kg). Zusätzlich Erythromycin-Augensalbe.

11.4.2 Lues (Syphilis)

Benannt ist die Erkrankung nach dem griechischen Schäfer Syphilos, der wegen Gotteslästerung erkrankt sein soll. Heute infizieren sich in Deutschland pro Jahr etwa 1300 Personen. Die Erreger, Treponema pallidum (dünne, schraubenförmige Bakterien; s. Abb. 11-2), sind bis heute nicht in künstlichen Nährmedien vermehrbar und sehr empfindlich gegen Umwelteinflüsse. Eine Übertragung erfolgt daher nur durch engsten Kontakt, in der Regel venerisch; aber auch durch Bluttransfusion oder diaplazentar. Die Erreger durchdringen die intakte Schleimhaut, vermehren sich an der Eintrittspforte und befallen die regionalen Lymphknoten. Die Erkrankung läuft in 3 Stadien ab.

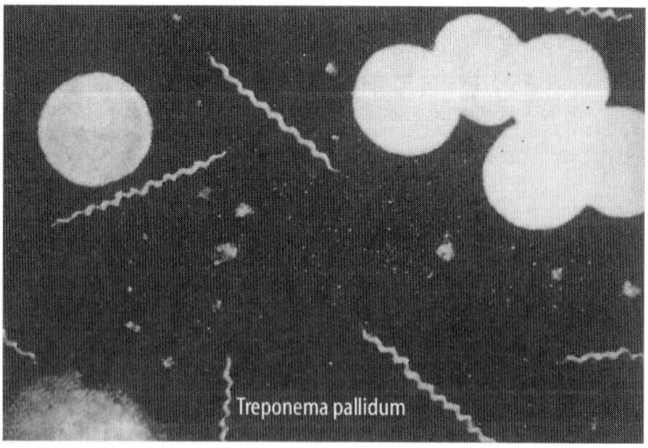

Abb. 11-2. Treponema pallidum im Nativpräparat (Dunkelfeldmikroskopie). (Nach: Hahn et al., Medizinische Mikrobiologie und Infektiologie, 1999, S. 460)

SYMPTOME

- *Primärstadium (lokale Infektion):* Rund 3 Wochen nach der Infektion bilden sich an der Eintrittspforte kleine schmerzlose Papeln, die sich zu derben Geschwüren entwickeln (meist an Penis, großen Labien). Zusätzlich lokale Lymphknotenschwellung. Nach 3–6 Wochen spontane Abheilung unter Narbenbildung: harter Schanker (Ulcus durum).
- *Sekundärstadium (Disseminationsstadium):* Nach 1–3 Monaten kleinfleckiger, makulopapulöser Hautausschlag, besonders am Stamm, weiße Papeln auf den Schleimhäuten; z. T. generalisierte Lymphknotenschwellung, Gelenkentzündungen, Fieber, Kopfschmerzen, Myalgien.
- *Tertiärstadium (Organmanifestation):* Unbehandelt kommt es bei 1/3 der Patienten nach einem symptomfreien Intervall von 3–30 Jahren zu den Spätmanifestationen. Während der Latenzphase finden intermittierende Bakteriämien statt mit der Gefahr einer Übertragung durch Bluttransfusion oder bei Schwangeren diaplazentar auf den Fetus. Der bakteriämische Schub ist manchmal an einem Hautausschlag erkennbar.
  Das Tertiärstadium kann sich in vielen Organen manifestieren, z. B. in der Haut (braunrote, derbe, erhabene Knötchen), als Neurosyphilis oder als kardiovaskuläre Syphilis.

Kardiovaskuläre Syphilis

Infolge einer Endarteriitis obliterans, besonders der Vasa vasorum der Aorta, kommt es zu Medianekrosen mit Stabilitäts- und Elastizitätsverlust der Gefäßwand.

SYMPTOME

Aneurysmen und Stenosen.

Neurosyphilis

Bei der meningovaskulären Neurosyphilis sind die Blutgefäße der Meningen, des Gehirns und Rückenmarks befallen mit der Folge ischämischer Nervenschädigungen. Bei der parenchymatösen Form konzentrieren sich die Entzündungen mehr auf das Parenchym, mit der Folge progressiver Hirnatrophie meist des Stirnlappens.

SYMPTOME

Progressive Paralyse, Anfälle, Halluzinationen, Größenwahn, Sprachstörungen, Demenz.

Tabes dorsalis

Tabes dorsalis sind der Ausdruck der Rückenmarkerkrankung mit Demyelinisierung der Hinterstränge, der hinteren Wurzeln und Ganglien.

SYMPTOME

Parästhesien, Schmerzattacken, Blasenentleerungsstörungen, Impotenz, Ataxien.

Gummen

Gummen (Gummiknoten) sind Granulome aus Makrophagen, Epitheloidzellen, Lymphozyten und Fibroblasten. Sie sind das Ergebnis der chronischen Abwehrreaktion gegen intrazelluläre Erreger.

SYMPTOME

Einige Millimeter bis Zentimeter große Knoten in der Haut, der Schleimhaut oder im Knochen (Gefahr von Frakturen).

DIAGNOSE

- Im Primärstadium (Ulcus durum) und z. T. im Sekundärstadium (nässende Papeln) sind die Treponemen im Exsudat durch Dunkelfeldmikroskopie sichtbar. Hochkontagiös!
- Nachweis spezifischer Antikörper (Hämagglutination, Immunfluoreszenz, ELISA).

Therapie

Mittel derWahl ist Penicillin. Wegen der langen Generationszeit der Treponemen muß der Penicillinspiegel mindestens 7 Tage lang >0,03 µg/ml betragen. Im Frühstadium (Lues I und II, nicht länger als 1 Jahr) z. B. Benzathin-Penicillin (1,2 Mio. IE/Tag i.m. für 10–20 Tage oder 2,4 Mio. IE i.m. alle 2–3 Tage). Bei Neurolues Penicillin G (12–24 Mio. IE/Tag) oder Ceftriaxon (2 g/Tag) i.v. für 14 Tage).

Bei Penicillinallergie: Makrolide (z. B. Erythromycin); Tetracycline (z. B. Doxycyclin 200 mg/Tag) für 20 Tage oder Ceftriaxon (1-mal 2 g/Tag) für 14 Tage.

Bei Syphilis während der Schwangerschaft: Penicillin oder Ceftriaxon. Eine postnatale Therapie des Neugeborenen ist sinnvoll, wenn die Mutter nicht ausreichend oder erst am Ende der Schwangerschaft behandelt wurde.

In den ersten Stunden nach Beginn der Antibiotikatherapie kann durch freigesetztes Endotoxin eine Jarisch-Herxheimer-Reaktion auftreten mit Fieber, Myalgien, Kopfschmerzen, Tachykardie, Vasodilatation, Hypotonie. Acetylsalicylsäure, in schweren Fällen Kortikosteroide, lindern die Symptome.

Meldepflicht

Der direkte oder indirekte Nachweis von Treponema pallidum ist meldepflichtg (s. Tabelle 28-1) (Konnatale Lues s. Kap. 17.2.8).

11.4.3 HIV/Aids

Heute die weltweit wichtigste sexuell übertragbare Erkrankung ist Aids. Der Erreger, das Human-Immundeficiency-Virus (HIV) wird durch Blut, Blutprodukte und Geschlechtsverkehr übertragen. In Deutschland wird die Zahl der Infizierten auf ca. 50.000 geschätzt, weltweit auf 30–40 Mio. Besondere Risikogruppen sind Homosexuelle, Drogenabhängige, Hämophiliepatienten. In den letzten Jahren sind in Europa jedoch erstmals mehr heterosexuell übertragene Erkrankungen als homosexuelle aufgetreten (s. Kap. 19.4: „HIV und Aids“).

11.4.4 Infektionen durch Chlamydia trachomatis

Infektionen durch Chlamydia trachomatis Serotypen D–K

Urogenitale Infektionen durch Chlamydien der Serotypen D–K zählen heute zu den häufigsten venerischen Erkrankungen. Die Trägerrate bei asymptomatischen Frauen liegt in Europa bei 2–4%.

SYMPTOME

Bei 70% der Frauen und 25% der Männer bleibt die Infektion symptomlos. In symptomatischen Fällen bei Männern: am häufigsten Urethritis mit wässrigem Ausfluss und Dysurie, die aufsteigend zu Prostatitis und Epididymitis führen kann. Bei der Frau: Zervizitis und Urethritis mit Ausfluss, evtl. Brennen beim Wasserlassen, Unterbauchschmerzen.

Komplikationen

Zirka 8% der Frauen entwickeln aufsteigend eine Salpingitis mit der Gefahr von Tubenverklebungen, extrauteriner Gravidität oder Sterilität. Das Risiko der Unfruchtbarkeit liegt nach einmaliger Chlamydieninfektion bei 25% (s. Abb. 11-3). Bei Schwangeren besteht die Gefahr der Übertragung auf das Neugeborene, das sich unter der Geburt infiziert. Neugeborene infizierter Mütter entwickeln in 20–45% eine Konjunktivitis, in 10–20% eine Pneumonie. Die Konjunktivitis tritt 1–2 Wochen nach der Geburt auf und reicht von leichter Rötung bis zu schwerer

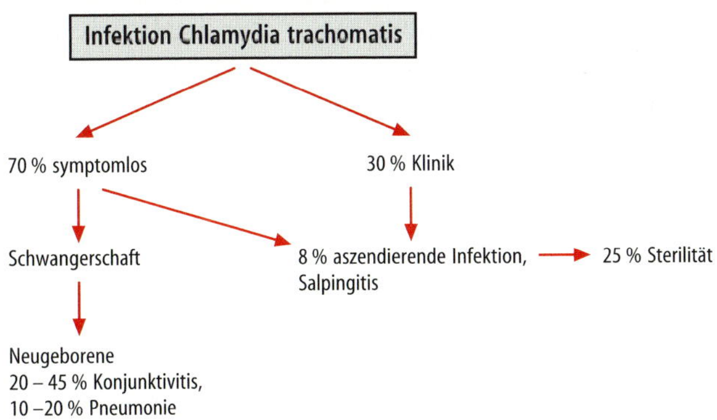

Abb. 11-3. Manifestation genitaler Infektionen mit Chlamydia trachomatis, Serotypen D–K bei Frauen

Ophthalmia neonatorum (s. Kap. 17.2.3: „Neugeboreneninfektionen durch Chlamydia trachomatis und Neisseria gnonorrhoeae“).

Die atypische Pneumonie entsteht durch Aspiration erregerhaltigen Materials und beginnt meist 6–10 Wochen post partum. Chlamydien sind für die Hälfte aller Neugeborenenpneumonien verantwortlich.

Ein Zusammenhang zwischen Chlamydienzervizitis und vorzeitigem Blasensprung wird vermutet.

Urogenitale Chlamydieninfektionen können eine reaktive Arthritis (Reiter-Syndrom) zur Folge haben (s. Kap. 23: „Postinfektiöse Komplikationen“ u. Kap. 12.2.2 „Postinfektiöse reaktive Arthritis“). Bei 2/3 der Patienten mit Reiter-Syndrom lassen sich Chlamydien aus der Urethra isolieren.

DIAGNOSE

Erregernachweis: Antigen- bzw. DNA-Nachweis bei Frauen in Zervikal-, bei Männern in Harnröhrenabstrich oder bei beiden in der ersten Portion des Morgenurins; bei Konjunktivitis in Konjunktivalabstrich; bei Pneumonie in Trachealsekret oder Antikörpernachweis im Serum.

Therapie

Urogenitale Infektionen: Doxycylin (200 mg/Tag) oral über 7 Tage oder Makrolide, z. B. Erythromycin (4-mal 500 mg/Tag) oral für 7 Tage oder Azithromycin 1 g als Einmaldosis oder Chinolone (Ofloxacin, Levofloxacin, Ciprofloxacin, Moxifloxacin) oral für 7 Tage. Während der Schwangerschaft oder bei Neugeborenen Erythromycin für 2 Wochen.

Lymphogranuloma venereum

Die venerisch übertragbare Lokalinfektion an den äußeren Genitalien durch Chlamydia trachomatis, Serotypen L1–L3, ist in Afrika, Asien, Südamerika häufig, in Europa werden nur sporadische Fälle importiert.

SYMPTOME

Nach 1–4 Wochen Inkubation kleine ulzerierende Papel (Primärläsion) am Genitale, meist beidseitige Lymphknotenschwellung, evtl. Fieber, Kopfschmerzen, Myalgien.

Die Erkrankung kann spontan ausheilen oder zu fistelnden Lymphknotenabszessen führen. Über die Lymphe können die Keime ins Rektum gelangen und eine Proktitis verursachen.

DIAGNOSE

Serologischer Antikörpernachweis, Histopathologie; Erregerisolierung.

Differentialdiagnose

Differentialdiagnostisch sind Herpes-simplex-Virusinfektionen, Syphilis, Ulcus molle abzugrenzen.

Therapie
Doxycyclin für 3 Wochen. Alternativen: Erythromycin, Rifampicin.

11.4.5 Genitaler Herpes

Die Infektion der Haut und Schleimhäute im Genital- und Perianalbereich durch Herpes-simplex-Viren (überwiegend HSV-2, nur 5% HSV-1) ist die häufigste Ursache genitaler Ulzerationen (s. Tabelle 11-3). Die Übertragung erfolgt durch sexuellen Kontakt. Die Primärinfektion tritt 4–7 Tage nach Ansteckung auf. Anschließend persistiert das Virus lebenslang in den sakralen sensorischen Nervenganglien und kann von Zeit zu Zeit reaktiviert werden. Die Rezidivrate beträgt bei HSV-2 80%, bei HSV-1 50%. Die Primärläsionen sind schmerzhafter und langwieriger als Rezidive.

SYMPTOME

Gruppenweise auftretende schmerzhafte Bläschen, die aufbrechen und ulzerieren. Bei Frauen sind Labien, Damm, Vagina, Zervix; bei Männern Glans penis, Penisschaft und Vorhaut betroffen. Die Ulzera verkrusten und heilen unter Narbenbildung ab. Bei starker Ausprägung und bei Primärinfektion auch Krankheitsgefühl, Fieber, Myalgien, Lymphknotenschwellung.

Komplikationen
Rezidive mit leichterem Verlauf. Bei Müttern mit genitalem Herpes zur Zeit der Geburt besteht das Risiko einer Übertragung auf das Neugeborene, insbesondere bei Primärinfektion die Gefahr eines generalisierten Herpes (s. Kap. 17: „Kongenitale und perinatale Infektionen“).

DIAGNOSE

- Klinik.
- Erregernachweis aus Bläscheninhalt (Antigennachweis, PCR, Kultur).

Tabelle 11-3. Differentialdiagnose genitaler Ulzera

	Herpes	Lues	Ulcus molle	Lymphogranuloma venerum
Klinik	Schmerzhafte Bläschen oder Pusteln	Schmerzlose harte Ulzera	Schmerzhafte weiche Läsionen	Kleine ulzerierende Papel
Lymphadenopathie	(+)	+++	+++	+++
Dauer	2–3 Wochen	Bis 6 Wochen	Bis 6 Wochen	Einige Tage
Erreger	HSV-2 (1)	Treponema pallidum	Haemophilus ducreyi	Chlamydia trachomatis Serotypen L1–L3

Therapie
Aciclovir (5-mal 200 mg/Tag) oral für 5 Tage. Alternative: Famciclovir (3-mal 250 mg/Tag) oder Valaciclovir (2-mal 500 mg/Tag) für 5 Tage. Bei Aciclovirresistenz: Foscarnet. Bei häufigen Rezidiven (>8 Rezidive pro Jahr) kann Aciclovir zur Suppressionsbehandlung (4-mal 200 mg/Tag, bei Rekurrenzfreiheit Reduzierung auf 3-mal 200 mg/Tag) für 1 Jahr gegeben werden. Während der Schwangerschaft: Aciclovir lokal. Bei Neugeboreneninfektion Aciclovir i.v. (s. Kap. 17.2.4 „Kongenitale und perinatale Infektionen“).

! **Die genitale Herpesinfektion der Mutter ist eine Indikation für Sectio. Prophylaktische Gabe von Aciclovir an das Neugeborene. Personal mit fluoridem Herpes nicht bei Neugeborenen oder immuninkompetenten Patienten einsetzen.**

11.4.6 Papillomavirusinfektionen

Genitale Infektionen durch humane Papillomaviren treten als Warzen, Kondylome oder Dysplasien der Haut und Schleimhäute im Anogenitalbereich auf (Condylomata acuminata, Condylomata plana, pigmentierte papulöse Effloreszenzen). Die Übertragung der Viren erfolgt sexuell, durch engen Hautkontakt oder durch Schmierinfektion; manche Typen auch perinatal. Die Inkubationszeit beträgt 1–6 Monate. Bei perinataler Übertragung auf das Neugeborene besteht bei manchen Serotypen von HPV das Risiko von Larynxpapillomen beim Kind. Bedeutsam sind Infektionen mit „onkogenen“ Papillomviren (HPV 16, 18). Sie sind ein Kofaktor bei der Entstehung von Zervixkarzinomen, die jedoch erst nach jahrzehntelanger Latenzzeit entstehen; evtl. auch Vulva-, Penis-, und Analkarzinome.

SYMPTOME

Kleine, weiche, rosa oder rötliche, schnell wachsende Warzen, einzeln stehend oder konfluierend z. T. blumenkohlartig. Bei Männern unter der Vorhaut, im Sulcus coronarius, an Harnröhrenmündung und Penisschaft. Bei Frauen an Vulva, Vagina, Zervix und am Damm. Oft nässende Ekzeme durch Superinfektion mit Bakterien oder Candida.

Komplikationen
Rezidive. Progression unter Immunsuppression oder während der Schwangerschaft. Langfristig besteht die Gefahr der Karzinomentstehung.

DIAGNOSE

- Klinik, typisches Aussehen.
- Eventuell Histologie zur Abgrenzung eines Karzinoms.
- DNA-Nachweis durch Hybridisierung oder PCR mit typenübergreifendem Primer, nachfolgend Typisierung.

Therapie
Entfernung der Warzen z. B. durch Kryochirurgie, Elektrokauter, Laser, mit Silbernitrat, Salicylsäure. Lokal Cidovir. Bei schwer behandelbaren Läsionen evtl. lokale Applikation von Interferon. Bei 25% treten nach allen Behandlungen Rezidive innerhalb von 3 Monaten auf. Gegebenenfalls Behandlung des lokalen Ekzems und der Superinfektion.

Wegen der Assoziation zwischen genitaler HPV-Infektion bei der Mutter und Larynxpapillomen beim Kind wird die Abtragung der Condylomata acuminata 4 Wochen vor der Geburt empfohlen.

! **Patienten mit Papillomavirusinfektionen sollen überwacht werden. Bei Frauen sind regelmäßige Vorsorgeuntersuchungen zur Früherkennung eines Karzinoms angezeigt.**

11.4.7 Ulcus molle (Chancroid)

Die Erkrankung kommt weltweit vor, besonders in den tropischen Regionen und Entwicklungsländern. Bei uns wird sie nur gelegentlich importiert. Typisch sind Läsionen am Genitale, die zu einer erhöhten Übertragungsrate von HIV in Afrika beitragen sollen (s. Tabelle 11-3). Der Erreger ist Haemophilus ducreyi (gramnegative Stäbchenbakterien). Die Übertragung erfolgt sexuell.

SYMPTOME

Nach 3–10 Tagen schmerzhafte, weiche, bis pfenniggroße Läsionen am Genitale begleitet von lokaler schmerzhafter Lymphknotenschwellung.

DIAGNOSE

Kultureller Erregernachweis im Abstrich.

Therapie
Azithromycin (1-mal 1 g) als Einmalgabe oder Erythromycin (4-mal 500 mg/Tag) oral für 4 Tage oder Ciprofloxacin (2-mal 500 mg/Tag) für 3 Tage. Alternativ: Sulfonamide, Cotrimoxazol.

Molluscum-contagiosum-Infektionen

Siehe Kap. 19.4: „HIV/Aids".

- Eine chronisch verlaufende Sonderform ist der subperiostale ***Brodie-Abszess*** bei Kindern, meist durch Staphylococcus aureus. Tbc-Bakterien und Brucellen verursachen primär chronisch-granulomatöse Osteomyelitiden.

SYMPTOME

- *Akute Osteomyelitis:* Hohes Fieber (kann bei Wirbelsäulenosteomyelitis fehlen), Schüttelfrost, plötzlich auftretender lokaler Schmerz, Schwellung, Klopfempfindlichkeit. Leukozytose, erhöhte BSG.
- *Chronische Osteomyelitis:* Bohrende Schmerzen, Fistelbildung, kaum Fieber, erhöhte BSG.

DIAGNOSE

- Klinik.
- *Bildgebende Verfahren:* z. B. Frühdiagostik im CT, MRT, durch Knochenszintigraphie; bei fortgeschrittenen Prozessen: Röntgenbild (s. Abb. 12-1).
- Erregernachweis im Knochenpunktat, in bioptischem Material, evtl. in Blutkulturen (s. Abb. 12-2). Der Erregernachweis ist wegen der erforderlichen Langzeittherapie unbedingt anzustreben, d. h. Materialgewinnung vor Antibiotikagabe. Bei Staphylococcus aureus, Streptokokken, Brucellen, Salmonellen ist evtl. eine indirekte serologische Diagnose durch den Nachweis spezifischer Antikörper möglich.

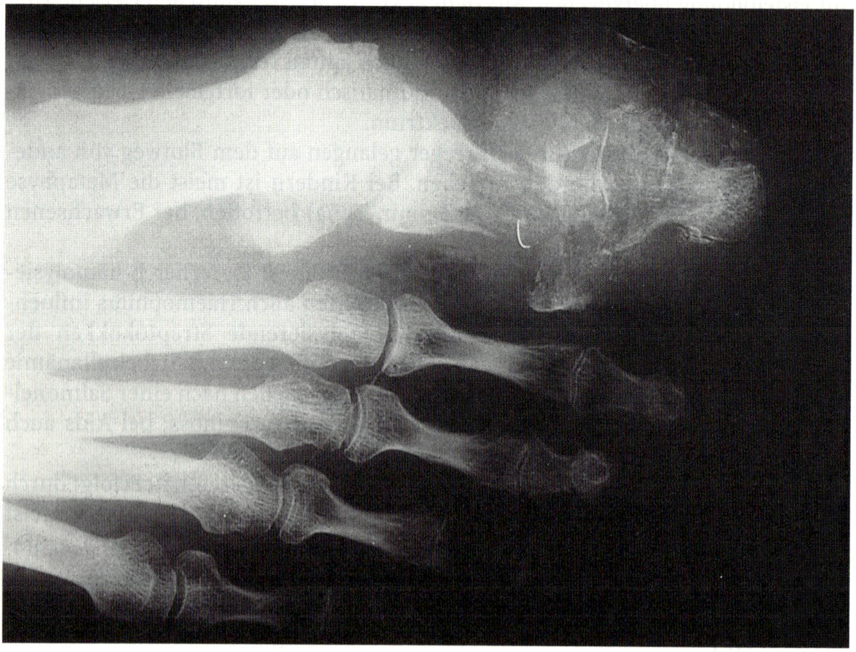

Abb. 12-1. Osteomyelitis mit Zerstörung der großen Zehe bei einem Diabetiker. (Von K. Rauber, Abt. Radiologie, Krankenhaus Wetzlar)

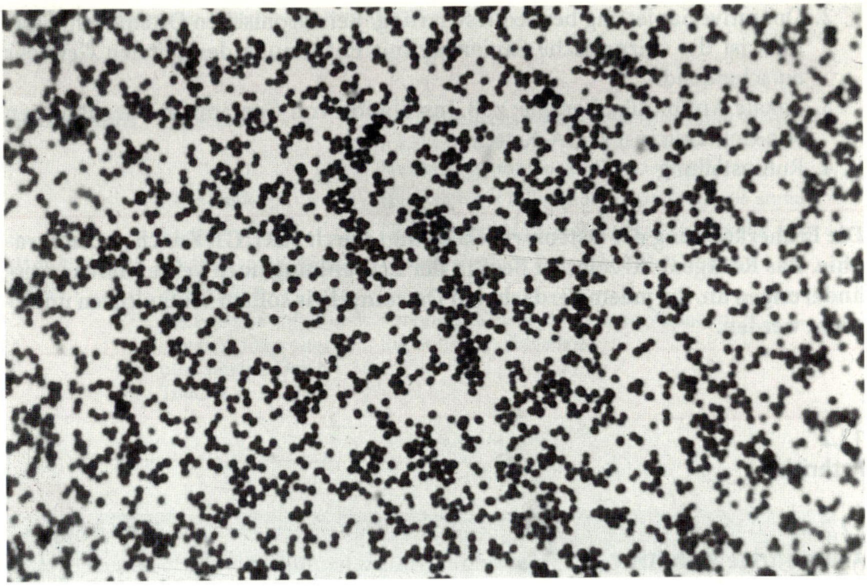

Abb. 12-2. Mikroskopisches Bild von Staphylococcus aureus, dem häufigsten Erreger von Osteomyelitis bei Erwachsenen

Therapie

Antibiotika. Bei der Auswahl der Antibiotika werden „knochengängige" Präparate bevorzugt, z. B. Clindamycin, Chinolone, Fosfomycin.

- *Akute hämatogene Osteomyelitis:* gezielte Antibiotikatherapie in maximalen Dosen für 6–8 Wochen.
  Bei Nachweis von:
  - Staphylococcus aureus: Clindamycin (3-mal 600–900 mg/Tag) oder Flucloxacillin (3-mal 4 g/Tag). Alternativen: Cefazolin, Chinolone (Levofloxacin, Ciprofloxacin, Moxifloxacin), Fosfomycin.
  - β-hämolysierende Streptokokken: Penicillin G oder Clindamycin.
  - Gramnegative Keime: Chinolon (Levofloxacin, Ciprofloxacin, Moxifloxacin) oder Cephalosporin 3. Generation (Cefotaxim, Ceftriaxon).
  - Pseudomonas: Ciprofloxacin (3-mal 500–750 mg/Tag) oder Ceftazidim (3-mal 2 g/Tag). Alternativen: Cefepim, Carbapeneme, Piperacillin, Azlocillin, evtl. Fosfomycin. In den ersten 2 Wochen zusätzlich Tobramycin.
  - Anaerobier: Clindamycin oder Metronidazol.
  - Initialtherapie ohne Erregernachweis: Cephalosporin (Cefazolin, Cefuroxim) plus Clindamycin. Kinder Cefotaxim plus Clindamycin. Orale Weiterbehandlung nach 2–4 Wochen mit Flucloxacillin oder Clindamycin oder bei Erwachsenen mit Chinolon, z. B. Ciprofloxacin (3-mal 500 mg/d).
- *Bei Protheseninfektion* (oft koagulasenegative Staphylokokken):
  Vancomycin, evtl. plus Fusidinsäure oder Rifampicin.
- *Chronische Osteomyelitis:*
  1. Antibiotika nach Erregernachweis für 3–12 Monate, oft auch jahrelang.

! Die akute eitrige bakterielle Arthritis ist ein medizinischer Notfall, der eine umgehende Antibiotikatherapie erforderlich macht. Bei verzögerter Therapie besteht die Gefahr der Gelenkzerstörung. Die Wahl des Antibiotikums richtet sich nach dem zu erwartenden Erregerspektrum.

12.2.2 Postinfektiöse reaktive Arthritis

Sterile Gelenkentzündungen können im Anschluss an vorausgegangene gelenkferne Infektionen auftreten. Darunter fällt das rheumatische Fieber nach Infektionen mit β-hämolysierenden Streptokokken der Gruppe A oder die reaktive Arthritis nach Infektionen des Urogenital-, Darm- oder Bronchialtraktes (s. Kap. 23.3: „Rheumatisches Fieber" und Kap. 23.5: „Reiter-Syndrom" – in Kap. 23: „Postinfektiöse Komplikationen").

Die *reaktive Arthritis nach Urogenital- oder Magen-Darm-Trakt-Infektionen* tritt gehäuft bei Patienten mit HLA B27 auf. Ein Teil der Patienten entwickelt ein *Reiter-Syndrom,* das durch die Trias Polyarthritis, Konjunktivitis und Urethritis gekennzeichnet ist. Häufig kommt es auch zu einem Erythema nodosum. Die Erreger der Primärinfektion sind insbesondere intrazellulär überlebensfähige Bakterien wie Yersinien, Campylobacter, Chlamydia trachomatis, Salmonellen, Shigellen (s. Tabelle 12-1).

Die Erkrankung wird als immunologische Folgeerkrankung durch Ablagerung oder Bildung von Immunkomplexen in Synovia und periartikulärem Gewebe verstanden. Im Punktat werden z. T. bakterielle Antigene, spezifische CD4-Zellen und Antikörper gefunden.

SYMPTOME

Die Gelenkbeschwerden treten 3–4 Wochen nach der Primärerkrankung auf und betreffen einzelne oder wenige große Gelenke, insbesondere das Kniegelenk. Heftige Gelenkschmerzen, oft Ergüsse von wechselnder Stärke über Wochen bis Monate.

DIAGNOSE

- Die Diagnose erfolgt meist per exclusionem. Die bildgebenden Verfahren (Röntgen, Szintigraphie) sind meist unauffällig.
- *Mikrobiologische Untersuchung:* Das Punktionsmaterial ist steril. Die Erregerdiagnose kann serologisch durch Antikörpernachweis gestellt werden; bei urogenitalen Infektionen durch Erregernachweis in Urethral- oder Zervixabstrichen.

Verlauf

Die Prognose ist meist günstig mit spontaner Ausheilung innerhalb von 6 Monaten. Bei 10–20% kommt es jedoch zu chronisch-rezidivierenden Verläufen.

Therapie

1. Physikalische Maßnahmen (Ruhe, Kälte, Entlastungspunktion) und eine symptomatische Therapie mit nichtsteroidalen Antirheumatika sind am wichtigsten.
2. Die Verabreichung von Antibiotika dient dazu, einen potenziellen Erregernachschub zu verhindern. Die Beschwerden selbst werden nicht oder kaum verändert. Eindeutige klinisch dokumentierte Therapiestudien liegen nicht vor. Die Gabe von Doxycyclin (2-mal 100 mg/Tag für 3 Wochen) oder einem Chinolon für 2 Wochen kann erwogen werden.

12.3 Protheseninfektionen

Bei 1–5% der Gelenkprothesen muss postoperativ mit infektiösen Komplikationen gerechnet werden. Das erfordert in den meisten Fällen eine Implantatentfernung mit erheblichen Mehrkosten und Unannehmlichkeiten für den Patienten.

Die Infektion erfolgt entweder intraoperativ (60–80%) oder hämatogen (20–40%). Meist gehen Wundinfektionen, Hämatome oder Abszesse der Infektion des Implantates voraus. Fremdkörper begünstigen die Entstehung von Infektionen. Besondere „Risikopatienten" sind solche unter Kortisontherapie, mit rheumatoider Arthritis, Diabetes mellitus, Kachexie, hohem Alter.

SYMPTOME

Schmerzen, lokale Entzündungszeichen, Schwellung, Erythem, evtl. Fieber, Fistelbildung.

Erreger

In erster Linie koagulasenegative Staphylokokken, Staphylococcus aureus oder β-hämolysierende Streptokokken. Bei hämatogenen Infektionen sind die Erreger je nach Eintrittspforte verschieden, z. B. nach Eingriffen im Mundbereich vergrünende Streptokokken und Peptokokken; nach Haut- und Weichteilinfektionen Staphylococcus aureus, nach Eingriffen im Urogenital- oder Magen-Darm-Trakt gramnegative Bakterien, Enterokokken oder Anaerobier.

DIAGNOSE

- *Bildgebende Verfahren:* Röntgen, Szintigraphie (radioaktive Marker).
- *Erregernachweis im Punktat, in Biopsien:* Enthält das Material viele PMN, ist eine Infektion wahrscheinlich.

Therapie

1. Antibiotikatherapie möglichst nach Erregernachweis, z. B. im Fall von Staphylokokken Clindamycin oder Glykopeptid (Vancomycin, Teicoplanin); Alternativen: Fosfomycin plus Fusidinsäure oder Rifampicin.
2. Bei Prothesenosteomyelitis (z. B. Hüftgelenk): Wechsel des Implantats unter Antibiotika. Ohne Entfernung der Prothese ist eine Antibiotikatherapie mit Drainage des Eiters nur bei 20% erfolgreich. Die direkte Reimplantation mit

anschließender Antibiotikatherapie ist in 70–80% effektiv; die Reimplantation einer neuen Prothese nach einer zwischenzeitlichen 6-wöchigen Antibiotkatherapie bringt Erfolge von 90–97%. Einen günstigen Effekt hat auch antibiotikahaltiger Knochenzement.

Prophylaxe
Strenge Hygienemaßnahmen und eine intraoperative Antibiotikaprophylaxe vermindern das Risiko der operativen Kontamination. Eine routinemäßige Antibiotikaprophylaxe bei Eingriffen, die zu Bakteriämien führen, wird bei Prothesenträgern nicht einhellig empfohlen.

Kapitel 13

Haut-, Wund- und Weichteilinfektionen 13

13.1
Mukokutane Herpes-simplex-Virusinfektionen

Herpes-simplex-Viren (HSV) verursachen Infektionen der Oropharyngeal- oder Genitalschleimhäute oder der Haut. Oberhalb der Gürtellinie ist meist HSV-1 der Erreger, bei genitalen Infektionen HSV-2. Beide HSV-Typen können aber auch an jeder Hautregion zu Infektionen führen. Die Übertragung erfolgt durch engen Kontakt oder Schmierinfektion auf andere Haut- und Schleimhautbezirke, z. B. die Konjunktiven.

Primärinfektionen mit HSV-1 treten meist schon im Kindesalter auf. Nach der Primärinfektion persistieren die Herpesviren lebenslang asymptomatisch in den regionalen Ganglien und können von Zeit zu Zeit reaktiviert werden, z. B. als Bläschen im Lippenbereich (Herpes labialis) oder im Genitalbereich. Die meisten Herpesinfektionen verlaufen klinisch inapparent; die Ausscheider stellen jedoch ein Erregerreservoir dar. Die Inkubationszeit beträgt bei Primärinfektion 2–12 Tage. Bei Herpes genitalis der Mutter während der Geburt besteht für das Neugeborene die Gefahr einer lebensbedrohlichen, generalisierten Erkrankung (s. Kap. 17.2.4: „Herpes-simplex-Virusinfektionen bei Neugeborenen“ – in Kap. 17: „Kongenitale und perinatale Infektionen“).

SYMPTOME

- *Gingivostomatitis:* Zahlreiche Bläschen und schmerzhafte Aphthen im Mund, auf der Wangenschleimhaut, dem Zahnfleisch, Gaumen, Lippen und perioral. Abheilung meist innerhalb von 5–7 Tagen.
- *Genitaler Herpes:* Schmerzhafte Bläschen, die aufbrechen und ulzerieren, an Labien, Damm, Vagina, Zervix; bzw. bei Männern an der Glans penis, dem Penisschaft und derVorhaut.
- Bei Primärinfektion zusätzlich evtl. Krankheitsgefühl, 1–2 Tage Fieber, lokale Lymphknotenschwellungen, Myalgien.

Komplikationen
Wiederholte Rezidive.

DIAGNOSE

- Klinik.
- Eventuell Virusnachweis in Bläscheninhalt (Antigennachweis, PCR, Kultur).

- Nachweis spezifischer Antikörper: ist wegen der hohen Durchseuchung von untergeordneterBedeutung.

Therapie

- ***Gingivostomatitis:*** Symptomatisch, z. B. Oberflächenanästhetikum (vor dem Essen), Bepanthen-Salbe, Paracetamol. Bei schweren persistierenden oder reaktivierenden Infektionen: oral Aciclovir. Herpes labialis: evtl. lokal Aciclovir-Salbe. [s. Kap. 5.2.3: „Oraler Herpes (Gingivostomatitis herpetica)].
- ***Genitaler Herpes:*** Aciclovir (5-mal 200 mg/Tag) oral für 5 Tage. Alternative: Famciclovir, Valaciclovir. Bei Aciclovirresistenz: Foscarnet. Bei häufigen Rezidiven kann Aciclovir zur Suppressionsbehandlung (4-mal 200 mg/Tag) für 1 Jahr gegeben werden (s. Kap. 11.4.5: „Genitaler Herpes"). Während der Schwangerschaft: Aciclovir lokal.

Prophylaxe

Genitaler Herpes der Mutter ist eine Indikation für Sectio. Prophylaktische Gabe von Aciclovir an das Neugeborene. Personal mit fluoridem Herpes nicht bei Neugeborenen oder immuninkompetenten Patienten einsetzen.

Herpes zoster, Gürtelrose

Siehe Kap. 18.6: „Varizellen (Windpocken) und Zoster" – in Kap. 18: „Kinderkrankheiten".

13.2 Skabies (Krätze)

Der Erreger ist die Krätzemilbe (Sarcoptes scabiei). Weibliche Milben graben tunnelartige Gänge in die Hornschicht der Haut und legen dort Eier und Kot ab. Aus den Eiern schlüpfen Larven, die sich nach 3 Wochen zu geschlechtsreifen Milben entwickeln. Die Übertragung von Mensch zu Mensch erfolgt durch intensiven Hautkontakt, kontaminierte Bettwäsche oder Kleidung. Die ersten Symptome treten nach 1–3 Wochen auf. Die Patienten sind ohne Behandlung während der gesamten Krankheitsdauer (meist ca. 8 Wochen) ansteckend.

SYMPTOME

Starker Juckreiz, besonders in der Bettwärme, v. a. in den Interdigitalfalten der Hände und Füße, an Ellenbeugen, Nabel, Knöchel. Die Milbengänge sind wenige mm bis cm lang. Am Ende der Gänge sind die Milben als dunkle Punkte erkennbar. Durch Kratzen entstehen Krusten und Pusteln.

DIAGNOSE

- Klinik.
- Nachweis der Milben (mikroskopisch).

Therapie

1. Einreibung mit antiparasitären Wirkstoffen, z. B. Erwachsene an 3 aufeinanderfolgenden Tagen mit Hexachlorcyclohexan-Emulsion (Jacutin, Lindan), bei Kindern, Schwangeren mit Benzylbenzoat.
2. Getragene Kleidung bei 60°C waschen oder chemisch reinigen lassen.
3. Bei schwerem Befall oral Ivermectin (in der BRD nicht zugelassen, über Internationale Apotheke beziehbar).

Prophylaxe

Alle Mitglieder einer Wohngemeinschaft sollten ärztlich untersucht und ggf. therapiert werden.

Wiederzulassung zu Gemeinschaftseinrichtungen: nach Behandlung und Abheilung der befallenen Hautbezirke.

13.3 Impetigo contagiosa

Es handelt sich um eine oberflächliche bakterielle Hautinfektion mit Eiterblasen, die hauptsächlich bei Kindern vorkommt und kontagiös ist. Die Erreger sind Staphylococcus aureus und hämolysierende Streptokokken der Gruppe A, oft als Mischinfektion.

Die Patienten sind ansteckend, bis die letzte Effloreszenz abgeheilt ist.

SYMPTOME

Kleine Bläschen, Pusteln, vorwiegend im Gesicht und an den Extremitäten, Juckreiz. Nach Austrocknen entsteht eine dicke gelb-braune Kruste („Borkenflechte").

DIAGNOSE

- Klinik.
- Erregernachweis im Abstrich.

Therapie

Lokal Fusidinsäure oder Neomycin oder Mupirocin. Bei schwerem Befall oder wenn nach 3 Tagen keine Besserung eintritt, oral Cephalosporin der 1. Generation (Cefalexin, Cefadroxil) oder Makrolid (Roxithromycin, Clarithromycin); bei Staphylokokken Flucloxacillin, bis zur deutlichen Besserung.

Wiederzulassung zur Schule, Gemeinschaftseinrichtungen: 24 h nach Beginn einer wirksamen Antibiotikatherapie. Ohne Therapie nach Abheilung der befallenen Hautbezirke.

13.4 Follikulitis, Furunkel, Karbunkel

Follikulitis

Eitrige Entzündung des Haarfollikels. Der Erreger ist meist Staphylococcus aureus.

SYMPTOME

Oberflächliche Pusteln oder Knötchen, die das Haar umgeben.

Therapie
Wie Impetigo contagiosa (s. oben).

Furunkel

Ein Furunkel ist das Abszedierungsstadium der akut eitrigen Entzündung von Haarbalg bzw.Talg- oder Schweißdrüse. Der Erreger ist Staphylococcus aureus.

SYMPTOME

Schmerzhafter geröteter Knoten mit gelb-eitrigem Zentrum, bevorzugt im Nacken, am Rücken oder Gesäß. In schweren Fällen mit Fieber, Leukozytose.

Karbunkel

Aus der Verschmelzung mehrerer Furunkel entsteht ein Karbunkel. Es wird gehäuft bei Patienten mit Ekzemen oder Diabetes gesehen. Karbunkel heilen langsam ab und hinterlassen Narben.

SYMPTOME

Eine Gruppe von Furunkeln mit subkutan ausgebreiteter Infektion, sehr schmerzhaft. Fieber, Krankheitsgefühl.

DIAGNOSE

- Klinik.
- Ein kultureller Erregernachweis ist nur in schweren oder rezidivierenden Fällen notwendig.

Therapie
Ein einzelner Furunkel wird feucht-warm behandelt oder mit Ichthyol, damit der Eiter sich spontan entleert. Geschieht dies nicht, kann eine Inzision notwendig sein. Bei drohenden Komplikationen (Phlegmone, Sepsis, Furunkel im Oberlippen-Nasen-Bereich: Gefahr einer Sinus-cavernosus-Thrombose) Antibiotika, z. B. Flucloxacillin oder Clindamycin. Bei multiplen Furunkeln oder Karbunkeln oral Flucloxacillin oder Cephalosporin. Bei rezidivierender Furunkulose für 1–2 Monate.

13.5
Staphylogene Dermatitis exfoliativa

Synonyme: Scalded-skin-Syndrom, Lyell-Syndrom, M. Ritter v. Rittershain.
Die Erkrankung mit flächiger Ablösung der Epidermis wird ausgelöst durch Toxine (Exfoliatin), die von einigen Staphylococcus-aureus-Stämmen produziert werden. Sie entsteht bei Besiedelung oder Infektion der Haut mit solchen Stämmen. Betroffen sind v. a. Neugeborene und Kleinkinder.

SYMPTOME

Blasenbildung, Ablösung der Haut unter dem Stratum corneum. Durch Verschmelzen mehrerer Blasen entstehen großflächige Hautablösungen wie bei einer Verbrennung.

DIAGNOSE

- Klinik.
- Erregernachweis im Abstrich.

Differentialdiagnose
Toxische epidermale Nekrolyse verursacht durch Medikamente wie Sulfonamide, Phenytoin, Indomethacin, Allopurinol.

Therapie
Die staphylogene Dermatitits exfoliativa muss mit Antibiotika behandelt werden, z. B. Flucloxacillin oder Clindamycin oder Cephalosporin. Ausgedehnte Hautveränderungen und nässende Läsionen sollten wie Verbrennungen behandelt werden; evtl. Abdeckung mit einem polymeren Gel.

Die staphylogene Dermatitis exfoliativa ist ein dermatologischer Notfall, der mit Antibiotika behandelt werden muss. !

13.6
Dermatomykosen

Oberflächliche Pilzinfektionen der Haut werden hervorgerufen durch *Dermatophyten* (Fadenpilze), deren bevorzugtes Substrat Keratin ist (Hornschicht, Nägel, Haare). In erster Linie handelt es sich um Trichophyton-, Epidermophyton- und Mikrosporumarten. Anthropophile Arten verursachen nur geringe Entzündungen. Sie dehnen sich langsam aus mit intermittierenden Remissionen und Exazerbationen. Andere lösen akute Infektionen evtl. mit Bläschenbildung aus. Dabei handelt es sich meist um zoophile Arten, die sekundär den Menschen besiedeln.

Pilzerkrankungen des Körpers (Tinea corporis) werden meist durch Trichophyton rubrum verursacht. Charakteristisch sind rötliche papulosquamöse ringförmige Effloreszenzen mit erhabenen Rändern, die im Zentrum abheilen.

Weit verbreitet ist *Fußpilz (Tinea pedis)*, der in der Regel ebenfalls durch Trichophyton rubrum verursacht wird. Durch T. mentagrophytes hervorgerufene Infektionen beginnen im Interdigitalraum (mazerierte Areale mit Schuppenbildung und Bläschen) und dehnen sich auf die Fußsohlen aus. Bei Trichophyton rubrum Schuppenbildung und Verdickung der Sohlenhaut („mocassintinea").

Pilzerkrankungen der Nägel (Onychomykosen) werden auch meist durch Trichophyton rubrum verursacht. Die Nägel verdicken sich, werden glanzlos, bröckelig. Eventuell Ablösung der Nagelplatte mit Zerstörung des Nagels.

Pilzerkrankungen der behaarten Kopfhaut (Tinea capitis) betreffen vorwiegend Kinder. Am häufigsten sind Infektionen durch Trichophyton tonsurans (Nordamerika) mit nur geringgradigen Entzündungszeichen, in Europa dominieren T. mentagrophytes und T. verrucosum mit oft schweren Entzündungen. In den befallenen Bezirken brechen die Haare ab.

Mikrosporie: Durch Mikrosporon audouini und M. canis verursachte Kopfhautinfektion bei Kindern, die sehr kontagiös ist. Typisch sind ringförmige, scharf begrenzte Effloreszenzen und kleine schuppige Herde, in denen die Haare abbrechen und schütter werden. Die Diagnose Mikrosporie kann durch Untersuchung der Kopfhaut unter der Wood-Lampe gestellt werden: infizierte Haare fluoreszieren und leuchten hellgrün.

DIAGNOSE

- Mikroskopische Untersuchung von Hautgeschabsel (Kalilaugepräparat).
- Anzüchtung und Identifizierung der Erreger im Speziallabor.

Therapie

1. Topische Antimykotika: Imidazolderivate wie Miconazol, Clotrimazol, Ketoconazol, Econazol oder Ciclopiroxolamin-Naftifinhydrochlorid-Creme; bei Tinea corporis für 7–10 Tage nach Abheilung, bei Tinea pedis für Monate.
2. Bei ausgedehntem Befall systemische Therapie mit Griseofulvin (Tinea capitis für mindestens 4 Wochen, Tinea pedis für Monate, Onychomykosen: bis der Nagel vollständig nachgewachsen ist), Fluconazol, Itraconazol oder Terbinafin.

Soormykose/Candidamykose

Candidainfektionen der Haut (Intertrigo, Windeldermatitis, Paronychie) werden am häufigsten durch Candida albicans verursacht. Candidamykosen sind relativ häufig, lästig, aber ungefährlich.

SYMPTOME

Rötung, Juckreiz, weiße Beläge, manchmal Schuppung.

DIAGNOSE

Erregernachweis mikroskopisch oder kulturell.

Therapie
Lokal Nystatin, Amphotericin B, Azole als Salbe oder Lösung. Bei schweren Infektionen oral Fluconazol oder Itraconazol.

13.7 Erysipel

Die oberflächliche Gewebsentzündung wird verursacht durch β-hämolysierende Streptokokken der Gruppe A, seltener der Gruppen C und G, oder Staphylococcus aureus. Eintrittspforten für die Erreger sind Miniläsionen, oft im Gesicht oder am Unterschenkel. Die Infektion breitet sich in den Lymphspalten der Epidermis aus. Begünstigend sind Stauung und Eiweißmangel.

SYMPTOME

Schmerzhaftes, scharf begrenztes Erythem („flammende Rötung"), verbunden mit Krankheitsgefühl, meist Fieber und Leukozytose. Evtl. Blasenbildung.

Verlauf
Unbehandelt breitet sich die Entzündung flächig aus und kann zu Lymphadenitis, Phlegmone, Sepsis führen. Nach Abklingen der akuten Infektion können die Erreger im Gewebe persistieren und nach Wochen oder Monaten endogene Rezidive verursachen. Das chronisch rezidivierende Erysipel führt durch Verödung der Lymphbahnen zu einer Elephantiasis und ist durch Antibiotika nicht mehr zu sanieren.

DIAGNOSE

- Klinisches Bild.
- Serologischer Nachweis: erhöhte Antikörpertiter gegen Streptolysin oder Streptodornase (im Fall von A-Streptokokken).
- Der kulturelle Erregernachweis aus Abstrichen oder Blutkulturen gelingt fast nie.

Therapie
1. Antibiotika. In leichten Fällen Penicillin V oral (3-mal 1,2 Mio. IE), bei ausgedehnter Form Penicillin G i.v. (3 mal 10 Mio.) IE. für 10–14 Tage. Alternativen: Erythromycin (3-mal 1 g i.v.) oder Cephalosporine der 1. oder 2. Generation (Cefazolin, Cefuroxim).
2. Zusätzlich Sanierung erkennbarer Eintrittspforten.
3. Beseitigung von Stauung oder Eiweißmangel.
4. Schmerzlindernd wirken kalte Packungen oder Aspirin.
5. *Bei chronisch rezidivierendem Erysipel:* Versuch mit Benzathinpenicillin (1,2 Mio. IE 1-mal im Monat) oder Azithromycin (2-mal 250 mg/Woche), um Rezidive zu vermeiden.

!

Ein Erysipel kann von Miniläsionen als Eintrittspforte für Streptokokken ausgehen. Es kann rezidivierend auftreten und ein chronisches Lymphödem verursachen.

13.8
Phlegmone

Die flächige Eiterung betrifft das subkutane Gewebe mit Entzündung der darüberliegenden Haut. Eintrittspforten für Erreger sind Verletzungen, oft Mikroläsionen, oder Ulzera.

SYMPTOME

Schmerzhafte Schwellung und Rötung mit unscharfer Begrenzung, Fieber, Leukozytose. Die Entzündungsausbreitung im subfaszialen Gewebe ist größer, als die Hautrötung erkennen lässt.

Komplikationen
Nekrosen, Lymphadenitis, Sepsis.

Differentialdiagnose
Erysipel (Rötung scharf abgegrenzt!), Abszess, nekrotisierende Fasziitis.

Erreger
Die häufigsten Erreger sind β-hämolysierende Streptokokken oder Staphylococcus aureus; nach Tierbissen Pasteurella multocida; bei nosokomialen Infektionen Enterobakterien oder Pseudomonaden.

DIAGNOSE

- Klinik.
- Erregernachweis im Abstrich.

Therapie
1. Antibiotika: Cephalosporin (Cefazolin, Cefuroxim, Cefotiam, Cefotaxim), Clindamycin. Alternativen: Amnopenicillin plus β-Laktamase-Inhibitor (Ampicillin/Sulbactam, Amoxicillin/Clavulansäure). Bei nosokomialen Infektionen: Therapie entsprechend dem Erregernachweis.
2. Wichtig sind Ruhigstellung, Hochlagerung der betroffenen Region.
3. Eventuell chirurgische Sanierung.

13.9
Weichteilabszess

Eine durch Abszessmembran abgegrenzte Eiteransammlung im Gewebe kann posttraumatisch (z. B. nach Injektion, kleinen Hautverletzungen), hämatogen oder fortgeleitet entstehen. Gewöhnlich ist der Erreger Staphylococcus aureus.

SYMPTOME

Lokale Rötung, Schwellung, Schmerz, Wärme, später Fluktuation, Lymphangitis; Lymphadenitis, oft mit Fieber, Leukozytose. Bei tiefen Abszessen: Schmerz und Fieber ohne äußerlich sichtbare Entzündungszeichen.

DIAGNOSE

- Klinik.
- Erregernachweis im Abstrich, Punktat und/oder in Blutkulturen.
- Bei tiefen Abszessen: bildgebende Verfahren (Röntgen, CT) evtl. Punktion.

Therapie

1. Am vordringlichsten ist die chirurgische Intervention: Inzision, Drainage.
2. Bei ausgedehnter Weichteilinfiltration Antibiotika, z. B. Flucloxacillin, Clindamycin, Cephalosporin (Cefazolin, Cefuroxim, Cefotiam) zur Verhinderung einer septischen Streuung.

13.10 Nekrotisierende Fasziitis/Fournier-Gangrän

Rasch progrediente Infektion, die sich entlang des Fasziengewebes ausbreitet. Durch sekundäre Thrombosen kleiner Gefäße entstehen Nekrosen des subkutanen Gewebes und der Faszie. Oft geht der Prozess von Minimalverletzungen oder Operationswunden aus. Hohe Letalität (20–50%).

SYMPTOME

Heftige Schmerzen, starke Rötung, Schwellung, später dunkelrote oder blaugraue Hautverfärbung, Nekrosen, Gangrän. Fieber, Leukozytose, oft Thrombozytopenie. Unbehandelt oft foudroyanter Verlauf mit Sepsis und Multiorganversagen.

Erreger

- ***Typ I (Streptokokkengangrän):*** β-hämolysierende Streptokokken der Gruppe A (Zunahme seit 1985, oft in Zusammenhang mit Toxic-shock-Syndrom; s. Kap. 14.1).
- ***Typ II (z. B. nach bauchchirurgischen Eingriffen, protrahierter Verlauf):*** Mischinfektionen mit Anaerobiern, Enterobakterien.

DIAGNOSE

- Klinik.
- Erregernachweis im Abstrich/Gewebe.

Therapie

1. Frühzeitig radikale chirurgische Sanierung mit Entfernung des nekrotischen Gewebes und Drainage.
2. Antibiotika, z. B. Piperacillin plus β-Laktamase-Inhibitor (Sulbactam, Tazobactam) oder Cefotaxim plus Clindamycin bzw. Metronidazol. Bei Erregernachweis Anpassung der Therapie entsprechend dem Antibiogramm. Dauer der Antibiotikatherapie 2–3 Wochen.

! Die nekrotisierende Fasziitis nimmt rasch einen dramatischen Verlauf mit Sepsis und Multiorganversagen. Die unverzügliche chirurgische Intervention ist neben der Antibiotikatherapie dringend erforderlich.

Fournier-Gangrän

Sonderform der nekrotisierenden Fasziitis am Skrotum oder in der Perinealregion, die auf Penis oder Bauchwand übergreifen kann. Ausgangsherde sind lokale Traumen, eine Paraphimose, perirektale oder perianale Operationen oder Infektionen. Meist handelt es sich um Mischinfektionen mit Anaerobiern (Diagnose und Therapie wie bei der nekrotisierenden Fasziitis).

13.11 Gasbrand

- **Gasgangrän:** Rasch progrediente lokale Gewebszerstörung (Myonekrose) mit lebensbedrohlicher Intoxikation, hervorgerufen durch toxinbildende Clostridien (anaerobe sporenbildende grampositive Stäbchenbakterien; Abb. 13-1). Die Sporen der in Erde, Staub, Fäzes vorkommenden Erreger gelangen durchTraumen ins Gewebe. Die Infektion kann sich nur bei anaeroben Verhältnissen etablieren (Quetschwunden mit Gewebsnekrosen, Stich-

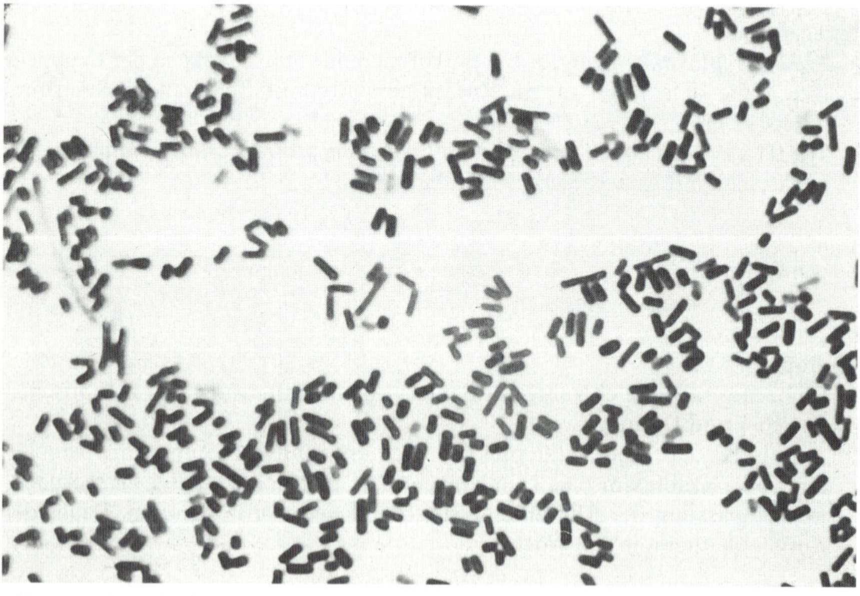

Abb. 13-1. Clostridium perfringens, der Erreger von Gasbrand

wunden, Schussverletzungen). Die Toxine bewirken eine lokale Gewebszerstörung und eine Allgemeinintoxikation, die innerhalb weniger Stunden zum Tod führen kann.

- **Gasbrandphlegmone:** Es sind nur Haut und Unterhautfettgewebe beteiligt, die Faszien aber nicht durchbrochen. Die Prognose ist günstiger.

SYMPTOME

Schmerzen, Schwellung, livide Verfärbung, süßlich-fauliger Geruch. Gasbildung im Gewebe (Krepitation). Hohes Fieber. Eintrübung.

Erreger

90% Clostridium perfringens, seltener Cl. novyi, Cl. septicum, Cl. histolyticum.

DIAGNOSE

- Klinik.
- Gasansammlung im Gewebe (Knistergeräusche, Röntgen).
- Erregernachweis (mikroskopisch und kulturell) im Abstrich, Punktat, Gewebe. Aus dem Exsudat oder aus intraoperativ entnommenem Material sollte unverzüglich ein Gram-Präparat angefertigt werden. Der Nachweis sporenbildender grampositiver Stäbchen legt den Verdacht auf Gasbrand sehr nahe.

Therapie

1. Radikale chirurgische Sanierung; evtl. kann eine Amputation erforderlich sein.
2. Antibiotika: Penicillin G (20–30 Mio. IE/Tag) oder Clindamycin (3-mal 600 900 mg i.v.) oder Metronidazol (3-mal 500 mg/Tag).
3. Die hyperbare Sauerstofftherapie ist umstritten.

Prophylaxe

Bei verschmutzten Wunden sorgfaltige primäre Wundtoilette. Bei Nachweis von Clostridien in Wunden: Penicillin G (20–30 Mio. IE/Tag) oder Clindamycin (3-mal 600 mg/Tag).

!

Bei Verdacht auf Gasbrand ist die sofortige chirurgische Intervention erforderlich. Typische Zeichen sind livide Verfärbung, Gasansammlung im Gewebe (Krepitation), übel-süßlich riechendes Sekret, hohes Fieber, Eintrübung des Sensoriums. Im Gram-Präparat findet man grampositive, sporenbildende Stäbchenbakterien.

Anaerobe gasbildende Mischinfektion (ohne Clostridien)

Ein gasbrandähnliches Krankheitsbild mit Phlegmone und starker Gasbildung kann auch durch andere Bakterien verursacht werden. Meist handelt es sich um Mischinfektionen mit Peptokokken, Bacteroides, gasbildenden Enterobakterien. Sie müssen differentialdiagnostisch von Gasbrand abgegrenzt werden. Die Prognose ist wesentlich günstiger.

DIAGNOSE

- Klinik.
- Erregernachweis im Abstrich, Gewebe.

Therapie

1. Chirurgische Intervention.
2. Antibiotika, z. B. Cefotaxim (3-mal 2 g) plus Metronidazol (3-mal 500 mg). Alternativen: Piperacillin plus Combactam oder Tazobactam; Ciprofloxacin plus Clindamycin.

13.12 Diabetischer Fuß

Als späte Folgeerkrankung bei Diabetes mellitus treten häufig Ulzera am Fuß auf, die zu tiefergehenden Infektionen (Zellulitis – Nekrosen – Osteomyelitis) oder auch Sepsis führen können. Primäre Ursache sind diabetische Mikroangiopathie, Neuropathie und Osteoarthropathie. Auslöser der Gewebsreizung sind Kallusformation, Druckstellen durch unbequeme Schuhe, unbemerkte Verletzungen. Die Läsionen bleiben wegen sensorischer Störungen unbemerkt und werden bakteriell besiedelt. Die Durchblutungsstörungen und herabgesetzte Leukozytenfunktion bei Diabetes fördern die Infektionsentstehung.

SYMPTOME

Ulzera am Fuß, später mit Zellulitis, Nekrosen, evtl. Osteomyelitis.

Erreger

Mischinfektionen mit Staphylococcus aureus, Streptokokken, Anaerobiern, Enterobakterien.

DIAGNOSE

- Klinik.
- Erregernachweis im Ulkusabstrich oder Fistelsekret.
- Bei Osteomyelitis Röntgen, Skelettszintigraphie.

Therapie

1. Tiefe Wundrevision, Abtragen sämtlicher Nekrosen. Durch das Débridement wird die Abheilung der Ulzera beschleunigt, eine Amputation kann oftmals vermieden werden. In fortgeschrittenen Fällen evtl. Resektion, Amputation.
2. Antibiotika (ihre Wirkung beschränkt sich auf durchblutetes Gewebe): Aminopenicillin plus β-Laktamase-Inhibitor (Ampicillin/Sulbactam, Amoxicillin/Clavulansäure) oder Clindamycin plus Chinolon (Levofloxacin, Ciprofloxacin).

Prophylaxe

Fußpflege, bequeme Schuhe, Verletzungen vermeiden. Durchblutung fördern. Stoffwechselkontrolle: Die richtige Einstellung des Blutzuckers ist maßgebend für die Prognose.

13.13 Wundinfektionen

SYMPTOME

Lokale Rötung, Schwellung, Schmerz, Sekretbildung, Eiter, bei Ausbreitung Lymphangitis, evtl. Fieber, Leukozytose.

Wundinfektionen nach Verletzungen

Offene Verletzungen sind durch Verschmutzung besonders infektionsgefährdet. Trotz sorgfältiger Wundtoilette können Keime in Nischen überleben und anschließend zu Wundinfektionen führen. Je nach Verletzungsart ist ein bestimmtes Erregerspektrum zu erwarten (Tabelle 13-1).

Offene Verletzungen bei Polytrauma

Erreger

Polytraumapatienten können in verschmutzten Wunden ein unvorhersehbares Erregerspektrum beherbergen (Staphylococcus aureus, hämolysierende Streptokokken, Enterobakterien, Pseudomonaden, in tiefen Wunden Anaerobier).

Die Inspektion gibt Hinweise die auf Erreger: Bei goldgelbem Eiter, Abszess ist Staphylococcus aureus wahrscheinlich; grüner Eiter, süßlicher Geruch weist auf

Tabelle 13-1. Erreger von Wundinfektionen

Patienten	Erreger	Antibiotika
Polytrauma	Staph. aureus, Streptokokken, Enterobakterien, Clostridien	Cefuroxim oder Cefotaxim oder Ceftriaxon plus Clindamycin
Postoperative WI in „sauberem Operationsfeld“	Staph. aureus, Streptokokken, nur selten Enterobakterien	Cefazolin oder Cefuroxim
Bisswunden (Hund, Katze)	Pasteurella multocida, Streptokokken, Staph. aureus, Anaerobier	Penicillin, Aminopenicillin plus β-Laktamase-Inhibitor
Verbrennungen	Staph. aureus, Pseudomonas aeruginosa	Ceftazidim oder Cefepim oder Ciprofloxacin plus Flucloxacillin oder Clindamycin oder Vancomycin
Tiefe Stichwunden	Mischinfektionen Staph. aureus, Streptokokken, Clostridien und andere Anaerobier	Aminopenicillin plus β-Laktamase-Inhibitor, Cephalosporin plus Clindamycin oder Metronidazol
Nekrotisierende Fasziitis	β-hämolysierende Streptokokken, Enterobakterien, Anaerobier	Cefotaxim oder Ceftriaxon plus Clindamycin; Piperacillin/β-Laktamase-Inhibitor
Gasbrand	Clostridium perfringens und andere Clostridien	Penicillin, Metronidazol

Pseudomonas, Gasansammlung im Gewebe, Krepitation auf Clostridien/Gasbrand hin (s. Kap. 13.11).

DIAGNOSE

- Klinik.
- Erregernachweis in Wundabstrich, Punktat; bei Fieber zusätzlich in Blutkulturen.

Therapie

1. Gründliche Wundreinigung und chirurgische Wundtoilette.
2. Antibiotika: Wegen des unvorhersehbaren Erregerspektrums z. B. Cephalosporin der 2. oder 3. Generation (Cefuroxim, Cefotiam, Cefotaxim, Ceftriaxon, Ceftazidim) plus Clindamycin.

Bisswunden

80–90% der Bisswunden stammen von Hunden, 6% von Katzen. Katzenbisse sind jedoch gefährlicher: eine Infektion entsteht bei 20–50% der Katzenbisse und nur bei 6% der Hundebisse. Die Erreger entstammen der Oropharyngealflora des Angreifers oder der Hautflora des Opfers. Erste Infektionszeichen treten nach 1–3 Tagen auf, bei Pasteurellen bereits nach 12–24 h. Nach Katzenbissen sind Komplikationen (z. B. Osteomyelitis) häufiger als bei Hundebissen.

Erreger

Pasteurella multocida (beherbergt fast jede Katze und jeder 3. Hund in der Mundflora); Staphylococcus aureus, β-hämolysierende Streptokokken, Anaerobier.

DIAGNOSE

- Klinik.
- Erregernachweis im Abstrich, Punktionsmaterial.

Therapie

1. Reinigung der Wunde.
2. Tetanusprophylaxe, falls die letzte Impfung länger als 5 Jahre zurückliegt.
3. Antibiotika, z. B. Aminopenicillin plus β-Laktamase-Inhibitor (Ampicillin/Sulbactam, Amoxicillin/Clavulansäure). Bei Pasteurellen: Penicillin oral (bei Allergie Erythromycin oder Tetracycline). Eine generelle Antibiotikagabe ist zu empfehlen bei infizierten Wunden, bei Katzenbissen, tiefen oder schlecht zu reinigenden Wunden in Gelenknähe, Knochen- und Sehnenverletzungen und bei Patienten nach Milzexstirpation.
   Therapiedauer: bei infizierten Wunden 10–14 Tage, bei nicht infizierten Wunden 3–5 Tage.
4. Bei Tollwutverdacht ist die nächste Wutschutzstelle zu konsultieren (s. Rote Liste: „Notfalldepots"). Das verdächtige Tier, falls greifbar, muss in Quarantäne und beobachtet werden. Ist eine Tollwutexposition anzunehmen, erfolgt zusätzlich zur Wundbehandlung eine Umspritzung der Wunde mit Anti-Tollwut-Hyperimmunglobulin, die intramuskuläre Gabe von Anti-Tollwut-Hyperim-

munglobulin und eine aktive Immunisierung mit Totimpfstoff (s. Kap. 22.18: „Tollwut“ – in Kap. 22: „Zoonosen“).

Verbrennungen

Verbrennungspatienten sind in besonderem Maße durch Infektionen gefährdet. Die Zerstörung der Hautbarriere und die gestörte Immunabwehr (besonders während der ersten 2 Wochen nach dem Trauma) erleichtern die Ansiedelung und Ausbreitung von Bakterien. Das Ausmaß der Verbrennung bestimmt direkt proportional das Infektionsrisiko. Die infektionsbedingte Todesrate nimmt drastisch zu, wenn mehr als 40% der Körperoberfläche betroffen sind.

Verbrennungswunden sind zunächst steril; Exsudation und nekrotisches Gewebe bieten jedoch günstige Bedingungen für die rasche Besiedelung mit Bakterien. Die topische Anwendung antimikrobieller Substanzen (Silbersulfadiazin, Antibiotika) oder von Antimykotika (Nystatin) kann die Kolonisation verzögern, aber nicht verhindern.

Erreger

Am häufigsten Pseudomonas aeruginosa, Staphylococcus aureus, seltener β-hämolysierende Streptokokken, Enterokokken, Candida oder Aspergillus.

DIAGNOSE

Erregernachweis im Wundabstrich, bei Fieber zusätzlich in Blutkulturen.

Therapie

1. Entfernung nekrotischen Gewebes, lokale Wundbehandlung, evtl. Hauttransplantation.
2. Je nach Schweregrad der Verbrennungen Schmerzbekämpfung, Elektrolyt- und Eiweißsubstitution bis zur intensivmedizinischen Behandlung.
3. Antibiotika nach Erregernachweis. Kalkuliert z. B. Ceftazidim oder Cefepim oder Ciprofloxacin plus Flucloxacillin bzw.Clindamycin bzw. Vancomycin.

!

Großflächige Verbrennungswunden mit nekrotischem Gewebe und Feuchtigkeit bieten geeignete Bedingungen für die Vermehrung von Bakterien. Die häufigsten Erreger sind Staphylococcus aureus und Pseudomonas aeruginosa.

Postoperative Wundinfektionen

Siehe Kap. 20.3: „Postoperative Wundinfektionen – in Kap. 20: „Nosokomiale Infektionen“.

13.14 Tetanus

Gelangen Clostridium tetani (anaerobe, sporenbildende Stäbchenbakterien, die in Erde, Staub, Kot vorkommen) oder ihre Sporen in Wunden, können sie sich bei anaeroben Verhältnissen vermehren und Tetanustoxin produzieren. Die Symptome werden durch das Toxin ausgelöst: ein Neurotoxin, das inhibitorische Synapsen der spinalen Neurone hemmt. Die Folge sind krampfartige tonische Kontraktionen der quergestreiften Muskulatur, die meist im Gesicht beginnen. Die Spasmen können lokal im Bereich der Wunde auftreten oder generalisiert. Bei generalisiertem Tetanus führen Glottisspasmus und Spasmus der Atemmuskulatur zum Atemstillstand. Die Letalitätsrate liegt bei 50%. Die Infektion kann sich bei Neugeborenen vom Nabel ausgehend entwickeln (Tetanus neonatorum).

SYMPTOME

Kieferschmerzen, Kiefersperre, verzerrtes Gesicht, Rücken- und Nackensteife (Opisthotonus), Schluckbeschwerden. Kleinste Reize lösen neue Spasmen aus. Im Verlauf Spasmus der Atemmuskulatur. Der Patient ist bei vollem Bewusstsein.

DIAGNOSE

Klinik und Anamnese

Therapie

1. Tetanusantitoxin (3000–10.000 IE.). Das Antiserum neutralisiert jedoch nicht das schon an Nerven gebundene Toxin.
2. Chirurgische Wundtoilette.
3. Tranquillanzien, Muskelrelaxanzien, Intensivpflege, mechanische Beatmung.
4. Penicillin G oder Metronidazol, um die evtl. noch vorhandenen Clostridien abzutöten.

Prophylaxe

Aktive Immunisierung mit Tetanustoxoid, z. B. ab dem 2. Lebensmonat 3-mal im Abstand von 4–6 Wochen, Boosterung alle 5–10 Jahre. Bei Patienten mit Verletzungen und unklarem Impfstatus: *simultane Impfung* mit Tetanusantitoxin und Tetanustoxoid.

13.15 Katzenkratzkrankheit

Die Katzenkratzkrankheit tritt typischerweise als subakute, gutartige regionale Lymphknotenschwellung auf. Betroffen sind meist Kinder, aber auch Erwachsene. Katzen bilden das Hauptreservoir für den Erreger: Bartonella henselae (gramnegative Stäbchenbakterien). Bei 13% der Hauskatzen wurden Bakteriämien mit diesen Bakterien nachgewiesen. Durch Kratzen oder Beißen der Katze werden sie auf den Mensch übertragen und verursachen bei Immungesunden eine lokale Infektion an der Eintrittspforte. Bei immuninkompetenten Patienten, insbesondere HIV-Infizierten, lösen sie schwerwiegende Infektionen wie bazilläre Angiomatose oder generalisierte Infektionen aus.

SYMPTOME

Eitrige Pustel oder rotbraune Papel 3–10 Tage nach Katzenkratzer oder -biss an der Verletzungsstelle. Etwa 2 Wochen später regionale Lymphknotenschwellung bis Pflaumengröße, evtl. mit Einschmelzung, Krankheitsgefühl, Fieber, Kopfschmerzen.

Komplikationen
Generalisierung, neurologische Komplikationen (bei 1–7% Enzephalitis, Krampfanfälle, Polyneuritis, Radikulitis, Myelitis).

Differentialdiagnose
CMV-, EBV-Infektion, Toxoplasmose, Lymphknotenerkrankungen durch Mykobakterien.

DIAGNOSE

- Klinik und Anamnese (Kontakt zu Katzen).
- Antikörpernachweis im Serum (Sensitivität 60%).
- Kultur der Erreger aus Exprimat oder Lymphknotenpunktat auf Spezialmedien (Kulturdauer 2–6 Wochen) bzw. DNA-Nachweis durch PCR; beides in Speziallaboratorien.

Therapie
Die Infektion ist meist selbstlimitierend, dauert jedoch mindestens 3 Wochen. Makrolide, Doxycyclin oder Ciprofloxacin verkürzen die Krankheitsdauer.

13.16 Aktinomykose

Die Aktinomykose ist eine chronisch indurierende Entzündung der Haut und des subkutanen Gewebes mit der Neigung zu Abszess- und Fistelbildung. Die Erreger gelangen meist von der Mundhöhle aus ins Gewebe. Durch Eindringen in die Halsweichteile entsteht die am häufigsten vorkommende zervikofasziale Form. Seltener sind pleuropulmonale Formen nach Aspiration oder eine vom Darm ausgehende Aktinomykose der Bauchhöhle. Auf metastatischem Wege können Herde in anderen Organen entstehen, z. B. Haut, Knochen, Leber, Nieren, Gehirn.

SYMPTOME

Langsam über Wochen fortschreitende Entzündung, derbe, „brettharte“ Induration; aus Fisteln kann sich grauer Eiter mit gelben Knötchen (Drusen, erregerhaltig) entleeren.

Erreger
Actinomyces israelii, seltener andere Aktinomycesspezies (fadenförmige, langsam anaerob wachsende grampositive Stäbchen mit echten Verzweigungen). Häufig Mischinfektionen mit anderen anaeroben Bakterien.

DIAGNOSE

- Klinik.
- *Bildgebende Verfahren:* Röntgen, MRT.
- Erregernachweis im Eiter, in Abstrichen:
  a) mikroskopisch,
  b) Kultur: dauert wegen des langsamen Wachstums der Bakterien10–14 Tage (anaerober Transport des Untersuchungsmaterials).

Therapie

1. Antibiotika: Wegen der schlechten Durchblutung der Entzündungsherde müssen die Antibiotika hochdosiert und über längere Zeit gegeben werden. Wegen häufiger Mischinfektionen wird empfohlen: Amoxicillin/Clavulansäure (3-mal 2,2 g i.v.) für 3 Wochen, ergänzt durch eine zusätzliche Gabe von Ampicillin (3-mal 2 g i.v.) für die ersten 2 Wochen. Bei verschleppten Fällen ist eine Behandlungsdauer von 4–6 Wochen erforderlich. In den USA gilt eine Langzeitpenicillintherapie als Mittel der Wahl: Penicillin G (20 Mio. IE/Tag) für 6–8 Wochen, bei thorakaler oder abdomineller Form orale Folgetherapie (3-mal 1,2 Mega-IE Penicillin V) für 4–6 Monate. Bei Allergie: Doxycyclin plus Clindamycin; Imipenem.
2. Gegebenenfalls chirurgische Intervention.

13.17 Nocardiose

Die akute oder chronische granulomatöse Infektion wird verursacht von Nocardien (grampositive Stäbchen, partiell säurefest; pathogene Arten: N. asteroides, N. brasiliensis, N. farcinica, N. caviae), die ubiquitär in der Umwelt vorkommen. Sie verursachen typischerweise Infektionen bei abwehrgeschwächten Patienten, insbesondere nach Organtransplantation. Eintrittspforten sind häufig die Lunge, aber auch Läsionen der Haut oder Schleimhäute des Gastrointestinaltraktes. Bei hämatogener Ausbreitung bilden sich Abszesse im Gehirn, seltener in der Haut, im subkutanen Gewebe, in der Niere oder anderen Organen.

SYMPTOME

Die Symptomatik ist unterschiedlich, abhängig von der Lokalisation der Läsionen:

- *Haut:* subkutane Abszesse mit Fistelbildung, selten Granulombildung;
- *Lunge:* Husten, Fieber, Auswurf, Pleuraschmerz, Atemnot, Haemoptysen;
- *Gehirn:* diffuse Hirnabszesse (s. Kap. 3.3: „Hirnabszess").
- *Weitere Erkrankungen:* Peritonitis, Perikarditis, Endokarditis, Keratokonjunktivitis, Endophthalmitis.

DIAGNOSE

- Kultureller Erregernachweis im Untersuchungsmaterial (Sputum, BAL, Wundabstriche, Gewebe, Blut etc.). Anzüchtungsdauer 4–10 Tage.

Therapie
Imipenem (3-mal 2 g) für 6 Wochen, evtl. plus Amikazin (nach Spiegelbestimmung). Alternativ: Amoxicillin plus Clavulansäure, Cotrimoxazol.

13.18 Lymphknotenschwellungen

Lymphadenitiden sind akut oder subakut auftretende isolierte, schmerzhafte Schwellungen der Lymphknoten. Sie können lokal oder generalisiert vorkommen. Die häufigsten lokalisierten Lymphadenitiden finden sich am Hals und in der Axilla (Abb. 13-2).

Die Lymphadenopathie kann eine Vielzahl von infektiösen und nichtinfektiösen Ursachen haben (Tabelle 13-2). Mit zunehmendem Alter steigt der Anteil maligner Erkrankungen. Die Lokalisation weist auf den möglichen Ausgangsherd hin. Klinische Symptome weisen auf die Grunderkrankung hin.

Hinweise auf die Ätiologie ergeben sich aus der Klinik und dem Tastbefund:

1. *Akute Infektionen:* rasche Vergrößerung, weich, schmerzhaft, verschieblich, asymmetrisch, Neigung zur Abszedierung.
2. *Chronische Infektion:* langsames Größerwerden, derb, verschieblich, wenig druckschmerzhaft.
3. *Metastasen/Tumoren:* langsames Größerwerden, derb-fest, unregelmäßig, nicht verschieblich, indolent.

DIAGNOSE

- Jede persistierende Lymphknotenvergrößerung muss ätiologisch geklärt werden. Bei Malignomverdacht Exstirpation und Histologie.
- Diagnostische Maßnahmen bei Vergrößerung der Halslymphknoten:
  - Ausschluss lokaler Infektionen durch die klinische Untersuchung (z. B. Angina, Pharyngitis, Otitis, periodontale Infektionen),
    falls negativ:
  - Serologie (EBV, CMV, Toxoplasmose, Katzenkratzkrankheit).

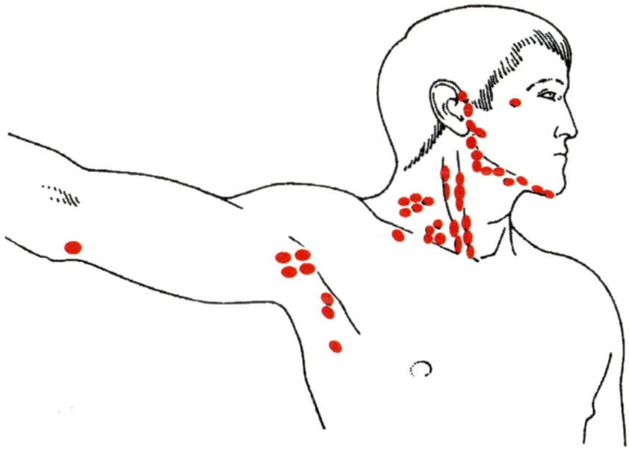

Abb. 13-2. Oberflächliche Lymphknoten im Kopf-, Hals,- Schulter- und Armbereich. (Nach Mader u. Weißgerber, Allgemeinmedizin und Praxis, 1997, S. 71)

- Tuberkulintest,
  falls negativ und Persistenz der Symptome: Biopsie.
- Generalisierte Lymphknotenschwellung:
  - serologische Abklärung infektiöser Ursachen (s. Tabelle 13-2).
  - Differentialblutbild,
  - Thoraxröntgen, CT,
  - Tuberkulintest,
    falls negativ und Persistenz der Symptome: Biopsie.

Tabelle 13-2. Ursachen für Lymphknotenschwellungen

Betroffene Lymphknoten	Ursachen
Regional	*Infektiöse Ursachen*
– Präaurikulär	Otitis, schwere Konjunktivitis
– Postaurikulär	Otitis
– Zervikal	Streptokokkenangina, Plaut-Vincenti-Angina, infektiöse Mononukleose, virale Pharyngitis, peridontale Infektionen, Otitis, Toxoplasmose, Staphylokokkenabszess, Katzenkratzkrankheit, Diphtherie, CMV-Infektion, Mykobakteriose
– Axillär	Infektionen des Arms, Schultergürtels oder der Brust
– Mediastinal	Lungeninfektionen
– Mesenterial	Darminfektionen, Tuberkulose, M. Crohn, Appendizitis, M. Whipple
– Inguinal	Lymphogranuloma venerum, Lues, Balanopostitis, Bartholinitis, Analabszess, Salmonellose
– Kubital u. a. lokal	Verletzung, Katzenkratzkrankheit
– Generalisiert	Toxoplasmose, Tuberkulose, HIV, Brucellose, schwere septische Erkrankungen wie Typhus, Paratyphus, Leptospirose, Tularämie, Pest, Trypanosomiasis, generalisierte Mykosen
Lokale Lymphknoten oder generalisert	*Nichtinfektöse Ursachen*
Maligne Erkrankungen	M. Hodgkin, Non-Hodgkin-Lymphom, Leukämie, Tumor, Tumormetastasen.
Immunologische Erkrankungen	Lupus erythematodes, rheumatoide Arthritis, Dermatomyositis, Allergie, Medikamente
Verschiedene Ursachen	Sarkoidose, Lipidspeicherkrankheit (M. Gaucher, M. Niemann-Pick)

Kapitel 14

Sepsis/SIRS

Sepsis ist eine schwere Allgemeininfektion durch Bakterien oder ihre Bestandteile (bei gramnegativen Keimen Lipopolysaccharide bzw. Endotoxin; bei grampositiven Bakterien Peptidoglykan, Lipoteichonsäure, Toxine). Ihre Freisetzung führt zu einer systemischen Entzündungsreaktion („systemic inflammatory response syndrome", SIRS) mit Ausschüttung zahlreicher endogener Mediatoren, u. a.Tumornekrosefaktor (TNF) und Interleukin-1 (IL-1).

Ein starker Anstieg verschiedener Zytokine kann zu schwerwiegenden klinischen Symptomen wie Schock und Gerinnungsstörungen führen. Die Prognose der Sepsis wird im Wesentlichen vom frühzeitigen Eingreifen und von der Schwere der Grundkrankheit bestimmt. Beim septischen Schock beträgt die Letalität 50–80%.

Das septische Geschehen kann durch Primärherde, wie Abszesse, Pneumonie, Venenkatheter, Harnwegsinfektion, Gallenwegsinfektionen, oder durch sekundäre Streuherde ausgelöst und aufrechterhalten werden. Sepsisähnliche Symptome im Sinne von SIRS mit überschießender Zytokinproduktion können auch nichtinfektiöse Ursachen haben, z. B.große Gewebszerstörungen bei Polytrauma, Verbrennung, Pankreatitis.

Eine wichtige Quelle für gramnegative Bakterien oder Endotoxin ist der Darmtrakt. Die Translokation von Bakterien oder Einschwemmung von Endotoxin aus dem Darm ist bei gestörter Barrierefunktion der Darmmukosa möglich, z. B. bei Mangeldurchblutung infolge Blutverlust oder Schock, nach Zytostatika, bei Polytrauma, Verbrennung, Malnutrition, entzündlichen Darmerkrankungen, Darmatonie.

SYMPTOME

Schüttelfrost, hohes Fieber oder Hypothermie, initial hyperdynamer Kreislauf, dann Zentralisation, Blutdruckabfall, Tachykardie, Tachypnoe. Organversagen (Lunge, Leber, Niere, Gerinnung), Schock, Verbrauchskoagulopathie.

Erreger

Etwa 50% der Sepsisfälle werden durch grampositive und 50% durch gramnegative Erreger verursacht, ca. 3% durch Pilze (Abb. 14-1). Die Kenntnis der Erregereintrittspforte erlaubt Hinweise auf die Erregerart: bei Abszessen, Wundinfektionen ist Staphylococcus aureus am wahrscheinlichsten, bei plastikassoziierten Infektionen, Katheterinfektionen sind es koagulasenegative Staphylokokken; ist der Ausgangsherd eine Harn- oder Gallenwegsinfektion oder Peritonitis, sind es E. coli und andere Enterobakterien; bei Verbrennungen oder Beatmungspneumonie auch Pseudomonas aeruginosa (Tabelle 14-1).

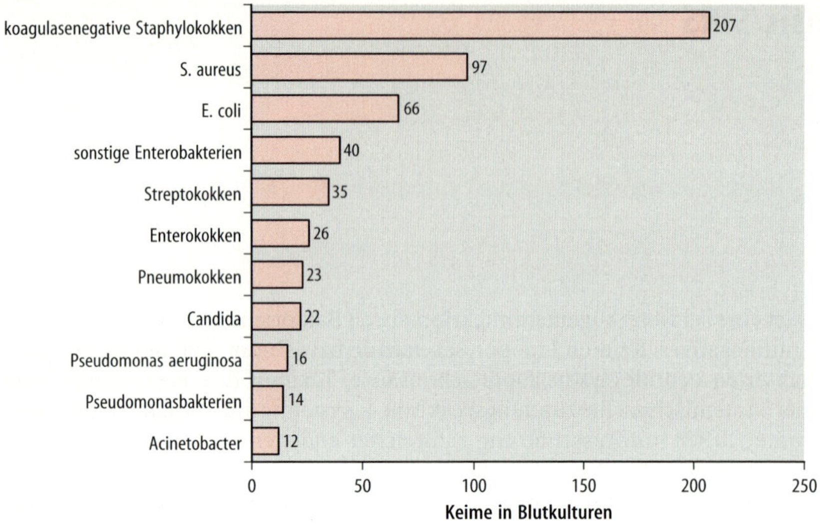

Abb. 14-1. Keime in Blutkulturen (Universitätsklinikum Giessen, 1999)

Tabelle 14-1. Erregernachweis in Blutkulturen als Hinweis auf den Infektionsort

Erreger	Infektionsort
Staphylococcus aureus	Wundinfektion, Abszess, Osteomyelitis, Endokarditis
Koagulasenegative Staphylokokken	Katheterinfektion, plastikassoziierte Infektion
E. coli und andere Enterobakterien	Harnwegs-, Gallenwegsinfektion, Peritonitis
Pseudomonas aeruginosa	Beatmungspneumonie, Wundinfektion bei Verbrennung, Katheterinfektion, Urosepsis
Candida	Katheterinfektion, generalisierte Pilzinfektion bei Immundefizienz

DIAGNOSE

- Klinik.
- *Laborwerte:* Leukozytose (>12.000/µl) oder Leukopenie (<4000/µl.); Linksverschiebung im Differentialblutild (>10% Stabkernige). CRP-Anstieg, Lactat- evtl. auch Prolactinanstieg. Bei Verbrauchskoagulopathie Abfall von Thrombozyten und Gerinnungsfaktoren (z. B. Quick-Wert, Faktor V), bei Organversagen Anstieg von Kreatinin, Transaminasen, Bilirubin.
- *Erregernachweis in Blutkulturen (Abb. 14-1):* Nach Desinfektion der Entnahmestelle (Einwirkzeit 2 min) durch Venenpunktion 10–20 ml Blut entnehmen und jeweils 5–10 ml in aerobe bzw. anaerobe Blutkulturflaschen überführen. Das Verhältnis Blut : Nährlösung sollte 1:10 sein. Bei Sepsis sollten 2–3 Blutkulturen durch Punktion gewonnen werden. Eine Entnahme aus Venenkathe-

tern ist nur sinnvoll bei Verdacht auf eine Katheterinfektion. Bei Patienten unter Antibiotikatherapie möglichst im Antibiotikatal abnehmen. In diesem Fall Blutkulturflaschen mit Adsorberharzen verwenden, die Antibiotika adsorbieren können.

- *Zum Erregernachweis aus vermutetem Infektionsherd:* Vor Beginn der Antibiotikatherapie Material gewinnen, z. B. Sputum, Urin, Wundabstriche, Punktate, Venenkatheter oder bei Diarrhö Stuhlprobe.
- Sepsisherd suchen!
- Inspektion der Haut und Schleimhäute zum Auffinden von Verletzungen, Katheterinfektionen.
- Auskultation und Perkussion der Thorax- und Bauchorgane.
- Bildgebende Verfahren (Sonographie, Röntgen, CT) zur Herdsuche, z. B. bei Pneumonie, Weichteilabszessen, Osteomyelitis, Sinusitis, Endokarditis, Cholezystitis, Harnwegsinfektion, Endometritis, Peritonitis, Empyem.

Therapie

1. Systemische Antibiotikatherapie sofort nach Materialentnahme beginnen! Die Wahl der Antibiotika richtet sich nach dem vermuteten Infektionsherd und berücksichtigt das unterschiedliche Erregerspektrum bei ambulant oder nosokomial erworbenen Infektionen. Die initiale Antibiotikatherapie sollte maximal ein breites Erregerspektrum treffen.
   Zur kalkulierten Initialtherapie stehen verschiedene Therapieoptionen zur Verfügung:
   - Cephalosporin der 3. Generation (Cefotaxim, Ceftriaxon) plus staphylokokkenwirksame Substanz (z. B. Clindamycin, Vancomycin) plus Aminoglykosid.
   - Acylureidopenicillin (z. B. Piperacillin)/β-Laktamaseinhibitor (Sulbactam, Tazobactam) plus Aminoglykosid.
   - Carbapenem (Imipenem-Cilastatin, Meropenem) plus Aminoglykosid.
   - Chinolon i.v. (Ciprofloxacin, Levofloxacin) plus Clindamycin evtl. plus Aminoglykosid.

   Bei Patienten mit Antibiotikavorbehandlung, Verbrennungen, Immundefizienz sollte eine pseudomonaswirksame Substanz (Ceftazidim, Cefepim, Ciprofloxacin, Carbapeneme) gewählt und evtl. ein Antimykotikum zugegeben werden. Nach Erregernachweis kann die Weiterbehandlung gezielt erfolgen. Die Antibiotikatherapie kann beendet werden, wenn Fieber, Leukozytose, CRP und die klinischen Sepsisparameter deutlich rückläufig sind.
2. Stabilisierung und Optimierung vitaler Funktionen (mechanische Beatmung, kreislaufunterstützende Maßnahmen, Schocktherapie, Ausgleich von Elektrolyten).
3. Die Sanierung der Sepsiseintrittspforte ist entscheidend für die Prognose. Bei größeren Herden chirurgische Intervention, bei Katheterinfektion Wechsel des Katheters. Ohne Herdsanierung ist die Antibiotikatherapie oft erfolglos.

!

Wichtig ist bei septischen Patienten die frühzeitige adäquate Antibiotikatherapie. Die Initialtherapie muss so breit wirksam sein, dass möglichst alle in Frage kommenden Erreger vernichtet werden. Daneben ist die Herdsanierung vordringlich.

14.1 Toxic-shock-Syndrom

Toxine von Staphylococcus aureus oder Streptokokken können eine foudroyant verlaufende Erkrankung auslösen, die bei 10–30% der Patienten innerhalb weniger Stunden oder Tage tödlich endet. Bei Streptokokken geht die Infektion oft von Minimalverletzungen, z. B. Insektenstichen, aus. Bei Staphylococcus aureus kann jede Staphylokokkeninfektion mit toxinproduzierenden Stämmen die Ursache sein; bei 2/3 der Fälle geht die Infektion bei jungen Frauen während der Menstruation vom Genitaltrakt aus bei Benutzung von Tampons.

Der fulminante Krankheitsverlauf beruht auf der Wirkung der Toxine als Superantigene. Das bedeutet, dass relativ wenige Toxinmoleküle durch eine „unspezifische" Verknüpfung von antigenpräsentierenden Zellen mit T-Helferzellen eine polyklonale Vermehrung von T-Helferzellen induzieren, die wiederum die Makrophagen zu massiver Sekretion von Interleukin-1 und TNF veranlassen.

Die Krankheitssymptome sind Folgen der Überproduktion dieser Zytokine. Möglicherweise beschränkt sich die Erkrankung auf bestimmte HLA-Typen, da die Toxine an bestimmte Regionen von MHC-Molekülen der Klasse II binden. Das genaue „Passen" zu definierten MHCII-Molekülen mit T-Zellrezeptoren macht dieses Ereignis relativ selten.

SYMPTOME

Starker Schmerz an der Eintrittspforte. Foudroyantes Fortschreiten der Lokalinfektion, phlegmonös, schmerzhaft. Fieber >39°C, scharlachähnlicher Hautausschlag, Myalgien, Kopfschmerzen, oft Erbrechen, Diarrhö; Blutdruckabfall, Verwirrtheit. Oft innerhalb weniger Stunden bis Tage Nieren- und Leberfunktionsstörungen, Gerinnungsstörungen, Schock. Nach 1–2 Wochen Desquamation der Exanthembezirke.

DIAGNOSE

- Klinik.
- Erregernachweis in Abstrichen, Punktaten.
- *Laborparameter:* Leukozytose oder Leukozytopenie, Thrombozytopenie, Anstieg von CRP, Kreatinin, Bilirubin, Transaminasen. Hypokalzämie, Hypokaliämie, Hypophosphatämie.

Differentialdiagnose

Septischer Schock, Scharlach, Kawasaki-Syndrom, Lyell-Syndrom, Arzneimittelexanthem, Vergiftungen.

Therapie

1. Intensivmedizinische Maßnahmen, Stabilisierung lebenswichtiger Funktionen (mechanische Beatmung, Schocktherapie, Behandlung der Verbrauchskoagulopathie, ggf. Dialyse), Flüssigkeits- und Elektrolytsubstitution.
2. Antibiotika: Clindamycin (stoppt die Toxinproduktion) sollte zur Initialtherapie bei unbekanntem Erreger mit anderen Breitbandantibiotika kombiniert

werden, z. B. mit Cefotaxim oder Ceftriaxon, evtl. plus Aminoglykosid. Bei Nachweis von Staphylococcus aureus Therapie fortsetzen mit Clindamycin oder Flucloxacillin oder Cefazolin; bei Streptokokken mit Penicillin G.
3. Bei Wundinfektionen, Fasziitis, Phlegmone etc. ist die frühzeitige chirurgische Intervention entscheidend (z. B. Débridement der Nekrosen).
4. Immunglobulinen wird ein günstiger Effekt zugeschrieben, wahrscheinlich durch neutralisierende Antikörper.
5. Kortison kann durch seine antimitogene Wirkung den Krankheitsverlauf abmildern.
6. Bei genitaler Staphylokokkeninfektion ggf. Tampons entfernen.

!

Das Toxic-shock-Syndrom ist eine foudroyant verlaufende Infektion, die innerhalb weniger Stunden oder Tage zu Schock und Multiorganversagen führt. Bei Streptokokken geht die Infektion oft von Minimalläsionen aus. Wegweisend sind starke Schmerzen an der Eintrittspforte, hohes Fieber mit Exanthem, Kreislauf-, Nieren- und Leberinsuffizienz. Verursachende Toxine: Siaureus Toxic-shock-Toxin; hämolysierende Streptokokken: pyorogene Exotoxine A, B, C.

Kapitel 15

Fieber unklarer Ursache

Fieber bedeutet einen Anstieg der Körpertemperatur über 37,6°C (axillär, bukkal) oder über 38°C (rektal gemessen). Infolge einer Makrophagenaktivierung mit Synthese von Interleukin-1 und Tumornekrosefaktor (TNF) wird das Temperaturzentrum im Hypothalamus auf einen höheren Sollwert reguliert. Das erfordert eine vermehrte Wärmeproduktion durch Erhöhung des Muskeltonus und eine verminderte Wärmeabgabe durch Engstellung der Hautgefäße. Fieber kann durch verschiedene Stimuli (Bakterien, Endotoxin, Viren, Protozoen, Immunkomplexe) oder bei Gewebsuntergang entstehen (Tabelle 15-1).

Tabelle 15-1. Infektiöse und nichtinfektiöse Ursachen für Fieber und ihre Diagnostik

Ursachen/Organe	Infektionsort	Spezifische Diagnostik*
Infektionen:		
Atemwege	Virale Pharyngitis	Inspektion
	Tonsillitis, Scharlach	Inspektion, Rachenabstrich
	Bronchitis, Pneumonie	Auskultation, MU von Sputum, Thoraxröntgenaufnahme
HNO	Sinusitis, Otitis media	Inspektion, MU von Nasen-, Ohrsekret
Harnwege	Pyelonephritis	Urinstatus, MU von Urin, bei Verdacht Urosepsis BK, Nierenklopfschmerz
	Nierenabszess	MU von Urin, Ultraschall, Röntgen, CT
Endokarditis	Herzklappen	Ultraschall Herzklappen, MU von BK
Darm	Salmonellose, Campylobacter-, Yersinien-, Shigellen-, enteropathogene E.-coli-, Virusinfektion	MU von Stuhl
Intraabdominell	Cholezystitis, Cholangitis	Ultraschall, Röntgen, Cholezystographie, CT; evtl. MU von Galle, BK; Leberwerte
	Leberabszess	Ultraschall, CT, MRT, Leberszintigraphie; MU von Abszesspunktat, evtl. BK; Antikörpernachweis bei Verdacht auf Amöben; Leberwerte
	Hepatitis	Leberwerte, Nachweis von Hepatititsvirenantikörper, bzw Antigen
	Peritonitis	Schmerzen, Bauchdeckenspannung, Ultraschall, Röntgen, CT, MU von Peritonealsekret

Tabelle 15-1. Fortsetzung

Ursachen/Organe	Infektionsort	Spezifische Diagnostik*
	Endometritis, Adnexitis	Gynäkologische Untersuchung, Ultraschall, MU von Zervikalsekret
Wund-, Weichteile	Erysipel, RF	Inspektion, Nachweis von Streptokokken-antikörpern
	Abszess, Wundinfektion, infizierte Hämatome	Inspektion, MU von Wundabstrich, Punktat CT, Röntgen
	Osteomyelitis	MU von Abstrichen, BK, CT, MRT
Katheterinfektion		MU von BK, Venenkatheter
Sepsis		MU von BK, Erregernachweis in Material aus Infektionsherden
Meningitis, Enzephalitis		MU von Liquor, Nackensteife,
Allgemein-infektionen	Viral: EBV, Influenza, HIV, Zytomegalie. Bei Kindern, Jugendlichen: Masern, Mumps, Röteln, VZV, Parvovirus B19	Nachweis spezifischer Antikörper
	Tuberkulose	MU von Sputum, Abstrichen, Röntgen, Tuberkulintest
	Typhus, Paratyphus	MU von BK, Stuhl
	Lyme-Borreliose	Nachweis spezifischer Antikörper
	Q-Fieber	Nachweis spezifischer Antikörper
	Brucellose	Nachweis spezifischer Antikörper
	Toxoplasmose	Nachweis spezifischer Antikörper
Nach Auslands-aufenthalt	Malaria, Trypanosomiasis, Leishmaniose	Erregernachweis in Blutausstrich (dicker Tropfen). Nachweis spezifischer Antikörper
Nichtinfektiöse Ursachen:		
Neoplasmen		
Kollagenosen		
Drug-Fieber		
Lungenembolie, Thrombosen		
Zentrales Fieber		
Hyperthyreose		
Entzündliche Darmerkrankung		

* Untersuchungen zusätzlich zur klinischen Untersuchung und unspezifischer Entzündungsdiagnostik wie Leukozytose, Blutbild, Entzündungsparameter, Laborwerte (*MU* mikrobiologische Untersuchung, *BK* Blutkulturen, *RF* Rheumatisches Fieber)

Bei der Hälfte aller fieberhaften Erkrankungen sind Infektionen die Ursache (Abb. 15-1). Ein plötzlicher Fieberanstieg >39°C und eine Leukozytose (>12.000 Leukozyten/µl) machen eine Infektion als Ursache wahrscheinlich und erfordern eine Suche nach dem Infektionsherd.

- Die klinische Untersuchung schließt neben der Inspektion von Körper, Extremitäten, Nasen-Rachen-Raum immer die Auskultation von Lunge, Herz, die palpatorische Untersuchung von Halslymphknoten, Abdomen, Prüfung von Nierenklopfschmerz und Nackensteife und eine Urinuntersuchung ein.
- Es ist auf Entzündungen in den Atemwegen, Exantheme (Tabelle 15-2), Lymphknotenschwellungen, Wunden, Erysipel, Schmerzhaftigkeit, Erbrechen, Durchfall, Kopfschmerzen, Splenomegalie, Hepatomegalie, Gelenkschwellungen zu achten.
- Auch nach verborgenen Infektionsherden in den Nasennebenhöhlen, Harn- und Gallenwegen, nach infizierten Hämatomen, Osteomyelitis, Katheterinfektionen, tiefen Abszessen oder fieberhaften Allgemeininfektionen muss gefahndet werden (Tabelle 15-1).
- Ergibt sich kein Hinweis auf einen Entzündungsherd, muss immer an eine Endokarditis gedacht werden: Auskultation von Herzgeräuschen, Ultraschalluntersuchung der Herzklappen, Abnahme von 3–6 Blutkulturen/Tag.
- In der Frühphase einer Infektion mit HIV kann eine uncharakteristische Fieberphase mit generalisierter Lymphknotenschwellung und einem Exanthem auftreten.
- Nach Tropenreisen müssen Malaria, Schlafkrankheit, Leishmaniose ausgeschlossen werden (s. Kap. 21.2: „Fieberhafte Erkrankungen nach Tropenaufenthalt").

Infektionen sind zwar die häufigste, aber nicht die einzige Ursache für Fieber (Tabelle 15-1).
Differentialdiagnostisch sind weitere Ursachen abzuklären:

- Neoplasien (10–25%), z. B. Lymphome, Leukämie, Nierenzellkarzinom, Hepatome.

Abb. 15-1. Ursachen für Fieber

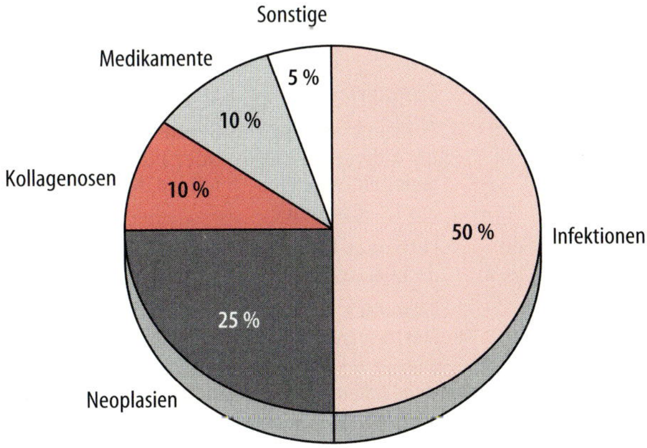

Tabelle 15-2. Infektionen mit Fieber und Hautausschlag

Erkrankung	Erreger	Typische Zeichen
Scharlach	β-hämolysierende Streptokokken	Feinfleckiges Erythem an Stamm und Gliedmaßen, im Gesicht periorale Blässe
Infektiöse Mononukleose	Epstein-Barr-Virus	Morbilliformer, scharlachartiger oder vesikulärer Ausschlag am Stamm
Röteln	Rötelnvirus	Rosige, oft konfluierende Flecken, beginnend im Gesicht, Ausbreitung über Rumpf, Extremitäten
Masern	Masernvirus	Makulopapulöse Effloreszenzen, Ausbreitung vom Kopf nach unten über gesamten Körper. Koplik-Flecken
Ringelröteln (Erythema infectiosum)	Parvovirus B19	Netzförmiges Erythem, beginnend auf Wangen, Ausbreitung auf Stamm und Gliedmaßen. Manchmal Juckreiz
Hand-Fuß-Mund-Krankheit	Coxsackie-Viren	Handflächen, Fußsohlen, Mund: Rötung und Bläschen
Varizellen (Windpocken)	Varizella-zoster-Virus	Vesikuläres Exanthem. Beginn am Rumpf, Ausbreitung über Gesicht, Extremitäten
Zoster (Gürtelrose)	Varizella-zoster-Virus	Meist einseitig im Brustbereich Exanthem, Bläschengruppen, schmerzhaft
Meningokokkensepsis	Neisseria meningitidis	Kleine bis flächenhafte Hautblutungen
Typhus	Salmonella typhi	Rundlich begrenzte Flecken an Rumpf, Abdomen (Typhusroseolen)
Toxic-shock-Syndrom	Staphylococcus aureus, β-hämolysierende Streptokokken	Diffuse, sonnenbrandartige Erythrodermie
Sekundäre Syphilis	Treponema pallidum	Papeln, Maculae, Pusteln, besonders an Handflächen, Fußsohlen
Generalisierter Herpes	Herpes-simplex-Virus	Bläschen, Pusteln, die überall auf der Haut und Schleimhaut auftreten können
Erysipel	β-hämolysierende Streptokokken	Scharf abgegrenzte ödematöse Rötung, meist im Gesicht, an Arm oder Bein
Erythema migrans	Borrelia burgdorferi	Scharf begrenzte Rötung, die sich zentrifugal vergrößert
Erythema multiforme	Folgeerkrankung nach diversen bakteriellen oder viralen Infektionen	Symmetrisch angeordnetes fleckförmiges Erythem oder Pusteln, Quaddeln, Bläschen, v. a. an Handtellern, Fußsohlen, Gesicht. Juckreiz
HIV-Infektion im Frühstadium	Humanes Immundefizienzvirus	Diffuse Rötung, generalisierte Lymphknotenschwellung, Fieber
Exanthema subitum	Humanes Herpesvirus 6	Makulöses Exanthem am Stamm, im Gesicht. Extremitäten bleiben frei

Differentialdiagnostisch: Arzneimttelexanthem, Lyell-Syndrom, allergische Vaskulitis, systemischer Lupus erythematodes, Kawasaki-Syndrom, toxische epidermale Nekrolyse.

- Kollagenosen/Autoimmunerkrankungen (10–15%), z. B. Sarkoidose, Polyarteriitis nodosa, systemischer Lupus erythematodes, Wegener-Granulomatose, rheumatisches Fieber, Dermatomyositis.
- Medikamente, „drug fever" (10–20%), z. B. Sulfonamide, Penicilline, Rifampicin, INH, Streptomycin, Methyldopamin, Phenytoin, Phenobarbital u. a.
- Sonstige Ursachen: z. B. Hyperthyreose, tiefe Thrombosen, Hämatome, entzündliche Darmerkrankungen, Lungenembolie, zentrales Fieber.
- Bei ca. 10% bleibt die Ursache unbekannt.

SYMPTOME

Fieber „of unknown origin" (FUO): Ständige oder wiederholt auftretende Temperaturerhöhung >38°C über mehr als 3 Wochen, ohne dass die Ursache trotz intensiver Diagnostik geklärt werden konnte. Begleitsymptome sind Müdigkeit, Myalgien, Nachtschweiß, Abgeschlagenheit, Leistungsschwäche.

DIAGNOSE

- Anamnese einschließlich Informationen über Reisen, Hobbys, Tierkontakte, Arzneitherapie.
- Ganzkörperuntersuchung einschließlich Inspektion von Haut (Hautausschlag, Erysipel, Zeckenbisse), Rachenraum, Ohr, Augen, Palpation von Lymphknoten, Abdomen, Herz- und Lungenauskultation, Prüfung von Nierenklopfschmerz, Nackensteife.
- *Laborchemische Untersuchung:* Leukozyten, Differentialblutbild, BSG, CRP, alkalische Phosphatase, Transaminasen. Urinstatus (Leukozyten, Erythrozyten, Eiweiß, Nitrit im Urin).
- *Mikrobiologische Untersuchung:* bis zu 6 Blutkulturen/Tag. Ein positiver Keimnachweis ist ein wichtiger Hinweis auf Endokarditis oder Osteomyelitis.
- Urinuntersuchung: (Bakterien im Urin).
- *Bei Durchfall:* Stuhluntersuchung (pathogene Darmkeime).
- Bei Wundinfektion, Abszess: bakteriologische Untersuchung von Eiter, Wundabstrich.
- *Bei respiratorischen Symptomen:* Sputumuntersuchung .
- Bei Meningitisverdacht: Liquoruntersuchung.
- Tuberkulintest; Untersuchung von Sputum, Magensaft auf Mykobakterien.
- *Antikörpernachweis im Serum:* β-hämolysierende Streptokokken, Chlamydien, Mykoplasmen, Coxiella burnetii, Legionellen, Yersinien, Brucellen, Borrelia burgdorferi, Toxoplasma gondii, Epstein-Barr-, Hepatitis-, Influenzaviren, ggf. FSME-Viren, HIV. Bei Transaminasenerhöhung HAV, HBV, HCV.
- *Nach Tropenaufenthalt:* Blutausstrich/dicker Tropfen auf Malariaplasmodien und Trypanosomen, Antikörper Leishmanien, Borrelien (s. Kap. 21.2: „Fieberhafte Erkrankungen nach Tropenaufenthalt").
- Bei Fieber >7 Tage:
  - Thoraxröntgenaufnahme.
  - Bildgebende Verfahren: Sonographie (Herzklappen, Abdominalorgane, z. B. Darstellung von Lebervergrößerung, Leberabszess, Gallensteinen, Milzvergrößerung), evtl. CT, Szintigraphien, Magnetresonanztomographie, Isotopenuntersuchungen, Biopsien (Lymphknoten), Laparoskopie.

Therapie

Die kalkulierte Therapie richtet sich nach der Diagnose bzw. dem klinischen Verdacht.

1. Symptomatisch mit Antipyretika, z. B. Acetylsalicylsäure, Paracetamol, Ibuprofen. Bei Versagen und nach Ausschluss infektiöser Ursachen evtl. Kortikosteroide.
2. Bei Infektionsverdacht: Antibiotika entsprechend dem vermuteten Infektionsherd.

Fieber bei immuninkompetenten Patienten: s Kap. 19: „Infektionen bei immundefizienten Patienten“.

Kapitel 16

Mykobakteriosen 16

16.1 Tuberkulose

Nach Schätzungen der WHO ist 1/3 der Weltbevölkerung mit Mycobacterium tuberculosis infiziert; jährlich sterben daran etwa 3 Mio. Menschen. In den Entwicklungsländern, in denen etwa 95% aller Erkrankungen auftreten, verursacht die Tuberkulose 1/4 der vermeidbaren Todesfälle bei Erwachsenen.

In Deutschland wurden 1997 ca. 11.000 Tuberkuloseerkrankungen registriert, das entspricht einer Inzidenz von 13 Erkrankungen pro 100.000 Einwohner. Diese Situation ist in den letzten Jahren gleich geblieben, wobei ein leichter Rückgang bei der einheimischen Bevölkerung durch Einwanderer ausgeglichen wurde.

Erreger

Die Erreger der Tuberkulose sind Mykobakterien (säurefeste Stäbchenbakterien). Der Begriff Mycobacterium-tuberculosis-Komplex umfasst Mycobacterium tuberculosis, M. bovis und M. africanum. Mycobacterium tuberculosis ist heute der häufigste Erreger, M. bovis ein seltener Erreger der Tuberkulose.

Mykobakterien haben einige Besonderheiten: ihre Zellwand ist reich an Fetten und Wachsen. Das macht sie zu „säurefesten Stäbchen", als Ausdruck einer extremen Umweltstabilität einschließlich einer hohen Resistenz gegen Desinfektionsmittel; das erfordert spezielle Färbeverfahren, um sie sichtbar zu machen, verlängert ihre Generationszeit (langsames Wachstum) und trägt dazu bei, dass sie in Phagozyten überleben (intrazelluläre Parasiten). M. tuberculosis persistiert auch bei erfolgreicher Abwehr, d. h. inapparenter Infektion, Jahre bis Jahrzehnte, oft lebenslänglich im menschlichen Organismus.

Die Übertragung von M. tuberculosis erfolgt heute fast ausschließlich durch Tröpfcheninfektion. Die Kontagiosität hängt von der Masse der ausgeschiedenen Bakterien ab und nimmt nach 2-wöchiger erfolgreicher Behandlung wegen der erzielten Keimreduktion deutlich ab.

Pathogenese

Nach Inhalation werden die Erreger von Alveolarmakrophagen aufgenommen. Da sie nicht abgetötet werden können, entwickelt sich als Folge der zellulären Abwehrreaktion der Primärherd, ein Granulom (Lymphozyten, Monozyten als Epitheloidzellen, auch Riesenzellen), z. T. mit zentraler Nekrose. Einige Bakterien werden in die regionären Lymphknoten verschleppt, in denen eine gleichartige Entzündungsreaktion entsteht. Dieser „Primärkomplex" aus Primärherd und befallenem Lymphknoten entwickelt sich meist unbemerkt im Verlauf weniger Wochen und ist in über 90% Endstation der Infektion, erkennbar an einer positiven Tuberkulinreaktion, mitunter sichtbar an kleinen Verkalkungsherden im Thoraxröntgenbild, wobei diese Herde lebende Bakterien enthalten können (Abb. 16-1).

Das Immunsystem vermag die Bakterien in Schach zu halten, nicht aber abzutöten. Ein Nachlassen der Abwehrleistung (Aids, Immunsuppression durch Kortison oder Zytostatika) provoziert ein Ausbrechen der Erreger im Sinne der Reaktivierung.

Bei weniger als 10% der Patienten kommt es über die lymphogene Ausbreitung gleich im Anschluss an die Infektion, manchmal später, zu einer hämatogenen Streuung als Auftakt zu möglichen Organtuberkulosen, im schlimmsten Fall zu einer Miliartuberkulose mit Befall sämtlicher Organe. Die Organtuberkulosen manifestieren sich, je nach Empfindlichkeit des Organs, nach unterschiedlicher Latenzzeit: die Meningitis tuberculosa nach wenigen Wochen, Nieren- oder Knochentuberkulose nach Jahren, Nebennierentuberkulose nach mehr als einem Jahrzehnt.

SYMPTOME

Leichte Temperaturerhöhung, Nachtschweiß, Leistungsabfall, Müdigkeit, Husten mit wenig Auswurf, manchmal Hämoptysis, atmungsabhängiger Brustschmerz bei Pleurabeteiligung.

DIAGNOSE

- Verdachtsdiagnose nach Klinik und Röntgenbefund.
- Tuberkulintest als Hinweisverfahren (kann bei Miliartuberkulose jedoch negativ sein).
- Die definitive Diagnose erfolgt durch den Erregernachweis im mikroskopischen Präparat, den Nachweis spezifischer DNA und die Kultur.
- *Untersuchungsmaterial:* bei Verdacht auf Lungen-Tbc Sputum (Gewinnung s. Kap. 6.4: „Pneumonie"), BAL oder Nüchternmagensaft. Die Kultur der Erreger ist Voraussetzung für die angesichts des Risikos von Resistenzen unabdingbare Resistenzbestimmung. Mit modernen Verfahren gelingt dies innerhalb von 3–4 Wochen.

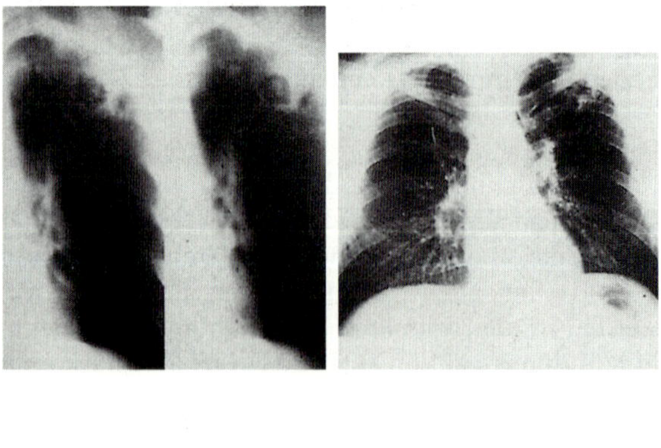

Abb. 16-1. Kavernenbildung bei Tuberkulose. (Nach Hahn et al., Medizinische Mikrobiologie und Infektiologie, 1999, S. 459, Bild 22)

Therapie

Es ist immer eine Langzeittherapie mit Kombinationen mehrerer Tuberkulostatika erforderlich. Mittel der 1. Wahl sind Isoniazid (INH), Rifampicin (RMP), Pyrazinamid (PZA), Ethambutol (EMB) und Streptomycin (SM). Mittel der 2. Wahl sind Prothionamid (nur bakteriostatisch wirksam) und Capreomycin. Für die ersten 2–3 Monate wählt man in der Regel eine Viererkombination aus Isoniazid, Rifampicin, Pyrazinamid und entweder Ethambutol oder Streptomycin (alternativ auch im täglichen Wechsel Streptomycin/Ethambutol); bei unkomplizierter Lungentuberkulose ohne Resistenz der Erreger evtl. auch eine Dreierkombination (s. Tabelle 16-1).

Anschließend folgt eine Fortführung mit INH und Rifampicin für 4–12 Monate, je nach klinischer Besserung auch bis 18 Monate (Tabelle 16-2).

Während der Schwangerschaft ist die Gabe von INH und Ethambutol möglich, in der 2. Schwangerschaftshälfte auch Rifampicin.

Der Therapieerfolg muss mikrobiologisch überwacht werden. Eine offene Tbc kann als geschlossen betrachtet werden, wenn mindestens 3 an verschiedenen Tagen entnommene Sputumproben keine Erreger mehr enthalten. Bei kavernösen Prozessen muss eine ergänzende chirurgische Intervention erwogen werden.

Resistenzen bei Mykobakterien nehmen weltweit zu. In Deutschland treten multiresistente Stämme nur vereinzelt auf. Bei multiresistenten Erregern (resistent gegen mindestens 2 Tuberkulostatika) wird die Mehrfachkombination entsprechend der Resistenztestung ausgewählt.

Tabelle 16-1. Therapieschemata bei Tuberkulose. *Wichtig:* alle oralen Medikamente müssen en bloc einmal täglich eingenommen werden!

Initialphase	Stabilisierungsphase
A) INH + RMP + PZA	INH + RMP[a]
B) INH + RMP + PZA + EMB	INH + RMP
C) INH + RMP + PZA + SM	INH + RMP
D) INH + RMP + PZA + SM oder EMB im täglichen Wechsel	INH + RMP
Erklärungen und Dosierung:	
RMP	Rifampicin 10 mg/kgKG (maximal 0,6 g/Tag) p.o/i.v.
INH	Isoniazid 5 mg/kgKG(maximal 0,6 g/Tag) p.o./i.v. bei täglicher Dosierung; 15 mg/kgKG bei intermittierender Therapie
PZA	Pyrazinamid 20–35 mg/kgKG (maximal 2,0 g/Tag) p.o.
SM	Streptomycin 15 mg/kgKG (maximal 1,0 g/Tag, maximale Gesamtdosis 60 g) i.m./i.v. täglich oder intermittierend
EMB	Ethambutol 15–25 mg/kgKG p.o./i.v.
PTH	Protionamid 5–15 mg/kgKG, bei Kombination mit INH Dosis halbieren (maximal 1,0 g/Tag) p.o./i.v.

[a] INH + RMP täglich oder intermittierend, d. h. 2- bis 3-mal wöchentlich.

Tabelle 16-2. Therapiedauer bei Tuberkulose

Erkrankung	Initialphase 4-er Kombination, z. B. INH + RMP + PZA + EMB/SM	Stabilisierungsphase 2-er Kombination, z. B. INH + RMP
Unkomplizierte Lungentuberkulose	2–3 Monate	4 Monate
Komplizierte Lungentuberkulose (ausgedehnte Veränderungen, Kavernen, Reaktivierung einer alten Tbc, Grundkrankheiten wie Diabetes, Alkoholismus, Kortisontherapie)	2–3 Monate bis zum Negativwerden des Sputums	7–16 Monate
Miliartuberkulose	2–3 Monate	10–12 Monate
Extrapulmonale Tuberkulose	2–3 Monate	10–12 Monate
Tuberkulöse Meningitis	2–3 Monate	10–16 Monate

Prophylaxe

Die *BCG-Impfung* mit einem Lebendimpfstoff aus attenuiertem bovinem Mykobacterienstamm (Bacille Calmette Guérin) wird von der STIKO in Deutschland nicht mehr generell empfohlen. Die Impfung bietet keinen Schutz vor der Primärinfektion und ist mit einigen Nebenwirkungen verbunden: Gewebsreaktionen an der Impfstelle, Abszedierung regionaler Lymphknoten (bei 0,5–3% geimpfter Säuglinge), generalisierte Aussaat bei Immundefekten, Osteomyelitis. Ein weiterer Nachteil ist, dass der Tuberkulintest diagnostisch nicht mehr verwertet werden kann.

Chemoprophylaxe: Bei frisch Infizierten (Konversion des Tuberkulintests) wird eine INH-Gabe für 12 Monate empfohlen (Erwachsene 300 mg INH/Tag), bei Exposition im Familienkreis ohne Krankheitszeichen oder Serokonversion INH für 3 Monate. Bei Gefahr der Reaktivierung einer alten Tbc während Leukämie, Aids, Kortison- oder immunsuppressiver Behandlung: INH für die Dauer der Gefährdung.

16.2 Atypische Mykobakteriosen

Erreger

Atypische Mykobobakterien („mycobacteria other than tuberculosis“, MOTT) sind Opportunisten und treten als Krankheitserreger nur auf, wenn prädisponierende Faktoren vorliegen. Sie kommen in Staub, Wasser, Erde oder bei Tieren vor. Die Übertragung auf den Menschen erfolgt durch Inhalation oder Kontamination. Eine Übertragung von Mensch zu Mensch ist nicht belegt.

Erkrankungen bei Prädisposition: Bei Silikose, Bronchiektasen oder chronischer Bronchitis können z. B. Mycobacterium avium intracellulare (MAC), M. kansasii, M. fortuitum, M. szulgai oder M. xenopi chronische granulomatöse pulmonale Infektionen, ähnlich der Tbc, erzeugen. Patienten mit Immunsuppression, insbesondere Aids, sind prädisponiert zu generalisierten Infektionen mit Durchfall, am häufigsten durch MAC. Diese Erreger sind besonders im Vogelkot und an Pflanzen (Tabak) zu finden und in hohen Keimzahlen z. B. auch an Filtermundstücken von Zigaretten nachgewiesen worden.

M. fortuitum und M. scrofulaceum verursachen granulomatöse Infektionen der Haut und Lymphknoten, insbesondere der Halslymphknoten. M. marinum, der Erreger des „Schwimmbadgranuloms", kommt bei Fischen vor. Die Infektion des Menschen erfolgt beim Baden, Tauchen oder bei Kontakt mit Wasser in Aquarien (Tabelle 16-3).

DIAGNOSE

- *Klinik:* Der chronische Verlauf, die Begleitumstände oder Vorerkrankungen sind für den Verdacht ausschlaggebend.
- *Bei pulmonalen Infektionen:* Röntgenologische Infiltrate.
- *Die definitive Diagnose ist nur durch den Erregernachweis möglich:* Säurefeste Stäbchen im Präparat; DNA-Nachweis, Kultur der Erreger (erfordert 1–4 Wochen).

Therapie

Viele MOTT sind resistent gegen klassischeTuberkulostatika. Die Kombinationstherapie erfolgt am besten nach Resistenztestung (liegt erst nach Wochen vor). Initial werden 3–4 Medikamente kombiniert (Tabelle 16-4), wobei sich neben einigen Tuberkulostatika Clarithromycin, Azithromycin oder Ciprofloxacin als wirksam erwiesen haben. Lokale Herde müssen evtl. chirurgisch saniert werden.

Tabelle 16-3. Erkrankungen durch atypische Mykobakterien. (Nach Wolinsky, 1979, Am Rev Respir Dis 119: 107–159)

Erkrankungen	Häufige Erreger	Seltenere Erreger
Chronische Lungenerkrankung	M. avium intracellulare, M. kansasii	M. xenopi, M. fortuitum, M. simiae, M. xenopi, M. szulgai
Lymphadenitis bei Kindern	M. avium intracellulare, M. scrofulaceum	M. kansasii, M. fortuitum
Arthritis, Osteomyelitis	M. avium intracellulare,	M. fortuitum, M. kansasii M. terrae, M. marinum
Bursitis	M. kansasii	M. szulgai
Hauterkrankungen, Abszesse	M. fortuitum	
Schwimmbadgranulom	M. marinum	
Buruli-Ulkus	M. ulzerans	
Disseminierte Erkrankung bei Immundefizienz	M. avium intracellulare, M. kansasii	M. fortuitum

Tabelle 16-4. Therapie atypischer Mykobakteriosen

Erreger	Initialtherapie
M. avium intracellulare	Bei disseminierter Infektion (z. B. Aids), pulmonaler Infektion: Clarithromycin oder Azithromycin, plus Rifabutin, plus Ethambutol, evtl. plus Ciprofloxacin oder Amikacin oder: Rifampicin plus Clofazimin, plus Ciprofloxacin plus Ethambutol oder: nach Kombinationstestung
M. kansasii	Isoniazid plus Rifampicin plus Ethambutol oder Prothionamid
M. xenopi	Lymphknotenexzision; Isoniazid plus Rifampicin plus Ethambutol oder Streptomycin
M. marinum	Rifampicin plus Ethambutol oder Prothionamid
Andere MOTT	Evtl. chirurgische Sanierung; Medikamente nach Testung

Kapitel 17

Kongenitale und perinatale Infektionen

Im Verlauf der Schwangerschaft oder Geburt können einige Infektionserreger erworben werden, die vital bedrohlich für den Feten oder das Neugeborene sind. Je nach Erreger und Zeitpunkt der Infektion können die Folgen Abort, Totgeburt, Missbildungen, intrauterine oder neonatale Erkrankungen bzw. persistierende Infektionen mit eventuellen Folgeschäden sein (Tabelle 17-1).

Bei *konnataler Infektion* wird der Fetus bei einer mütterlichen Infektion während der Schwangerschaft transplazentar bzw. hämatogen infiziert.

Intranatal erfolgt die Infektion aufsteigend bei vorzeitigem Blasensprung oder während der Passage im Geburtskanal.

Postnatal werden Neugeborene bei engem Kontakt mit der infizierten Mutter, z. B. über Muttermilch, oder durch Infektionserreger aus der Umgebung infiziert (Tabelle 17-2).

Tabelle 17-1. Konnatale Infektionen: Infektionszeitpunkt und Auswirkungen

Erreger	Infektionszeitpunkt			Folgen		
	prä-natal	intra-natal	post-natal	Abort/ Totgeburt	Miss-bildung	Erkrankung postnatal
Zytomegalievirus	++	++	+	+	+	+
Rötelnvirus	++	–	–	+	+	–
Herpes-simplex-Virus	(+)	++	+	(+)	(+)	++
Varizella-zoster-Virus	++	+	+	+	+	+
Hepatitis-B-Virus	–	++	+	–	–	++
HIV	(+)	++	+	–	–	++
Parvovirus B19	++	–	–	++	–	–
Listeria monocytogenes	++	++	–	+	–	+
Treponema pallidum	++	++	–	+	–	+
Toxoplasma gondii	++	–	–	+	–	+

++ häufig, + selten, – nicht nachgewiesen.

Tabelle 17-2. Infektionswege bei konnatalen und perinatalen Infektionen

Infektionsweg	Erreger
Diaplazentar	Treponema pallidum, Toxoplasma gondii, Listeria monocytogenes, Röteln-, Zytomegalievirus, humanes Parvovirus B19, Varizella-zoster-Virus, HIV, Borrelia burgdorferi, Masernvirus, Mumpsvirus, LCM-Virus
Intra partum	β-hämolysierende Streptokokken Gruppe B, E. coli, Chlamydia trachomatis, Neisseria gonorrhoeae, Herpes-simplex-Virus, Zytomegalievirus, Papillomavirus, HIV, Hepatitis-B-, Hepatitis-C-, Hepatitis-A-Virus
Post partum	Hepatitis-B-, Hepatitis-A-Virus, Zytomegalie-Virus, Varizella-zoster-Virus, HIV, Herpes-simplex-Virus, Enteroviren, Masern-, Mumpsvirus

17.1 Mütterliche Infektionen

17.1.1 Puerperalfieber/Puerperalsepsis

Das Wochenbettfieber ist eine schwere, lebensbedrohliche bakteriämische Infektion mit hohem Fieber innerhalb von 14 Tagen nach Geburt oder Fehlgeburt. Eintrittspforten für die Erreger sind der puerperale Uterus oder geburtstraumatische Läsionen der Zervix, Vagina oder des Dammes. Besonders hoch ist das Risiko bei vorzeitigem Blasensprung, verlängerter Geburtsdauer, Sectio caesarea, unvollständigem Plazentaabgang. Bei vorzeitigem Blasensprung ist eine Infektion des Neugeborenen mit denselben Erregern zu befürchten. Besonders gefährlich sind Infektionen mit hämolysierenden Streptokokken der Gruppe A (ehemals „klassisches" Kindbettfieber) oder Clostridien.

SYMPTOME

Meist 4–7 Tage post partum plötzliches Fieber, oft als einziges Symptom. Aber auch Rückenschmerzen, übelriechender Lochialfluss bis hin zur Sepsis mit Schock, Gerinnungsstörungen und Organversagen. Leukozytose. CRP-Anstieg. Bei Streptokokkeninfektion oder Toxic-shock-Syndrom tritt oft ein scharlachartiges Exanthem am Stamm oder den Extremitäten auf.

Erreger

Meist Mischinfektionen mit β-hämolysierenden Streptokokken der Gruppen A oder B, Clostridien, E. coli und anderen Enterobakterien; seltener Mycoplasma hominis.

DIAGNOSE

- Mikrobiologische Untersuchung. Nachweis von aeroben und anaeroben Bakterien, Pilzen in Blutkulturen, Lochialsekret, Zervikalabstrichen, Plazenta.
- Ultraschalluntersuchung des Uterus zum Nachweis zurückgebliebener Plazentareste.

Therapie

1. Die empirische Antibiotikatherapie sollte wegen der Gefahr einer evtl. tödlichen Sepsis möglichst frühzeitig (nach Entnahme von Blutkulturen u. a. Untersuchungsmaterial) begonnen werden. Zur Initialtherapie z. B. Cephalosporin der 3. Generation (Cefotaxim, Ceftriaxon, Ceftazidim, Cefepim) plus Clindamycin bzw. Metronidazol evtl. plus Aminoglykosid. Alternativen: Piperacillin plus β-Laktamase-Inhibitor (Sulbactam, Tazobactam) evtl. plus Aminoglykosid; Carbapenem (Imipenem/Cilastatin, Meropenem) evtl. plus Aminoglykosid. Bei Erregernachweis Therapie anpassen.
2. Gegebenenfalls Stabilisierung vitaler Funktionen (kreislaufstützende Maßnahmen, evtl. Schocktherapie, Beatmung, Dialyse).
3. Gegebenenfalls operative Sanierung: z. B. Kürettage; evtl. Uterusexstirpation.

Prophylaxe

Bei Fieber unter der Geburt werden zur Vorbeugung von Infektionen bei Mutter und Kind Antibiotika gegeben, z. B. Ampicillin, Cefotaxim, Piperacillin, jeweils i.v.; plus Gentamicin; s. Kap. 17.2.1: „Neugeborenensepsis/Neugeborenenmeningitis").

! Fieber während/nach der Geburt oder foetides Lochialsekret sind sehr ernstzunehmende Signale, die auf eine Infektion hinweisen. Der puerperale Uterus stellt eine riesige Wundfläche dar, Infektionserreger sind schwer zu eliminieren. Die Antibiotikatherpie sollte wegen der Gefahr eines dramatischen septischen Verlaufes möglichst frühzeitig erfolgen. Wegen des unvorhersehbaren Erregerspektrums müssen zur Initialtherapie breit wirksame Antibiotika eingesetzt werden.

17.1.2 Mastitis

Eine Entzündung der Brustdrüse tritt fast ausschließlich bei stillenden Müttern auf. Der wichtigste Risikofaktor ist ein Milchstau. Bei der *puerperalen Mastitis* sind die Eintrittspforten für die Erreger meist Läsionen oder Rhagaden an der Mamille, in die beim Saugen Hautkeime der Mutter oder Oropharyngealkeime des Säuglings einmassiert werden.

SYMPTOME

Während der Stillperiode leicht erhöhte Temperatur, schmerzhafte Brust oft einseitig, mit geröteten heißen Bezirken, Milchstau. Ohne Antibiotika bei 10% Abszessbildung.

Erreger

Überwiegend Staphylococcus aureus, seltener β-hämolysierende Streptokokken, E. coli.

DIAGNOSE

- Klinik.
- Nachweis von Leukozyten und Erregern in der Milch oder im Abszesseiter.
- Sonographie (Nachweis der Infiltration).

Therapie

1. Abpumpen der Milch, Stillpause auch zur Infektionsprophylaxe des Kindes. Der Säugling sollte die bakterienhaltige Milch wegen der Gefahr von Infektionen nicht erhalten, z. B. können toxinproduzierende Staphylococcus-aureus- oder E.-coli-Stämme Durchfälle auslösen.
2. Antibiotika: Cefazolin, Flucloxacillin, bei Allergie Clindamycin. In schweren Fällen parenteral beginnen bis zur deutlichen Besserung.
3. Symptomatische Therapie: Hochbinden der Brust, kühlende Umschläge.
4. Bei Abszess: Inzision und Drainage.

Prophylaktisch ist die Pflege der Brust wichtig.

Eine *Mastitis der nichtlaktierenden Mamma* mit oder ohne Abszessbildung tritt manchmal bei Frauen in der Menopause auf. Meist handelt es sich um aerob-anaerobe Mischinfektionen (Staphylococcus aureus, Bacteroides, Peptokokken), die mit Clindamycin oder Aminopenicillin plus β-Laktamase-Inhibitor (Ampicillin/Sulbactam, Amoxicillin/Clavulansäure) therapiert werden können.

17.2 Kindliche Infektionen

17.2.1 Neugeborenensepsis/Neugeborenenmeningitis

Generalisierte bakterielle Infektionen treten bei Neugeborenen in einer Häufigkeit von 1–3% auf. Ausgangsquelle ist der massiv mit Infektionserregern kolonisierte mütterliche Genitaltrakt. Bei vorzeitigem Blasensprung (>48 h vor Geburt) können die Erreger die Amnionflüssigkeit infizieren. Das Amnioninfektionssyndrom kann nahezu unbemerkt verlaufen oder vorzeitige Wehen, übelriechendes Fruchtwasser, Fieber oder Leukozytose bei der Mutter bewirken. Das Risiko einer generalisierten Infektion des Neugeborenen steigt, je unreifer es ist. Besonders infektionsanfällig sind Frühgeborene mit einem Geburtsgewicht <1500 g. Das Infektionsrisiko ist bei zervikaler B-Streptokokkenbesiedelung der Mutter deutlich erhöht.

SYMPTOME

In den ersten Lebenstagen wenig spezifische Infektionszeichen. Tachykardie, evtl. Fieber (kann bei Frühgeborenen fehlen), Trinkschwäche, Teilnahmslosigkeit, schwacher Muskeltonus, Asphyxie, manchmal Leukozytose oder Leukopenie.
Mit *Meningitis:* Zusätzlich Schläfrigkeit, manchmal Erbrechen, Krämpfe, hohes schrilles Schreien.
Mit *Pneumonie:* Tachypnoe, Zyanose, röntgenologisch nachweisbare pulmonale Infiltrate.

Erreger
Die häufigsten Erreger sind β-hämolysierende Streptokokken der Gruppe B und E. coli, seltener andere Enterobakterien oder Listeria monocytogenes.

DIAGNOSE

- Klinik, Anamnese (vorzeitiger Blasensprung), Infektionszeichen bei der Mutter (Fieber, CRP-Anstieg, übelriechendes Fruchtwasser).
- *Mikrobiologische Untersuchung:* Erregernachweis in Neugeborenenabstrichen, Plazenta, Blutkulturen, Urin, Liquor.
- *Laborparameter:* Leukozytose oder Leukozytopenie, CRP erhöht.
- *Bei Pneumonie:* Thoraxröntgenaufnahme.

Therapie
Antibiotika: Bei Verdacht sofortiger Therapiebeginn, z. B. mit Ampicillin plus Gentamicin. Bei Verdacht auf Meningitis Cephalosporin der 3. Generation (Cefotaxim, Ceftriaxon, Ceftazidim) plus Ampicillin evtl. plus Gentamicin. Bei Erregernachweis Anpassung der Therapie.

Prophylaxe
Bei Fieber der Mutter während der Geburt, bei vorzeitigem Blasensprung (vor der 37. Schwangerschaftswoche, früher als 18 h vor der Geburt, bei reifen Neugeborenen früher als 48 h vor der Geburt) oder bei Anzeichen für eine Infektion des Fruchtwassers werden zur Vorbeugung von Infektionen bei Mutter und Kind subpartal Antibiotika verabreicht, z. B. Ampicillin i.v., oder Cefotaxim, Piperacillin; jeweils plus Gentamicin; bei Nachweis von B-Streptokokkenbesiedelung der Mutter (Kontrolle zervikaler Besiedelung während der Schwangerschaft) Ampicillin (4-mal 2 g i.v.); bei Penicillinallergie Erythromycin (3-mal 1 g i.v.).

Neugeborene zeigen wenig typische Infektionszeichen. Hinweise sind oft nur Trinkschwäche, fahle Hautfarbe, schwacher Muskeltonus, Schläfrigkeit. !

17.2.2 Neugeborenenlisteriose (Granulomatosis infantiseptica)

Eine Listerieninfektion der Mutter während der Schwangerschaft äußert sich uncharakteristisch und wird meist übersehen. Nur manchmal wird eine protrahierte Erkrankungsepisode mit mäßiggradigem Fieber bemerkt (s. Kap. 22.5: „Listeriose" – in Kap. 22: „Zoonosen"). Der Erreger, Listeria monocytogenes, wird von der Mutter oral (kontaminierte Lebensmittel, z. B. unerhitzte Milchprodukte, Käse) oder über Schmierinfektion erworben und bei Bakteriämie transplazentar, bei genitaler Besiedelung aufsteigend oder durch Mekoniumaspiration auf den Fetus übertragen.

Während der frühen Schwangerschaft führt die Listeriose oft zum Absterben des Fetus. Infizierte Kinder können als Frühgeburt oder mit einer Granulomatosis infantiseptica geboren werden. Sie zeigen multiple Granulome in Milz, Leber, Lunge, Gehirn. Bei einer peripartalen Infektion entwickeln die Kinder eine Sepsis, Pneumonie, evtl. Meningitis/Meningoenzephalitis. Die Krankheitszeichen treten meist während der ersten 2 Lebenswochen auf.

SYMPTOME

- *Granulomatosis infantiseptica:* Charakteristisch ist die multisystemische granulomatöse Infiltration parenchymatöser Organe. Oft besteht ein Hautausschlag der unteren Körperhälfte, Trinkschwäche, Dyspnoe, Fieber, Erbrechen, Krämpfe, Leukozytose, Hepatosplenomegalie, Thrombozytopenie, Pneumonie, Meningoenzephalitis.
- *Perinatale Listerieninfektion:* Sepsis, Meningitis, Meningoenzephalitis.

DIAGNOSE

- Mikrobiologische Untersuchung von Blutkulturen, Liquor, Neugeborenenabstrichen, Plazenta, Amnionflüssigkeit.

Differentialdiagnose
Bakteriämie mit B-Streptokokken oder E. coli.

Therapie
Ampicillin plus Gentamicin für 2–3 Wochen.

Prophylaxe
Während der Schwangerschaft keine unerhitzten Milchprodukte oder Käsesorten mit schmierigem Belag essen.

17.2.3 Neugeboreneninfektionen durch Chlamydia trachomatis und Neisseria gonorrhoeae

Bei genitaler Besiedelung der Mutter mit Chlamydia trachomatis oder Neisseria gonorrhoeae können die Keime unter der Geburt von dem Neugeborenen erworben werden und zu einer eitrigen Konjunktivitis führen *(Ophthalmia neonatorum)*, die sich in den ersten 10 Lebenstagen manifestiert. Bei Frühgeborenen besteht bei Chlamydien darüberhinaus das Risiko einer Pneumonie.

SYMPTOME

- *Ophthalmia neonatorum:* 2–10 Tage nach der Geburt Lidschwellung, Chemose, eitriges Sekret, verklebte Augen. Einseitiger Beginn, später oft bilateral.
- *Pneumonie:* Schleichender Beginn, Hauptmanifestation in der 3.–6. Lebenswoche mit Tachypnoe, Atemnot, Hustenanfällen. Im Röntgenbild Infiltrate der Lunge. Tritt oft gemeinsam oder im Anschluss an Ophthalmia neonatorum auf.

DIAGNOSE

Erregernachweis (PCR, Kultur, Antigennachweis) in Augenabstrichen, bei Pneumonie im Bronchialsekret (s. Kap. 11.4 „Sexuell übertragbare Erkrankungen").

Therapie
Bei Chlamydien: Erythromycin oral für 10–14 Tage. Bei Neisseria gonorrhoeae: Ceftriaxon oder Cefotaxim oder Penicillin i.v. Bei Ophthalmia neonatorum zusätzlich Erythromycin-Augentropfen oder -salbe.

Prävention der Ophthalmia neonatorum
Credé-Prophylaxe bei Neugeborenen: 1% Silbernitrat ins Auge träufeln oder Erythromycin-Augentropfen.

17.2.4 Herpes-simplex-Virusinfektionen des Neugeborenen

HSV-Infektionen bei Feten oder Neugeborenen werden zu 90% durch HSV-2 verursacht. Infektionsquelle sind genitale Herpesinfektionen der Mutter, insbesondere Primärinfektionen. Die Inzidenz der neonatalen HSV-Infektionen wird auf 1:3000–1:20.000 aller Lebendgeburten geschätzt. Neonatale Herpes-simplex-Infektionen verlaufen entweder als lokalisierte Haut- und Schleimhautinfektionen, insbesondere bei Primärinfektion der Mutter als Enzephalitis (50%) oder als disseminierte systemische Infektionen mit oder ohne ZNS-Beteiligung. In Deutschland treten pro Jahr ca. 100–500 Fälle von systemischen Herpesinfektionen bei Neugeborenen auf. Konnatale, diaplazentar übertragene HSV-Infektionen sind sehr selten (s. Kap. 11.4.5: „Genitaler Herpes“).

SYMPTOME

Bei 60% der Kinder bullöses Exanthem, bei 30% Herpesläsionen in Mund und Rachen. Bei disseminierter Infektion septische Bilder evtl. mit Erbrechen, Lethargie, Apnoe, Zyanose. Bei ZNS-Beteiligung: Krampfanfälle, Koma, Opisthotonus.

Verlauf
Prognostisch entscheidend ist der frühzeitige Therapiebeginn mit Aciclovir. Kinder mit disseminierter Infektion haben trotz Aciclovir eine schlechte Prognose.

DIAGNOSE

- Klinik.
- Erregernachweis in Bläscheninhalt (PCR, Virusisolierung).

Therapie
Möglichst frühzeitig Aciclovir 3-mal 10 mg/kgKG/Tag i.v. (Frühgeborene 2-mal 10 mg/kgKG/Tag) für 2–3 Wochen.

!

Bei klinisch manifestem Herpes genitalis der Mutter ist eine Schnittentbindung angezeigt. Bei mukokutanem Herpes der Mutter oder von Besuchern: Kind vor direktem Kontakt schützen.

17.2.5 Konnatale Röteln

Infizieren sich nichtimmune Schwangere mit dem Rötelnvirus, besteht eine hohe Wahrscheinlichkeit für die diaplazentare Infektion des Fetus mit schwerwiegenden Folgen. Im 1. und 2. Trimenon ist das Risiko für Embryopathien (35%) oder Furchttod (10%) am größten; in den ersten 6 Wochen beträgt das Risiko für Embryopathien sogar 55% (Missbildungen von Herz, Gefäßen, Augen, Gehirn). Aber auch nach dem 4. Schwangerschaftsmonat können bleibende Organschädigungen die Folge sein (Seh-, Hörschäden, geistige Retardierung).

Die Infektion der Schwangeren verläuft oft asymptomatisch und bleibt unbemerkt. Kinder mit konnatalen Röteln können das Virus über Monate mit den Körpersekreten ausscheiden (s. Kap. 18.5: „Röteln“ – in Kap. 18: „Kinderkrankheiten“).

SYMPTOME

Die Kinder erscheinen bei Geburt oft unauffällig bis auf ein geringes Geburtsgewicht, oder sie zeigen Hepatosplenomegalie, Ikterus, thrombozytopenische Purpura, Pneumonie, Myokarditis oder Meningoenzephalitis. Bei Untersuchungen werden Missbildungen an Herz oder Gefäßen, Augen (Katarakt, Retinaaplasien, Glaukom, Mikroophthalmie), Innenohrschäden (Schwerhörigkeit) gefunden.

DIAGNOSE

- Klinik.
- Nachweis spezifischer IgM-Antikörper beim Neugeborenen oder während der Schwangerschaft im fetalen Blut ab der 15. Schwangerschaftswoche; evtl. Erregernachweis mittels PCR in Fruchtwasser, Chorionzotten (ab 12. Schwangerschaftswoche).

Therapie
Keine spezifische Therapie.

Prophylaxe
Die *aktive Immunisierung* mit Lebendimpfstoff ist unbedingt zu empfehlen; am besten ab dem 15. Lebensmonat mit Wiederholung bei Einschulung; sonst bei Mädchen vor der Pubertät. Bei einem Antikörpertiter der Mutter im Hämagglutinationstest ab 1:32 wird eine Infektion als unwahrscheinlich angesehen. Frauen mit niedrigerem Titer sollten vor Beginn einer Schwangerschaft geimpft werden. Während der Schwangerschaft keine aktive Rötelnimmunisierung durchführen.

Wenn eine Schwangere mit Röteln in Kontakt gekommen ist, ist eine Kontrolle ihres Antikörperstatus angezeigt. Wird eine Infektion der Mutter im 1. Trimenon nachgewiesen, sollte sie über das Risiko von Abort, Totgeburt und Missbildungsrisiko aufgeklärt und ein Schwangerschaftsabbruch erwogen werden. Die Gabe von Immunglobulinen innerhalb von 1–2 Tagen nach Exposition verhindert eine Infektion nicht sicher.

17.2.6 Konnatale und perinatale Zytomegalie

Bei einer Infektion während der Schwangerschaft mit dem Zytomegalievirus (CMV) kann das Virus transplazentar oder aszendierend auf den Fetus übertreten. Bei der Erstinfektion der Mutter beträgt die Übertragungsrate 35–50%, bei Reaktivierungen 0,2–2%. Das Risiko für Embryonalschädigung ist besonders hoch im 1. und 2. Trimenon (40%).

Die intrauterin erworbene Infektion führt zu Entwicklungsstörungen (Mikrozephalie, Katarakt, intrazerebrale Verkalkungen, geistige Retardierung) oder Entzündungsprozessen (thrombozytopenische Purpura, Chorioretinitis, Hepatosplenomegalie, Ikterus). Etwa 7% der Kinder zeigen bei Geburt schwere klinische Manifestationen, ca. 20% davon sterben. Mehr als 90% der Neugeborenen sind bei Geburt klinisch asymptomatisch, jedoch entwickeln 5–15% von ihnen Spätschäden wie Hörverlust, Sehschäden, geistige Retardierung (Abb. 17-1).

Neugeborene können sich auch während der Geburt an den Körpersekreten der Mutter oder beim Stillen durch Muttermilch infizieren. Diese postpartalen Infektionen führen jedoch nur selten zu klinischen Manifestationen (Pneumonie, Hepatitis, Thrombozytopenie,hämolytische Anämie).

SYMPTOME

- *Konnatale CMV-Infektion:* Bei ca. 7% der infizierten Kinder klinische Manifestation wie geringes Geburtsgewicht, Hautblutungen, Hepatosplenomegalie, Pneumonie, psychomotorische Retardierung, Chorioretinitis, Ikterus, Mikrozephalie, intrazerebrale Verkalkungen.
- *Perinatale CMV-Infektion:* Meist asymptomatisch. Selten Pneumonie, Hepatitis, hämolytische Anämie.

DIAGNOSE

- Erregerisolierung aus Urin, Speichel, Blut, Liquor.
- Nachweis spezifischer IgM-Antikörper beim Kind (unsicher).

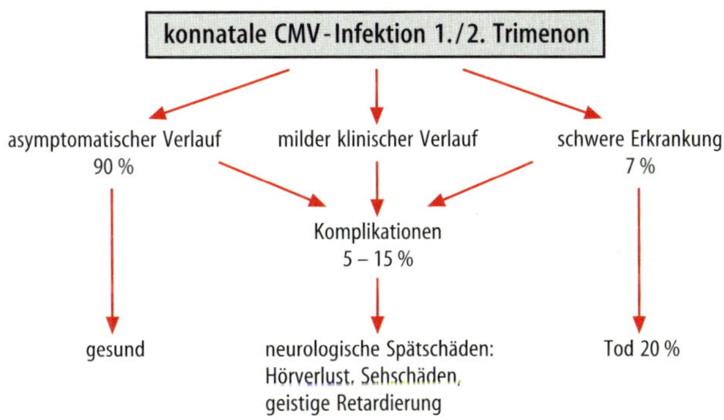

Abb. 17-1. Konnatale Zytomegalieinfektionen

Therapie
Bei symptomatischen Kindern Therapieversuch mit Ganciclovir 10 mg/kgKG/Tag für 2 Wochen, anschließend Erhaltungstherapie mit 1-mal 5 mg/kgKG/Tag an 3 Tagen der Woche für 6 Wochen.

Bei einer gesicherten Primärinfektion im ersten Drittel der Schwangerschaft ist ein Schwangerschaftsabbruch in Erwägung zu ziehen.

17.2.7 Konnatale und perinatale Varizellen

- **Konnatale Varizellen:** Bei der Erstinfektion der Schwangeren mit dem Varizella-zoster-Virus (VZV) im 1. Trimenon tritt bei ca. 1% der infizierten Kinder ein Varizellensyndrom auf.
- **Perinatale Varizellen:** Bei VZV-Erkrankung der Mutter 5 Tage vor bis 2 Tage nach der Geburt kann bei Neugeborenen, die keinen mütterlichen Antikörperschutz haben, eine disseminierte, lebensbedrohliche Erkrankung auftreten.

SYMPTOME

Varizellen-Syndrom (selten): Geringes Geburtsgewicht, bläschenförmige Effloreszenzen oder Hautdefekte, Narben, Gliedmaßenhypoplasien, Augen- (Katarakt, Chorioretinitis). Anomalien; zerebrale Krämpfe, psychomotorische Retardierung.

DIAGNOSE

Nachweis spezifischer IgM-Antikörper.

Therapie
Neugeborene erkrankter Mütter erhalten sofort nach der Geburt VZV-Immunglobulin. Bei klinischen Symptomen evtl. Aciclovir. Nichtimmune Schwangere sollten innerhalb von 3 Tagen nach Exposition VZV-Immunglobulin erhalten. Ob dadurch das Varizellensyndrom verhindert werden kann, ist nicht sicher bewiesen.

Da das Missbildungsrisiko relativ gering ist, ist eine Schwangerschaftsunterbrechung nicht in jedem Fall indiziert, sie ist jedoch bei sonographisch nachgewiesenen Fehlbildungen zu erwägen. (s. „Varizellen (Windpocken) und Zoster" – in Kap. 18.6: „Kinderkrankheiten").

Zoster während der Schwangerschaft

Bei Zoster während der Schwangerschaft sind keine negativen Folgen für den Fetus bekannt, da ein Schutz durch mütterliches IgG besteht.

17.2.8
Konnatale Lues

Bei einer unbehandelten Luesinfektion der Mutter während der Schwangerschaft kann transplazentar der Fetus infiziert werden. Dies kann zum Tod des Fetus und Abort oder mehr oder weniger ausgeprägten Krankheitszeichen führen. Die konnatale Lues ist heute relativ selten wegen der rechtzeitigen Therapie der Mutter.

SYMPTOME

Fieber, Hautausschlag, Haut- und Schleimhautläsionen, Rhinitis, Hepatosplenomegalie, Lymphadenitis, Knochenschäden.
Spätmanifestationen können im Alter von 12–20 Jahren auftreten (neurologische Symptome, Optikusatrophie, Synovitis, Periostitis).

DIAGNOSE

Nachweis von luesspezifischen IgM-Antikörpern beim Kind.

Therapie
Penicillin; s. Kap. 11.4.2: „Lues (Syphilis)“.

17.2.9
Parvovirus-B19-Infektion (Ringelröteln, Erythema infectiosum) während der Schwangerschaft.

Bei einer Infektion nichtimmuner Schwangerer mit Parvovirus B19 wird in etwa 50% das Virus diaplazentar auf den Fetus übertragen. Meist bleibt dies ohne Folgen. Im 3. Trimenon entsteht bei ca. 10% eine hochgradige Anämie, die zu Hydrops fetalis oder intrauterinem Fruchttod führen kann. Bei lebenden Neugeborenen von Müttern mit Ringelröteln während der Schwangerschaft wurden bisher keine Embryopathien beobachtet.

SYMPTOME

Erstes Anzeichen ist oft ein erhöhtes α_1-Fetoprotein im Serum der Mutter. Bei ca 10% der Feten schwere Anämie, Herzversagen, Hydrops fetalis, intrauteriner Fruchttod.

DIAGNOSE

- α_1-Fetoproteinanstieg im Serum der Mutter.
- Nachweis spezifischer Antikörper. IgM-Antikörper müssen nicht mehr vorhanden sein, da zwischen der Infektion der Mutter und den Symptomen beim Fetus mehr als 12 Wochen liegen können. Feten weisen oft kein IgM auf. Am besten ist es, den Immunstatus vor der Schwangerschaft zu testen.
- Erregernachweis (PCR) in fetalem Blut, Fruchtwasser.
- *Ultraschall:* Nachweis von Hydrops fetalis.

Therapie

Keine spezifische Therapie. Bei Hydrops fetalis kann ein fetaler Blutaustausch Erfolg bringen, anderenfalls evtl. Interruptio (s. Kap. 18.2 „Ringelröteln").

Prophylaxe

Schwangere sollten jeglichen Kontakt mit an Ringelröteln Erkrankten meiden.

17.2.10 Kongenitale Toxoplasmose

Bei Erstinfektion einer Schwangeren mit Toxoplasma gondii können die Erreger auf dem Blutweg den Fetus infizieren und schwere Defekte verursachen. Da die Erreger zu Beginn einer Schwangerschaft die Plazenta schwerer passieren können, ist die Infektionswahrscheinlichkeit in den ersten Monaten kleiner als später. Sie liegt bei einer Infektionen der Mutter im 1. Trimenon nur bei 15%, im 2. Trimenon bei 45%, im 3. Trimenon bei 60%. Jedoch ist das Risiko einer Fruchtschädigung oder eines Abortes in der Frühschwangerschaft wesentlich höher als in späteren Stadien. In Deutschland treten jährlich ca. 6–7 Toxoplasmenerstinfektionen pro 1000 Schwangerschaften auf. Die mütterliche Infektion verläuft meist symptomlos, selten mit Lymphadenitis, Fieber.

Die fetale Toxoplasmose ist eine generalisierte Infektion mit Hepatitis, Myokarditis, evtl. Pneumonie und Enzephalitis. Auch nach Ausheilung persistieren im Gehirn und der Retina die Erreger in Zysten, aus denen sie reaktiviert werden können (s. Abb. 17-2 und 17-3). Die Toxoplasmose des Auges bei Kindern und Erwachsenen geht meist auf eine kongenitale Infektion zurück, die erst im 2. oder 3. Lebensjahrzehnt Beschwerden verursacht.

SYMPTOME

Am häufigsten sind subklinische Infektionen. Erst später treten enzephalitische Spätschäden auf wie Anfallsleiden oder geistige Retardierung oder klassische Trias: intrazerebrale Verkalkungen, Hydrozephalus, Chorioretinitis. Nur wenige Kinder werden mit schwerer systemischer Infektion geboren: mit ge-

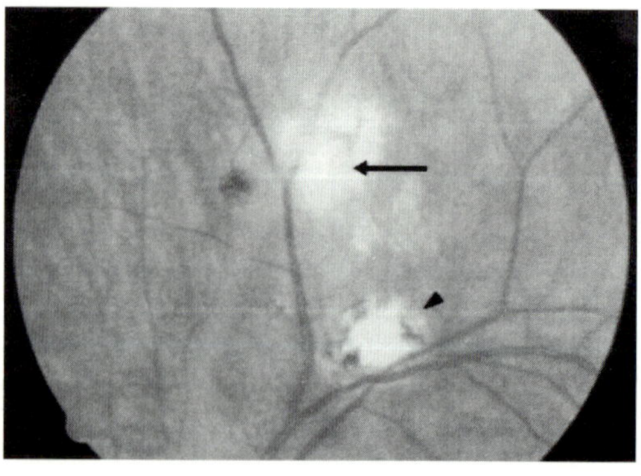

Abb. 17-2. Chorioretinitis bei konnataler Toxoplasmose. (Aus Hof et al., Mikrobiologie, 2000, S. 503)

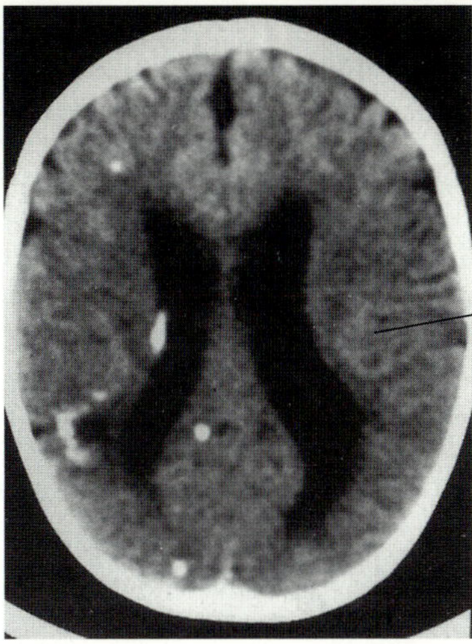

Abb. 17-3. Intrazerebrale Verkalkungen bei konnataler Toxoplasmose. Entzündliche Verklebungen der Liquorabflusswege mit nachfolgendem Hydrozephalus. Beide Seitenventrikel sind deutlich erweitert. (Aus Hof et al., Mikrobiologie, 2000, S. 503)

ringem Geburtsgewicht, Hepatosplenomegalie, Thrombozytopenie, Purpura, Pneumonie, Ikterus. Manchmal Enzephalitis, evtl. Hydrozephalus, Mikrophthalmie.

DIAGNOSE

- Nachweis spezifischer IgM-Antikörper. Bei Neugeborenen belegen IgM- oder IgA-Antikörper eine pränatale Infektion. Sie müssen jedoch nicht immer nachweisbar sein.
- Erregernachweis (PCR, Tierversuch, Giemsa-Präparat) in Liquor, Blut, Amnionflüssigkeit, Gewebe.
- Untersuchung des Augenhintergrundes.
- *Bildgebende Verfahren:* EEG, CT, MRT Kopf.

Therapie

Bei Infektion bis zur 15. Schwangerschaftswoche Spiramycin, danach Sulfadiazin plus Pyrimethamin. Auch klinisch gesunde Neugeborene erhalten über 1 Jahr alternierende Therapiezyklen im Wechsel:

- 1. Zyklus: Pyrimethamin plus Sulfadiazin,
- 2. Zyklus: Spiramycin für jeweils 4 Wochen.

Prophylaxe

Während der Schwangerschaft kein ungenügend erhitztes Fleisch essen. Vorsicht beim Reinigen von Katzenklos. Am besten den Immunstatus der Mutter vor der Schwangerschaft bestimmen (s. Kap. 22.19: „Toxoplasmose" – in Kap. 22: „Zoonosen").

17.2.11
Masern bei Schwangeren

Bei einer akuten Maserninfektion Schwangerer wurden bei ca. 20% Aborte oder Totgeburten beobachtet. Fetale Missbildungen durch das Masernvirus sind nicht sicher bewiesen. Eine Masernerkrankung der Mutter kurz vor oder nach der Geburt kann beim Neugeborenen eine schwere Infektion zur Folge haben.

DIAGNOSE

- Bei Verdacht auf Masern-Kontakt sofort Immunstatus der Mutter überprüfen. Ist sie durch Antikörper geschützt (98% der Fälle), ist eine kindliche Infektion ausgeschlossen. Bei Seronegativen: Immunglobulin verabreichen.
- Bei Verdacht auf fetale Infektion: Nachweis spezifischer IgM-Antikörper im Nabelschnurblut.

Therapie

Bei einer mütterlichen Infektion zum Geburtszeitpunkt sollte das Neugeborene Immunglobulin erhalten und isoliert werden. Eine Interruptio ist bei Masern in der Schwangerschaft nicht indiziert.

Prophylaxe

Eine Maserninfektion bei nichtimmunen Schwangeren kann durch Immunglobulingabe innerhalb von 3 Tagen nach Exposition verhütet werden.

17.2.12
Mumps bei Schwangeren

Bei Müttern mit einer Mumpsinfektion während der Schwangerschaft im 1. Trimenon wurde eine erhöhte Abortrate beobachtet. Eine Teratogenität des Mumpsvirus ist nicht erwiesen. Eine Mumpsinfektion der Mutter kurz vor oder nach der Entbindung kann bei Neugeborenen eine schwere Infektion verursachen.

DIAGNOSE

Bei Verdacht auf mütterliche Infektion sofort Immunstatus der Mutter überprüfen. Ist sie durch Antikörper geschützt (96%), ist eine Infektion ausgeschlossen. Im negativen Fall kann Mumpsimmunglobulin verabreicht werden.

Therapie

Neugeborene mit akuter Mumpsinfektion der Mutter zum Geburtszeitpunkt sollten Immunglobulin erhalten und isoliert werden. Seronegative Mütter mit Mumpsexposition während der Schwangerschaft können Antiserum erhalten, die Wirkung ist jedoch nicht sicher.

17.2.13
Hepatitis B bei Schwangeren

Das Hepatitis-B-Virus wird von Müttern, die HBsAg-positiv sind, intrapartum durch die blutigen Geburtssekrete oder peripartal, z. B. über Muttermilch, auf das Neugeborene übertragen. Das Infektionsrisiko für das Kind liegt bei HBsAg- und HBeAg-positiven Müttern bei 90%. Fast alle (90–100%) der peri- oder postnatal infizierten Kinder werden zu chronischen Trägern, oft ohne akute Erkrankung, mit dem Risiko späterer Leberschäden. Besonders in den Entwicklungsländern spielt die perinatale Infektion eine bedeutende Rolle.

DIAGNOSE

- Infizierte Kinder zeigen die gleiche Antigen- und Antikörpercharakteristik wie bei akuter Hepatitis B.
- Nachweis von Anti-HBc, AntiHBs und HBsAg im Nabelschnurblut und im 3. und 6. Lebensmonat im Serum.

Therapie
Kinder HBsAg-positiver Mütter erhalten innerhalb von 12 h nach der Geburt Anti-HBV-Immunglobulin und simultan eine aktive Immunisierung (3 Dosen Totimpfstoff nach 0, 1, 6 Monaten).

Prophylaxe
Bei Hochrisikoexposition nichtimmuner Schwangerer mit HBV ist eine passive Immunisierung zu empfehlen, evtl. simultan mit aktiver Immunisierung.

! **Die Untersuchung von Schwangeren auf HBV vor der Geburt gehört zur Schwangerschaftsvorsorge (Tabelle 17-3).**

17.2.14
Hepatitis A bei Schwangeren

Bei schwer verlaufender Hepatitis-A-Infektion der Mutter im Spätstadium der Schwangerschaft ist die Frühgeburtsrate erhöht. Wenn die Mutter kurz vor dem

Tabelle 17-3. Empfohlene Infektionskontrollen während der Schwangerschaft

S	**Syphilis**
T	Toxoplasmose
O	„Others" (B-Streptokokkenbesiedelung, Hepatitis B und C, HIV)
R	Röteln
C	Chlamydien/CMV (Zytomegalie)
H	Herpes-simplex-Virus, HPV (Kondylome)

Geburtstermin HAV-positiv wird, besteht die Gefahr der postpartalen Übertragung auf das Neugeborene.

Prophylaxe
Bei HAV-Infektion der Schwangeren kurz vor der Geburt sollte das Neugeborene HAV-Immunglobulin erhalten.

17.2.15 Hepatitis C bei Schwangeren

Bei einer HCV-Infektion in der Schwangerschaft ist eine Infektion des Fetus möglich, wahrscheinlich intrauterin, intra partum. Die Chronifizierungsrate bei frühkindlicher Infektion liegt weit niedriger als jene im Erwachsenenalter (im Gegensatz zu HBV).

Prophylaxe
HCV-Antikörpernachweis gehört zum Schwangerschafts-Screening. Eine Prophylaxe durch passive oder aktive Immunisierung ist derzeit nicht möglich.

17.2.16 HIV bei Schwangeren

Das HIV-Virus kann von seropositiven Müttern intrapartum durch die Geburtssekrete, aber auch postnatal durch Stillen auf das Neugeborene übertragen werden (8%). Eine Übertragung ist umso häufiger, je höher die Viruslast der Mutter ist.

DIAGNOSE

- Virusnachweis (PCR) beim Kind.
- Antikörpertiter bei der Geburt, der nach 6 Monaten nicht abfällt.

Therapie
Die Behandlung von Schwangeren mit antiretroviralen Substanzen hat einen deutlichen Rückgang infizierter Babys bewirkt. Infizierte Kinder erhalten eine antiretrovirale Therapie (s. Kap. 19.4: „HIV/Aids“).

17.2.17 Borreliose bei Schwangeren

Bei einer Bakteriämie mit Borrelia burgdorferi während der Schwangerschaft (Erythema migrans nach Zeckenbiss, serologischer Nachweis der Infektion) ist eine diaplazentare Übertragung auf den Fetus möglich. In einzelnen Fällen wird ein Zusammenhang mit Fruchttod oder kindlichen Schäden diskutiert.

Therapie
Bei Borrelieninfektion mit Erythema migrans während der Schwangerschaft: Ceftriaxon oder Cefotaxim i.v. für 2 Wochen.

17.2.18 Lymphozytäre Choriomeningitis bei Schwangeren

Infiziert sich eine Schwangere mit dem lymphozytären Choriomeningitisvirus (LCM-Virus), das von Mäusen oder Goldhamstern auf den Menschen übertragen wird, kann das Virus diaplazentar den Fetus befallen. Infektionen in der Frühschwangerschaft können Aborte bewirken, im 2. und 3. Trimenon Hydrozephalus, Chorioretinitis, geistige Retardiertung (s. Kap. 22.7: „Lymphozytäre Choriomeningitis" - in Kap. 22: „Zoonosen").

Therapie
Keine spezifische Therapie.

17.2.19 Papillomavirusinfektionen bei Schwangeren

Humane Papillomavirusinfektionen des Genitales wurden bei 7% zytologisch unauffälliger Frauen gefunden. HPV können bei perinataler Übertragung bei Kleinkindern zu Larynxpapillomen führen (HPV11 und 6).

Prophylaxe
Kondylome sollten vor der Geburt elektrochirurgisch oder kryotherapeutisch entfernt werden. Eine Interruptio ist nicht indiziert. Die Entbindung durch Sectio kann bei mechanischer Geburtsbehinderung notwendig sein (s. Kap. 11.4.6: „Papillomavirusinfektionen" - in Kap. 11.4: „Sexuell übertragbare Erkrankungen").

17.2.20 Coxsackie-/ECHO-Virusinfektionen bei Schwangeren

Bei Infektion im 3. Trimenon mit Coxsackie-Virus B Typ 3 wurden Myokarditis des Fetus, bzw. intrauteriner Fruchttod beschrieben. Bei perinataler oder postnataler Infektion des Neugeborenen mit Enteroviren (Schmierinfektion) besteht für das Neugeborene ein erhöhtes Komplikationsrisiko (Meningitis).

Prophylaxe
Beim Nachweis von Enteroviren bei Kindern einer Säuglingsstation erhalten alle Kontaktpersonen Immunglobulin.

Kapitel 18

Kinderkrankheiten

Typische Verursacher von Kinderkrankheiten sind Erreger mit hoher Kontagiosität, die meist eine lebenslange Immunität hinterlassen. Erwachsene sind geschützt durch spezifische Antikörper, da im Kindesalter eine weitgehende Durchseuchung stattfindet bzw. gegen viele der viralen Infektionen heute aktiv immunisiert wird. Manche Infektionen, z. B. Hepatitis A oder Poliomyelitis, waren noch vor 50 Jahren Kinderkrankheiten, sind heute aber selten und treten - wenn überhaupt - auch bei Erwachsenen auf.

18.1 Scharlach

Scharlach ist eine durch toxinproduzierende hämolysierende Streptokokken der Gruppe A hervorgerufene Erkrankung mit einem Exanthem am Körper, den Extremitäten, im Gesicht und einem Enanthem im Rachen. Es tritt meist in Zusammenhang mit eitriger Tonsillitis auf; selten auch von Streptokokkeninfektionen an anderer Lokalisation ausgehend (Wundscharlach). Die Hautreaktion wird hervorgerufen durch erythrogene Toxine (pyrogene Exotoxine), die von den Streptokokken abgegeben werden.

Die Fähigkeit zur Toxinbildung ist auf labilen DNA-Elementen der Streptokokken kodiert, sodass diese Fähigkeit verloren gehen oder auf andere Stämme übertragen werden kann. Es gibt 3 Toxintypen (A, B, C), d. h. man kann mehrmals erkranken. Die Übertragung der Streptokokken erfolgt durch Tröpfcheninfektion. Inkubationszeit 2–4 Tage [s. Kap. 5.5.4: „Streptokokkenangina (Angina tonsillaris)“].

SYMPTOME

Plötzlich hohes Fieber, Schluckbeschwerden, schweres Krankheitsgefühl. Die Tonsillen sind entzündlich geschwollen und hochrot, meist mit gelblichen Eiterstippchen oder Belägen. Die Kieferwinkellymphknoten sind schmerzhaft geschwollen. Wenige Tage später entwickelt sich ein feinfleckiges Exanthem, das am Brustkorb beginnt und über den Rumpf die Extremitäten erreicht. Im Gesicht ist charakteristisch die Aussparung der Mundpartie (periorale Blässe). Im Mund Enanthem. Am 4.–5. Tag zeigt die Zunge hypertrophierte Papillen (Himbeerzunge). Nach Abheilung erfolgt eine groblamelläre Schuppung der Haut, die an Handtellern und Fußsohlen oft besonders ausgeprägt ist.

Komplikationen

Bei 3–4% immunologisch bedingte Folgeerkrankungen wie rheumatisches Fieber, akute Glomerulonephritis (s. Kap. 23: „Postinfektiöse Komplikationen“).

DIAGNOSE

- Nachweis von β-hämolysierenden Streptokokken der Gruppe A im Tonsillenabstrich (mittels Kultur oder Schnelltest).
- Nach 3–4 Wochen sollte eine Urinuntersuchung zum Ausschluss einer akuten Glomerulonephritis bzw. eine Herzuntersuchung zum Ausschluss von rheumatischem Fieber angeschlossen werden.

Therapie

Eine frühzeitige Antibiotikatherapie kürzt den Krankheitsverlauf ab und verhindert Komplikationen, z. B. Peniillin V für 10 Tage (Erwachsene 3-mal 1,2–2,4 Mio. IE p.o.; Kinder 60.000–100.000 IE/kgKG/Tag). Alternativen: Oralcephalosporine. Bei Allergie: Makrolid oder Clindamycin. Die Therapie muss zur Vermeidung von Folgeerkrankungen 10 Tage (bei Azithromycin 3 Tage) durchgeführt werden. Bei engen Kontaktpersonen Umgebungsprophylaxe mit Penicillin V.

Ansteckungsfähigkeit/Wiederzulassung zur Schule oder Gemeinschaftseinrichtungen: Erkrankte gelten bei wirksamer antibiotischer Behandlung ab dem 2. Tag als nicht mehr infektiös; ohne Antibiotikatherapie frühestens nach 3 Wochen.

Immunität

Schützende Antikörper werden gegen den Streptokokkentyp (mehr als 50 Serotypen) und den Toxintyp (3 Toxine) produziert. Erwachsene sind immun, wenn sie Antikörper gegen den verursachenden Serotyp der Streptokokken besitzen. Haben sie Antikörper gegen den Scharlachtoxintyp, jedoch nicht gegen den Streptokokkenserotyp, entwickeln sie eine Streptokokkeninfektion ohne Exanthem.

! **Die frühzeitige Gabe von Antibiotika bei Scharlach kürzt den Krankheitsverlauf ab und schützt vor Folgeerkrankungen wie rheumatisches Fieber oder akute Glomerulonephritis.**

18.2 Erythema infectiosum (Ringelröteln)

Der Erreger, das Parvovirus B19, ist weltweit verbreitet mit einer Durchseuchung der Weltbevölkerung von 50–80%. Die Erkrankung tritt sporadisch oder endemisch auf, mit saisonaler Häufung im Winter und Frühjahr. Alle 3–5 Jahre findet man Erkrankungswellen, wenn genügend empfängliche Kinder herangewachsen sind. Am häufigsten erkranken Kinder im Vorschulalter.

Die Übertragung erfolgt durch Tröpfcheninfektion. Die Inkubationszeit beträgt 5–10 Tage. Das Virus wird ab dem 6. Tag für 3–7 Tage über Nasen-Rachen-Sekret und Urin ausgeschieden. Die Virusvermehrung ist nur in Zellen möglich, die sich in der S-Phase des Zellzyklus befinden, z. B. in Erythroblasten. Die Replikation der Viren in Erythroblasten verursacht eine Hemmung der Erythropoese. Daher ist unmittelbar nach der Virämie die Erythrozytenzahl vermindert. Bei Gesunden endet die Störung der Erythropoese, sobald Antikörper produziert werden. Bei Immundefizienten kann die Erythropoesehemmung wochenlang anhalten. Die typischen Exantheme und Arthralgien entstehen vermutlich durch Immunkomplexe.

Während der Schwangerschaft kann das Virus diaplazentar auf den Fetus übertragen werden. Die Infektion führt bei 10% zu Totgeburt oder einer persistierenden Infektion, oft mit Hydrops fetalis (s. Kap. 17: „Kongenitale und perinatale Infektionen"). Etwa 50% der Infektionen verlaufen asymptomatisch oder als „grippaler Infekt", wobei meist Anämie, Neutropenie, Thrombozytopenie oder Lymphopenie nachweisbar sind.

SYMPTOME

- *Kinder:* Kinder im Alter von 4–11 Jahren zeigen typischerweise Fieber, Muskelschmerzen, Kopfschmerzen und Exanthem. Das klassische Erythema infectiosum beginnt mit einer knalligen Rötung der Wangen (wie nach Ohrfeigen), anschließend netzförmiges Erythem an Stamm und Gliedmaßen, manchmal juckend. Das Exanthem verschwindet nach 1–2 Tagen, kann aber innerhalb von Wochen oder Monaten wieder auftreten, z. B. nach Anstrengung oder Sonnenbad. Selten Lymphknotenschwellungen, Arthralgien besonders der Hand- und Fußgelenke.
- *Erwachsene:* Fieber mit oder ohne Exanthem, symmetrische Arthralgien (besonders bei jungen Frauen), die nach 2 Wochen bis Monaten komplikationslos abheilen.
- *Bei aplastischer Anämie:* Aplastische Krise mit Abnahme der Retikulozyten für Wochen, meist ohne Exanthem. Bei Immundefizienz evtl. chronische Knochenmarkdysplasie.

DIAGNOSE

- Klinik, falls typisch. Bei Immundefizienten mit aplastischer Anämie Nachweis des Virus durch PCR.
- Eine Labordiagnose ist nur erforderlich bei fraglicher Infektion während der Schwangerschaft:
- Nachweis spezifischer IgM-/IgG-Antikörper. IgM-Antikörper müssen jedoch bei Schwangeren nicht mehr vorhanden sein, da zwischen der Infektion der Mutter und Symptomen beim Feten mehr als 12 Wochen liegen können.
- α_1-Fetoproteinanstieg im Serum der Mutter.
- Erregernachweis mittels PCR in fetalem Blut, Fruchtwasser, Knochenmark.
- Ultraschalluntersuchung zur Erkennung eines Hydrops fetalis bei Infektion während der Schwangerschaft.

Therapie

Keine spezifische Therapie. Bei aplastischer Anämie Erythrozytenkonzentrate. Bei drohendem fetalem Hydrops sind mit Erfolg intrauterine Austauschtransfusionen durchgeführt worden. Bei chronischer Infektion von Immundefizienten ist die Gabe von Immunglobulinen erfolgreich.

Prophylaxe
Vermeidung der Exposition von Schwangeren.

18.3 Masern

Das Masernvirus ist weltweit verbreitet und hoch kontagiös. Es verursacht eine generalisierte Infektion mit passagerer Immunsuppression und häufigen Komplikationen. Nach Exposition erkranken Nichtimmune immer mit klinischen Symptomen. Die Erkrankungsgipfel liegen im Spätwinter und Frühling. Die Übertragung des Masernvirus erfolgt durch Tröpfcheninfektion. Das Virus vermehrt sich in den Epithelzellen des Respirationstraktes und gelangt lymphogen und hämatogen in die Haut. Es befällt Zellen des Immunsystems und Makrophagen, was zu einer Störung der Interleukinproduktion führt und eine vorübergehende Abwehrschwäche zur Folge hat. Das Exanthem entsteht durch eine Entzündung im Bereich der Hautkapillaren.

Die Inkubationszeit beträgt 10–12 Tage bis zum Auftreten „grippaler" Prodromalsymptome, 14 Tage bis zum Exanthem (Tabelle 18-1). Eine Ansteckungsgefahr besteht vom 8. Tag nach Infektion bis zum Abklingen des Ausschlags. Die Erkrankung hinterlässt eine lebenslange Immunität. Bei Erwachsenen verläuft die Erkrankung schwerer als im Kindesalter. In den Entwicklungsländern sind Masern eine häufige Todesursache bei Kindern.

SYMPTOME

Beginn als „grippaler Infekt" mit Fieber, Konjunktivitis (Lichtscheu!), Schnupfen, Halsschmerzen, trockenem Husten, Enanthem der Wangenschleimhaut (Koplik-Flecken). Nach 3–4 Tagen unter Fieberanstieg >38,5°C Ausbildung des Masernexanthems mit makulopapulösen Effloreszenzen, die hinter den Ohren und im Gesicht beginnen und sich rasch über den ganzen Körper ausbreiten. Nach einem Höhepunkt am 2.–3. Exanthemtag folgt rasche Entfieberung und Abblassen des Exanthems oft mit Schuppung. Eventuell generalisierte Lymphadenopathie. Eine Persistenz des Fiebers bei rückläufigem Exanthem weist auf Komplikationen hin.

Komplikationen
Sie treten relativ häufig auf und kommen zustande durch den Lympho- und Neurotropismus des Virus.

- Bei 30% der komplikationslos verlaufenden Masernfälle zeigt das EEG vorübergehende reversible Veränderungen.
- Die Infektion verursacht eine passagere Immunschwäche von ca. 6 Wochen Dauer. Die Folge sind häufige bakterielle Sekundärinfektionen, z. B. Otitis media oder Pneumonie. Eine Pneumonie kann auch durch das Masernvirus selbst verursacht werden.
- Masernenzephalomyelitis (bei 1 von 1000 Masernfällen): Nach der ersten Entfieberung ein erneuter Fieberanstieg mit ZNS-Symptomatik, z. B. Benommenheit, Krämpfe. Letalität 10–15%, Dauerschäden bei ca. 20–30% (Persönlichkeitsveränderungen, Lähmungen).

Tabelle 18-1. Kinderkrankheiten mit Hautausschlag

Infektion	Erreger	Hautmanifestation	Fieber	Bemerkungen
Scharlach	Toxinproduzierende hämolysierende Streptokokken Gruppe A	Feinfleckiges Erythem am Stamm und den Extremitäten, periorale Blässe im Gesicht	+++	Tritt in Zusammenhang mit Angina auf
Masern	Masernvirus	Effloreszenzen breiten sich vom Kopf nach unten über den gesamten Körper aus; Koplik-Flecken	+++	In Zusammenhang mit Rhinitis, Konjunktivitis, Husten
Röteln	Rötelnvirus	Rosige, oft konfluierende Flecken; Ausbreitung vom Gesicht über Stamm, Extremitäten	(+)	In 50% asymptomatischer Verlauf
Windpocken		Bläschenförmiges Exanthem, Beginn am Rumpf, Ausbreitung über Gesicht, Extremitäten	+	Bei Erwachsenen mit Reaktivierung: Herpes zoster
Erythema infectiosum (Ringelröteln)	Parvovirus B19	Rötung der Wangen (wie nach Ohrfeige), dann netzförmiges Exanthem an Stamm und Gliedmaßen, manchmal juckend	+	Saisonale Häufung im Winter und Frühjahr

+++ hohes Fieber >38,5°C; + mittelgradiges Fieber, (+) geringes oder kein Fieber.

- SSPE (subakute sklerosierende Panenzephalitis): sehr selten auftretende Komplikation, die 2–10 Jahre nach einer komplikationslos verlaufenen Maserninfektion auftreten kann. Ursache ist ein Persistieren des Masernvirus im ZNS mit Demyelinisierung, das bedeutet Abbau der Gehirnfunktion, Tod innerhalb von Monaten bis Jahren.
- Bei Immundefizienz entsteht häufig eine „Riesenzellpneumonie" mit z. T. wochenlangem Verlauf.
- In Entwicklungsländern wird häufiger eine schwere Enteritis beobachtet.
- Bei Masern während der Schwangerschaft: 20% Spontanaborte, fetale Missbildungen sind nicht bekannt.

DIAGNOSE

- *Klinik:* Fieber, Rhinitis, Konjunktivitis, Husten, Koplik-Flecken, Exanthem („verrotzt, verheult, verquollen").
- Nachweis spezifischer IgM-Antikörper.

Therapie

Keine spezifische Therapie. Bettruhe. Bei bakteriellen Sekundärinfekionen Antibiotika. Bei Masernriesenzellpneumonie Therapieversuch mit Immunglobulin und Ribavirin, bei Meningoenzephalitis Ribavirin, bei SSPE Isoprinosine und α-Interferon (intrathekal).

Prophylaxe
Eine aktive Immunisierung erfolgt mit einem Lebendimpfstoff, der attenuierte Viren enthält, entweder als Monovakzine oder in Kombination mit Mumps- und Rötelnviren. Die Impfung: sollte im 15. Lebensmonat erfolgen und bei Schulbeginn aufgefrischt werden. Der Impfschutz hält ca. 20 Jahre an. Nach Masernexposition ist bei Nichtimmunen innerhalb von 3 Tagen eine passive Immunisierung möglich, z. B. bei Kindern unter 1 Jahr, Schwangeren, Immunsupprimierten.

Eine Isolierung von Masernkranken im Krankenhaus ist bis 4 Tage nach Exanthembeginn nötig. Wiederzulassung zur Schule, Gemeinschaftseinrichtungen: nach Abklingen der klinischen Symptome, frühestens 5 Tage nach Exanthemausbruch.

! **Wegen der oft schweren Komplikationen bei Masernerkrankung ist eine Impfung unbedingt zu empfehlen.**

18.4 Mumps

Mumps („Ziegenpeter") ist eine durch das Mumpsvirus verursachte generalisierte Infektion, die weltweit vorkommt. Am häufigsten erkranken Kinder im Grundschulalter. Die Übertragung erfolgt durch Tröpfcheninfektion. Nach Vermehrung in den Epithelien des oberen Respirationstraktes folgt eine Generalisation. Am häufigsten ist der ein- oder doppelseitige Befall der Glandula parotis, Gl. submandibularis, Gl. sublingualis gleichzeitig oder nacheinander. Hämatogen kann das Virus auch Hoden, Ovarien (besonders bei Mumps nach der Pubertät), Pankreas, Schilddrüse oder ZNS befallen.

Das Virus wird bereits 4–5 Tage vor bis 1 Woche nach Beginn der Sialadenitis mit dem Speichel ausgeschieden. Die Inkubationszeit beträgt 18–21 (12–35) Tage. 30–50% der Infektionen verlaufen asymptomatisch. Manifeste Erkrankungen sind bei Knaben doppelt so häufig wie bei Mädchen.

SYMPTOME

Beginn als „grippaler Infekt" mit subfebrilen Temperaturen, Appetitlosigkeit, Kopfschmerzen. Dann zunächst einseitige Parotisschwellung, druckempfindlich, Schmerzen beim Kauen und Sprechen. Regionale Lymphknotenschwellung. Die Haut über der Parotis ist nicht gerötet oder erwärmt. Nach wenigen Tagen ist bei 70% auch die andere Seite betroffen. Die Mündung des Parotisausführungsgangs ist gerötet. Später sind oft auch die submandibulären und submaxillären Speicheldrüsen geschwollen. Bei 60% Fieber bis 40°C. Rückgang der Schwellungen nach 3–4 Tagen.

Komplikationen

- Mumpsmeningoenzephalitis: Tritt bei ca. 10% in Form einer gutartigen serösen Meningitis auf, bei >60% unbemerkt, aber mit Liquorpleozytose. Eine Mumpsenzephalitis ist selten (1–3%), aber prognostisch ungünstig und hinterlässt in 50% Dauerschäden.
- Mumpsorchitis: Tritt bei 25% der männlichen Patienten auf, die eine Mumpsinfektion erst nach der Pubertät durchmachen. Klinik: ca 1 Woche nach der Parotitis entwickelt sich eine schmerzhafte Hodenschwellung mit Rötung der darüberliegenden Haut, meist einseitig. Oft begleitet von Epididymitis und Fieber. Manchmal manifestiert sich eine Orchitis auch ohne Parotitis. Bei Erkrankung beider Hoden kann Steriliät die Folge sein. Bei Mädchen entsteht eine Oophoritis in ca. 5%, jedoch meist ohne Folgen.
- Mumpspankreatitis: Verläuft meist asymptomatisch, in 70% ist die Serumamylase erhöht.
- Selten entstehen Thyreoiditis, Myokarditis, Nephritis, Polyarthritis.
- Bei Mumps während der Schwangerschaft im 1. Trimenon wurde eine erhöhte Abortrate beobachtet. Eine Teratogenität des Mumpsvirus ist nicht erwiesen (s. Kap. 17: „Konnatale und perinatale Infektionen“).

DIAGNOSE

- Klinik.
- Nachweis spezifischer IgM-Antikörper.
- Ein Nachweis des Virus im Speichel ist möglich, aber nicht erforderlich.

Therapie

Symptomatisch, evtl. Analgetika, bei Orchitis auch Kortikosteroide.

Prophylaxe

Eine aktive Immunisierung mit Lebendimpfstoff (monovalenter Impfstoff oder Kombinationsimpfstoff Masern, Mumps, Röteln) kann ab dem 15. Lebensmonat erfolgen, mit Wiederholungsimpfung bei Einschulung (s. Abb. 18-1). Der Impfschutz hält jahrzehntelang an. Nicht geimpft werden dürfen Patienten mit schweren angeborenen kombinierten B-/T-Zelldefekten, Leukämie, generalisierten Malignomen und während einer immunsuppressiven Therapie.

Wiederzulassung zur Schule, Gemeinschaftseinrichtungen: nach Abklingen der klinischen Symptome, frühestens 9 Tage nach Auftreten der Parotisschwellung.

18.5 Röteln

Die durch das Rötelnvirus verursachte Erkrankung verläuft bei 50% asymptomatisch, sodass die Diagnose oft nicht gestellt wird. Epidemien treten hauptsächlich im Winter und Frühjahr auf, jedoch sind durch Impfung Epidemien bei Kindern selten geworden. Die Virusübertragung erfolgt durch Tröpfcheninfektion. Die Inkubationszeit beträgt 14–21 Tage. Die Ausscheidung über das Nasopharyngealsekret beginnt eine Woche vor und endet eine Woche nach Beginn des Exanthems,

Impfstoff / Antigenkombinationen	Geburt	Lebensmonat 2	3	4	5	12-15	Lebensjahr 5-6	11-18
DTaP *			1.	2.	3.	4.		
aP								A
Hib			1.	siehe 1)	2.	3.		
IPV **			1.	siehe 1)	2.	3.		A
HB	siehe 2)		1.		2.	3.		G
MMR ***						1.	2.	G
DT/td ****							A	A

Um die Zahl der Injektionen möglichst gering zu halten, sollten vorzugsweise Kombinationsimpfstoffe verwendet werden. Impfstoffe mit unterschiedlichen Antigenkombinationen von D/d, T, aP, HB, Hib, IPV sind bereits verfügbar oder in Vorbereitung. Bei Verwendung von Kombinationsimpfstoffen sind die Angaben des Herstellers zu den Impfabständen zu beachten.

1) **Antigenkombinationen, die eine Pertussiskomponente enthalten, werden nach dem für DTaP angegebenem Schema benutzt.**
2) Impfschema: 0, 1, 6 Monate; siehe auch Anmerkungen ›Postexpositionelle Hepatitis-B-Immunprophylaxe bei Neugenorenen‹ (S.11).
A Auffrischimpfung: Erfolgte die letzte Impfung mit entsprechenden Antigenen vor weniger als 12 Monaten, kann der Termin entfallen.
G Grundimmunisierung für alle Kinder und Jugendlichen, die bisher nicht geimpft wurden, bzw. Komplettierung eines unvollständigen Impfschutzes.
* Abstände zwischen erster und zweiter sowie zweiter und dritter Impfung mindestens 4 Wochen; Abstand zwischen dritter und vierter Impfung mindestens 6 Monate.
** Bei Verwendung von IPV-Virolen® nur zweimalige Impfung. Siehe Beipackzettel.
*** **Die zweite MMR-Impfung kann bereits vier Wochen nach der ersten MMR-Impfung erfolgen.**
**** Ab 6. bzw. 7. Lebensjahr wird zur Auffrischung ein Impfstoff mit reduziertem Diphterietoxoid-Gehalt (d) verwendet.

Abb. 18-1. Impfkalender für Säuglinge, Kinder und Jugendliche. *D* = Diphtherie, *T* = Tetanus, *aP* = Pertussis, *Hib* = H. infl. Typ b, *IPV* = Polio, *HB* = Hep. B, *MMR* = Masern, Mumps, Röteln. (STIKO, Epid. Bulletin 2/2000, S. 10)

d. h. in dieser Zeit kann auch ohne Vorliegen von Krankheitszeichen die Infektion übertragen werden. Nach lokaler Vermehrung der Viren im Respirationstrakt erfolgt die lymphohämatogene Aussaat. Die Virämie geht dem Auftreten von Krankheitszeichen einige Tage voraus.

Die Erkrankung ist normalerweise harmlos. Die Gefahr besteht in der Infektion von nichtimmunen Schwangeren. Wenn nicht systematisch geimpft wird, weisen 5–10% jüngerer Frauen keine Antikörper auf. Bei der Erstinfektion während der Schwangerschaft kann das Virus diaplazentar auf den Fetus übertragen werden mit schwerwiegenden Folgen. Die Gefahr von Embryopathien (Missbildungen an Augen, Ohr, Gehirn, Herz, Gefäßen) oder Fruchttod ist am größten in den ersten Schwangerschaftsmonaten. Aber auch nach dem 4. Schwangerschaftsmonat kann der Fetus geschädigt werden (Seh-, Hörschäden, geistige Behinderung; s. Kap. 17: „Kongenitale und perinatale Infektionen"). Kinder mit konnatalen Röteln können den Erreger über Monate mit ihren Körpersekreten ausscheiden.

SYMPTOME

Postnatale Röteln verlaufen asymptomatisch oder beginnen mit Prodromalsymptomen wie Konjunktivitis, Schnupfen, Kopfschmerzen. Im typischen Fall folgt ein makulöses oder makulopapulöses Exanthem; beginnend hinter den Ohren, im Gesicht, das sich über Rumpf und Extremitäten ausbreitet (s. Tabelle 18-1). Es verschwindet nach 1–3 Tagen in der Reihenfolge des Auftretens. Geringes oder kein Fieber. Lymphknotenschwellungen besonders retroaurikulär und nuchal. Manchmal, besonders bei jungen Frauen, entstehen Arthralgien, meistens der kleinen Gelenke an Händen und Füßen. (Konnatale Röteln s. Kap. 17.2.5: „Konnatale und perinatale Infektionen").

Komplikationen
Selten Otitis, Bronchitis, Myokarditis, Perikarditis, Thrombozytopenie, sehr selten Enzephalitis.

Differentialdiagnose
Differentialdiagnostisch ist abzugrenzen Exanthema infectiosum, Scharlach, Masern.

DIAGNOSE

- Klinik, falls typisch.
- Nachweis spezifischer IgM-Antikörper im Serum.
- *Konnatal erworbene Röteln:* pränatal IgM-Antikörper Nachweis im fetalen Blut ab der 15. SSW, evtl. Erregernachweis aus Fruchtwasser (PCR). Postnatal: IgM-Nachweis im Serum, Virusnachweis in Körperflüssigkeiten (PCR).

Therapie
Keine spezifische Therapie.

Prophylaxe
Aktive Immunisierung mit Lebendimpfstoff (Kombinationsimpfstoff Masern, Mumps, Röteln). am besten ab dem 15. Lebensmonat mit Wiederholung bei Einschulung; sonst bei Mädchen vor der Geschlechtsreife). Zusätzlich sollte jeder geimpft werden, der keinen Immunschutz hat. Die Impfung ist nicht 100-%ig erfolgreich, daher ist eine Erfolgskontrolle angezeigt (Titer >32 im Hämagglutinationshemmtest werden als ausreichender Impfschutz angesehen). Während der Schwangerschaft sollte keine aktive Rötelnimmunisierung durchgeführt werden.

Wenn eine Schwangere mit Röteln in Kontakt gekommen ist, sollte ihr Antikörperstatus kontrolliert werden. Wird eine Infektion der Mutter im 1. Trimenon nachgewiesen, sollte sie über das hohe Risiko von Abort, Totgeburt und Fehlbildungen aufgeklärt und ein Schwangerschaftsabbruch erwogen werden. Die Gabe von Immunglobulin innerhalb von 1–2 Tagen nach Exposition verhindert eine Infektion nicht sicher.

Erkrankte Kinder sollten für 7 Tage nach Ausbruch des Exanthems Kindergarten bzw.Schule meiden.

Wegen des hohen Missbildungsrisikos bei Rötelnerstinfektion während der Schwangerschaft ist eine ausreichende Immunisierung aller Mädchen durch Impfung vor der Pubertät anzustreben. !

18.6 Varizellen (Windpocken) und Zoster

Varizellen sind eine hochkontagiöse, meist gutartige Erkrankung mit bläschenförmigem Exanthem, verursacht durch das Varizella-zoster-Virus (VZV). Nach Exposition erkranken Nichtimmune fast immer mit klinischen Symptomen. Der

Erstkontakt, meist im Grundschulalter, erzeugt Windpocken, die Reaktivierung kann nach Jahren zum Zoster führen. Die Übertragung der Viren erfolgt vorwiegend durch Tröpfcheninfektion („Wind"pocken). Die Infektiosität beginnt 1–2 Tage vor dem Auftreten des Exanthems und endet mit dem Eintrocknen der letzten Bläschen. Nach lokaler Vermehrung führt die lymphozytenassoziierte Virämie zum Befall der Haut und Schleimhaut.

Bei Immundefizienz besteht die Gefahr der Generalisierung. Das Virus persistiert in den Spinalganglien sensibler Nerven. Bei geschwächter Immunität kann es zur Reaktivierung, d. h. zum Zoster, kommen, bei Immundefizienz zur Generalisierung (s. Abb. 18-2). Die hohe Infektiosität bedingt eine nahezu 100%ige Durchseuchung. Die Inkubationszeit beträgt 10–21 Tage.

Varizellen während der Schwangerschaft

Während der Schwangerschaft ist eine kongenitale Übertragung möglich. Im 1. Trimenon ist bei ca. 1% ein kongenitales Varizellasyndrom die Folge: niedriges Geburtsgewicht, Hauteffloreszenzen, -narben, Augen- und ZNS-Fehlbildungen. Wegen der relativ geringen Missbildungsrate ist eine Abruptio nur bei sonographisch nachgewiesenen Fehlbildungen indiziert. Bei Erkrankung der Mutter 5 Tage vor bis 2 Tage nach der Geburt tritt bei bis zu 30% der Neugeborenen eine generalisierte lebensbedrohliche Infektion auf (s. Kap. 17.2.7: „Konnatale und perinatale Varizellen").

SYMPTOME

Varizellen: Bei Kindern keine oder unbedeutende Prodromalsymptome. Generalisiertes vesikuläres Exanthem, stark juckend, im typischen Fall 250–500 Bläschen.

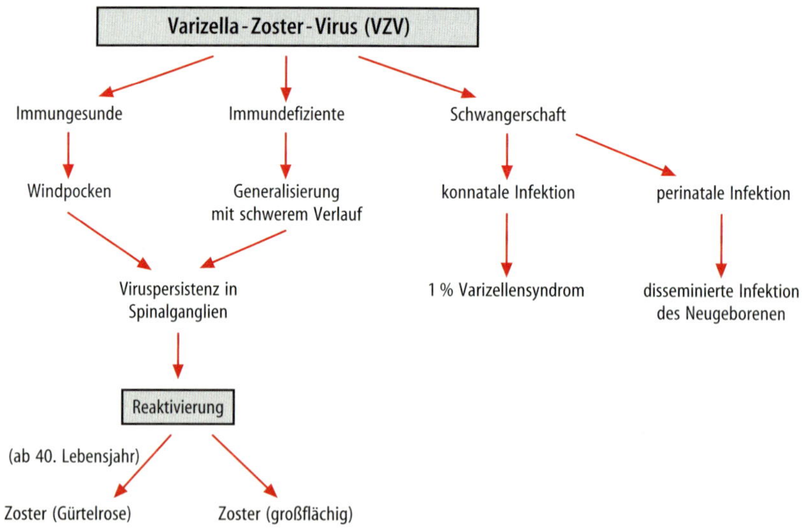

Abb. 18-2. Verlauf einer Infektion mit Varizella-zoster-Virus

Beginnend am Rumpf breiten sie sich über Gesicht und Extemitäten aus. Eventuell Enanthem der Mundschleimhaut und Konjunktiven, Fieber. Nach 1–2 Wochen sind alle Bläschen eingetrocknet und heilen ohne Narbenbildung aus. Das Virus verbleibt in den Spinalganglien.

Komplikationen
Im 1. und ab dem 15. Lebensjahr verläuft die Erkrankung schwerer und ist häufiger von Komplikationen begleitet, z. B.
- Impetigo durch bakterielle Superinfektion der Hautläsionen,
- Pneumonie: bei Erwachsenen in 15%,
- selten Zerebellitis, Enzephalitis, Hepatitis.

Zoster (Herpes zoster/Gürtelrose)

Bei Reaktivierung der Viren aus den Spinalganglien, meist viele Jahre nach der Primärinfektion mit VZV, tritt bei älteren Erwachsenen (Teilimmunen) eine Zoster-Erkrankung auf mit Schmerzen und Bläschenbildung im Segmentbereich eines sensiblen Nerven. Der Zoster tritt normalerweise nicht vor dem 45. Lebensjahr auf. Bei Patienten mit Zoster vor dem 40. Lebensjahr sollte eine HIV-Infektion ausgeschlossen werden. Bei Zoster während der Schwangerschaft sind keine negativen Folgen für das Kind beschrieben, da mütterliches IgG die systemische Ausbreitung verhindert.

SYMPTOME

Exanthem wie bei Windpocken, aber segmental, meist am Thorax (= „Gürtelrose“), aber auch zervikal, lumbosakral, meist einseitig. Lokalisierter, oft lange nach Ausheilung noch vorhandener Schmerz durch Neuralgien, d. h. Entzündung des Ganglions.

Komplikationen
- Zoster ophthalmicus mit Bläschen, Ulzerationen der Konjuktiven, der Hornhaut (Keratitis) und des Lids. Eventuell Iridozyklitis.
- Fazialisparese.
- Bei Immundefizienz Gefahr der Generalisierung.

DIAGNOSE
- Klinik.
- Virusnachweis aus Bläscheninhalt (selten indiziert).
- Nachweis spezifischer IgM-Antikörper (gelingt bei Windpocken immer; bei Zoster in ca. 50% der Fälle, aber immer Titeranstieg und IgA nachweisbar).

Therapie
Unkomplizierte Varizellen: symptomatisch. Aciclovir bzw. Famciclovir ist wirksam, wenn es 24 (bis 72) h nach Krankheitsbeginn gegeben wird. Indiziert bei Patienten mit Immundefizienz oder schlechter Prognose (konnatale Varizellen mit Exanthem zwischen dem 5. und 12. Lebenstag, Varizellen bei Frühgeborenen oder

in den ersten 6 Lebenswochen, Varizellen unter Kortisontherapie; Zoster mit Komplikationen).

Prophylaxe

- *Passive Immunisierung:* Bei Risikopatienten kann durch frühzeitige Gabe von Varizella-zoster-Immunglobulin die Erkrankung verhindert oder abgeschwächt werden. VZV-IgG-Gabe z. B. bei Neugeborenen erkrankter Mütter sofort nach der Geburt, bei nichtimmunen Schwangeren und Patienten mit Abwehrschwäche innerhalb von 3 Tagen nach Exposition.
- Eine *aktive Immunisierung* mit attenuierter Lebendvakzine wird empfohlen für seronegative Patienten bei iatrogener Immunsuppression.

Wiederzulassung zur Schule, Gemeinschaftseinrichtungen: 5 Tage nach Eintrocknen der zuletzt aufgetretenen Effloreszenzen.

KAPITEL 19

Infektionen bei immundefizienten Patienten

Patienten mit Störungen der Abwehrsysteme sind besonders infektionsgefährdet. Der Defekt kann angeboren (z. B. Agammaglobulinämie, Komplementmangel), durch Erkrankungen erworben (z. B. Knochenmarkaplasien, Aids) oder therapieinduziert sein (z. B. Radio- oder Chemotherapie, Knochenmarktransplantation, Splenektomie). Art und Ausmaß der Defizienz sind entscheidend für das Infektionsrisiko und die Prädisposition gegenüber verschiedenen Erregern (Tabelle 19-1).

19.1 Infektionen bei Granulozytopenie

Granulozytopenie ist häufig bei akuter Leukämie, aplastischer Anämie, nach Chemo- oder Radiotherapie. Ausmaß und Dauer der Neutropenie sind entschei-

Tabelle 19-1. Häufige Infektionserreger bei Patienten mit Immundefizienz

Immundefekt	Infektionserreger			
	Bakterien	Pilze	Viren	Protozoen/Parasiten
Granulozytopenie	Staphylokokken, Streptokokken, Enterokokken, Enterobakterien, Pseudomonaden	Candida, Aspergillus		
Zellulärer Immundefekt (KMT, Aids, M. Hodgkin, Immunsuppression, Kortisontherapie)	Listerien, Salmonellen, Legionellen, Mykobakterien, Nocardien	Kryptokokken, Candida, Aspergillus, Pneumocystis carinii	CMV, VZV, HSV, EBV, HHV-6, HHV-7	Toxoplasma gondii, Kryptosporidien, Strongyloides
Splenektomie/ Agammaglobulinämie	Streptococcus pneumoniae, Haemophilus influenzae, Neisseria meningitidis			
Komplementmangel	Neisseria meningitidis, Streptococcus pneumoniae			

dend für das Infektionsrisiko. Gefährdet sind Patienten mit Granulozytenzahlen <500/µl, dramatisch nimmt das Risiko <100/µl zu. Hochrisikopatienten sind solche mit einer erwarteten Neutropeniedauer von mehr als 10 Tagen, Niedrigrisikopatienten: erwartete Neutropeniedauer unter 10 Tagen.

Neutropenische Patienten sind insbesondere gefährdet durch generalisierte Infektionen mit Bakterien oder Pilzen. Bei ihnen können auch wenig pathogene opportunistische Erreger lebensbedrohliche Infektionen erzeugen. Die Erreger entstammen entweder der körpereigenen Flora oder werden exogen aus der Umgebung erworben. Infektionsbegünstigend sind Schleimhautläsionen, z. B. bei Zytostase im Oropharynx, in der Trachea, den Bronchien oder perianal; die Dysfunktion der bronchialen Zilien unter Zytostatika und die Durchbrechung anatomischer Barrieren durch invasive Maßnahmen (z. B. Venenpunktion, intravasale Katheter).

SYMPTOME

Fieber mit oder ohne Organsymptomatik.

Erreger

Das Erregerspektrum hängt von der Eintrittspforte ab (Tabelle 19-2). Es umfasst sämtliche Keime der Oropharyngeal-, Darm- und Hautflora. Von Bedeutung sind sowohl gramnegative Stäbchen (Enterobakterien, insbesondere E. coli, Klebsiellen; Pseudomonaden) als auch grampositive Kokken (Staphylococcus aureus, koagulasenegative Staphylokokken, Enterokokken, vergrünende Streptokokken). Grampositive Keime treten vermehrt bei Katheterinfektionen auf. Später kommen auch Pilze (Candida, Aspergillus) hinzu. Latente Virusinfektionen durch Herpes-simplex-, Varizella-zoster- oder Zytomegalieviren sowie humanes Herpesvirus Typ 6 und 7 können reaktiviert werden.

Tabelle 19-2. Infektionen und Erreger bei Granulozytopenie

Symptome	Häufige Erreger
Entzündung an Einstichstelle Venenkatheter	Koagulasenegative Staphylokokken, Staph. aureus
Pulmonale Infiltrate	Staph. aureus, Enterobakterien, Pseudomonaden, Candida, Pneumocystis carinii, Aspergillus
Sinusitis	Pneumokokken, Haemophilus influenzae, Moraxella catharrhalis, Enterobakterien, Pseudomonaden, Candida, Aspergillus
Schleimhautulzera	Hämolysierende Streptokokken, Anaerobier, HSV, Candida
Nekrotisierende Läsionen	Pseudomonas aeruginosa, Aspergillus
Diarrhö	Salmonellen, Campylobacter, Yersinien, Clostridium difficile, Kryptosporidien, Mikrosporidien
Weiße Retinainfiltrate	Candida
Hämorrhagische Retinitis	CMV

DIAGNOSE

- Klinik (Fieber oft einziges Symptom).
- Auskultation und Perkussion von Thorax und Abdomen.
- Inspektion von Eintrittspforten: Oropharynx, Perianalregion, Kathetereintrittspforten.
- Bildgebende Verfahren: Röntgen (Thorax), Sonographie, CT (Thorax, Abdomen, Nasennebenhöhlen).
- Spiegelung des Augenhintergrundes.
- Laborchemische Untersuchungen, z. B. CRP, Blutbild, Urinstatus.
- Mikrobiologische Untersuchung:
  - Kultureller Nachweis von Bakterien oder Pilzen in Blutkulturen, Sputum, BAL, Urin, Venenkatheter, Abstrichen oder Punktaten von infektionsverdächtigen Stellen; bei Diarrhö im Stuhl inklusive Nachweis von Clostridium-difficile-Toxin. Evtl. Überwachungskulturen von Mund, Rachen, Haut.
  - Gegebenenfalls DNA-Nachweis (PCR) von Herpes-simplex-Viren (aus Bläscheninhalt) oder HHV-6, HHV-8 oder VZV; von CMV in BAL, Sputum, Serum.
- *Bei atypischer Pneumonie:* Nachweis von Legionellen oder Pn. carinii in BAL bzw. Legionellenantigennachweis im Urin, Aspergillusantigen im Serum.

Therapie

Bei Auftreten von Fieber ist eine empirische Antibiotikatherapie unverzüglich zu beginnen. Sie ist die einzige Chance, die Letalität zu senken. Da sowohl gramnegative als auch grampositive Keime eine Rolle spielen, muss die empirische Therapie gegen beide gerichtet sein, evtl. unter Einschluss der Pilze (Tabelle 19-3).

Bei Hochrisikopatienten sollte die Initialtherapie ein pseudomonaswirksames β-Laktamantibiotikum enthalten (z. B. Ceftazidim, Cefepim) in Kombination mit einem Aminoglykosid (Gentamicin, Tobramycin, Netilmicin, Amikacin). In pro-

Tabelle 19-3. Initiale Antibiotikatherapie bei neutropenischen Patienten mit Fieber unklarer Genese

Hochrisikopatienten:

- Ceftazidim oder Cefepim oder Piperacillin/β-Laktamase-Inhibitor plus Aminoglykosid (Gentamicin, Tobramicin, Netilmicin, Amikacin)
- Carbapenem (Imipenem/Cilastatin, Meropenem) plus Aminoglykosid
- Ceftazidim oder Cefepim plus Piperacillin/β-Laktamase-Inhibitor (bei Niereninsuffizienz)
- Chinolon (Ciprofloxacin, Levofloxacin) plus Aminoglykosid evtl. plus Glykopeptid (bei β-Laktam-Allergie)

Niedrigrisikopatienten:

- Cephalosporin der 3. Generation (Cefotaxim, Ceftriaxon) plus Aminoglykosid (Gentamicin, Tobramycin, Netilmicin)
- Aztreonam plus Clindamycin
- Ciprofloxacin plus Clindamycin oder Aminopenicillin/β-Laktamase-Inhibitor

spektiven Studien waren auch Kombinationen von anderen Cephalosporinen der 3. Generation (z. B. Cefotaxim, Ceftriaxon) mit Aminoglykosiden wirksam. Alternativen dazu sind: Kombination von Piperacillin/β-Laktamase-Inhibitor oder eines Carbapenems jeweils plus Aminoglykosid.

Bei Niereninsuffizienz: Kombination von Cephalosporin der 3. Generation plus Piperacillin/β-Laktamase-Inhibitor. Bei β-Laktam-Allergie: Chinolon (Ciprofloxacin, Levofloxacin) plus Aminoglykosid oder Glykopeptid. Aztreonam plus Clindamycin evtl. plus Glykopeptid.

Nach Entfieberung wird die Therapie für 2–8 Tage fortgesetzt, bei Hochrisikopatienten mit anhaltender Neutropenie für 14 Tage, um Rückfälle zu vermeiden. Bei fehlendem Ansprechen erfolgt eine Erweiterung mit Glykopeptiden (Vancomycin, Teicoplanin) und/oder einem Antimykotikum bzw. ein Wechsel, z. B. auf ein Carbapenem (Imipenem/Cilastatin, Meropenem) plus Amioglykosid plus Glykopeptid plus Antimykotikum.

Bei *klinisch manifester Infektion* müssen Diagnostik und Therapie *gezielt modifiziert* werden:

- Bei Verdacht auf Katheterinfektion: Vancomycin zugeben.
- Bei Verdacht auf Pneumonie (röntgenologische Infiltrate): Diagnostik auf Candida, Aspergillus, Legionellen, Pneumocystis carinii und CMV erweitern; ggf. zusätzlich Amphotericin B, Cotrimoxazol bzw. Ganciclovir geben.
- Bei Gingivitis, Mukositis oder perianalen Läsionen: Antimykotikum plus anaerobierwirksame Substanzen (z. B. Metronidazol, Clindamycin) zugeben. Bei Verdacht auf Herpes: Aciclovir.
- Bei abdominellen Symptomen: antibiotikaassoziierte Kolitis (Clostridium difficile) ausschließen, ggf. oral Vancomycin oder Metronidazol geben.
- Bei aplastischer Anämie: Nachweis von Parvovirus B19 (PCR); ggf. Immunglobulin verabreichen [s. Kap. 18.2: „Erythema infectiosum (Ringelröteln)“– in Kap. 18: „Kinderkrankheiten“].

Die Prognose hängt v. a. von einer möglichst raschen Normalisierung der Leukozytenzahl ab. Ein schnellerer Anstieg der Granulozyten kann durch granulozytenstimulierende Faktoren (G-CSF) und granulozyten-makrophagen-stimulierende Faktoren (GM-CSF) erreicht werden.

Prophylaxe

Prophylaktische Maßnahmen sind darauf ausgerichtet, Patienten vor Kolonisation mit pathogenen Keimen zu schützen und die körpereigene Keimflora zu reduzieren.

- Isolierung: Soll vor exogenen Infektionen schützen. Patienten mit Leukozyten <500/μl sollten im Einzelzimmer mit vorgeschalteter Schleuse untergebracht werden. Raum (Fußboden, Möbel, sanitäre Einrichtungen) vorher durch Wischdesinfektion desinfizieren. Bei Betreten des Zimmers müssen Personal und Besucher die Hände desinfizieren, Mundschutz und bei Arbeiten am Patienten Extrakittel tragen. Die Patienten sollen keine ungekochten Speisen essen, keine Blumen im Zimmer haben, täglich Handtücher wechseln und Einmalwaschlappen benützen. Bei KMT werden „Laminar-air-flow“-Isoliereinheiten empfohlen.
- Prophylaktische Antibiotikagabe: Da ein Großteil der Infektionen durch fakultativ pathogene Keime der endogenen Flora entsteht, versucht man, diese zu

minimieren, z. B. durch orale Gabe von Cotrimoxazol oder Chinolonen (z. B. 250 mg Ciprofloxacin). Bei Hochrisikopatienten Dekontamination des Darms mit oralen, nicht resorbierbaren Antibiotika, wie Neomycin (2–4 g/Tag), Polymyxin B (0,4–0,6 g/Tag) oder Colistin.
- Reduktion der Mundflora: Durch lokale Antibiotika oder desinfizierende Lösungen (mehrmals täglich spülen mit Chlorhexamed oder Betaisodonalösung, verdünnt mit abgekochtem oder sterilem Wasser), zusätzlich Ampho-Moronal-Suspension oder Lutschen von Moronal-Tabletten vor jeder Schlafphase.
- Reduktion der Hautflora: Durch Desinfektion (z. B. Waschen oder Duschen mit desinfizierenden Lösungen wie Hexamed). Beim Duschen: 5 min heißes Wasser vorlaufen lassen, dann erst duschen.
- Antimykotische Prophylaxe: z. B. oral mit Amphotericin B oder Fluconazol. Um Besiedelungen der Atemwege vorzubeugen, kann Amphotericin B (2-mal 10 mg/Tag) inhaliert werden.
- Antivirale Prophylaxe: z. B. mit Aciclovir.
- Pneumocystisprophylaxe: Oral Cotrimoxazol oder Inhalation von Pentamidin.

! **Bei neutropenischen Patienten muss bei Auftreten von Fieber unverzüglich eine empirische Antibiotikatherapie begonnen werden, um die Letalität zu senken. Die Initialtherapie muss sowohl gegen gramnegative als auch grampositive Keime und evtl. auch Pilze wirksam sein.**

19.2 Infektionen bei Hypogammaglobulinämie/Splenektomie

Angeborene oder funktionelle Hypo- oder Agammaglobulinämie sowie Milzexstirpation begünstigen Infektionen durch bekapselte Bakterien. Im Vordergrund stehen Infektionen des Respirationstraktes. In deren Folge sind insbesondere Kinder nach Splenektomie oder Patienten mit Sichelzellanämie durch Sepsis und Meningitis bedroht.

SYMPTOME

Bronchitis, Pneumonie; kompliziert durch Sepsis, Meningitis.

Erreger

Streptococcus pneumoniae, Haemophilus influenzae, Neisseria meningitidis.

DIAGNOSE

- Klinik (s. Kap. 5, 6: „Atemwegserkrankungen“, Kap. 14: „Sepsis“, Kap. 3: „Meningitis).
- Erregernachweis in Sputum, Blutkulturen, Liquor.

Therapie

Frühzeitig Cephalosporin der 3. Generation (Cefotaxim, Ceftriaxon) plus Aminoglykosid. Bei Erregernachweis erfolgt eine Anpassung der Therapie.

Prophylaxe

1. Aktive Immunisierung gegen Pneumokokken (Pneumovax) und Haemophilus influenzae Typ b (Hib); bei geplanter Splenektomie 14 Tage vor dem Eingriff.
2. Bei Verdacht auf mögliche Pneumokokken- oder Hämophilusinfektion sofortige Gabe von Penicillin bzw. Ampicillin oder Amoxicillin.

! Patienten nach Milzextirpation sind besonders durch Infektionen mit bekapselten Bakterien, z. B. Haemophilus influenzae, Pneumokokken, gefährdet. Sie sollten durch eine Impfung geschützt werden.

19.3 Infektionen bei zellulärer Immundefizienz

Jede schwerwiegende Funktionsstörung von T-Lymphozyten oder Makrophagen fördert die Infektionsanfälligkeit. T-Zelldefekte treten unter einer Therapie mit Kortison, Cyclosporin und anderen Immunsuppressiva auf oder sind die Folge einer HIV-Infektion (s. Kap. 19.4: „HIV/Aids"). In diesen Fällen können auch wenig virulente, opportunistische Keime zu Infektionen führen.

Erreger und Infektionen

Als Erreger kommen sowohl Bakterien, Pilze, Viren als auch Protozoen in Betracht. Die hauptsächlichen bakteriellen Erreger bei T-Zelldefekten sind Mykobakterien, sowohl M. tuberculosis als auch atypische Mykobakterien (MOTT), Listerien, Salmonellen, Nocardien und auch Candida. Bei Tbc handelt es sich häufig um eine Reaktivierung alter tuberkulöser Prozesse. M. avium intracellulare (Umweltkeim, häufig in Tabak), der häufigste Vertreter der MOTT, wird über die Lunge oder den Gastrointestinaltrakt aufgenommen und verursacht schleichende generalisierte Infektionen, manchmal mit Schleimhautulzerationen.

Infektionen mit Listerien erfolgen insbesondere durch Milch und Milchprodukte und führen zu generalisierten Infektionen mit Meningoenzephalitis. Enteritische Salmonellen, übliche Durchfallserreger, verursachen hier fast regelmäßig generalisierte Infektionen. Die Eintrittspforte für Nocardien ist meistens die Lunge mit der Folge von Haut-und Hirnabszessen.

Pilzinfektionen werden durch Candida, Kryptokokken oder Pneumocystis carinii verursacht. Lokale Candida-Infektionen, wie Oropharyngealsoor und chronische Vulvovaginitis, sind häufig bei HIV-Patienten. Die häufigste disseminierte Pilzinfektion bei HIV ist die Kryptokokkose mit Meningitis. Pneumonien können auch durch Pneumocystis carinii verursacht werden. Reaktivierte Toxoplasma-gondii-Infektionen führen zu Chorioretinitis oder multifokaler Enzephalitis.

Eine weitere Bedrohung sind Herpesviren als Primärinfektion und nach Reaktivierung. Infektionen mit Herpes-simplex- und Varizella-zoster-Viren verlaufen ungewöhnlich schwer, z. T. generalisiert. Zytomegalieviren erzeugen besonders bei Organtransplantierten und Aids lebensbedrohliche interstitielle Pneumonien und Chorioretinitis.

Durchfälle können u. a. durch Kryptosporidien, Mikrosporidien oder Isospora belli hervorgerufen werden. HIV selbst verursacht Durchfall durch Zottenatrophie als Folge der T4-Zellabnahme in der Mukosa.

Bartonella henselae, der Erreger der Katzenkratzkrankheit, kann bei HIV-Patienten knotige Granulome in der Haut oder Leber verursachen (bazilläre Angiomatose). Das Kaposi-Sarkom, eine häufige Erkrankung bei Aids, wird mit HHV-8 assoziiert.

Der Infektionsort gibt wichtige Hinweise auf den Erreger (Tabelle 19-4).

DIAGNOSE

Die Abklärung von Infektionen bei Patienten mit einer Immundefizienz erfordert einen großen diagnostischen Aufwand.

- Klinik. Die Infektionszeichen sind oft diskret. Unter Kortison kann die Fieberreaktion unterdrückt sein.
- Auskultation, Perkussion, Lymphknotenstatus.
- *Bildgebende Verfahren:* Röntgen (Thorax), CT, MRT (Kopf, Thorax), Ultraschall.
- Augenspiegelung.
- *Mikrobiologische Untersuchung:* Nachweis von Bakterien oder Pilzen in Blutkulturen, Sputum, BAL, Urin, Venenkatheter, Stuhl, Abstrichen oder Punktaten von infektionsverdächtigen Herden. Eventuell Überwachungskulturen von Rachen, Mund, Haut.
  Je nach Organsymptomatik:
- Nachweis von Legionellen, Pn. carinii in BAL oder provoziertem Sputum.
- Antikörpernachweis von Herpes-, CMV-, EBV-, toxoplasmaspezifischen Antikörpern im Serum.
- Nachweis von CMV quantitativ im Serum (PCR), am besten als Screening ein mal pro Woche. Bei Pneumonie Nachweis in BAL, Sputum.
- Nachweis spezifischer DNA (PCR) von Mykobakterien, Legionellen, Herpes-simplex-Viren, HHV-6, VZV.

Tabelle 19-4. Infektionsort und Erreger bei zellulärer Immundefizienz

Infektion	Erreger
Meningitis	Pneumokokken, Listerien, Kryptokokken
Hirnabszess	Listerien, Nocardien, Anaerobier, Staphylococcus aureus
Herdenzephalitis	Toxoplasma gondii, HIV
Enzephalopathie	HIV
Pneumonie	Legionellen, Pn. carinii, CMV, VZV, Aspergillus, Mycobaterium tuberculosis, Mycobacterium avium intracellulare
Durchfall	Salmonellen, Kryptosporidien, Mikrosporidien, Isospora belli, HIV
Sepsis	Neben üblichen Bakterien Salmonellen, Listerien, atypische Mykobakterien, Pilze
Hautsymptome	HSV, VZV, EBV, HHV-6, HHV-8; Bartonella henselae (bazilläre Angiomatose bei HIV)

- Antigennachweis von Kryptokokken, Aspergillus im Serum, von Legionellen im Urin.
- Parasitologische Untersuchung auf Kryptosporidien, Mikrosporidien, Isospora belli im Stuhl.
- Bei pathologisch unklarem Kaposi-Sarkom: HHV-8-DNA-Nachweis in peripheren Lymphozyten oder Biopsat.

Therapie und Prophylaxe

Die antiinfektive Therapie erfolgt am besten nach Erregernachweis, anderenfalls kalkuliert entsprechend dem Infektionsort und der Erregerwahrscheinlichkeit.

- Listeria monocytogenes: Ampicillin (3–4 g/Tag i.v.) plus Gentamicin oder Tobramycin (3–5 mg/kg/Tag) für 2–3 Wochen.
- Salmonellen: Ciprofloxacin (2-mal 500–750 mg p.o.) für 10–14 Tage, in schweren Fällen 2- bis 3-mal 400 mg i.v. bis 3 Tage über die Entfieberung hinaus. Alternativen: Cotrimoxazol (2-mal 960 mg/Tag p.o./i.v.) oder Cefotaxim (3-mal 2 g/Tag i.v.).
- Pneumocystis carinii: Akute Erkrankung: Cotrimoxazol (90–120 mg/kgKG/Tag i.v.) in 3–4 Dosen für 3 Wochen, oder Pentamidine (4 mg/kgKG/Tag i.v.) für 3 Wochen, oder Inhalation von Pentamidine (600 mg/Tag), oder Cotrimoxazol plus Dapson (100 mg/Tag p.o.), oder Clindamycin plus Primaquin oder Atovaquon.

  Zur Prophylaxe: Cotrimoxazol (480–960 mg/Tag oder 1-mal 960 mg 3-mal pro Woche), oder Pentamidin-Inhalation (200 mg alle 14 Tage oder 300 mg alle 28 Tage); oder Dapson (100 mg/Tag), bei Toxoplasmoseprophylaxe plus Pyrimethamin (2-mal 25 mg/Woche).
- Toxoplasmose: Pyrimethamin (100–200 mg/Tag, ab dem 4. Tag 50–75 mg/Tag) plus Folinsäure (15 mg/Tag) plus Sulfadiazin (4-mal 1–2 g/Tag p.o.) oder Clindamycin (4-mal 600 mg/Tag) für 4–6 Wochen.

  Alternative: Pyrimethamin plus Folinsäure plus Clarithromycin (2-mal 1 g) oder Azithromycin (1,5 g/Tag). Zur Prophylaxe: Pyrimethamin (50 mg/Tag) plus Folinsäure evtl. plus Dapson (50 mg/Tag). Alternativen: Cotrimoxazol (960 mg/Tag), oder Pyrimethamin (25 mg/Tag) plus Sulfadiazin (2 g/Tag) plus Folinsäure.
- Mycobacterium tuberculosis: INH + Rifampicin+ Pyrazinamid evtl. + Ethambutol für 2 Monate, dann INH plus Rifampicin für weitere 6–9 Monate, oder INH + Rifampicin + Streptomycin im Wechsel mit Ethambutol über 2 Monate, dann weiter INH + Rifampicin für 6–12 Monate.

  Bei Multiresistenz nach Antibiogramm. Zu empfehlen ist Ciprofloxacin (2- bis 3-mal 400 mg) zusätzlich zu INH+Rifampicin+ Pyrazinamid + Ethambutol.

  Prophylaxe: INH (300 mg/p.o.) oder Rifampicin (600 mg/Tag p.o.).
- Mycobacterium avium intracellulare: Clarithromycin (2-mal 500–1000 mg/Tag) oder Azithromycin + Rifabutin (300 mg/Tag) + gewichtsabhängig Ethambutol (<60 kgKG: 800 mg, 60–80 kgKG: 1200 mg, >80 kgKG: 1600 mg/Tag), evtl. plus Ciprofloxacin oder Amikacin.

- Nocardien: Imipenem (3-mal 1–2 g/Tag) plus Amikacin (3-mal 350 mg/Tag) bis klinische Besserung, anschließend Cotrimoxazol oral für 3–6 Monate.
- Bartonella henselae (bazilläre Angiomatose): Erythromycin (2 g/Tag) oder Doxycyclin (200 mg/Tag) oder Ciprofloxacin für 8–12 Wochen.
- Candidainfektion/Candidaösophagitis: Fluconazol (100–200 mg/Tag) oder Itraconazol (2-mal 100 mg/Tag) für 1–2 Wochen oder lokal Ampho-Moronal bzw. Nystatin.
  Candidavaginitis: Clotrimazol- oder Miconazol-Vaginatabletten oder -creme oder Fluconazol oral (1-mal 200 mg/Tag) für 3 Tage.
  Rezidivprophylaxe der oralen Candidose: Fluconazol (100–200 mg/Tag) oral.
- Kryptokokken: Amphotericin B plus 5-Flucytosin oder Monotherapie mit Fluconazol für 6–10 Wochen. Rezidivprophylaxe: Fluconazol.
- Kryptosporidien: Symptomatisch, evtl. Albendazol oder Azithromycin.
- Isospora belli: Cotrimoxazol (2-mal 960 mg/Tag) für 4–6 Wochen oder Pyrimethamin (50–75 mg/Tag) plus Folinsäure (7,5–15 mg/Tag) p.o. 4–6 Wochen. Rezidivprophylaxe: Cotrimoxazol (2-mal 960 mg/Tag) oder Fansidar (1–2 Tbl./Woche) oder Pyrimethamin (25 mg/Tag) plus Folinsäure (5–7,5 mg/Tag p.o).
- Mikrosporidien: Eventuell Albendazol (2-mal 400 mg/Tag) für 4–6 Wochen oder Metronidazol (3-mal 500 mg/Tag) für 2 Wochen.
- Herpes-simplex-Viren: Bei Enzephalitis oder disseminierter Infektion Aciclovir (30 mg/kgKG/Tag i.v. in 3 Dosen) für 2–3 Wochen.
  Bei mukokutanen Infektionen: Aciclovir 3- bis 5-mal 400 mg p.o bis 5-mal 800 mg p.o. (Cave: keine Therapiepausen >8 h). Alternativ: Famciclovir oder Foscarnet.
- Varizella-zoster-Virus: Aciclovir (in schweren Fällen 30 mg/kgKG/Tag i.v. in 3 Dosen) für 7–10 Tage.
- Zytomegalievirus: Bei Generalisierung oder Pneumonie Ganciclovir (10 mg/kgKG/Tag in 2 Dosen i.v.) für 2–3 Wochen. Eventuell kombiniert mit CMV-Immunglobulin. Alternativ: Foscarnet. Suppressionstherapie: Ganciclovir 5 mg/kgKG/Tag i.v. oder 3-mal 1000 mg p.o.

19.4 HIV/Aids

Die seit ca. 20 Jahren bekannte Erkrankung Aids („acquired immune deficiency syndrome") bzw. HIV-Infektion breitet sich weltweit aus, besonders in Zentralafrika, Lateinamerika und Südostasien. Nach Angaben des Aids-Programms der Vereinten Nationen haben sich seit den frühen 1980er Jahren schätzungsweise mehr als 40 Mio. Menschen infiziert, fast 12 Mio. sind an den Folgen gestorben. 90% der HIV-Infizierten leben in der Dritten Welt.

Der Erreger (ein Retrovirus) ist das humane Immundefizienzvirus (HIV) Typ 1 (häufiger) und Typ 2. Die Erreger finden sich bei Infizierten im Blut und in Körpersekreten. Die Übertragung erfolgt durch Geschlechtsverkehr, Transfusion von Blut und Blutprodukten, infizierte Infusionsbestecke oder intrapartal bzw. durch Stillen. Ein besonders hohes Risiko tragen männliche Homosexuelle, Drogenabhängige, Sexualpartner von Erkrankten und Neugeborene infizierter Mütter. Die Ansteckung durch heterosexuellen Geschlechtsverkehr ist in den tropischen Regionen vorherrschend, nimmt aber auch bei uns zu.

Das Virus befällt bevorzugt T-Helferlymphozyten und Makrophagen, aber auch andere Zellen, wie Knochenmarkstammzellen mit CD4-Molekülen (T4-Zellen), an die das Virus bindet. Durch Abnahme der T4-Zellen im Verlauf der Infektion kommt es zu opportunistischen Infektionen (Tabelle 19-5) und Tumoren, bei Erwachsenen v. a. das Kaposi-Sarkom, Lymphome, M. Hodgkin, Portiokarzinome und Seminome.

Die Latenzzeit zwischen der Infektion und dem Auftreten von Aids beträgt im Durchschnitt 10 Jahre. In dieser Zeit fühlen sich die Infizierten gesund, sind aber

Tabelle 19-5. Opportunistische Infektionen bei Aids

Erkrankung	Erreger	Therapie	Alternativen
Pneumonie	Pneumocystis carinii	Cotrimoxazol	Pentamidin
	CMV	Ganciclovir	Atovaquon, Foscarnet
	Mycobacterium tuberculosis	INH + RMP + EMB + PZA	
	Mycobacterium avium intracellulare	Clarithromycin + EMB + Rifabutin + Streptomycin	Evtl. Clindamycin, Amikacin, Azithromycin
Herdenzephalitis	Toxoplasma gondii	Pyrimethamin plus Sulfonamid	Clindamycin plus Pyrimethamin
Enzephalopathie	HIV	Antiretrovirale Therapie	
Meningitis	Cryptococcus neoformans	Fluconazol	Amphotericin B plus 5-Flucytosin
Soor, Mundsoor, Ösophagitis	Candida albicans	Fluconazol	Itraconazol, Amphtericin B plus 5-Flucytosin
Chorioretinitis	CMV	Ganciclovir	Foscarnet
	Toxoplasma gondii	Pyrimethamin plus Sulfonamid	Pyrimethamin plus Clindamycin
Mukokutane Ulzera	Herpes-simplex-Viren	Aciclovir	Famciclovir
Zoster	Varizella-zoster-Virus	Aciclovir	Famciclovir, Valaciclovir
Bazilläre Angiomatose	Bartonella henselae	Erythromycin	Doxycyclin, Ciprofloxacin
Durchfall	Kryptosporidien	Albendazol	Azithromycin
	Mikrosporidien	Metronidazol	Albendazol
	Isospora belli	Cotrimoxazol	
	M. avium intracellulare	Siehe oben	

RMP Rifampicin, *INH* Isoniazid, *PZA* Pyrazinamid, *EMB* Ethambutol (Brodt et al., Aids 1998 – Therapiefibel. Steinhäuser Verlag, 1998)

infektiös, insbesondere in den ersten Wochen. Erst später treten lebensbedrohliche Infektionen oder Tumoren auf. Bei 2–5% der Patienten bleiben die T4-Zellen allerdings über mehr als 12 Jahre stabil.

Einige Wochen nach Infektion kann das Virus durch die am Anfang stehende starke Vermehrung ein vorübergehendes „retrovirales Syndrom“ mit Fieber, generalisierter Lymphknotenschwellung und Exanthem verursachen. Als Aids wird die Erkrankung erst bezeichnet, wenn die typischen opportunistischen Infektionen oder Tumoren hinzukommen (Aids-definierende Erkrankungen).

Nach der CDC-Klassifikation wird die Erkrankung nach der Zahl der T-Helferzellen in die Kategorien 1–3 eingeteilt:
Kategorie 1: 500 und mehr CD4-Zellen/µl,
Kategorie 2: 200–499 CD4-Zellen/µl,
Kategorie 3: <200 CD4-Zellen/µl.

Bei weniger als 250–300 CD4-Zellen/µl nimmt die Gefahr von opportunistischen Infektionen und Tumoren deutlich zu. Nach den klinischen Symptomen wird außerdem in die Kategorien A–C eingeteilt (Tabelle 19-6).

DIAGNOSE

- Nachweis von HIV-spezifischen Antikörpern (ELISA, Westernblot).
- Quantitativer RNA-Nachweis (Viruslast). Genomäquivalente.
- Zahl der CD4-Lymphozyten (normal etwa 1000/µl, unter 400/µl erniedrigt). CD4-CD8-Quotient.

Therapie

Es muss unterschieden werden zwischen der Therapie der HIV-Infektion (antiretrovirale Therapie) und der Behandlung der sekundären opportunistischen Infektionen und Tumoren.

1. Antiretrovirale Therapie: Ziel ist eine möglichst weitgehende Suppression der Virusvermehrung. Das Problem ist die Resistenzentwicklung der Viren, die

Tabelle 19-6. Einteilung von HIV nach klinischen Stadien

Kategorien	Klinik
A	Asymptomatisches Stadium nach eventuellem retroviralem Syndrom
B	Symptomatisches Stadium ohne typische opportunistische Infektionen
C	Symptomatisches Stadium mit Aids-definierenden Erkrankungen wie Pneumocystis-carinii-Pneumonie, Toxoplasmoseenzephalitis, ösophageale Candidainfektion oder Candidabefall von Bronchien, Trachea, Lunge, chronische Herpes-simplex-Ulzera oder Herpesbronchitis, -pneumonie oder -ösophagitis, CMV-Retinitis, generalisierte CMV-Infektionen, rezidivierende Salmonellaseptikämien, rezidivierende Pneumonien, extrapulmonale Kryptokokkeninfektionen, chronische intestinale Kryptosporidieninfektion, Isospora-belli-Infektion, Histoplasmose, Tuberkulose, Infektionen mit Mycobacterium avium intracellulare oder M. kansasii, bazilläre Angiomatose, Kaposi-Sarkom, maligne Lymphome, invasives Zervixkarzinom, HIV-Enzephalopathie, Leukenzephalopathie, Wasting Syndrom

durch Kombinationstherapien umgangen werden soll. Durch Einführung neuer antiretroviraler Substanzen und die quantitative HIV-RNA-Bestimmung ist die Therapie effektiver steuerbar geworden.
Bei nichtvorbehandelten Patienten wird ein Protease-Inhibitor (PI) mit 2 Reverse-Transkriptase-Inhibitoren kombiniert, z. B.:
- Zidovudin (AZT) + Lamivudin (3 TC),
- Stavudin (D4 T) + Lamivudin (3TC),
- Didanosin (DDI) + Stavudin (D4 T),
- Zidovudin (AZT) + Didanosin (DDI),

jeweils plus Nelfinavir oder Indinavir oder Ritonavir oder Saponavir + Ritonavir.
Bei Patienten mit sehr hoher Viruslast oder sehr niedrigen CD4-Zellzahlen (<50/μl) können initial auch mehr als 3 Medikamente sinnvoll sein.
Indikationen für die Therapie: Aids, B-Symptome nach CDC, Viruslast >30.000 Kopien/ml Plasma, CD4-Zahlen <350/μl, signifikante Zunahme der Viruslast oder Abnahme der CD4-Zellen.
Fakultative Indikationen: Viruslast 10.000–30.000 Kopien/ml Plasma, CD4-Zahlen <500/μl, Patienten mit frischer Infektion (akute Serokonversion).
Vor jedem Therapiebeginn und nach 4, 8, 12 Wochen die Viruslast bestimmen.
Ziel ist es, die Viruslast möglichst schnell unter die Nachweisgrenze zu senken, in der Regel <50 Genomäquivalente/ml Serum, was jedoch keine vollständige Elimination des Virus bedeutet.
Da die Diagnostik und Therapie von Aids raschen Veränderungen unterliegt, sind diese Angaben nur als Anhaltspunkte zu verstehen. Im Bedarfsfall ist es dringend geboten, Spezialliteratur und Behandlungszentren zu konsultieren.

2. Therapie opportunistischer Infektionen: Die rasche Erkennung und Behandlung dieser Infektionen ist entscheidend. Je nach klinischem Bild und Anamnese sind bestimmte Erreger wahrscheinlich (Tabelle 19-5). Häufig muss die Therapie noch vor dem Erregernachweis empirisch begonnen werden. Zuvor sollte Material zur Diagnostik gewonnen werden. (s. auch Kap. 19.3: „Infektionen bei zellulärer Immundefizienz").

19.4.1 Häufige opportunistische Infektionen bei Aids

Candidainfektionen

Lokale Schleimhautmykosen sind bei HIV-Patienten sehr häufig. Die häufigste Manifestation ist Mundsoor, der sich auch auf den Ösophagus ausdehnen kann. Der Erreger ist in 70–80% Candida albicans. Unter einer Therapie mit Azolen werden auch andere Candidaspezies selektioniert (C. krusei, C. glabrata).

SYMPTOME

Weiße Beläge auf der Mundschleimhaut, Rötung, Brennen. Bei Soorösophagitis: Druckgefühl über dem Sternum, Schluckstörungen.

DIAGNOSE

- Klinische Symptome.
- Erregernachweis im Abstrich (Mikroskopie, quantitative Kultur).

Therapie

Lokaltherapie mit Amphotericin-B-Suspension oder Nystatin. Bei Rezidiv oder Ösophagitis oral Fluconazol oder Itraconazol. Bei schweren systemischen Candidainfektionen oder azolresistenten Candida-Arten Amphotericin B evtl. plus 5-Flucytosin.

Prophylaxe

Bei rezidivierenden Infektionen Dauerprophylaxe mit Fluconazol (50–100 mg/Tag).

Kryptokokkose

In Deutschland entwickeln ca. 3% der Aids-Patienten eine Kryptokokkeninfektion; in den USA sind ca. 10%, in Afrika 30% der Patienten betroffen. Der Erreger, Cryptococcus neoformans, kommt ubiquitär in Vogelkot, Erde, Staub vor. Die Infektion erfolgt durch Inhalation von Pilzsporen. Der Lungenbefund bleibt meist unbemerkt. Anschließend kann eine hämatogene Streuung in alle Organe erfolgen, wobei die Erreger eine besondere Affinität zu den Meningen haben. Die Kryptokokkenmeningitis verläuft als chronische Meningitis mit dezenten Krankheitszeichen.

SYMPTOME

Schleichender Verlauf mit Kopfschmerzen, Verwirrtheit, Wesensveränderungen, Übelkeit, Lethargie. Nur bei 15% Nackensteife.

DIAGNOSE

- Erregernachweis in Liquor (Mikroskopie, Kultur).
- Antigennachweis in Serum oder Liquor.

Therapie

Amphotericin B evtl. plus 5-Flucytosin; Fluconazol; jeweils für 1–3 Monate.

Rezidivprophylaxe

50% der Patienten entwickeln nach Ende der Therapie Rezidive, da die Erreger aus ZNS- oder Prostatagewebe nicht zuverlässig eliminiert werden. Daher wird eine lebenslange Prophylaxe mit Fluconazol oder Intraconazol empfohlen.

Pneumocystis-carinii-Pneumonie (PCP)

Die häufigste Sekundärinfektion bei Aids ist die PCP, hervorgerufen durch Pneumocystis carinii (aufgrund der 16S rRNA-Homologie den Pilzen zugeordnet). Die Erregeraufnahme scheint aerogen zu erfolgen. Ihre starke Vermehrung in den Alveolen bewirkt die Ansammlung von erregerhaltigem Schleim, gefolgt

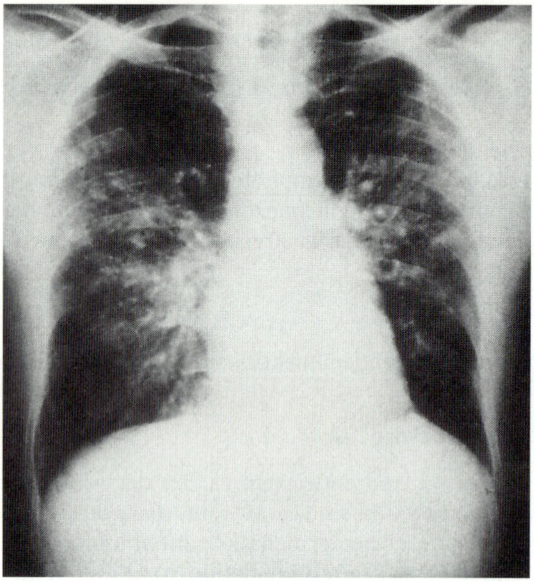

Abb. 19-1. Pneumocystis-carinii-Pneumonie. (Nach Hahn et al., Medizinische Mikrobiologie und Infektiologie, 1999, S. 737, Bild 10)

von einer interstitiellen Pneumonie (s. Abb. 19-1). Beides behindert den Gasaustausch.

SYMPTOME

Schleichender Beginn, Abgeschlagenheit, Fieber, trockener Husten, zunehmende Dyspnoe, Zyanose. Im Röntgenbild bilaterale diffuse Infiltrate.

DIAGNOSE

- Röntgen, CT (Thorax).
- Erregernachweis in BAL, provoziertem Sputum.

Therapie

Cotrimoxazol in 4-facher Normaldosis (20/100 mg/kg/Tag) für 3 Wochen, evtl. zusätzlich Pentamidin-Inhalationen. Alternativ: Pentamidin i.v., Atovaquon (evtl. Kortikosteroide, senkt die respiratorische Insuffizienz und die Letalität).

Prophylaxe

Zur *Rezidivprophylaxe* (Rezidivrisiko 25%): Cotrimoxazol. (0,48 g/Tag oder 3-mal 0,96 g/Woche) oder Pentamidin-Inhalationen. Zur *Primärprophylaxe* (bei CD4-Zellen <200/μl) Cotrimoxazol 0,48 g p.o./Tag.

Zytomegalie

Bei Immundefizienz, u. a. bei Aids, lösen primäre oder reaktivierte CMV-Infektionen schwere Krankheitsbilder wie Pneumonie, Hepatitis, Ulzerationen des Gastrointestinaltraktes, nekrotisierende Chorioretinitis, Enzephalitis aus. Primärinfektionen verlaufen schwerer als Reaktivierungen. Bei 20% der Aids-Patienten im Spätstadium ist eine CMV-Pneumonie die Todesursache.

Etwa 70% der Bevölkerung ist mit dem CMV-Virus infiziert, jedoch verläuft die Infektion bei Immungesunden fast immer asymptomatisch; bei Kindern entsteht in 1% der Fälle ein mononukleoseähnliches Krankheitsbild. Eine Gefahr besteht bei konnataler oder perinataler Infektion (s. Kap. 17.2.6). Symptomlos Infizierte scheiden das Virus, das in Speichel- und Brustdrüsen, Lunge und Niere persistiert, von Zeit zu Zeit mit den jeweiligen Körpersekreten aus. Zytomegalieviren werden durch Tröpfchen- oder Schmierinfektion übertragen bzw. beim Stillen, durch Bluttransfusion oder transplantierte Organe.

SYMPTOME

Fieber, Nachtschweiß, Muskel- und Gliederschmerzen. Pneumonie. Hepatitis. Hepatosplenomegalie. Eventuell Mundschleimhautläsionen, bei Ösophagitis Schluckschmerzen, retrosternale Schmerzen. Bei Enzephalitis Krampfanfälle. Polyradikulitis. Chorioretinitis.

DIAGNOSE

- Nachweis des Virus mittels PCR in BAL, Sputum, Urin, Blut.
- Nachweis spezifischer Antikörper.

Therapie

Ganciclovir. Bei Resistenz Foscarnet.

Prophylaxe

Wenn CD4-Zellen <50/µl und CMV-positiv: Prophylaxe mit Ganciclovir erwägen.

Herpes-simplex-Virusinfektionen

Akute Infektionen mit HSV-1 oder -2 oder Reaktivierungen dieser Viren lösen ausgedehnte, schmerzhafte mukokutane Läsionen aus, die sich vergrößern und zu Ulzera werden. Meist im Mund-, Genital- oder Analbereich. Möglich ist auch eine HSV-Pneumonie.

DIAGNOSE

- Klinik.
- Eventuell Erregernachweis (PCR) in Bläschen.

Therapie

Aciclovir, Famciclovir.

Zoster

Bei Reaktivierung von VZV kann ein Zoster mit Befall mehrerer Segmente oder mit Generalisierung auftreten. Auch eine Pneumonie ist möglich. (s. Kap. 18.6 „Varizellen" – in Kap. 18: „Kinderkrankheiten").

Therapie
Aciclovir, Famcilovir, Valaciclovir.

Toxoplasmose

Eine reaktivierte Toxoplasmeninfektion manifestiert sich bei Aids meist als Herdenzephalitis oder Chorioretinitis (s. Kap. 22.19: „Toxoplasmose"– in Kap. 22: „Zoonosen").

SYMPTOME

Krämpfe, neurologische Herdsymptomatik, Bewusstseinsstörungen, Lähmungen. Bei Chorioretinitis evtl. Visusverschlechterung.

DIAGNOSE

- Herdnachweis im EEG, CT, MRT.
- Augenhintergrunduntersuchung (eine Chorioretinitis kann auch symptomlos ablaufen).
- Serologischer Nachweis einer früher durchgemachten Toxoplasmoseinfektion. Die Reaktivierung ist serologisch nicht erkennbar.
- Erregernachweis mittels PCR in Biopsiematerial.

Therapie
Pyrimethamin plus Folinsäure plus Sulfadiazin oder Clindamycin. Alternativen s. Kap. 19.3: „Infektionen bei zellulärer Immundefizienz".

Rezidivprophylaxe
Bei Toxoplasmose-Antikörper-positiven Patienten mit DC4-Zellen <200/µl: Pyrimethamin plus Sulfadiazin; Cotrimoxazol oder Clindamycin (s. Kap. 19.3).

Bazilläre Angiomatose

Bartonella henselae, der Erreger der Katzenkratzkrankheit, kann bei Aids eine endoproliferative Erkrankung auslösen, die sich vorwiegend in der Haut manifestiert. Auch eine Beteiligung von Milz und anderen Organen ist möglich (s. Kap. 13.15" Katzenkratzkrankheit").

SYMPTOME

Kleine rötliche Papeln in der Haut, die sich zu ulzerierenden Knötchen entwickeln.

DIAGNOSE

- Nachweis spezifischer Antikörper.
- Erregernachweis (PCR, Kultur) in Speziallaboratorien.

Therapie
Makrolide oder Doxycylin oder Ciprofloxacin.

Kryptosporidieninfektion

Protozoen wie Kryptosporidien, Mikrosporidien oder Isospora belli können bei HIV Patienten chronische Durchfälle verursachen. Die Übertragung der Erreger erfolgt fäkal-oral.

DIAGNOSE

Mikroskopischer Erregernachweis im Stuhl.

Therapie

Bei Kryptosporidien oder Mikrosporidien Albendazol. Bei Isospora belli Cotrimoxazol (s. Kap. 19.3: „Infektionen bei zellulärer Immundefizienz").

Mykobakteriosen

Aids-Patienten sind Risikopatienten für Tuberkulose (s. dort). Atypische Mykobakterien, insbesondere M. avium-intrazellulare, können bei Aids Pneumonien, Enteritis oder generalisierte Infektionen mit Septikämie und Organbefall auslösen (s. Kap. 16.1: „Tuberkulose"; Kap. 16.2: „Atypische Mykobakteriosen" sowie Kap. 19.3: „Infektionen bei zellulärer Immundefizienz").

HIV-Enzephalopathie

Eine Enzephalopathie durch HIV manifestiert sich bei 30% der Aids-Patienten im Spätstadium. Der Befall des ZNS resultiert in einer Hirnatrophie.

SYMPTOME

Zunächst Leistungsminderung, Gedächtnisschwund, Störungen der Motorik. Später progrediente Demenz.

DIAGNOSE

- *Bildgebende Verfahren:* EEG, CT, MRT.
- *Liquorbefund:* Protein erhöht, leicht erhöhte Zellzahlen.
- Nachweis autochtoner Antikörper gegen HIV.

Therapie

Antiretrovirale Therapie.

Molluscum contagiosum

Infektionen durch das Molluscum-contagiosum-Virus nehmen bei Aids-Patienten zu. Bereits 30% der Patienten sind davon betroffen. Das Virus verursacht benigne epidermale Tumoren. Bei Immungesunden ist die Erkrankung selbstlimitierend. Die Übertragung erfolgt durch engen Kontakt, Geschlechtsverkehr. Inkubationszeit: 20–50 Tage.

SYMPTOME

Auftreten von Papeln mit typischer zentraler Einziehung (Dellwarzen), benigne epidermale Tumoren (Akatnome).

DIAGNOSE

Klinik. Histologie. Virusnachweis.

Therapie
Keine spezifische Therapie.

Kaposi-Sarkom

Malignome, die meist in der Haut, seltener in der Mundschleimhaut oder Lymphgewebe, bei Progression disseminiert viszeral auftreten. Als ein wichtiger Faktor bei der Entstehung wird das humane Herpesvirus 8 (HHV-8) angesehen. Die Übertragung erfolgt sexuell oder über Blut.

DIAGNOSE

Histologie.

Therapie
Besserung wurde in Einzelfällen durch Foscarnet oder die antiretrovirale Therapie beschrieben. Lokale Maßnahmen wie Kryotherapie, Injektion von Zytostatika, Bestrahlung.

Andere opportunistische Infektionen bei Aids: s. Kap. 19.3: „Infektionen bei zellulärer Immundefizienz".

Prophylaxe der HIV-Infektion

Übertragungsrisiken meiden (kein Drogenabusus, Schutzmaßnahmen beim Geschlechtsverkehr). Screening von Blutspendern und Blutprodukten. HIV-Übertragungen von Patienten auf medizinisches Personal sind selten. Perkutane Verletzungen von Krankenhauspersonal führten nach amerikanischen Studien in 0,34% der Fälle zu einer Serokonversion.

Nach HIV-Exposition (Tabelle 19-7) wird eine Postexpositionsprophylaxe empfohlen: Kombination aus 2 Nukleosidanaloga und einem Protease-Inhibitor für einen Zeitraum von 4 Wochen. Sofortiger Behandlungsbeginn, möglichst innerhalb von 2 h nach der potentiellen Infektion (Empfehlungen zur Prophylaxe nach HIV-Exposition – Deutsch-Österreichische AIDS-Gesellschaft und RKI).

Bei Wunden sofort den Blutfluss fördern durch Druck auf das umgebende Gewebe und intensive antiseptische Spülung, ggf. chirurgische Wundversorgung. Bei Benetzung von Schleimhäuten, Auge: intensive Spülung mit Wasser oder Kochsalz.

Tabelle 19-7. Indikationen für eine HIV-Expositionsprophylaxe

Prophylaxe	Exposition
2 Nukleosidanaloga plus Protease-Inhibitor	Verletzung mit HIV-kontaminierten Instrumenten oder Injektionsbestecken
	Benetzung offener Wunden bzw. der Schleimhäute mit HIV-kontaminierten Flüssigkeiten
	Ungeschützter Geschlechtsverkehr mit einer HIV-infizierten Person
	Gebrauch von HIV-kontaminiertem Infusionsbesteck
	Transfusion von HIV-kontaminiertem Blut oder Blutprodukten

Nosokomiale Infektionen 20

Als im Krankenhaus erworben werden Infektionen bezeichnet, die frühestens 48 h nach stationärer Aufnahme auftreten und sich zum Aufnahmezeitpunkt nicht in der Inkubationsphase befanden. In Deutschland sind 3–8% der Patienten auf Normalstationen betroffen, Intensivpatienten etwa 3- bis 4-mal so häufig (12–45%). Das Risiko nimmt mit dem Schweregrad der Grunderkrankung zu. Das größte Risiko tragen operative Intensivpatienten mit Infektionsraten bis zu 26%, bei Polytraumatisierten bis zu 45%.

Die häufigsten Hospitalinfektionen sind Harnwegsinfektionen (8–40%), Atemwegsinfektionen (20–40%), postoperative Wundinfektionen (7–15%), Katheterinfektionen (6–8%) und Sepsis (6–20%; s. Tabelle 20-1). Nosokomiale Infektionen haben eine Erhöhung der Letalität bzw. eine Verlängerung der Krankenhausverweildauer mit erheblichen Mehrkosten zur Folge. Bei einer nosokomialen Pneumonie verlängert sich der Krankenhausaufenthalt um bis zu 11 Tage, bei einer Wundinfektion um 1–2 Wochen.

Nosokomiale Infektionen können exogenen oder endogenen Ursprungs sein. Exogene Infektionserreger entstammen der Umgebung der Patienten. Am häufigsten werden sie durch die Hände des Personals, seltener durch medizinische Geräte oder Aerosolbildung übertragen. Mehr als die Hälfte der Infektionen bei Intensivpatienten ist endogen bedingt, d. h. die Keime entstammen der patienteneigenen Stuhl-, Haut- oder Schleimhautflora (Abb. 20-1).

Ein weiteres Problem sind multiresistente Erreger. Antibiotika fördern generell die Selektion resistenter Bakterien. Gerade Multimorbide und Immunsupprimierte bedürfen oft einer breiten Kombinationstherapie mit der Selektion multiresistenter Keime. Daneben werden opportunistische Pilze, insbesondere Candida, gefördert, die bei Schwerstkranken zu systemischen Infektionen führen können.

Auch einige Viren sind für nosokomiale Infektionen verantwortlich. Auf Kinderstationen spielen Rotaviren als Durchfallerreger und respiratorisches Synzytialvirus (RSV) als Erreger von Atemwegsinfektionen eine Rolle, selten auch das fäkal-oral übertragbare Hepatitis-A-Virus.

Hepatitis-B-Virus und Hepatitis-C-Virus (seltener) können sich auf Stationen mit immundefizienten Patienten unbemerkt ausbreiten, da wegen der mangelhaften Immunantwort die Patienten asymptomatisch bleiben. Ähnliches gilt für Hämodialysestationen. Bei diesen Patienten ist eine regelmäßige Kontrolle auf HBV mittels HBsAg und HCV mittels Anti-HCV oder besser HCV-RNA-Nachweis nötig (alle 3 Monate, bei Auftreten neuer Fälle öfter). Strikte Hygiene beimUmgang mit Blut, Spritzen etc. ist vordringlich.

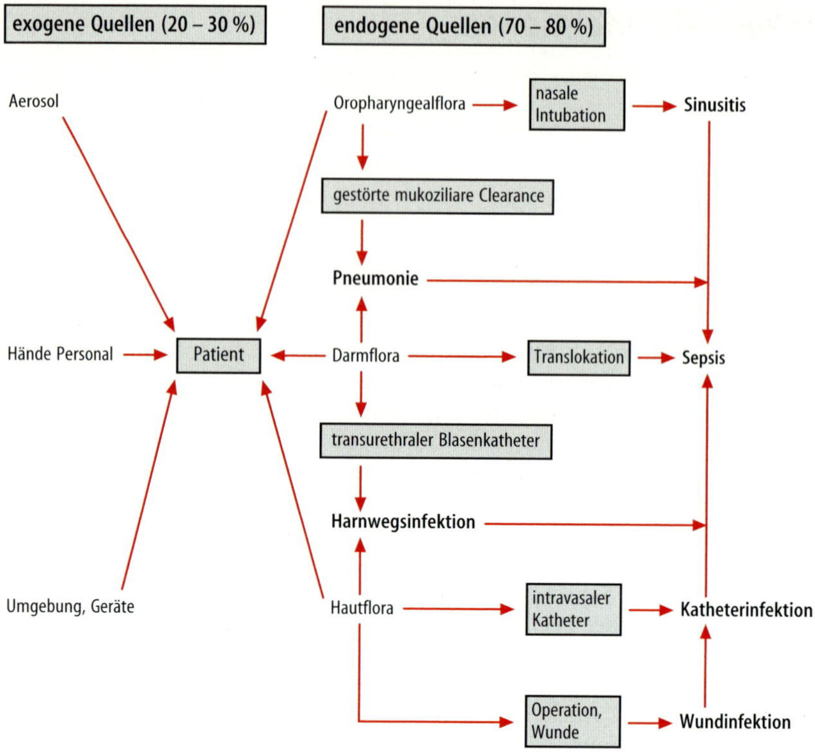

Abb. 20-1. Entstehung und Risikofaktoren nosokomialer Infektionen

Infiziertes medizinisches Personal kann bei invasiven Eingriffen HBV, HCV oder ggf. HIV auf Patienten übertragen. Abhilfe schafft hier die Untersuchung des Personals auf HBsAg, die Impfung gegen Hepatitis B und verletzungsarme Operationstechnik.

Iatrogene Infektionen durch Blutkomponenten oder Plasmaproteine sind heute sehr selten (<1:100.000), jedoch können wegen fehlender Aussonderungsmaßnahmen Parvovirus B19 oder Hepatitis-A-Virus (selten) übertragen werden. Bei Immundefizienten kann Parvovirus B19 eine persistierende Infektion und eine aplastische Anämie hervorrufen.

20.1 Katheterassoziierte Infektionen

Bedeutung und Ursachen

Intravasale Katheter sind häufige Eintrittspforten für Erreger. Die Infektionshäufigkeit variiert je nach Katheterart und -lokalisation und steigt mit der Liegedauer des Katheters. Die niedrigste Infektionsrate zeigen Portsysteme und partiell implantierte Katheter nach Hickman und Broviac. Durch den häufigen Einsatz zentraler Venenkatheter (ZVK) stellen diese eine bedeutende Infektionsquelle dar. Schätzungsweise werden pro Jahr in Deutschland ca. 1 Mio. ZVK eingesetzt.

Mehrere Faktoren tragen zur Entstehung von katheterassoziierten Infektionen bei. Katheter werden in der Blutbahn innerhalb weniger Stunden mit Fibrin und Fibronektin benetzt. Daran binden bevorzugt Staphylokokken. Zudem sind manche Staphylokokken in der Lage, an Polymeroberflächen anzuhaften und eine extrazelluläre Schleimsubstanz zu produzieren (Biofilm), in der sie sich verstecken, sodass sie weder von Phagozyten noch von Antibiotika erreicht werden. Auch das Kathetermaterial beeinflusst die Haftung von Bakterien. Staphylokokken und Candida binden z. B. besser an Polyvinyl als an Teflon.

Infektionswege

Die Infektion erfolgt entweder durch Hautkeime an der Eintrittsstelle (in 80% sind die vom Katheter isolierten Keime identisch mit patienteneigenen Hautkeimen) oder über Katheteranschlussöffnungen, selten durch kontaminierte Infusionslösungen (Nährlösungen, Fettemulsionen) oder durch hämatogene Besiedelung.

SYMPTOME

Fieber mit oder ohne Leukozytose. In der Hälfte der Fälle Rötung, Schwellung, eitrige Sekretion an der Eintrittspforte. Bei ZVK-Infektionen sind nur selten lokale Entzündungszeichen vorhanden.

Erreger

80–90% koagulasenegative Staphylokokken, Staphylococcus aureus, Enterokokken; seltener gramnegative Keime oder Candida. Infektionen mit gramnegativen Stäbchen sind häufiger bei kontaminierten Infusionslösungen und bei Kathetern im Hals- und Brustbereich (V. jugularis, V. subclavia) durch Kontamination mit Speichel (Tabelle 20-2).

DIAGNOSE

- Klinik (s. oben: „Symptome"), Fieberabfall nach Entfernung des Katheters.
- *Quantitativer Erregernachweis:* an der Katheterspitze müssen mindestens 15 Kolonien in der Ausroll-Platten-Kultur-Technik nachweisbar sein. Eine massive Keimbesiedelung an der Kathetereintrittsstelle macht eine Infektion wahrscheinlich. In Blutkulturflaschen, die über Katheter entnommen wurden, müssen Bakterien in wesentlich höherer Konzentration enthalten sein als in gleichzeitig durch Venenpunktion gewonnenen Kulturen. Koagulasenegative Staphylokokken müssen in mehreren Flaschen nachgewiesen werden (Ausschluss einer Kontamination).

Therapie

Nach Möglichkeit Katheter entfernen! Dies ist unerlässlich bei Staphylococcus aureus (hohe Komplikationsrate, Gefahr der Endokarditis), Candida oder Pseu-

Tabelle 20-1. Häufigkeit nosokomialer Infektionen

Infektionen	Häufigkeit [%]
Harnwegsinfektionen	10–40
Atemwegsinfektionen	20–40
Wundinfektionen	7–15
Katheterinfektionen	6–8
Sepsis	6–20

domonas. Bei koagulasenegativen Staphylokokken mit protrahiertem Infektionsverlauf und bei implantierten Kathetern kann der Versuch einer Sanierung durch Antibiotika unternommen werden (z. B. mit Vancomycin, Teicoplanin). Nach Absetzen der Antibiotika liegt die Rezidivrate jedoch über 20%. Die Erhaltung des Katheters durch Antibiotika ist daher Problemfällen und Patienten mit implantierten Kathetern oder Shunts vorbehalten.

Bei immunkompetenten Patienten mit unkomplizierten Infektionen ist die Entfernung des Katheters als alleinige Maßnahme meist ausreichend. Patienten unter Immunsuppression, mit Neutropenie, Tunnelinfektionen und katheterassoziierter Sepsis benötigen zusätzlich eine systemische Antibiotikatherapie. Die Therapiedauer richtet sich nach der Immunsituation des Patienten: leichte Fälle 7 Tage, bei Neutropenie oder Knochenmarktransplantation bis zu 4 Wochen.

Grampositive Keime: Vancomycin, Teicoplanin, nach Testung Flucloxacillin, Clindamycin.

Gramnegative Keime und Pilze: möglichst nach Erregernachweis.

Prophylaxe

1. Am wichtigsten ist die Einhaltung strenger Hygienemaßnahmen bei der Anlage von Kathetern und bei Manipulation am Infusionssystem:
   - Händewaschen, Händedesinfektion, sterile Handschuhe.
   - Desinfektion der Eintrittsstelle für mindestens 1 min, z. B. mit Chlorhexidindigluconat, 70%igem Alkohol oder PVJ.
   - Kathetereintrittsstelle trocken halten; Feuchtigkeit unter dem Verband erhöht das Infektionsrisiko.
2. Kathetermaterial: Teflon oder Vialon vermindert die Keimadhärenz.
3. Mit antimikrobiellen Wirkstoffen modifizierte Katheter, z. B. mit Antibiotika, Chlorhexidin oder Silber-Sulfadiazin beschichtete Katheter, konnten in Pilotstudien eine Katheterkolonisation effektiv verhindern.
4. Katheterwechsel: Die Entfernung des Katheters ist bei lokaler Entzündung, Druckschmerz oder Sekretaustritt an Einstichstellen, Thrombophlebitis oder unklarem Fieber indiziert.

Umstritten ist, ob durch regelmäßigen Wechsel, z. B. alle 72 h, die Infektionsrate vermindert wird. Katheter mit Verdacht auf Infektion sollten nicht über Führungsdraht gewechselt, sondern an anderer Stelle neu angelegt werden.

Bei Katheterinfektionen ist nach Möglichkeit der Katheter zu entfernen. Eine Antibiotikatherapie ohne Wechsel des Katheters ist mit einer hohen Rezidivrate verbunden.

20.2 Nosokomiale Harnwegsinfektionen

Nosokomiale Harnwegsinfektionen (HWI) entstehen in der Regel aszendierend, selten hämatogen. Wichtigster Risikofaktor ist ein transurethraler Blasenkatheter. Das Risiko einer HWI nimmt mit der Liegedauer des Katheters zu. Auch bei „geschlossenen Systemen" nimmt die Inzidenz einer Bakteriurie täglich um 5–10% zu, d. h. nach 10 Tagen haben 50–100% aller Patienten eine HWI. Weitere Risikofaktoren sind instrumentelle Eingriffe an den Harnwegen, Obstruktion der Harnwege, die kurze Harnröhre bei Frauen, Diabetes mellitus, Immunsuppression, Nierentransplantation.

Katheterassoziierte HWI entstehen entweder beim Legen des Katheters durch Verschleppen von Keimen aus dem distalen Ende der Harnröhre (Darmkeime) oder bei liegendem Katheter durch Aszension von Keimen, entweder intraluminal oder – besonders bei Frauen – entlang des Katheters, d. h. zwischen Außenseite des Katheters und Urethralwand. Begünstigend für die Keimaszension ist die Bildung einer Schleimschicht zwischen Katheterwand und Urethralschleimhaut (s. auch Kap. 10: „Harnwegsinfektionen").

SYMPTOME

Häufiger Harndrang, Brennen beim Urinieren, suprapubischer Druckschmerz als Ausdruck der Zystitis. Fieber, Nierenklopfschmerz und Leukozytose als Zeichen der Pyelonephritis. Bei sedierten Patienten sind HWI oft nur an der Bakteriurie und Leukozyturie erkennbar.

Erreger

Am häufigsten E. coli (40–60%), aber auch andere Enterobakterien, Enterokokken, Pseudomonas aeruginosa.

DIAGNOSE

- Urinstatus.
- *Mikrobiologische Untersuchung:* Entnahme des Urins bei Katheterpatienten mit steriler Monovette (Einmalhandschuhe, Desinfektion der Punktionsstelle).

Therapie

1. Antibiotika entsprechend Erregernachweis, z. B. Chinolon (Ofloxacin, Levofloxacin, Ciprofloxacin) oral, evtl. über Magensonde, Cotrimoxazol, Cephalosporine, Breitbandpenicillin evtl. mit β-Laktamase-Inhibitor (Amoxicillin/Clavulansäure, Ampicillin/Sulbactam, Mezlocillin/Sulbactam, Piperacillin/Sulbactam).
2. Bei transurethralem Blasenkatheter Wechsel des Katheters unter Antibiotika.

Tabelle 20-2. Erreger katheterassoziierter Infektionen bei Intensivpatienten

Erreger	Häufigkeit [%]
Koagulasenegative Staphylokokken	56
Staphylococcus aureus	12
Enterokokken	10
Enterobakterien	15
Candida	5
Sonstige	2

Prophylaxe

1. Transurethralen Blasenkatheter nach Möglichkeit vermeiden. Katheter möglichst früh entfernen.
2. Alternativen bevorzugen, z. B. postoperativ intermittierende Katheterisierung bis zur Wiederherstellung der normalen Blasenfunktion. Bei länger erforderlicher Harndrainage suprapubischen Blasenkatheter legen.
3. Hygienemaßnahmen beachten:
   - Gründliche Desinfektion der Urethralöffnung vor Legen des Katheters (letzten Tupfer mit Desinfektionsmittel 2 min liegen lassen).
   - Atraumatisches Legen des Katheters.
   - Händedesinfektion vor Legen des Katheters oder Manipulation am Katheter.
   - Einmalhandschuhe tragen.
   - Nur geschlossene Drainagesysteme mit Rückflussventil verwenden.
   - Freien Urinfluss gewährleisten (kein Abknicken, Auffangbeutel regelmäßig leeren).
   - Urinauffangbeutel nicht über Blasenniveau heben (Rückfluss).

! **Der wichtigste Risikofaktor für eine nosokomiale Harnwegsinfektion ist ein transurethraler Blasenkatheter, der deshalb möglichst frühzeitig entfernt oder durch Alternativen, z. B. einen suprapubischen Blasenkatheter, ersetzt werden sollte.**

20.3 Postoperative Wundinfektionen

Sie entstehen durch Bakterien, die während der Operation in Wunden gelangen. Die Keime stammen entweder von der Haut- oder Schleimhautflora des Patienten oder des Operationsteams oder kommen physiologischerweise im Operationsgebiet vor (Darmkanal, Oropharynx). Die Wundinfektionsrate steigt mit dem Grad der bakteriellen Kontamination im Operationsgebiet: sauber (0,5–3%), sauberkontaminiert (3–7%), kontaminiert (15%), schmutzig (bis 45%).

Besondere Risikofaktoren sind Immunsuppression, Diabetes, Fremdkörper, lange Operationsdauer (jede Operationsstunde verdoppelt sich die Infektionsrate), langer präoperativer Krankenhausaufenthalt, bakterielle Infektionen an an-

Tabelle 20-3. Perioperative Antibiotikaprophylaxe

Eingriffsart	Antibiotika[d]	Alternative bei Allergie
Abdominalchirurgie		
Dickdarmeingriffe, perforiertes Abdominaltrauma, Appendektomie	Cephalosporin der 2.[b] Generation	Gentamicin plus Metronidazol
Galle/Magen (nur Risikopatienten: >60 Jahre, akute Symptome, Ikterus, Ulkusblutung, Komplikationen)	Cephalosporin der 1.[a] oder 2.[b] Generation	Gentamicin plus Metronidazol
Gynäkologie		
Sectio caesarea, Kürettage, Abort 2. Trimenon, Hysterektomie, Tumorchirurgie	Cephalosporin der 1.[a] oder 2.[b] Generation plus Metronidazol; Alternative: Aminopenicillin plus β-Laktamase-Inhibitor[c]	Gentamicin plus Metronidazol (nach Abnabeln)
HNO:		
Eingriffe an Kopf, Nacken, Oral-, Tumorchirurgie	Cephalosporin der 1.[a] Generation	Clindamycin
Orthopädie		
Gelenkeröffnung, Endoprothese	Cephalosporin der 1.[a] oder 2.[b] Generation	Clindamycin
Unfallchirurgie		
Offene Frakturen, Gelenkeröffnung	Cephalosporin der 1.[a] oder 2.[b] Generation	Clindamycin
Stark verschmutze Wunden	Cephalosporin der 2.[b] Generation oder Ceftriaxon plus Clindamycin	Clindamycin, evtl. plus Chinolon
Thoraxchirurgie, Gefäßchirurgie		
Eingriffe mit Sternotomie, an Koronargefäßen, Herzklappen, Pneumektomie, Lobektomie	Cephalosporin der 1.[a] oder 2.[b] Generation	Vancomycin
Eingriffe an peripheren Gefäßen	Cephalosporin der 1.[a] Generation	Vancomycin
Neurochirurgie		
Bei besonderem Risiko, Liquorshunt	Cephalosporin der 1.[a] oder 2.[b] Generation	Cotrimoxazol oder Vancomycin
Urologie		
Nephrektomie, transurethrale Prostatektomie	Cephalosporin der 2.[b] Generation	Cotrimoxazol

[a] Cephalosporin der 1. Generation, z. B. Cefazolin, Cefazedon 2 g.
[b] Cephalosporin der 2. Generation, z. B. Cefuroxim 1,5 g, Cefotiam 2 g, Cefamandol 2 g.
[c] Zum Beispiel Amoxicillin/Clavulansäure 2,2 g, Ampicillin/Sulbactam 3 g.
[d] Verabreichung ca. 30 min vor Operation, bei Operationsdauer >2 h: Wiederholungsgabe

Therapie

1. Symptomatisch: Bei wässrigem Durchfall ist die Flüssigkeitssubstitution essentiell, z. B. mit WHO-Trunk [3 Esslöffel Rohrzucker (30 g), 1/2 Teelöffel Speisesalz (2,5 g NaCl), 1 Teelöffel Backpulver (2,5 g $NaHCO_3$), 1 Glas Orangensaft (1,5 g KCl) mit abgekochtem Wasser auf 1 l auffüllen] oder käufliche Produkte (z. B. Elotrans, Oralpädon, Isostar etc.); in leichten Fällen Cola mit Salzstangen (s. Kap. 8.2: „Durchfallerkrankungen und Lebensmittelvergiftungen").
2. Antibiotika: Um die Krankheitsdauer abzukürzen, kann bei Reisediarrhö die sofortige Kurzzeitbehandlung mit einem enteral wirksamen Chinolon (z. B. Ciprofloxacin 1-mal 500 mg) oder Cotrimoxazol (1-mal 960 mg) sinnvoll sein; bei Kindern Cotrimoxazol oder Amoxicillin. Bei Fieber (Invasionspathogenese) Fortsetzung der Therapie bis zur Entfieberung. Bei Erfolglosigkeit besteht der Verdacht auf eine Lamblien- oder Amöbeninfektion, dann Wechsel auf Metronidazol (s. Therapie von Giardiasis, Amöbiasis in Kap. 8.2: „Durchfallerkrankungen durch Protozoen"). Beide Medikamente (Ciprofloxacin und Metronidazol) gehören in die Reiseapotheke.

Prophylaxe

Im Reiseland keine ungekochten Speisen oder Getränke zu sich nehmen. Kalte Getränke nur aus originalverschlossenen Packungen. Gemüse und Obst mit abgekochtem Wasser waschen. Leitungswasser oder Eiswürfel aus Leitungswasser sind als potenziell kontaminiert anzusehen.

Antibiotikaprophylaxe: eine prophylaktische Antibiotikagabe ist nicht generell zu empfehlen, außer bei Personen mit schweren Grunderkrankungen bzw. unter Immunsuppression, evtl. auch, wenn die oben genannten unspezifischen Prophylaxemaßnahmen nicht eingehalten werden können. Zur Prophylaxe geeignet sind Cotrimoxazol oder Chinolone. Beginn der Prophylaxe am Ankunftstag, Fortführung bis 2 Tage nach der Rückkehr.

21.2 Fieberhafte Erkrankungen nach Tropenaufenthalt

Die zunehmende Reisefreudigkeit und Globalisierung hat zur Folge, dass häufiger mit importierten tropischen Infektionskrankheiten zu rechnen ist. An der Spitze steht dabei Malaria. Aber auch Dengue-Fieber und andere virale Infektionen, Typhus, Paratyphus und Amöbenleberabszesse, die eine spezielle Diagnostik erforderlich machen, werden häufiger importiert.

Bei der Abklärung sind die Anamnese (Reiseland, Impfstatus, Malariaprophylaxe, Reiseverhalten, Essgewohnheiten, Sexualkontakte), die Verbreitung der Erkrankung im Reiseland, Inkubationszeiten und Begleitsymptome zu berücksichtigen (Tabelle 21-1). Die Art des Fiebers, Blutbildveränderungen, Organbeteiligungen können richtungsweisend sein (Tabelle 21-2). Nachfolgend werden einige fieberhafte Erkrankungen näher charakterisiert (s. Kap. 21.2.1–21.2.9).

Tabelle 21-1. Risikofaktoren für Infektionen nach Tropenaufenthalt

Faktoren	Infektionen
Injektionen oder Infusionen	HIV, HBV, HCV, Malaria, Lues, Chagas-Krankheit
Tierkontakt	Q-Fieber, Ornithose, Brucellose, Tollwut, Milzbrand, Malleus, Tularämie
Genuß ungenügend erhitzten Fleisches	Brucellose, Salmonellose, Trichinose, Toxoplasmose, Rinder-, Schweine-, Fischbandwurm
Sexualkontakte	HIV, HBV, Lues
Süßwasserkontakt	Schistosomiasis, Leptospirose

Tabelle 21-2. Symptome bei fieberhaften tropischen Infektionen

Symptome	Erkrankungen
Fieberprofil	
– kontinuierlich	Sepsis, Typus, Paratypus
– intermittierend	Malaria, Rückfallfieber, Trypanosomiasis, Kala azar, Filariasis
Blutbildveränderungen	
– Leukozytose	Bakterielle Infektionen, Sepsis, Tbc, Amöbenleberabszess
– Leukopenie	Typus, Paratypus, Brucellose, Malaria, Kala azar
– Lymphozytose	Viruskrankheiten, Brucellose, Tbc, Toxoplasmose
– Thrombozytopenie	Malaria, Trypanosomiasis, Virusinfektionen, Borreliose, Rickettsiosen, Sepsis, Leptospirose
– Eosinophilie	Parasitäre Infektionen, Katayama-Fieber, allergische broncho-pulmonaleAspergillose, Kokzidioidomykose
Fieber und Durchfall	Salmonellose, Typhus, Paratyphus, Shigellose, Yersinien-, Campylobacter-, EIEC-Infektionen
Hautsymptome	
– Hämorrhagien	Virale hämorrhagische Fieber (sofort Tropeninstitut kontaktieren)
– Petechien	Dengue-Fieber, Meningokokken, Leptospirose
– Exanthem	Dengue-Fieber, Rickettsiosen, Rückfallfieber, EBV, HIV, Typhus
Fieber und Leberbeteiligung	Hepatitis A, B,C, E, Malaria, Gelbfieber, Lassa-, Dengue-Fieber, Rückfallfieber, Amöbenleberabszess, Q-Fieber, Leishmaniose, EBV-, CMV-, HIV-Infektionen, Rickettsiosen, Histoplamose
Leber und Niere	Leptospirose, Hantaan-Fieber
Splenomegalie	Viszerale Leishmaniose, Malaria, Trypanosomiasis, Tuberkulose, Typhus, Paratyphus, Dengue-Fieber, Brucellose, Rückfallfieber, EBV-, CMV-, HIV-Infektionen, Histoplasmose
Pulmonale Infiltrate	Influenza, Mycoplasma-pneumonie-Infektion, Ornithose, Pneumokokken-, Haemophilus-influenzae-Pneumonie, Tuberkulose, Systemmykosen, Histoplasmose, Hantavirusinfektion

DIAGNOSE

- Anamnese (Tabelle 21-1).
- Klinische Untersuchung.
- Besonders auf Verletzungen, Hautsymptome, Lymphknotenschwellungen, Lungen- oder Herzgeräusche, Hepatomegalie, Splenomegalie, Gelenkschwellungen, neurologische Symptome achten.
- Sonographie Ober- und Unterbauch (Leberabszess).
- Thoraxröntgenaufnahme.
- EKG.
- *Labormedizinische Untersuchung:* Es sollten Blutbild, BSG, CRP, Transaminasen, alkalische Phosphatase, Kreatinin, LDH, Lipase, Glukose, Blut im Stuhl, Urinstatus untersucht werden.
- *Mikrobiologische Untersuchung:* Wiederholte Untersuchungen von Blutausstrich/dickem Tropfen auf Plasmodien (Malaria), Trypanosomen, Borrelien. Eventuell Malaquick-Test zum Nachweis von Plasmodium falciparum.
- *Blutkulturen:* Nachweis von Salmonellen u. a. Bakterien, Pilzen.
- *Urin:* Nachweis pathogener Keime.
- *Stuhl:* Nachweis von Salmonellen, Shigellen, Campylobacter, Yersinien, Entamoeba histolytica, Giardia lamblia, Wurmeiern, Strongyloideslarven, Kryptosporidien.
- *Serologie:* Nachweis spezifischer Antikörper gegen Brucellen, Salmonellen, Shigellen, Yersinien, Amöben, Schistosomen, Plasmodien, Filarien, CMV, EBV, HIV, HAV, HBV, HCV, HEV, Dengue-Virus, Borrelien, Chlamydia psittaci, Legionellen, Coxiella burneti, Rickettsien, Leishmanien (Kala azar), Leptospiren, Toxoplasma gondii.
- Die weiteren Untersuchungen orientieren sich an der Anamnese, den Labor- und Organbefunden (Tabelle 21-2).
- *Bei Fieber ohne sonstige Organsymptomatik bzw. mit Splenomegalie oder Lymphadenitis zusätzlich:*
  - Serologie: wie oben.
  - Untersuchung auf Tuberkulose.
  - Eventuell Knochenmarkuntersuchung: Leishmanien, Histoplasma capsulatum.
- *Bei Fieber und Leberbeteiligung:*
  - Serologie: Hepatitis-A-, -B-, -C-, -E-Virus, Dengue-, Gelbfieber-, Lassa-Fiebervirus, Borrelien, CMV, EBV, HIV, Rickettsien, Leishmanien, Coxiella burneti, Amöben, Histoplasma capsulatum.
- *Bei Leber- und Nierenbeteiligung:*
  - Nachweis von spezifischen Antikörpern gegen Leptospiren, Hantaviren.
  - Sonographie Oberbauch (Leberabszess).
- *Bei Fieber und Exanthem:*
  - Untersuchung auf virale hämorrhagische Fieber (Ebola-, Lassa-, Krim-Kongo-, Marburg-Virus – Speziallabor!). Dengue-, Gelbfiebervirus, Meningokokken, Leptospiren, Rickettsien, Borrelien, EBV, HIV.
- Bei *anderen Organsymptomen* oder *Blutbildveränderungen* s. Tabelle 21-2.

Therapie

Die Behandlung richtet sich nach der Diagnose (s. unten).

21.2.1 Malaria

Weltweit erkranken jährlich 200–400 Mio. Menschen an Malaria. Etwa 1000 Fälle werden jährlich nach Deutschland eingeschleppt, meist Infektionen mit Plasmodium falciparum, von denen 80–90% im tropischen Afrika erworben wurden.

Die Infektion mit Plasmodien erfolgt durch Stiche der Anopheles-Mücken, die vorwiegend während der Dämmerung oder in der Nacht saugen. Nach kurzer initialer Parasitämie erfolgt die Reifung der Schizonten in der Leber mit Freisetzung von Merozoiten, welche die Erythrozyten befallen. Der typische Malariaanfall wird durch synchronen Zerfall parasitär befallener Erythrozyten und Induktion von Zytokinen (Interleukin-1, TNF) ausgelöst, wobei das Fieberintervall durch die Erregerart bestimmt wird.

Je nach Plasmodienart beträgt die Inkubationszeit 8–30 Tage. Infektionen mit P. falciparum können sehr schwer verlaufen u. a. infolge von Mikrozirkulationsstörungen durch aggregierte Erythrozyten mit sekundärer Gewebsanoxie in diversen Organen (Gehirn, Lunge, Nieren). Immunkomplexe können eine Nephritis induzieren.

Erreger

- Plasmodium falciparum (Malaria tropica), Vorkommen: Tropengürtel, in Afrika vorherrschend. Inkubationszeit: 7–25 Tage.
- Plasmodium malariae (Malaria quartana): Kommt weltweit in tropischen und subtropischen Gebieten vor. Inkubationszeit: 30 Tage.
- Plasmodium ovale (Malaria tertiana): In tropischen Gebieten Afrikas, selten in Südostasien vorkommend.
- Plasmodium vivax (Malaria tertiana): Weltweit in tropischen und subtropischen Gebieten vorkommend.

SYMPTOME

Bei klassischem Malariaanfall Schüttelfrost, rasch ansteigendes Fieber bis 40°C, nach einigen Stunden Fieberabfall und Schweißausbrüche. Kopf- und Gliederschmerzen, Mattigkeit, Appetitlosigkeit, Übelkeit, manchmal Diarrhö. Oft Hepatosplenomegalie, Thrombopenie, Anämie, Leukopenie. Nach einigen Tagen synchronisieren sich die Fieberanfälle je nach Erreger: Malaria tertiana (P. vivax, P. ovale) Fieber jeden 3. Tag, Malaria quartana (P. malariae) Fieber jeden 4. Tag, Malaria tropica (P. falciparum) Fieber unregelmäßig.

Komplikationen

Bei Malaria tropica kann die Erkrankung rasch progredient verlaufen, z. B. als zerebrale Malaria mit Eintrübung bis hin zu Koma, Krämpfen; Niereninsuffizienz, Anämie, Gerinnungsstörungen, Störungen im Elektrolyt- bzw. Säure- Basen-Haushalt, respiratorische Insuffizienz. Unbehandelt können die Komplikationen zum Tod führen. Bei anderen Plasmodienarten sind Komplikationen seltener und die Letalität ist wesentlich geringer. Bei P. vivax: Milzruptur 2–3 Monate nach dem Initialinfekt. P. malariae: Immunkomplexglomerulonephritis.

Durch in der Leber persistierende Erreger (Malaria tertiana)kann es bei unzureichender Behandlung jahrelang zu Rückfällen kommen.

DIAGNOSE

- Reiseanamnese.
- Mikroskopischer Erregernachweis im Blut (Blutausstrich, dicker Tropfen).
- *Schnelltest:* Malaquick (P. falciparum).
- Antikörpernachweis (keine Methode der Erstdiagnostik).
- *Laborparameter:* Hämoglobin, Hämatokrit, Haptoglobin vermindert, Thrombozytopenie. Hyperbilirubinämie, Erhöhung der Leberenzyme; bei Nierenbeteiligung Proteinurie, Hämoglobinurie und Kreatininanstieg.

Therapie

Die möglichst rasch einsetzende Therapie muss berücksichtigen: Erregerart, Resistenzsituation im Reiseland, Schwere der Erkrankung, vorherige Chemoprophylaxe, Unterscheidung unkomplizierte oder komplizierte Verlaufsform.

- Malaria tertiana/quartana, chloroquinsensible M. tropica: Chloroquin. Ein Teil der P. falciparum-Stämme ist jedoch resistent gegen Chloroquin.
- Malaria tropica: Bei Chloroquinresistenz: Chinin (evtl. plus Doxycyclin), bei schweren Fällen Chinin i.v., nach klinischer Besserung oral. Bei unkompliziertem Verlauf: Mefloquin, evtl. Halofantrin.
- Nachbehandlung bei Malaria tertiana/quartana: Primaquin für 2 Wochen (eliminiert extraerythrozytäre Formen; über internationale Apotheke zu beziehen).

Prophylaxe

1. Chemoprophylaxe (1 Woche vor bis 4 Wochen nach Reiseende): Bietet nur einen relativen Schutz und richtet sich nach dem Reiseland und Vorkommen resistenter Plasmodien. Gebiete ohne Resistenz: Chloroquin. Bei Chloroquinresistenz Chloroquin plus Proguanil. Die Alternative Doxycyclin ist wegen des Risikos phototoxischer Reaktionen problematisch. Mefloquin ist durch langanhaltende zentralnervöse Funktionssstörungen belastet.
2. Im Reiseland: Schutz vor Stichen, Schlafen unter dichtem Moskitonetz, abdeckende Kleidung, kein Aufenthalt im Freien während der Dämmerung. Mückenbekämpfung.

Meldepflicht

Jeder direkte oder indirekte Nachweis von Plasmodien ist nichtnamentlich an das Gesundheitsamt zu melden (s. Tabelle 28-1).

! **Da Malaria bei uns relativ selten ist und die Resistenzsituation ständig wechselt, empfiehlt es sich dringend, bei Verdacht ein Spezialzentrum zu konsultieren, z. B. die Tropeninstitute in Hamburg oder Tübingen (Adressen s. Anhang A).**

21.2.2 Leishmaniose

Leishmanien sind Protozoen, die durch Stiche von Sandfliegen auf den Menschen übertragen werden. Erregerreservoir sind v. a. Hunde, in Mittel- und Südamerika auch Nager.

Viszerale Leishmaniose = Kala azar

Die viszerale Leishmaniose ist eine generalisierte Infektion, die unbehandelt tödlich verlaufen kann. Die Erreger vermehren sich in den regionalen Lymphknoten. Die klinischen Symptome beginnen mit der hämatogenen Streuung. Die Leishmanien befallen und zerstören die Zellen des RES in Milz, Leber und Knochenmark. Ein Teil der Fälle verläuft asymptomatisch.

Erreger
Leishmania donovani, L. infantum (Afrika, Indien, Mittelmeerraum). L. chagasi (Südamerika). Inkubationszeit: 3–8 Monate und länger.

SYMPTOME

Protrahiertes Fieber, Schwäche, Gewichtsverlust, Kachexie. Nach Monaten Hepatomegalie, Splenomegalie, Leukopenie, Panzytopenie, Haut- und Schleimhautblutungen, später dunkle Pigmentierung der Haut (Kala azar = schwarzes Fieber). Hypergammaglobulinämie. Unbehandelt oft tödlicher Verlauf.

Differentialdiagnosen
Differentialdiagnostisch abzuklären sind u. a. Malaria, Tbc, Brucellose, Hepatitis, Leukämie.

DIAGNOSE

- Klinik, Reiseanamnese.
- Antikörpernachweis im Serum.
- Erregernachweis im Knochenmark, Biopsien von Lymphknoten, Milz (Giemsa-Färbung, PCR).

Therapie
Tropeninstitut kosultieren (Adressen s. Anhang A)! Natrium-Antimon-Gluconat (Pentostam) oder Meglumin Antimonat (Glucantim), bei Versagen: Pentamidin oder Amphotericin B. Bei starker Milzvergrößerung nach Therapie evtl. Milzexstirpation.

Bei Verdacht auf viszerale Leishmaniose: Speziallabor oder Tropeninstitut konsultieren. !

Kutane Leishmaniose (Orientbeule)

Die kutane Leishmaniose ist eine lokale Infektion, in der Regel selbstheilend.

Erreger
L. tropica, L. major, L. aethiopica (Afrika, Indien, Mittelmeerraum). L. braziliensis, L. mexicana (Süd- und Mittelamerika). Inkubationszeit: Wochen bis Monate.

SYMPTOME

Aus einer kleinen Papel an der Einstichstelle wird eine größere Ulzeration (Orientbeule). Selbstheilung nach Wochen bis Monaten. In Südamerika auch disseminierte kutane und mukokutane Formen mit Destruktionen.

DIAGNOSE

- Erregernachweis in Material vom Rand der Läsionen (Presssaft, Punktat, Biopsie).
- Hauttest.

Therapie
Hautläsion: selbstheilend. Eventuell Antimonpräparate lokal bzw. operative Sanierung. Bei disseminierter oder mukokutaner Leishmaniose Antimonpräparate (z. B. Pentostam, Glucantim) oder Diamidine (Pentamidin, Lomidin) oder Amphotericin B.

Prophylaxe
Fliegenbekämpfung und Ausrottung der Reservoire.

21.2.3 Schlafkrankheit (Trypanosomiasis)

Die Trypanosomen (Protozoen) werden durch den Speichel von Tsetsefliegen beim Blutsaugen auf den Menschen übertragen. In Zentral- und Westafrika v. a. Trypanosoma brucei gambiense, deren Hauptreservoir der Mensch und Haustiere sind. Tr. brucei rhodesiense tritt in Ostafrika auf, Reservoir sind Wildtiere. Die Pathogenese der Erkrankung ist teilweise noch ungeklärt. Vermutlich führen Stoffwechselprodukte der Erreger und Immunreaktionen zu Entzündungen in Organen und degenerativen Veränderungen im ZNS. Die Inkubationszeit beträgt 2–3 Wochen.

SYMPTOME

Zunächst Schwellung an der Einstichstelle. Nach 2–3 Wochen Fieber, Erytheme, Ödeme, Lymphadenitis, Tachykardie, Splenomegalie, Hyperästhesie. Wochen bis Monate später meningoenzephalitische Phase mit starkem Schlafbedürfnis. Unbehandelt endet die Erkrankung tödlich.

DIAGNOSE

- Mikroskopischer Erregernachweis im Blutausstrich/dickem Tropfen, auch im Liquor, Lymphknoten, Knochenmark (Giemsa-Färbung).
- Antikörpernachweis im Serum.

Therapie

Es empfiehlt sich dringend, ein Tropenzentrum zu konsultieren. Eine Chemotherapie sollte möglichst frühzeitig erfolgen; in der Frühphase z. B. mit Suramin oder Pentamidin. Bei der meningoenzephalitischen Phase zusätzlich mit Melarsoprol oder Eflornithin.

Prophylaxe

Schutz vor Tsetsefliegen wie bei Malaria. Eventuell Chemoprophylaxe bei Tr. brucei gambiense mit Pentamidin, bei Tr. rhodesiense mit Suramin.

Bei Verdacht auf Schlafkrankheit sollte dringend ein Spezialzentrum, z. B. die Tropeninstitute in Hamburg oder Tübingen, konsultiert werden (Adressen s. Anhang A). !

21.2.4 Chagas-Krankheit

Die Erreger, Trypanosoma cruzi (Protozoen), kommen in Süd- und Mittelamerika vor und werden durch den Kot von blutsaugenden Raubwanzen auf den Menschen übertragen, evtl. auch durch Fliegen verbreitet. Sie dringen über den Wanzenstich über Hautläsionen oder Schleimhäute (Auge!) in die Blutbahn ein. Auch eine Übertragung durch Bluttransfusion oder diaplazentar ist möglich. Erregerreservoir sind der Mensch, Haus- und Wildtiere. Die Mehrzahl der Infektionen (ca. 75%) verlaufen subklinisch. Inkubationszeit ca. 3 Wochen.

SYMPTOME

Akute Chagas-Krankheit: ödematöse Schwellung an der Eintrittspforte unter Beteiligung der regionalen Lymphknoten. Nach 2–4 Wochen Fieber, Tachykardie. Die Erkrankung kann spontan abheilen, tödlich enden oder in eine chronische Form mit Myokarditis und Herzversagen übergehen.

DIAGNOSE

- Mikroskopischer Erregernachweis in Blutausstrich/dickem Tropfen (Giemsa-Färbung).
- Antikörpernachweis in Serum.

Therapie

Im akuten Stadium Chemotherapie mit Nifurtimox oder Benznidazol. Spezialzentrum konsultieren!

Prophylaxe
Bekämpfung der Wanzen. Serologische Kontrolle von Blutspendern in Endemiegebieten.

21.2.5 Rückfallfieber

Rückfallfieber tritt endemisch in Afrika, Nordamerika, Ostindien, Bolivien und Peru auf, meist in Zusammenhang mit schlechten hygienischen Verhältnissen, z. B. in Flüchtlingslagern. Die Erreger sind Borrelien (spiralförmige Bakterien), die durch Läuse (Borrelia recurrentis) oder Zecken (Borrelia duttonii) übertragen werden. Beim Kratzen gelangen die auf der Haut mit Läusekot abgelegten Bakterien über Miniläsionen ins Gewebe. Nach einer Woche erfolgt eine Bakteriämie mit Befall sämtlicher Organe, gekennzeichnet durch schwere Fieberanfälle, die sich nach kurzen fieberfreien Intervallen 2- bis 3-mal wiederholen (Rückfälle).

Diese typisch wiederkehrenden Fieberattacken kommen dadurch zustande, dass die Borrelien ihre Oberflächenantigene rasch verändern und so durch spezifische Antikörper immer nur ein Teil der Erreger eliminiert wird. Ein kleiner Teil exprimiert neue Oberflächenantigene, überlebt und proliferiert, bis neue Antikörper gebildet sind, usw.

SYMPTOME

Nach ca. einwöchiger Inkubation hohes Fieber, Schüttelfrost, starke Kopfschmerzen, Myalgien, Arthralgien, Lethargie, Photophobie, evtl. Hepatomegalie, Splenomegalie, petechiale Blutungen, Hämaturie. Nach 3–6 Tagen Temperaturabfall, z. T. mit Hautausschlag am Stamm. Es folgen 6–10 Tage Fieberfreiheit, bevor erneute Fieberschübe auftreten. Dieser Wechsel setzt sich über Wochen fort.

Komplikationen
Myokarditis mit Arrhythmien; ZNS-Blutungen und Leberversagen, manchmal mit letalem Ausgang.

DIAGNOSE

- Erregernachweis im Blutausstrich (Färbung nach Giemsa oder Wright); evtl. im Tierversuch oder Kultur.

Therapie
Tetracycline.

21.2.6 Fleckfieber (Flecktyphus)

Das klassische Fleckfieber tritt heute noch in Südamerika, Afrika auf. Der Erreger, Rickettsia prowazekii (intrazellulär überlebensfähige Bakterien), wird durch Kleiderläuse übertragen. Reservoir ist der Mensch, in den USA auch Flughörnchen, die über Flöhe infiziert werden. Die Läuse scheiden im Kot große Mengen Rickettsien aus. Der Läusekot löst Juckreiz aus. Beim Kratzen gelangen die Erreger durch Miniläsionen in die Blutbahn. Sie vermehren sich in den Endothelzellen mit der Folge von Gefäßwandschäden und Mikrothrombenbildung. In der Haut entstehen Echymosen oder Exantheme. Im Gehirn löst der Befall des Gefäßendothels zerebrale Blutungen aus. Die Letalität beträgt ca 4%.

SYMPTOME

Nach 1- bis 2-wöchiger Inkubation akuter Beginn mit hohem Fieber, Schüttelfrost, starken Kopfschmerzen, Myalgien, Arthralgien. Nach 4–5 Tagen makulöses Exanthem mit Petechien am Stamm. Petechiale Blutungen an Konjunktival- und Gaumenschleimhaut. Tachykardie, Tachypnoe. Eventuell pulmonale Beteiligung mit unproduktivem Husten, röntgenologischen Infiltraten. Bei ZNS-Beteiligung Benommenheit, Verwirrung, Lichtscheu, Nackensteife.

Komplikationen

Taubheit, Sehstörungen, Gefäßverschlüsse mit Thrombose oder Gangrän. Rezidive sind noch nach Jahren möglich (Brill-Krankheit), wenn die in Endothelzellen persistierenden Erreger durch Schwächung der Immunabwehr sich wieder vermehren. Diese Rückfälle verlaufen milder als die Primärinfektion.

DIAGNOSE

- Serologischer Antikörpernachweis (unspezifische Kreuzreaktion mit Proteus OX 19).
- *Laborparameter:* BSG erhöht, milde Anämie, Thrombozytopenie, Anstieg der Leberenzyme, Mikrohämaturie, Proteinurie.

Differentialdiagnose

Differentialdiagnostisch müssen Meningitis, Leptospirose, Rückfallfieber, Röteln, Masern, virale hämorrhagische Fieber, Malaria abgegrenzt werden.

Therapie

Tetracycline, Doxycyclin, Chloramphenicol.

Prophylaxe

Läusebekämpfung, häufiger Kleiderwechsel.

21.2.7 Gelbfieber

Das Gelbfiebervirus (Flavivirus) kommt in tropischen und subtropischen Gebieten Afrikas, Süd- und Mittelamerikas vor. Es wird durch Stechmücken übertragen. Erregerreservoir sind der Mensch und Primaten (Dschungelfieber). Die Erreger reifen ca. 2 Wochen in den Speicheldrüsen der Stechmücken, die für den Rest ihres Lebens infektiös bleiben. Nach dem Stich vermehrt sich das Virus in den regionalen Lymphknoten. Durch Virämie gelangen die Erreger in andere Organe, wie Leber, Niere (Nekrosen), Gehirn (Blutungen), Herz (petechiale Blutungen, Myokarddegeneration) und Gastrointestinaltrakt (multiple Blutungen mit „schwarzem Erbrechen").

SYMPTOME

Nach einer Inkubationszeit von 3–6 Tagen plötzliches Fieber bis 39°C, Kopfschmerzen, Nasenbluten, Bradykardien, leichte Albuminurie. In leichten Fällen verschwinden die Symptome nach 1–3 Tagen.
Schwere Formen verlaufen in drei Phasen: plötzliches hohes Fieber, Kopf- und Gliederschmerzen, Erbrechen, gerötetes Gesicht, Zunge weiß belegt mit roten Rändern. Am 3. Tag Remissionsphase mit Fieberfreiheit für Stunden bis Tage. Dann erneuter Fieberanstieg, Ikterus, Blutungen aus Nase, Zahnfleisch, Magen-Darm-Trakt, Harnwegen. Krämpfe, Delirium, Erregungszustände. Der Tod tritt durch Leber-, Nieren- oder Kreislaufversagen ein.

DIAGNOSE

- Eventuell Virusnachweis im Blut während der Virämie in den ersten 3 Krankheitstagen (RNA-Nachweis durch PCR).
- Nachweis spezifischer Antikörper.

Therapie

Symptomatisch. Erhaltung der Vitalfunktionen. Flüssigkeits- und Elektrolytsubstitution.

Prophylaxe

1. Eine aktive Immunisierung ist bei Reisen in Endemiegebiete vorgeschrieben. Sie wird nur in staatlich zugelassenen Gelbfieberimpfstellen durchgeführt. Der Impfschutz hält ca. 10 Jahre an.
2. Schutz vor Fliegenstichen.

Meldepflicht

Siehe Tabelle 28-1.

! **Bei Verdacht auf Gelbfieber sollte unbedingt ein Spezialzentrum, z. B. Tropeninstitut, konsultiert werden.**

21.2.8 Dengue-Fieber

Dengue-Fieber ist weit verbreitet in allen tropischen und subtropischen Gebieten: in Südostasien, Afrika, Mittel- und Südamerika, Karibik. Jährlich werden ca. 2000 Fälle nach Deutschland eingeschleppt. Das verursachende Virus (Flavivirus) mit den Typen 1–4 wird durch Stechmücken (Aedes aegypti u. a.) übertragen. Man unterscheidet 3 Verlaufsformen: klassisches Dengue-Fieber, eine milde, atypische Verlaufsform und hämorrhagisches Dengue-Fieber, das v. a. bei Zweitinfektionen mit einem anderen Serotyp beobachtet wird. Die Inkubationszeit beträgt 3–14 Tage.

SYMPTOME

- *Klassisches Dengue-Fieber:* Nach dem Prodromalstadium mit Konjunktivitis plötzlicher Fieberanstieg bis 40°C mit sattelförmigem Fieber. Starke Muskel- und Gelenkschmerzen („Knochenbrecherfieber"), Kopfschmerzen. Blasses Exanthem am ganzen Körper, Hepatosplenomegalie, generalisierte Lymphknotenschwellung. Leukopenie, Thrombozytopenie, evtl. Transaminasenanstieg. Gute Prognose.
- *Milde atypische Verlaufsform:* Mildere Symptomatik als bei klassischem Dengue-Fieber, maximal 72 h Dauer.
- *Dengue-hämorrhagisches Fieber:* Schneller Fieberanstieg, Kopf- und Gliederschmerzen, Erbrechen. Durch Kapillarschäden verursachte Blutungsneigung mit Petechien, Hämorrhagien, Purpura, Hämatemesis, evtl. subarachnoidale Blutungen. Dyspnoe durch Myokarditis, Bronchopneumonie. Letalität 6–30%.

DIAGNOSE

- Virusnachweis im Blut (PCR) während der ersten 3–7 Krankheitstage.
- Nachweis spezifischer Antikörper im Serum (ab 8.–10. Krankheitstag).

Differentialdiagnose
Gelbfieber, andere virale hämorrhagische Fieber, Typhus, Masern, Malaria, Röteln.

Therapie
Symptomatisch. Keine spezifische Therapie.

Prophylaxe
Schutz vor Mückenstichen.

Meldepflicht
Siehe Tabelle 28-1.

21.2.9 Hämorrhagische Fieber

Ebola

Das Ebolavirus tritt endemisch auf im Kongo und Sudan, in Gabun und an der Elfenbeinküste. Es wird durch engen Kontakt von Mensch zu Mensch übertragen, wahrscheinlich über blutige Sekrete. Das Erregerreservoir ist unbekannt. Inkubationszeit: 2–21 Tage.

SYMPTOME

Fieber, Kopf- und Muskelschmerzen, Konjunktivitis, Pharyngitis, Erbrechen, evtl. schuppendes Exanthem. Nach 5–7 Tagen Schleimhautblutungen. Meist Oligurie, Anurie, bis Nierenversagen. Häufig Enzephalitis. 50–80% der Patienten sterben im Schock.

DIAGNOSE

Nachweis spezifischer Antikörper in Speziallabor.

Differentialdiagnose
Andere virale hämorrhagische Fieber, Hantavirusinfektion (Tabelle 21-3).

Tabelle 21-3. Virale Fieber mit Hämorrhagien

Erkrankung	Vorkommen	Erreger	Übertragung	Inkbutionszeit (Tage)	Prophylaxe
Gelbfieber	Tropen, Subtropen von Afrika, Süd-, Mittelamerika	Gelbfiebervirus (Flavivirus)	Stechmücken	3–6	Impfung
Dengue-Fieber	Südostasien, Afrika, Mittel-Südamerika, Karibik	Dengue-Virus (Flavivirus)	Stechmücken	3–14	Schutz vor Mückenstichen
Ebola	Endemisch im Kongo, Sudan, Gabun, Elfenbeinküste	Ebolavirus (Filovirus)	Mensch-Mensch durch engen Kontakt	2–21	Strikte Isolierung Erkrankter
Lassafieber	Westafrika	Lassavirus (Arenavirus)	Kontakt mit Ausscheidungen infizierter Nager. MenschMensch durch Blut, engen Kontakt	6–21	Strikte Isolierung Erkrankter
Krim-Kongo-Fieber	Asien, Afrika, Südosteuropa	(Bunyavirus)	Zecken, Kontakt mit tierischem Blut, Mensch-Mensch durch engen Kontakt	3–12	Strikte Isolierung Erkrankter
Marburg-Virusinfektion	Endemsiche Ausbrüche bei Tierpflegern in Zaire, Marburg, Frankfurt	Marburg-Virus (Filovirus)	Bei engem Kontakt von Meerkatzen zu Mensch, Mensch-Mensch	7	Strikte Patientenisolierung
Hantavirusinfektion	Südostasien, Russland, Balkan	Hantaan-Virus, Seoul-Virus (Bunyavirus)	Ausscheidungen von Nagern	5–42	Kontakt mit Ausscheidungen von Nagern vermeiden

Therapie
Symptomatisch. Keine spezifische Therapie.

Prophylaxe
Strikte Isolierung Erkrankter.

Lassa-Fieber

Das Virus ist in Westafrika verbreitet. Erregerreservoir sind infizierte Nager (Mastomys natalensis), die den Erreger im Speichel und mit dem Urin ausscheiden. Die Übertragung auf den Menschen erfolgt durch Kontakt mit Ausscheidungen infizierter Tiere. Die Übertragung von Mensch zu Mensch ist durch Blut möglich. Bei engem Kontakt auch Übertragung durch bluthaltige Aerosole. Inkubationsdauer 6–21 Tage.

SYMPTOME

Fieber, Kopf-, Halsschmerzen, Husten, gastrointestinale Beschwerden. Bei schweren Fällen Hämorrhagien, Hypotension, Enzephalitis. Ödeme im Gesicht und Halsbereich. Letalität 5–20%.

DIAGNOSE

- Antikörpernachweis.
- Virusnachweis im Blut, Urin, in Biopsien (Speziallabor).

Therapie
Ribavirin während der ersten Krankheitstage verbessert die Prognose.

Prophylaxe
Strikte Patientenisolierung.

Krim-Kongo-, hämorrhagisches Fieber

Das Virus wird durch Zecken von Tieren (Kühe, Schafe, Ziegen, Kamele) auf den Menschen übertragen oder durch Kontakt mit infektiösem Blut. Auch nosokomiale Infektionen kommen vor. Verbreitung: Asien, Afrika, Südosteuropa, Mittlerer Osten. Inkubationsdauer 3–12 Tage.

SYMPTOME

Plötzlicher Beginn mit Schüttelfrost, Fieber, starke Kopf-, Muskel- und Gelenkschmerzen. Erbrechen, Diarrhö, Bauchschmerzen. Thorakale und abdominale Petechien, Konjunktivitis. Ab dem 3.–5. Tag evtl. Hämorrhagien, in leichten Fällen Zahnfleisch-/Nasenbluten, in schweren Fällen Blutungen aus Darm, Nieren und Atemwegen. Eventuell Proteinurie, Anstieg der Leberenzyme, Leberversagen, Thrombozytopenie, Leukopenie.

Verlauf
Fieber für 5–12 Tage, manchmal biphasischer Verlauf. Letalität 10–50%. Verhältnis von hämorrhagischen und nichthämorrhagischen Verläufen 1:5.

DIAGNOSE

- Virusnachweis im Blut oder in Sekreten (Speziallabor).
- Ab dem 10. Tag Antikörpernachweis.

Therapie
Frühzeitig Ribavirin verbessert die Prognose.

Prophylaxe
Strikte Patientenisolierung.

Marburg-Fieber

Der Erreger, das Marburg-Virus (Filo-Virus), wird von Affen (Meerkatzen) auf den Menschen übertragen, durch engen Kontakt, möglicherweise durch Blut, auch von Mensch zu Mensch. Endemische Ausbrüche (Tierpfleger) wurden in Marburg, Frankfurt und Zaire beschrieben. Inkubationszeit: 1 Woche.

SYMPTOME

Fieber, Schüttelfrost, Muskelschmerzen, Exanthem, Erbrechen, Hämorrhagien. Letalität bis 90%.

DIAGNOSE

- Nachweis spezifischer Antikörper.
- Erregernachweis im Blut (PCR) in Speziallaboratorien.

Therapie
Symptomatisch. Keine spezifische Therapie.

Prophylaxe
Strikte Patientenisolierung.

Meldepflicht
Alle viral bedingten hämorrhagischen Fieber sind bereits bei Krankheitsverdacht meldepflichtig (s. Tabelle 28-1)!

!

Bei jedem Verdacht auf ein hämorrhagisches Fieber muss unverzüglich und unbedingt ein Tropeninstitut konsultiert und das Gesundheitsamt und RKI benachrichtigt werden. Patienten in Spezialeinheiten strikt isolieren.
Andere spezielle Erkrankungen nach Tropenaufenthalt: Brucellose, Toxoplasmose, Hantavirusinfektionen, Ehrlichiose, Pest, Ornithose (s. Kap. 22: „Zoonosen“).

21.3 Sonstige Erkrankungen nach Auslandsaufenthalt

21.3.1 Schistosomiasis (Bilharziose)

Weltweit sind ca. 200 Mio. Menschen mit Schistosomen infiziert. Die Infektion erfolgt durch Kontakt mit Süßwasser (Baden, Waschen, in Wasser waten), das mit Eiern von Schistosoma (= Pärchenegel) kontaminiert ist. Im Wasser entwickeln sich aus den Eiern Larven, die in Wasserschnecken eindringen und sich zu Zerkarien entwickeln. Freigesetzte Zerkarien bohren sich in die menschliche Haut ein und wandern auf dem Blutweg in die Zielorgane, wo sie sich als Pärchen niederlassen und Eier produzieren. Je nach Wurmart ist das Mesenterialvenen- und Pfortadersystem oder das Venengeflecht des kleinen Beckens betroffen. Von dort gelangen die Eier in das Lumen von Darm oder Harnblase und werden mit dem Stuhl bzw. Urin ausgeschieden.

Durch die zunehmenden Bewässerungsmaßnahmen hat sich die Bilharziose in den Entwicklungsländern weiter ausgebreitet. In Afrika, Nahost, Südamerika, Westindien: Schistosoma mansoni; in Teilen von Fernost: S. japonicum; in Afrika entlang des Nils und in Südwestasien: S. haematobium.

Die Schistosoma-Eier lösen eine granulomatöse Entzündungsreaktion aus. Nach dem Absterben der Eier werden diese aufgelöst oder verkalken. Im Gewebe kommt es zu fibrösen Veränderungen mit Stauungen im portalen bzw. urogenitalen System.

SYMPTOME

Bei geringem Inokulum verlaufen die Infektionen fast symptomlos. Bei größerer Infektionsdosis zunächst lokale Dermatitis am Ort des Eindringens. Nach 4–7 Wochen Fieber (Katayama-Fieber), Lymphadenopathie, Mattigkeit, Kopf- und Gliederschmerzen, Urtikaria, Diarrhö, Eosinophilie, Splenomegalie. Nach Tagen oder Wochen Übergang in ein chronisches Stadium.

- *Darmbilharziose:* Rund 6–8 Wochen nach der Infektion Kolitis mit flüssigen, schleimig-blutigen Stühlen über Wochen oder Monate. Gewichtsverlust. Später fibröse Verdickungen des Darms und Mesenteriums.
- *Leber-Milz-Bilharziose:* Leber- und Milzschwellung. Später portale Stauung, Aszites.
- *Urogenitalbilharziose (S. haematobium):* Hämaturie, Knötchen in der Blasenwand, Harnabflussstörungen durch Strikturen und Fisteln. Häufig bakterielle Sekundärinfektionen. Gefahr des Blasenkarzinoms, Eileiterverschluß.

Komplikationen

Hämatogene Verschleppung von Eiern in andere Organe, z. B. Wirbelsäule.

DIAGNOSE

- Nachweis der Schistosoma-Eier im Harnsediment (S. haematobium) oder Stuhl (S. mansoni, S. japonicum) oder in Schleimhautbiopsien.
- Serologischer Antikörpernachweis.

Therapie
Praziquantel. Bei S. haematobium auch Metrifonat.

Prophylaxe
In Endemiegebieten nicht in Süßwasser baden oder waten.

21.3.2 Lepra

Lepra ist eine chronisch granulomatöse Infektion der Haut, Nasenschleimhaut und peripherer Nerven mit Mycobacterium leprae (säurefeste Stäbchenbakterien). Weltweit gibt es ca. 2 Mio. Leprakranke, v. a. in Südostasien, Afrika, Lateinamerika. In den europäischen Mittelmeerländern wurden 1995 noch 6000 Fälle registriert. Die Infektion erfolgt durch intensiven Kontakt mit Leprakranken. Überträger sind Patienten mit „offener“ Lepra (lepromatöse Lepra, Borderlinelepra). Diese Formen sind seltener als die geschlossene Form (tuberkuloide Lepra).

Es wird vermutet, dass nur „empfängliche“ Menschen erkranken und die meisten durch eine natürliche Resistenz geschützt sind. Die Inkubationszeit beträgt Jahre. Abhängig von der Immunantwort entsteht die lepromatöse oder tuberkuloide Lepra, mitunter die Borderlinelepra als eine Mischform.

SYMPTOME

- *Lepromatöse Lepra:* Knotige Infiltrate an Ellbogen, Knien, Gesicht, Ohren. „Löwengesicht“ durch Infiltration im Gesicht und Keratokonjunktivitis. Chronischer Schnupfen, Nasenbluten, Heiserkeit. Lepromintest: negativ.
- *Tuberkuloide Lepra:* Betrifft Haut und periphere Nerven. Auf der Haut Papeln oder Makulae, die nach Abheilung depigmentierte Herde hinterlassen. Sensibilitätsstörungen. Periphere Nerven sind später als verdickte Stränge tastbar. Oft Verstümmelungen der Extremitäten. Muskelatrophien, Fazialisparese, Ulzera an den Füßen. Lepromintest: positiv. Tendenz zur spontanen Regression.
- *Borderlinelepra:* Mischform aus beiden Typen.

DIAGNOSE

- Mikroskopischer Erregernachweis (säurefeste Stäbchen) in forcierten Abstrichen aus ulzerierenden Läsionen bzw. Septumnasenschleimhaut.
- *Lepromintest:* 0,1 ml Leprominextrakt intrakutan injizieren. Bei tuberkuloider Lepra entsteht nach einigen Tagen eine Entzündungsreaktion. Fällt bei lepromatöser Lepra negativ aus.
- Bei lepromatöser Lepra besteht die Möglichkeit, IgM-Antikörper im Serum nachzuweisen.

Therapie
Dapson plus Rifampicin plus Clofazimin. Chinolone und Makrolide sind in klinischer Erprobung.

Meldepflicht
Siehe Tabelle 28-1.

21.3.3 Systemmykosen: Blastomykose, Histoplasmose, Kokzidioidomykose

In Amerika kommen einige Pilze vor, die nach Inhalation zu Lungeninfektionen und evtl. zu generalisierten Infektionen mit Beteiligung anderer Organe, z. B. der Haut, führen (Tabelle 21-4).

Tabelle 21-4. Systemmykosen

Erkrankung/ Erreger	Vorkommen	Symptome	Diagnose	Therapie
Blastomykose (Blastomyces dermatitidis)	Nordamerika	trockener Husten, Pleuraschmerz, leichtes Fieber. Bei Hautblastomykose: Pusteln, ulzerierende Knoten im Hand-, Fuß- und Gesichtsbereich	a	Itraconazol, Amphotericin B
Histoplasmose (Histoplasma capsulatum)	Nordamerika, Mississippi	95% latent oder milder Verlauf mit Husten. Bei progressivem Verlauf: Fieber, Gewichtsverlust, Hepatosplenomegalie, Ulzerationen im Oropharynxbereich. Unbehandelt tödlicher Verlauf	a, b, c	Amphotericin B, Weiterbehandlung mit Fluconazol, Itraconazol
Kokzidioidomykose (Coccidioides immitis)	Süden USA, Südamerika, Mittelamerika	Husten, Fieber, Pleuraschmerz, Kopfschmerzen, Myalgien, 50% Hautausschlag. Disseminierte Infektion <1%.	a, b, c	Meist selbstlimitierend, Risikopatienten: Amphotericin B
Parakokzidioidose (P. brasiliensis)	Brasilien	Husten, Fieber, Nachtschweiß, Krankheitsgefühl, Gewichtsverlust. Thoraxröntgenaufnahme: Infiltrate	a	Itraconazol, Amphotericin B

Diagnose: *a* mikroskopisch-histologischer oder kultureller Erregernachweis; *b* Antikörpernachweis; *c* Hauttest

Kapitel 22

Zoonosen

Zoonosen sind Erkrankungen, die direkt (durch Tierkontakt) oder indirekt (über Tierprodukte, Vektoren, z. B. Arthropoden) von Wirbeltieren auf den Menschen übertragbar sind. Die wichtigsten Beispiele sind in Tabelle 22-1 aufgeführt. Einige der in Europa häufiger vorkommenden Erkrankungen werden in diesem Kapitel erläutert; bei anderen wird auf besondere Kapitel verwiesen.

Tabelle 22-1. Wichtige Zoonosen

Erkrankung	Erreger	Tierreservoir/Vektor	Hinweise
Brucellose	Brucella abortus	Rind	
	Brucella melitensis	Schaf, Ziege	
	Brucella suis	Schwein	
Echinokokkose	Echinococcus granulosus	Hund	Siehe Leberkrankheiten
	Echinococcus multilocularis	Fuchs	Siehe Leberkrankheiten
Ehrlichiose	Ehrlichia chaffeensis u. a.	Nager, Hunde (Vektor: Zecken)	
Frühsommermeningoenzephalitis	FSME-Virus	Wildtiere, Nager (Vektor: Zecken)	Siehe Meningoenzephalitis
Gelbfieber	Gelbfiebervirus	Affen; (Vektor: Aedes aegypti)	Siehe Fieber nach Tropenaufenthalt
Hantavirusinfektionen	Hantavirus	Nager	
Katzenkratzkrankheit	Bartonella henselae	Katzen	Siehe Wund-, Weichteilinfektionen
Leptospirose	Leptospiren	Nager	
Listeriose	Listeria monocytogenes	Haus-, Wildtiere	
Lyme-Borreliose	Borrelia burgdorferi	Rotwild, Nager (Vektor: Zecken)	
Lymphozytäre Choriomeningitis (LCM)	LCM-Virus	Goldhamster, Mäuse	

Tabelle 22-1. *Fortsetzung*

Erkrankung	Erreger	Tierreservoir/Vektor	Hinweise
Malleus (Rotz)[a]	Burkholderia mallei	Pferde	
Maul- und Klauenseuche[a]	MKS-Virus	Paarhufer	
Meliodiose (Pseudorotz)[a]	Burkholderia pseudomallei	Schweine, Pferde	
Milzbrand[a]	Bacillus anthracis	Haustiere	
Ornithose	Chlamydia psittaci	Vögel	
Pasteurellose	Pasteurella multocida	Hunde, Katzen (Bissverletzungen)	Siehe Wund-, Weichteil-infektionen
Pest[b]	Yersinia pestis	Ratten, andere Nager (Vektor: Flöhe)	
Q-Fieber	Coxiella burneti	Schafe u. a. Paarhufer	
Rattenbiss-krankheit[a]	Spirillium minus, Strepto-bacillus moniliformis	Ratten	
Rotlauf	Erysipelotrix rhusiopathiae	Schweine	
Rückfallfieber[a]	Borrelia recurrentis	Wildtiere, Nager (Vektor: Läuse)	Siehe Fieber nach Tropenaufenthalt
Tierpocken[a]	Tierpockenviren	Affen, Kamele, Rinder, Elefanten	
Tollwut[a]	Rabiesvirus	Haus- und Wildtiere, Nager, Vögel, Fleder-mäuse	
Toxocariasis	Toxocara canis, T. cati	Hunde, Katzen	
Toxoplasmose	Toxoplasma gondii	Warmblüter, v. a. Schweine,Katzen	
Trichinose	Trichinella spiralis	Schweine	
Tularämie	Francisella tularensis	Hasen, Nager	

[a] In Europa sehr selten.
[b] In Europa nicht mehr vorkommend.

22.1 Brucellose

Entstehung und Erreger

Die Erreger (Brucellen: gramnegative, intrazellulär überlebensfähige Stäbchenbakterien) werden von Rind (Brucella abortus = M. Bang), Schaf, Ziege (B. melitensis = Maltafieber), Schwein (B. suis) oder deren Produkten auf den Menschen übertragen. Die Infektion erfolgt hauptsächlich durch Rohmilchprodukte, aber auch durch engen Kontakt mit Ausscheidungen infizierter Tiere, z. B. bei beruflicher Exposition (Schlachter, Landwirte, Tierärzte). Die Erreger gelangen über Hautverletzungen, die Konjunktiven oder über den Magen-Darm-Trakt ins Gewebe. Sie überleben in Phagozyten, das bedingt einen primär protrahierten Krankheitsverlauf Die Inkubationszeit beträgt 1–3 Wochen (bis zu 3 Monaten). Erkrankungen sind in Mittel- und Nordeuropa heute selten. Im Mittelmeerraum treten Infektionen durch Lebensmittel aus roher Ziegen- oder Schafmilch auf (Maltafieber). Etwa 50% der Fälle verlaufen subklinisch.

SYMPTOME

Bei akutem Verlauf Kopfschmerzen, Krankheitsgefühl, abendlicher Temperaturanstieg bis 40°C, Lymphknotenschwellungen, Hepatosplenomegalie, Gelenk- und Muskelschmerzen. Dauer: Tage bis Wochen. Nach 2-wöchiger Pause erneute Fieberschübe. Häufig chronischer, subakuter Verlauf mit Neigung zu Rezidiven auch nach Therapie.

Komplikationen
Organmanifestationen (Granulombildung), z. B. Lungeninfiltrate, Pleuraerguss, Pleuraempyem, Endokarditis, Spondylitis, Osteomyelitis, Orchitis, Nephritis, Endometritis.

DIAGNOSE

- Anamnese (berufliche Exposition, Reisen, Verzehr von Rohmilchprodukten).
- *Klinik:* Uncharakteristische, protrahierte fieberhafte Erkrankung.
- *Laborwerte:* Leukopenie, erhöhte Blutsenkung.
- Nachweis spezifischer Antikörper im Serum oder kultureller Erregernachweis in Blutkulturen oder im Knochenmark (Sternalpunktat).

Therapie
Doxycyclin (200 mg/Tag) plus Rifampicin (600 mg/Tag) für 6 Wochen oder Doxycyclin für 6 Wochen plus Gentamicin (5 mg/kgKG/Tag) für 3 Wochen. Bei Meningitis, Osteomyelitis: Doxycyclin plus Gentamicin plus Rifampicin. Alternativen: Ciprofloxacin oder Cotrimoxazol plus Rifampicin.

Meldepflicht
Der Nachweis von Brucellen ist meldepflichtig (s. Tabelle 28-1).

22.2 Ehrlichiose

Entstehung und Erreger
Die Erreger sind verschiedene Ehrlichia-Arten (obligat intrazelluläre gramnegative Bakterien), die durch Zecken von Tieren auf den Menschen übertragen werden und eine fieberhafte Allgemeininfektion verursachen. Das Erregerreservoir für Ehrlichia chaffeensis (USA, Spanien, Portugal) sind vermutlich Hunde und Wildtiere, für andere Ehrlichia-Arten zusätzlich Pferde und Nager. 90% der Er-

krankungen treten in den Monaten April bis September auf, wenn die Zecken am aktivsten sind. Die Erreger befallen Granulozyten oder Monozyten und gelangen hämatogen in Lymphknoten, Leber, Milz und Knochenmark. Etwa 60% der Infektionen verlaufen subklinisch.

SYMPTOME

Plötzliches Fieber (>39°C), Kopfschmerzen, Myalgien, Arthralgien, Rückenschmerzen, Übelkeit, Erbrechen. Bei 50% makulopapulöses Exanthem. Progressive Leukozytopenie, Thrombozytopenie, Anämie. Anstieg von Transaminasen, alkalischer Phosphatase und Bilirubin im Serum. Unbehandelt kann das Fieber mehrere Wochen andauern. Letalität 2–5%.

Komplikationen

Komplikationen kommen bei 15% der Patienten vor: Nierenversagen, Pneumonie, Lungenversagen, disseminierte intravasale Gerinnung, pulmonale und gastrointestinale Blutungen. Bewusstseinstrübung, Krampfanfälle, Koma.

DIAGNOSE

- Nachweis spezifischer Antikörper.
- *Im Speziallabor:* Erregernachweis mittels PCR.

Differentialdiagnose

Differentialdiagnostisch abzugrenzen sind Borreliose, Tularämie.

Therapie

Doxycylin (2-mal 100 mg/Tag) oder Chloramphenicol.

Prophylaxe

Vermeidung von Zeckenbissen.

22.3 Hantavirusinfektionen

Entstehung und Erreger

Hantaviren variieren regional und sind bei verschiedenen Nagern, v. a. Mäusen und Ratten, endemisch. Andere Kleinsäuger können ebenfalls infiziert werden, z. B. wurde in China das Virus in Katzen nachgewiesen. Die Wirtstiere erkranken nicht und scheiden das Virus mit Speichel, Urin, Fäzes aus. Die Übertragung auf den Menschen erfolgt durch tierische Ausscheidungen entweder über Inhalation virushaltiger Aerosole oder Kontamination von Hautläsionen. Eine Übertragung von Mensch zu Mensch findet nicht statt (Ausnahme: vertikale Übertragung). Die Erreger vermehren sich primär in den Alveolarepithelien mit nachfolgender Virämie.

Am meisten verbreitet sind die Erkrankungen in Südostasien (China ca. 100.000 Fälle/Jahr), in Skandinavien und den Balkanländern (mehrere hundert Fälle/Jahr), in Deutschland bisher nur wenige serologisch gesicherte Erkrankungsfälle.

Hantaviren verursachen unterschiedliche Krankheitsbilder mit renalen und pulmonalen Manifestationen. Typisch ist die Trias von Fieber, Hämorrhagien und akutem Nierenversagen. Der Verlauf und Schweregrad der Erkrankung variiert je nach geographischer Region und auslösendem Virustyp:

- Hantaan-Virusgruppe (Südostasien, ehemalige UdSSR, Balkan): Hämorrhagisches Fieber mit renalem Syndrom (HFRS).
- Seoul-Virus-Gruppe (Südostasien, Afrika, Nord-/Südamerika, Indien).
- Puumala-Virusgruppe (Skandinavien, Südeuropa): Mildere Verlaufsformen von HFRS.
- Sin-Nombre-Virus (USA): „Hantavirus pulmonary syndrome" (HPS).

Hämorrhagisches Fieber mit renalem Syndrom (HFRS)

Nach einer Inkubationszeit von 5–42 Tagen läuft die Erkrankung in mehreren Stadien ab.

SYMPTOME

Plötzlich auftretendes Fieber für 3–4 Tage mit Schüttelfrost, Myalgien, Kopfschmerzen, Photophobie. Erythem in der oberen Körperhälfte, Pharynxenanthem, konjunktivale Injektion. Petechien an Haut und Schleimhäuten. Danach schwere Lumbalgien, Schmerzen im Abdomen, Erbrechen, häufig Oligurie. 4–10 Tage nach Fieberbeginn Niereninsuffizienz, Proteinurie, Hämaturie. Blutdruckanstieg durch Niereninsuffizienz. Lungenödem. Eventuell Schock mit Hämorrhagien. Letalität der klassischen ostasiatischen Form 5–20%.

Verlauf

Das HFRS in Europa verläuft in der Regel milder als die klassische ostasiatische Form. Letalität 0,2%. Etwa 10% der Erkrankten benötigen eine Dialysebehandlung. Rekonvaleszenzphase ca. 2 Wochen.

Pulmonales Hantavirussyndrom (HPS) in den USA

SYMPTOME

Fieber, Myalgien. Nach 4–5 Tagen Husten, Dyspnoe, Tachypnoe, Lungenödem, ARDS. Thrombozytopenie, Kreislaufinstabilität. Bei 50% der Patienten renale Beteiligung mit Proteinurie, Hämaturie, geringe Nierenfunktionseinschränkung. Letalität 20–30%.

DIAGNOSE von Hantavirusinfektionen

- *Klinik, Anamnese:* Aufenthalt in Enzootiegebiet.
- Nachweis spezifischer IgM-Antikörper, evtl. Erregernachweis mittels PCR in Blut, Gewebe, Urin.
- *Laborwerte:* mäßige Leukozytose, Anämie, Thrombozytopenie, Anstieg von CRP, Serumkreatinin, Leberenzymen. Proteinurie.

Therapie

Symptomatisch, evtl. intensivmedizinische Maßnahmen mit Hämodialyse. Bei HFRS Ribavirin (vermindert Krankheitsdauer und Letalität). Der Nutzen von Ribavirin bei der leichteren europäischen Form und HPS ist nicht bewiesen.

Prophylaxe

Kontakt mit Ausscheidungen von Nagern vermeiden.

22.4 Leptospirose

Entstehung und Erreger

Die Erreger, Leptospira interrogans (enggewundene Bakterien, Spirochäten) mit 18 Serogruppen, kommen bei verschiedenen Tieren vor, z. B. Leptospira icterohaemorrhagica (Ratte), L. canicola (Hund), L. pomona (Schwein), L. grippotyphosa (Maus). Sie persistieren bei den Tieren ohne Krankheitszeichen in den Nierentubuli und werden mit dem Urin ausgeschieden. Im Wasser(pH-Wert >7) sind sie wochenlang überlebensfähig.

Die Infektion des Menschen erfolgt durch Kontakt mit urinkontaminiertem Wasser. Eintrittspforten beim Mensch sind Miniläsionen der Haut oder Schleimhäute (z. B. beim Baden, bei Gartenarbeit). Nach initialer Vermehrung an der Eintrittspforte und in den regionalen Lymphkonten werden die Erreger hämatogen in verschiedene Organe gestreut, z. B. Niere, Leber, Meningen. Erkrankte scheiden die Erreger im Urin aus, eine Übertragung von Mensch zu Mensch scheint jedoch selten. Inkubationszeit 8–12 Tage. Die meisten Infektionen treten im Sommer auf, in Deutschland ca. 20 Fälle/Jahr.

SYMPTOME

Hohes Fieber, Kopfschmerzen, Muskelschmerzen, Konjuktivitis (grippeähnliche Symptome). Häufig selbstlimitierend. Bei 5–10% erfolgt nach einigen Tagen der klinischen Besserung erneuter Fieberanstieg, Hautausschlag, evtl. Meningitis (immunologisch bedingt).
Weilsche Krankheit: (Erreger: meist L. icterohaemorrhagica) schwerste Verlaufsform mit Ikterus, konjunktivalen/skleralen Hämorrhagien, Leber- und Nierenversagen, Myokarditis. Letalität 5–10%.

DIAGNOSE

- *Erregernachweis:* durch Dunkelfeldmikroskopie im Blut, Liquor (nur in der 1. Woche), Urin (ab 2. Woche). Der kulturelle Erregernachweis in Spezialmedien dauert wegen des langsamen Wachstums 6–10 Tage.
- Antikörpernachweis im Serum.

Therapie

Penicillin, Tetracycline. Beginn der Therapie möglichst während der ersten 4 Krankheitstage. Eine spätere Therapie beeinflusst den Krankheitsverlauf nur wenig.

Prophylaxe
Postexpositionsprophylaxe mit Doxycyclin.

Meldepflicht
Siehe Tabelle 28-1.

22.5 Listeriose

Entstehung und Erreger
Der Erreger, Listeria monocytogenes (grampositive Stäbchenbakterien), kommt bei Tieren und in mit Kot kontaminierter Erde vor. Die Übertragung erfolgt v. a. oral durch tierische Lebensmittel wie Rohmilchprodukte, Weichkäse oder durch biologisch gedüngten Salat, Gemüse (Listerien vermehren sich auch bei 4°C in gekühlten Lebensmitteln). Vom Darm aus dringt L. monocytogenes über die Peyer-Plaques oder direkt durch Enterozyten in den Organismus ein und lässt sich durch Makrophagen über die Lymph- und Blutbahn in andere Organe transportieren.

Die Gefahr der Erkrankung besteht nur für Patienten mit eingeschränkter Immunabwehr (z. B. hohes Alter, Immunsuppression, Kortisontherapie) oder für Neugeborene. Bei Listeriose der Mutter während der Schwangerschaft besteht das Risiko einer konnatalen Infektion mit Abort oder Geburt eines infizierten Kindes (s. Kap. 17: „Kongenitale und perinatale Infektionen").

SYMPTOME

Die Mehrzahl der Infektionen bei Immungesunden verläuft subklinisch.
- *Listeriose bei immuninkompetenten Erwachsenen:* Nach einer Inkubationszeit von 1–4 Wochen grippeähnliche Symptome, evtl. Konjunktivitis, Angina, dann Sepsis, Meningoenzephalitis (s. Kap. 3.2: „Enzephalitis/Meningoenzephalitis").
- *Listeriose während der Schwangerschaft:* Die Infektion der Mutter verläuft meist subklinisch. Bei diaplazentarer Infektion Abort oder Geburt eines infizierten Kindes mit multiplen Granulomen in Milz, Leber, Lunge, Niere, Gehirn; Läsionen der Haut, evtl. Meningitis/Meningoenzephalitis [s. Kap. 17.2.2: „Neugeborenenlisteriose (Granulomatosis infantiseptica)].
- *Perinatale Listeriose:* Der Säugling entwickelt eine Sepsis oder Meningitis.

DIAGNOSE

- Kultureller Erregernachweis in Blutkultur, Liquor, Neugeborenenabstrichen, Amnionflüssigkeit, Plazenta.
- *Blutbild:* Monozytose.

Therapie
Ampicillin (Erwachsene 6–12 g/Tag in 3–4 Dosen, Kinder 200–400 mg/kgKG/Tag) für 3–6 Wochen plus Gentamicin (4–6 mg/kgKG/Tag) für 2 Wochen. Bei Allergie: Chloramphenicol, Doxycyclin.

Prophylaxe

Während der Schwangerschaft und bei Immunsuppression auf Rohmilchprodukte und unzureichend erhitztes Fleisch verzichten.

22.6 Lyme-Borreliose

Entstehung und Erreger

Der Erreger, Borrelia burgdorferi (spiralförmige Stäbchenbakterien), wird durch Zeckenbiss übertragen. 15–20% der Zecken sind infiziert, jedoch verursacht nur jede 3. infizierte Zecke eine Infektion. Voraussetzung ist, dass die Zecke länger als 24 h saugt.

Die Erkrankung läuft in mehreren Stadien ab mit hauptsächlicher Beteiligung der Haut, der Gelenke und des Nervensystems (s. Tabelle 22-2). Die Erreger vermehren sich zunächst lokal an der Eintrittspforte (Stadium 1), bei 40–60% sichtbar als Erythema migrans, und breiten sich dann hämatogen bzw. lymphogen aus. 90% der Fälle heilen im Stadium 1 auch ohne Antibiotika folgenlos ab. Nur bei 10–12% schließen sich akute Organmanifestationen am Nervensystem, den Meningen, Gelenken, am Herz oder Auge an (Stadium 2). Auch dieses Stadium ist meist selbstlimitierend. In seltenen Fällen schließt sich nach Monaten bis Jahren ein Stadium 3 an, charakterisiert durch chronisch inflammatorische Prozesse in der Haut, in einzelnen Gelenken oder dem Nervensystem, die bleibende Schäden hinterlassen (Akrodermatitis chronica atrophicans, Mono-oder Polyneuritis, Lyme-Arthritis, Enzephalomyelitis).

Alle Stadien können nacheinander durchlaufen werden, die Stadien 2 und 3 können aber auch als selbstständige Erkrankungen manifest werden. Während der Schwangerschaft kann in seltenen Fällen der Fetus diaplazentar infiziert werden.

SYMPTOME

Sie wechseln mit den Erkrankungsstadien.

- *Stadium 1 (lokalisierte Infektion):* Einige Tage bis wenige Wochen (im Durchschnitt 12 Tage) nach dem Zeckenbiss entwickeln 2/3 der Infizierten ein

Tabelle 22-2. Klinische Manifestationsformen bei Borreliose

Stadium	Manifestation
Frühstadium	Erythema migrans, leichtes Fieber, Kopfschmerzen, Krankheitsgefühl
Sekundärstadium	Meningoradikulitis (Bannwarth)
	Lymphozytäre Meningitis
	Polyradikulitis
	Myokarditis
Tertiärstadium	Akrodermatitis chronica atrophicans
	Lyme-Arthritis
	Chronische Neuroborreliose

Erythema migrans (EM) = wandernde, kreisförmige, scharf abgegrenzte, vom Zeckenbiss ausgehende Rötung, Durchmesser über 5 cm. In lockerem Gewebe (Ohrläppchen, Mamille) kann sich dies als livider Knoten manifestieren (Lymphadenitis cutis benigna).
Das EM kann von Krankheitsgefühl, Müdigkeit, Fieber, Kopfschmerzen, Nackensteifigkeit, Myalgie und Arthralgie als Anzeichen einer Dissemination begleitet sein. Das EM verschwindet schließlich, tritt manchmal im Rahmen der Streuung an anderen Körperstellen wieder auf. In ca. 90% der Fälle heilt das Stadium I auch ohne Antibiotika folgenlos aus.

- *Stadium 2 (akute Organmanifestation):* Tritt 2–10 Wochen nach dem Zeckenbiss bei 10–12% der Infizierten auf. Am häufigsten ist das ZNS betroffen (Neuroborreliose). Seltener Gelenke, Herz oder Auge.
  - Neuroborreliose: häufig als lymphozytäre Meningoradikulitis (Bannwarth-Syndrom) mit wandernden, stechenden Schmerzen, gefolgt von Missempfindungen, dann Lähmungen peripherer und/oder zentraler Nerven, besonders des N. facialis. Bei Kindern und Jungendlichen kann eine lymphozytäre Meningitis mit Fieber, Kopfschmerzen auftreten.
  - Lyme-Karditis: relativ selten (3–8%) mit Überleitungsstörungen bis zum AV-Block.
  - Ophthalmoborreliose: noch seltener, kann sich als Chorioretinitis, Iridozyklitis, Keratitis, Augenmuskelparesen, Neuritis N. optici manifestieren.

  Auch ohne Therapie heilt das Stadium 2 in der überwiegenden Mehrheit der Fälle nach Wochen bis Monaten spontan aus, allerdings mit Defekten in einem Drittel der Fälle.
- *Stadium 3 (chronische Organmanifestation):* 6 Monate nach dem Zeckenbiss und später treten intermittierende oder chronische Episoden einer Mono-/Oligoarthritis *(Lyme-Arthritis)* mit eitrigem Gelenkserguss auf, noch später *chronische Neuroborreliose* mit Enzephalopathie (Gedächtnisverlust, Schwäche, Reizbarkeit, Schläfrigkeit) und/oder Polyneuropathie mit radikulären Schmerzen und distalen Paresen. Dritte Manifestation ist die *Akrodermatitis chronica atrophicans* mit livider Hautverfärbung und Atrophie der Haut über den Gelenken und Akren, manchmal von Missempfindungen begleitet.

Verlauf

Spontanheilung ist in allen Stadien möglich und in den Stadien 1 und 2 die Regel. Die Myokarditis mit totalem AV-Block kann vorübergehend einen Schrittmacher erforderlich machen. Auch die Lyme-Arthritis heilt nach längerer Dauer ohne Therapie meist ohne bleibende Folgen aus. Bei der Neuroborreliose im Stadium 2 muss in 6–38%, im Stadium 3 in 67–100% mit bleibenden Defekten gerechnet werden. Die Akrodermatitis chronica atrophicans bleibt als Folgeschaden bestehen.

DIAGNOSE

- Anamnese (Zeckenbiss, Klinik).
- Serologischer Antikörpernachweis. Nach 3–6 Wochen treten IgM- und IgG-Antikörper auf; letztere bleiben jahrelang bestehen. In fortgeschrittenen Stadien persistieren auch die IgM-Antikörper über viele Jahre, sodass serologisch

keine sichere Aussage zur Aktualität der Infektion gemacht werden kann. Bei der Neuroborreliose besteht im Liquor eine lymphozytäre Pleozytose (durchschnittlich 90 Zellen/µl). Beweisend ist der Nachweis von Borrelien im Liquor (gelingt in etwa 30%) und/oder der Nachweis einer intrathekalen Antikörpersynthese durch gleichzeitige Untersuchung von Serum und Liquor.

Therapie

1. Zur Vorbeugung von Spätmanifestationen sollten Patienten mit *Erythema migrans* behandelt werden, z. B. mit Doxycyclin (2-mal 100 mg/Tag), Amoxicillin (3-mal 1 g/Tag) oder Cefuroxim-Axetil (2-mal 500 mg/Tag) p.o. für 2 Wochen.
2. Bei *Spätmanifestation:* Ceftriaxon (2 g/Tag) oder Cefotaxim (3-mal 2 g/Tag) i.v. für 2–3 Wochen; oder Doxycylin (2-mal 100 mg/Tag) oral für 3 Wochen.
3. Bei *refraktären Fällen*: Cefotaxim (3-mal 4 g/Tag) i.v. an 2 Tagen, dann Pause für 8–10 Tage; 8 Zyklen wiederholen. Eventuell Azithromycin (2-mal 500 mg/Tag) p.o. für längere Zeit.

Prophylaxe

Nach potentieller Zeckenexposition den Körper nach Zecken absuchen und diese entfernen. Eine generelle Antibiotikaprophylaxe nach Zeckenbiss wird wegen des relativ geringen Infektionsrisikos nicht empfohlen.

22.7 Lymphozytäre Choriomeningitis

Entstehung und Erreger

Der Erreger, das lymphozytäre Choriomeningitisvirus (LCM-Virus), kommt bei Mäusen und Goldhamstern vor, die das Virus mit dem Kot ausscheiden. Es wird entweder über kontaminierte Lebensmittel oder durch Inhalation von erregerhaltigem Staub auf den Menschen übertragen („Hamsterkrankheit"). In Europa ist die Erkrankung selten, in USA werden 8% der Meningitiden durch CMV verursacht. Die Krankheitszeichen werden nicht durch die Viren selbst, sondern durch die Immunreaktion des Körpers ausgelöst. Inkubationszeit 5–15 Tage.

SYMPTOME

Meist subklinischer Verlauf. Bei manifester Erkrankung Fieber, „grippaler Infekt". Nach einem kurzen symptomfreien Intervall erneut Fieber, Kopfschmerzen, lymphozytäre Meningitis.

Verlauf

Die Prognose ist gut. Sehr selten entsteht eine Enzephalitis, Orchitis, Myokarditis. Während der Schwangerschaft werden selten Aborte oder ZNS-Schädigungen (Chorioretinitis, Hydrozephalus) beobachtet.

DIAGNOSE

- Virusnachweis im Liquor (PCR, Zellkultur).
- Nachweis spezifischer Antikörper.

Therapie
Keine spezifische Therapie.

Meldepflicht
Siehe Tabelle 28-1.

22.8 Malleus (Rotz)

Entstehung und Erreger
Die Krankheit, hervorgerufen durch Burkholderia mallei (gramnegative Stäbchenbakterien), befällt v. a. Pferde. In Europa wurden in den letzten Jahren nur noch vereinzelte Fälle in der Türkei beobachtet, in China, Indien, Indonesien, Iran ist Rotz weit verbreitet.

Gefährdet sind Personen mit Pferdekontakt. Die Übertragung auf den Menschen erfolgt durch direkten Kontakt mit infektiösem Nasenausfluss oder Schleim infizierter Tiere. Die Eintrittspforte für die Erreger sind Schleimhäute und Hautläsionen.

SYMPTOME

- *Akuter Rotz:* Nach einer Inkubationsdauer von 1–5 Tagen an der Eintrittspforte teigige Schwellung, später ulzerierendes Geschwür mit Gangrän, Lymphadenitis. Innerhalb weniger Tage kann eine Generalisierung mit hohem Fieber, Schüttelfrost, Gliederschmerzen folgen. In der 2. Krankheitswoche evtl. weiterer Fieberanstieg, makulopapulöses Exanthem mit nachfolgenden multiplen Geschwüren. Unbehandelt Tod nach 2–3 Wochen.
- *Nasenrotz:* Blutig-eitrige Entzündung der Nasenschleimhaut, geschwüriger Zerfall des Nasenknorpels und -knochens, Ausbreitung auf die Schleimhäute des Pharynx.
- *Chronischer Rotz:* Nach wochenlangen Muskel- und Gelenkschmerzen teigige Weichteilknoten mit Abszessbildung, die abheilen. Die chronische Form kann jahrelang andauern oder in die akute Form übergehen.

DIAGNOSE

- Erregernachweis in Pustelinhalt, Abszessmaterial, Nasensekret, Blutkulturen.
- Nachweis spezifischer Antikörper.

Therapie
Ceftazidim für mindestens 4 Wochen. Alternativen: Cotrimoxazol oder Imipenem.

Prophylaxe
Erkrankte Tiere müssen getötet und unter Einhaltung strenger Vorsichtsmaßnahmen beseitigt werden.

Meldepflicht
Siehe Tabelle 28-1.

22.9
Maul- und Klauenseuche

Entstehung und Erreger
Die Maul- und Klauenseuche (MKS) ist eine durch das MKS-Virus verursachte hochkontagiöse Erkrankung, die fast nur Paarhufer befällt. Die Übertragung erfolgt durch Schmierinfektion. Der Mensch kann passiver Überträger sein. Klinisch manifeste Infektionen des Menschen sind selten und nur bei direktem Kontakt mit infizierten Tieren möglich. Eintrittspforten für die Erreger sind Wunden oder Mikroläsionen der Haut oder Schleimhäute.

SYMPTOME

Nach einer Inkubationszeit von 2–8 Tagen Krankheitsgefühl, Übelkeit, Kopf- und Gliederschmerzen, Fieber. An der Eintrittspforte Primäraphthen. Rötung der Schleimhäute, schmerzhafte Bläschen auf Mund- und Rachenschleimhaut, an den Fingern, Zehen. Abheilung nach 5–10 Tagen.

DIAGNOSE

Nachweis spezifischer Antikörper.

Differentialdiagnose
Differentialdiagnostisch müssen abgegrenzt werden: Herpesvirusinfektionen, Coxsackie-Virusinfektion (Hand-, Fuß-, Mundkrankheit), Erythema exsudativa multiforme, Stomatitis vesicularis.

Therapie
Keine spezifische Therapie.

22.10
Melioidose (Pseudorotz)

Entstehung und Erreger
Die Erkrankung kommt noch in Südostasien vor (z. B. bei Schweinen in Vietnam). In den letzten Jahren sind auch Erkrankungen in Frankreich bei Pferden aufgetreten.

Die Übertragung des Erregers, Burkholderia pseudomallei (gramnegative Stäbchenbakterien) erfolgt über Miniläsionen der Haut und Schleimhäute, oral über kontaminierte tierische Lebensmittel oder Wasser, oder aerogen durch Inhalation von erregerhaltigem Staub. Die Infektion des Menschen kann subklinisch, akut septisch oder subakut verlaufen mit Abszessen in Lunge, Niere, Pleura, Knochen, Muskel.

SYMPTOME

Akuter Verlauf: Nach einer Inkubationszeit von 2 h bis 14 Tage Pneumonie, Pleuritis, Erbrechen, Durchfall, hohes Fieber. Meist tritt der Tod nach 1–5 Tagen ein.

Bei Überleben in der 2. Krankheitswoche pustulöse Hauteiterungen oder subkutane Abszesse.

DIAGNOSE

- Erregernachweis in Blut, Eiter, Sputum (Kultur, PCR).
- Nachweis spezifischer Antikörper.

Therapie

Ceftazidim für 6–12 Monate. Alternativ: Cotrimoxazol oder Imipenem. In schweren Fällen alle 3 Medikamente kombinieren.

22.11 Milzbrand (Anthrax)

Entstehung und Erreger

Milzbrand ist eine akut verlaufende Infektion, verursacht durch Bacillus anthracis (toxinproduzierende, aerobe sporenbildende grampositive Stäbchenbakterien). In Mitteleuropa ist die Erkrankung sehr selten, in Südosteuropa, Südostasien, Südamerika tritt sie endemisch auf. Die Erreger werden durch erkrankte Tiere und ihre Ausscheidungen verbreitet. Am häufigsten erkranken Rinder, Schafe, Ziegen, Pferde, Kamele. Die Sporen von Bacillus anthracis sind noch nach Jahren infektiös. Die Übertragung auf den Menschen erfolgt durch Kontakt mit infizierten Tieren oder Tierprodukten, z. B. importierte Felle, Häute. Besonders gefährdet sind Personen, die beruflich exponiert sind, z. B. die in der pelz-, leder- oder wolleverarbeitenden Industrie arbeiten, Schlachter, Abdecker usw.

Eintrittspforte beim Mensch ist meist die Haut (kleine Verletzungen), seltener die Lunge (Lungenmilzbrand) nach Inhalation von Sporen oder der Darm (Darmmilzbrand) nach oraler Aufnahme von infiziertem Fleisch. Inkubationszeit 2–5 Tage.

SYMPTOME

- *Hautmilzbrand:* Schmerzlose Pustel an der Eintrittspforte mit Rötung und ödematösem Rand. Das Zentrum zerfällt und wird schwarz-nekrotisch (Pustula maligna). Später Lymphangitis, Fieber, Kopfschmerzen. Unbehandelt verläuft die Erkrankung in 20% tödlich.
- *Lungenmilzbrand:* Zunächst grippeähnliche Symptome, dann massive Pneumonie, Dyspnoe, blutig-eitriges Sputum, Zyanose, hohes Fieber. Ödem im Thorax- und Mediastinalbereich. Rasch tödlicher Verlauf.
- *Darmmilzbrand:* Akutes Abdomen mit serös-blutigem Durchfall, Aszites.
  Bei der Autopsie: stark vergrößerte, blutreiche Milz.

DIAGNOSE

- Klinik, Anamnese (Tierkontakt, berufliche Exposition).
- Erregernachweis (Mikroskopie, Kultur) in Abstrichen von der Eintrittsporte und in Blutkulturen.

Therapie
Penicillin G. Alternativ: Tetracycline, Erythromycin, Chloramphenicol. Keine chirurgische Therapie!

Prophylaxe
Kontakt mit Tierkadavern vermeiden. Bei Exposition Prophylaxe mit Doxycyclin. Bei Erkrankten strikte Isolierungsmaßnahmen einhalten.

Meldepflicht
Krankheitsverdacht, Erkrankung oder Tod an Milzbrand sind meldepflichtig (s. Tabelle 28-1).

22.12 Ornithose

Entstehung und Erreger
Die Erreger, Chlamydia psittaci (kleine, auf künstlichen Nährmedien nicht anzüchtbare Bakterien), sind bei Vögeln weit verbreitet. Die Übertragung auf den Mensch erfolgt durch Inhalation von erregerhaltigem Staub oder Kontakt mit Ausscheidungen infizierter Tiere. Die Infektion beim Mensch kann klinisch inapparent, als „grippaler Infekt" oder als schwere atypische Pneumonie verlaufen. Die Inkubationszeit beträgt 7–21 Tage (bis zu 3 Monaten).

SYMPTOME

Entweder akuter Beginn mit hohem Fieber bis 40°C, Schüttelfrost, relativer Bradykardie oder schleichender Beginn mit allmählich ansteigendem Fieber, Kopfschmerzen, Myalgien, trockenem Husten, Dyspnoe, evtl. Lethargie, Verwirrtheit.

Komplikationen
Peri-, Myo-oder Endokarditis, Thromboembolien, Pankreatitis, Nierenversagen. Letalität 1%.

Differentialdiagnose
Differentialdiagnostisch müssen atypische Pneumonien durch Mykoplasmen, Legionellen, Coxiella burnetii oder Viren abgegrenzt werden.

DIAGNOSE

- Klinik, Anamnese (Vogelkontakt).
- Nachweis spezifischer Antikörper im Serum.

Therapie
Doxycyclin (200 mg/Tag). Alternative: Erythromycin oder neuere Makrolide.

22.13
Pest

Entstehung und Erreger

In den vergangenen Jahrhunderten hat die Pest große Teile der Bevölkerung von Europa und Asien ausgelöscht. Heute treten weltweit nur sporadisch endemische Fälle auf. Von der WHO wurden von 1980–1994 ca. 19.000 Fälle in 20 Ländern registriert (Afrika, Vietnam, Burma, China, Südamerika, Südwesten der USA).

Erregerreservoir sind wildlebende Nager, besonders Ratten. Die Übertragung des Erregers, Yersinia pestis (gramnegative Stäbchenbakterien), erfolgt von Ratten auf den Menschen durch Rattenflohstiche. Die Erreger vermehren sich in regionalen Lymphknoten (Bubonenpest) und können septisch streuen mit Befall der Lunge. Klinisch kann die Pest als Bubonenpest, als septische Form mit oder ohne Bubonen oder als Lungenpest auftreten. Bei der Lungenpest ist die direkte Übertragung durch Tröpfcheninfektion von Mensch zu Mensch möglich.

SYMPTOME

- *Bubonenpest (80–90% der Fälle):* Nach einer Inkubationszeit von 2–5 Tagen (bis zu 10 Tagen) Unwohlsein, Kopfschmerzen, Fieber, Schüttelfrost, Erbrechen, Myalgien. Einen Tag später schmerzhafte Lymphadenitis (= Beulen, Bubonen), besonders der axillären, inguinalen, zervikalen Lymphknoten. Unbehandelt sterben 50–60%.
  Komplikationen: Septischer Schock, Verbrauchskoagulopathie, Meningitis.
- *Lungenpest (gefährlichste und fatalste Form):* Nach einer Inkubationszeit von 1–3 Tagen schwere Pneumonie mit hohem Fieber, Dyspnoe, oft Hämoptysis. Patienten, die nicht innerhalb von 18 h adäquat therapiert werden, haben keine Überlebenschance.

DIAGNOSE

- Klinik, Anamnese (Endemie).
- Erregernachweis aus Lymphknoten, Milz, Leber, in Blutkulturen durch Mikroskopie (Immunfluoreszenz) und Kultur. Bei Lungenpest: Erregernachweis im Sputum.

Therapie

Streptomyin, Tetracycline, Chloramphenicol.

Prophylaxe

1. Ratten- und Flohbekämpfung.
2. Eine Vakzination ist zurzeit noch unsicher. Sie bietet keinen Schutz bei Tröpfcheninfektionen, nur bei Infektionen durch Flohstiche.
3. Antibiotikaprophylaxe: Kontaktpersonen von Lungenpestkranken erhalten Doxycyclin (2-mal 100 mg/Tag) für 7 Tage. Kinder: Cotrimoxazol p.o. Strikte Isolierungsmaßnahmen bei Erkrankten einhalten.

Meldepflicht

Krankheitsverdacht, Erkrankung oder Tod an Pest ist meldepflichtig (s. Tabelle 28-1).

22.14 Rickettsiosen

Rickettsiosen sind Zoonosen, die entweder durch Vektoren auf den Menschen übertragen werden, z. B. durch Läuse im Fall von Fleckfieber [s. Kap. 21.2.6: „Fleckfieber (Flecktyphus)" in Kap. 21.2: „Fieberhafte Erkrankungen nach Tropenaufenthalt] und Wolhynisches Fieber in Osteuropa; durch Zecken im Fall von Rocky-Mountain-spotted-Fieber in den USA oder durch Inhalation von erregerhaltigem Staub im Fall von Q-Fieber (Tabelle 22-3). Die einzige „heimische" Rickettsiose in Mitteleuropa ist das Q-Fieber

22.14.1 Q-Fieber

Entstehung und Erreger

Der Erreger, Coxiella burneti (kleine gramnegative, nicht auf künstlichen Nährmedien anzüchtbare Stäbchenbakterien), wie alle Rickettsien ein intrazellulärer

Tabelle 22-3. Rickettsiosen

Erkankung	Erreger	Übertragung, Vektor	Vorkommen	Inkubationszeit	Klinik
Q-Fieber	Coxiella burneti	Von Schaf, Rind, Ziege über Staubinhalation, Rohmilch	Europa, endemisch in Deutschland	3 Wochen	Fieber, Splenomegalie, häufig atypische Pneumonie, Hepatitis
Fleckfieber (Flecktyphus)	Rickettsia prowazekii	Läuse	Südamerika, Afrika	1–2 Wochen	Fieber, Myalgien. Exanthem am Stamm. Konjunktivale Blutungen
Mediterranes Fleckfieber	Rickettsia conorii	Zecken	Afrika, Indien, Mittelmeer (Verbreitung durch Hunde)	5–7 Tage	Ulkus an Bissstelle. Fieber, Kopf-, Gliederschmerzen, Exanthem am Stamm
„Rocky Mountain spotted fever" (Zeckentyphus)	Rickettsia reckettsii	Zecken	Nordamerika Mittel-, Südamerika	3–14 Tage	Fieber, Myalgien, Übelkeit, Durchfall, Bauchschmerzen. Palmar- und Plantarxanthem mit zentripedaler Ausbreitung

Parasit, wird von Rind, Schaf oder Ziege auf den Menschen übertragen. Die Tiere, die selbst nicht erkranken, werden über Zecken infiziert. Sie scheiden die Erreger unter der Geburt mit der Plazenta, Amnionflüssigkeit oder über die Milch und andere Körpersekrete aus. Der Mensch infiziert sich durch Inhalation von erregerhaltigem Staub oder durch Trinken unpasteurisierter Milch.

Eine Übertragung von Mensch zu Mensch findet nicht statt, außer durch Bluttransfusion. Nach einer Vermehrung der Erreger in der Lunge werden sie hämatogen gestreut und verursachen eine generalisierte Erkrankung mit oder ohne Pneumonie und eventuellen Absiedelungen in Leber, Knochen, Herzklappen. Inkubationszeit ca.3 Wochen (s. Tabelle 22.-3).

SYMPTOME

Plötzlicher Fieberanstieg mit Schüttelfrost, starke Kopfschmerzen (75%), Müdigkeit, Myalgien (90%), Erbrechen, Splenomegalie, Hepatomegalie (50%), evtl. Durchfall (20%). Etwa 25% entwickeln eine atypische, interstitielle Pneumonie. In der Regel ist die Erkrankung selbstlimitierend nach 2–6 Tagen.
Chronisches Q-Fieber: Rund 20% der Patienten entwickeln Fieber über mehr als 4 Wochen, evtl. mit Erregerpersistenz in einigen Organen, z. B. der Leber mit Hepatitis (meist selbstlimitierend), Endokarditis (bei 1%, unbehandelt oft tödlich), selten Osteomyelitis, Meningitis, Enzephalitis; bei 20% begleitet von einer Vaskulitis mit Ausschlag.

Komplikationen

Eine Endokarditis kann 6 Monaten bis 10 Jahre nach der Infektion auftreten. Vorschädigungen des Endokards sind prädisponierend.

DIAGNOSE

- Nachweis spezifischer Antikörper im Serum.
- *Laborwerte:* fast immer Transaminasenanstieg, Erhöhung BSG, bei 1/3 der Patienten schwache Leukozytose.
- *Bei Verdacht auf Endokarditis:* Sonographie der Herzklappen. („Sterile" Blutkulturen bei Endokarditis sollten an Q-Fieber denken lassen).

Differentialdiagnosen

Atypische Pneumonie durch Mykoplasmen, Chlamydien, Legionellen, Viren.

Therapie

Doxycyclin (200 mg/Tag) für 10–20 Tage. Bei Endokarditis Langzeittherapie über Monate oder Jahre mit Doxycyclin plus Rifampicin (2-mal 300 mg) oder Gyrasehemmer.

Meldepflicht

Der Nachweis von Coxiella burneti ist meldepflichtig (s. Tabelle 28-1).

22.15 Rattenbisskrankheit

Entstehung und Erreger

Die Erreger, Spirillum minus und Streptobacillus moniliformis, gehören zur Rachenflora von Ratten und werden durch Bisse auf den Menschen übertragen. Die Erkrankung ist heute sehr selten, in Japan, USA, Ostafrika, Australien, Indien häufiger. Gefährdet sind Tierpfleger in der Versuchstierhaltung.

SYMPTOME

- *Infektion mit Spirillum minus:* Nach 2–3 Wochen an der Bissstelle ödematöse Infiltration, Bläschenbildung, Ulzeration, regionale Lymphknotenschwellung. Rekurrierende Fieberschübe, die sich ohne Behandlung wochenlang wiederholen.
- *Infektion mit Streptobacillus moniliformis:* Nach einer Inkubationszeit von 3–5 Tagen Fieber bis 40°C, Schüttelfrost, Kopfschmerzen, Bewusstseinstrübung, Rückenschmerzen. Bei 90% morbilliformes Exanthem, v. a. an den Streckseiten von Armen und Beinen. Anschließend Arthritiden, Angina, Laryngitis.

DIAGNOSE

- Anamnese (Rattenbiss), Klinik.
- Erregernachweis in Blutkulturen, Wundabstrichen, Gelenkflüssigkeit.

Therapie

Tetracyclin (4-mal 500 mg/Tag).

Prophylaxe

Rattenbekämpfung.

22.16 Rotlauf

Entstehung und Erreger

Rotlauf wird durch Erysipelothrix rhusiopathiae (gramnegative Stäbchenbakterien) hervorgerufen. Er tritt hauptsächlich bei Schweinen als akut verlaufende Infektion auf. Die Übertragung auf den Menschen erfolgt durch kontaminiertes Tiermaterial. Eintrittspforten für den Erreger sind Verletzungen. Gefährdet sind v. a. Metzger, Landwirte, Tierärzte, Tierpfleger, Abdecker.

SYMPTOME

Nach einer Inkubationszeit von 2–5 Tagen entsteht an der Eintrittspforte das Rotlauferysipeloid, eine scharf begrenzte, fortschreitende Rötung, anfangs bläulich, mit Quaddelbildung, Juckreiz und Schmerzen. Im Gegensatz zum Streptokokkenerysipel kein Fieber oder Beeinträchtigung des Allgemeinbefindens.

Komplikation
Sehr selten Sepsis.

DIAGNOSE

- Anamnese, Klinik.
- Kultureller Erregernachweis in Exzisionsmaterial vom Rand des Erythems.

Differentialdiagnose
Streptokokkenerysipel.

Therapie

1. Ruhigstellung der betroffenen Extremität.
2. Penicillin V (1–2 Mio. IE/Tag) oral für 10–14 Tage kürzt den Krankheitsverlauf ab. Bei Sepsis Penicillin G. Bei Allergie Erythromycin.

22.17 Tierpocken

Entstehung und Erreger
Seit 1980 gibt es weltweit keine durch das Pockenvirus verursachte Menschenpocken (Variola) mehr. Jedoch treten verwandte Pockenviren noch bei Tieren auf, die sporadisch auch den Menschen infizieren.

Tierpockenviren, für die der Mensch empfänglich ist sind: Affenpocken-, Elefantenpocken-, Kamelpocken-, Kuhpockenvirus; Parapockenviren, z. B. Orfvirus des Schafes (Lippengrind beim Schaf), Melkernotenvirus (Euterpocken beim Rind).

Die Übertragung auf den Menschen erfolgt nur durch intensiven direkten Kontakt mit den Pockenläsionen der Tiere über Wunden oder Miniläsionen der Haut. Durch unzureichenden Impfschutz gegen Menschenpocken nach Einstellung der Impfprogramme könnten Tierpocken beim Menschen häufiger werden.

SYMPTOME

Nach einer Inkubationszeit von 1–2 Wochen treten auf der Haut Bläschen und Pusteln auf, die von selbst abheilen. Bei ungünstiger Disposition kann auch eine Ausbreitung und Generalisierung erfolgen.
Melkerknoten: Nach dem Melken von Kühen mit Euterpocken treten an den Händen Pusteln und Papeln auf, die innerhalb weniger Wochen ohne Narbenbildung abheilen.

DIAGNOSE

- Klinik, Anamnese.
- Erregernachweis (Elektronenmikroskopie).

Therapie
Keine spezifische Therapie.

Prophylaxe

Eine Impfung gegen Vacciniavirus (bei der Impfung gegen Menschenpocken verwendetes Impfvirus) schützt auch gegen andere Tierpocken, jedoch nicht gegen Parapockenviren (z. B. Melkerknotenvirus).

22.18 Tollwut (Rabies, Lyssa)

Entstehung und Erreger

Weltweit sterben jährlich >25.000 Menschen an Tollwut. Die Infektion erfolgt in der Regel durch Tierbisse. Für das Rabiesvirus sind alle Warmblüter suszeptibel. Reservoir sind Wildtiere, außerhalb Europas auch Fledermäuse, in Städten Asiens, Afrikas und Süd- bzw. Mittelamerikas auch streunende Hunde.

Erkrankte Tiere zeigen Verhaltensstörungen: Wilde Tiere erscheinen zahm, Haustiere reagieren aggressiv. Lähmungen der Schlundmuskeln bewirken Schluckstörungen und ständiges Sabbern. Das Virus wird mit dem Speichel ausgeschieden und durch Bisse oder Kontakt mit Hautverletzungen übertragen. Die intakte Schleimhaut ist kaum, die intakte Haut gar nicht infizierbar.

Die Erreger vermehren sich in den Muskelzellen an der Eintrittstelle, gelangen frühestens am 2.–4. Tag über die neuromuskuläre Endplatte ins Axon und wandern mit einer Geschwindigkeit von ca. 3 mm/h entlang der Axone ins ZNS. Nach einigen Vermehrungszyklen im Gehirn treten Enzephalitissymptome auf. Retrograd können die Erreger vom Gehirn über Axone wieder in die Peripherie wandern, u. a. in die Speicheldrüsen und die Kornea.

Etwa 10–50% der Infizierten erkranken nach einer Inkubationszeit von 1 Monat bis 1 Jahr, gewöhnlich nach 20–60 Tagen. Die Länge der Inkubationszeit hängt ab von der Infektionsdosis und der Entfernung der Eintrittsstelle zum Gehirn. In Deutschland ist die Tollwut durch Impfprogramme bei Wildtieren selten geworden.

SYMPTOME

Zunächst Jucken, Brennen, Schmerzen, „Parästhesien“ an der Bissstelle (Dauer 2–7 Tage). Anschließend Fieber, Kopfschmerzen, Übelkeit bis Erbrechen, evtl. vermehrter (infektiöser!) Speichelfluss, Krämpfe der Schluckmuskulatur, Durchfall, Pharyngitis, Husten, Myalgien. Erregungszustände, motorische Unruhe, Aggression (= rasende Wut), Angstzustände, z. B. Angst vor Wasser. Bei Enzephalitis generalisierte Krämpfe mit Betonung von Pharynx und Larynx, schließlich Lähmungen, Koma. Tod am 4.–6. Tag. Die Lähmungen können auch ohne verherige Krämpfe auftreten (= stille Wut).

DIAGNOSE

- *Untersuchung des Tieres, falls verfügbar (evtl. Quarantäne):* bei einem Tier mit infektiösem Speichel ist das Gehirn bereits infiziert (retrograde Wanderung in die Speicheldrüse), es stirbt normalerweise innerhalb weniger Tage. Allerdings gibt es auch bei anscheinend gesunden Hunden eine intermittierende Virusausscheidung für viele Monate. Ein Antigennachweis post mortem mittels IFT am Gehirnschnitt ist am sichersten, der Kornealtest ist nur in 50% positiv.

- *Antikörpernachweis:* am 5.–8. Tag in 50% positiv, nach 16 Tagen in 100%.

Therapie
Symptomatisch, wirkt allenfalls lebensverlängernd, aber nicht lebenserhaltend.

Prophylaxe

1. Impfen von Haus- und Wildtieren.
2. Postexpositionsprophylaxe: Wundtoilette (Seife!) und Simultanimpfung, d. h. passive Immunisierung mit homologem Impfstoff (die Hälfte der Immunglobulindosis in und um die Wunde infiltrieren, den Rest intragluteal injizieren) plus aktive Immunisierung mit Totimpfstoff (5–6 Impfdosen). Der Impfstoff wirkt nur vor dem Eintritt des Virus ins Axon.
   Postexpositionsprophylaxe bei früher aktiv Immunisierten: Wundtoilette plus erneute aktive Immunisierung (3 Impfdosen).
3. Prophylaxe bei Kontaktpersonen eines Rabiespatienten: Der Patient wird wahrscheinlich erst wenige Tage vor Beginn der Symptomatik infektiös. Aus Sicherheitsgründen wird von einer Infektiosität 2 Wochen vor Beginn der Symptome ausgegangen.

Meldepflicht
Krankheitsverdacht, Erkrankung und Tod an Tollwut sowie jeder Kontakt mit einem tollwurverdächtigen Tier sind meldepflichtig.

Bei Kontakt mit einem tollwutverdächtigem Tier unbedingt Tollwutberatungsstelle konsultieren! !

22.19 Toxoplasmose

Entstehung und Erreger
Der Erreger ist das Protozoon Toxoplasma gondii. Die Durchseuchung nimmt mit dem Lebensalter ständig zu. Mensch und Tiere infizieren sich durch die orale Aufnahme von Zysten aus rohem oder ungenügend erhitztem Fleisch oder durch Oozysten aus Katzenkot. Die Parasiten durchwandern die Darmwand und werden lymphogen und hämatogen in alle Organe verteilt. In den Wirtszellen vermehren sie sich, führen zur Zelllyse mit Befall benachbarter Zellen. Es entstehen fokale Gewebsnekrosen, v. a. im Gehirn, in der Muskulatur und im Auge. Unter dem Einfluss der Antikörper entstehen Zysten mit jeweils vielen Erregern. In diesen Gewebezysten können die Toxoplasmen jahrelang persistieren und bei Immunschwäche reaktiviert werden.

In aller Regel bleibt die Infektion asymptomatisch, mitunter geht sie mit einer Lymphadenitis und grippalen Symptomen einher. Bei der Erstinfektion während

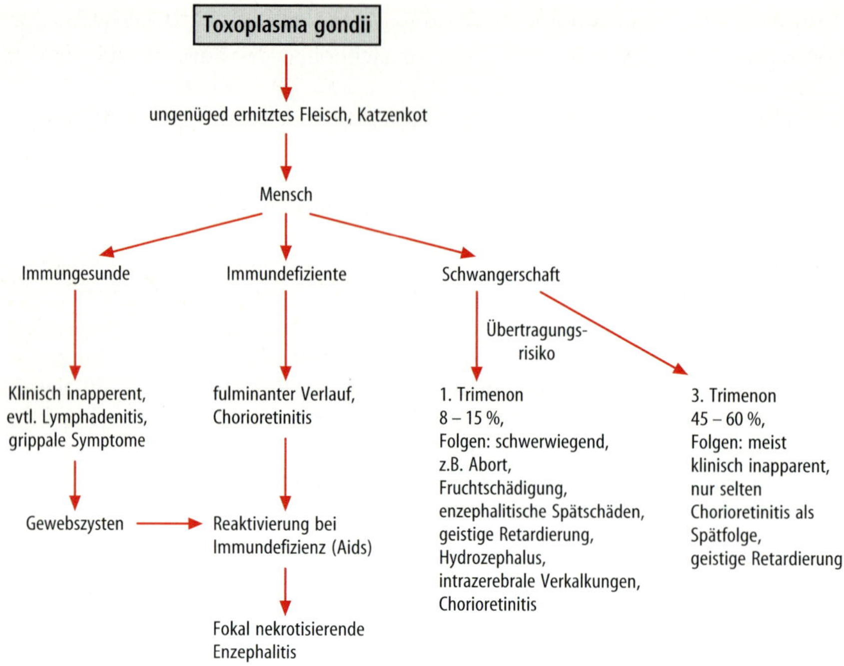

Abb. 22-1. Verlauf einer Infektion mit Toxoplasma gondii

der Schwangerschaft sind abhängig vom Zeitpunkt der Infektion schwere kongenitale Defekte des Kindes möglich (s. Abb. 22-1).

SYMPTOME

Bei Immungesunden verläuft die Infektion meist klinisch inapparent. Eventuell zervikale oder generalisierte Lymphknotenschwellung. Die Lymphknoten sind derb, druckschmerzhaft, nicht eitrig. Selten kommt es zu uncharakteristischen grippalen Symptomen wie Kopfschmerzen, Mattigkeit, Muskel- und Gelenkschmerzen, leichtem Fieber, kurzzeitigem Durchfall. Komplikationen sind selten (1%): Myokarditis, Chorioretinitis, Enzephalitis.
Bei Immunsuppression treten auch fulminante Verläufe mit Enzephalitis, Myokarditis, Pneumonitis, Chorioretinitis auf. Etwa 1/3 der toxoplasmosepositiven Patienten mit Aids erleiden im späteren Verlauf eine fokal-nekrotisierende Enzephalitis, evtl. mit Dissemination.

Toxoplasmose während der Schwangerschaft

Bei einer Parasitämie während der Schwangerschaft (nur bei Erstinfekion) kann der Erreger auf den Fetus übertreten. Erfolgt die Infektion im 1. Trimenon, werden etwa 15% der Feten infiziert mit oft schweren, z. T. tödlichen Folgen. Später in der Schwangerschaft nimmt die Infektionswahrscheinlichkeit zu (60% im

3. Trimenon), das Risiko einer Fruchschädigung nimmt jedoch ab (s. Kap. 17.2.10: „Kongenitale Toxoplasmose").

SYMPTOME

Mütterliche Infektion meist symptomlos, selten Lymphadenitis, Fieber, Kopfschmerzen. Konnatale Toxoplasmose: meist subklinisch, erst später treten enzephalitische Spätschäden auf wie Anfallsleiden, Intelligenzdefekte oder die klassische Trias: intrazerebrale Verkalkungen, Hydrozephalus, Chorioretinitis. Nur wenige Kinder werden mit systemischer Erkrankung geboren: geringes Geburtsgewicht, Hepatosplenomegalie, Thrombozytopenie, Gelbsucht, Pneumonie, Purpura.

Toxoplasmose des Auges

Die konnatale Toxoplasmose ist die häufigste Ursache einer Chorioretinitis. Die Patienten sind oft jahrelang asymptomatisch, die Infektion macht sich erst im 2./3. Lebensjahrzehnt bemerkbar.

SYMPTOME

Schmerzen, Photophobie, verschwommene Bilder, bei Makulabeteiligung Visusverlust.
Augenhintergrund: chorioretinale Degenerationen bei sonst normal erscheinender Retina, manchmal N. opticus-Atrophie.

Komplikationen
Panuveitis, Atrophie des N. opticus.

Verlauf
Die Therapie (s. unten) bringt bei 70% eine Besserung innerhalb von 10 Tagen, die Ausheilung benötigt 9–10 Wochen. Das Rezidivrisiko liegt bei 13–30%.

DIAGNOSE der Toxoplasmose

- *Antikörpernachweis im Serum:* IgG-Antikörper weisen auf eine durchgemachte Infektion hin. Bei frischer Infektion sind IgM-Antikörper nachweisbar, die Monate persistieren können. Bei Neugeborenen belegen IgM- und/oder IgA-Antikörper eine pränatale Infektion; ihr Fehlen schließt die Infektion aber nicht aus.
- Erregernachweis (Giemsa-Färbung, PCR, Tierversuch) im Liquor, Fruchtwasser.
- Histologischer Nachweis in Lymphknoten.
- *Bildgebende Verfahren:* CT, MRT.
- Bei ZNS-Beteiligung (Aids) multiple bilaterale zerebrale Läsionen.
- *Augentoxoplasmose:* typischer Augenhintergrundsbefund (s. oben).

Therapie
1. Die Lymphadenitis bedarf bei immunkompetenten Patienten keiner Therapie.
2. Chorioretinitis, Enzephalitis: Sulfadiazin (50 mg/kgKG) plus Pyrimethamin (1. Tag 50 mg, dann 25 mg/Tag) für 3–4 Wochen. Wegen der Gefahr von Hämatopoesestörungen zusätzliche Gabe von Folinsäure (10–15 mg/Tag, Blut-

bildkontrollen!). Alternativ: Sulfadiazin plus Clindamycin. Bei Allergie: Spiramycin.
Erstinfektion in der Schwangerschaft: bis zur 15. Schwangerschaftswoche Spiramycin (3-mal 1 g), danach Sulfadiazin plus Pyrimethamin. Auch klinisch gesunde Neugeborene erhalten alternierende Therapiezyklen über 1 Jahr im Wechsel: 1. Zyklus Pyrimethamin plus Sulfadiazin, 2. Zyklus Spiramycin (für jeweils 4 Wochen).
3. Bei ZNS-Infektion (Aids): Pyrimethamin (Anfangsdosis 200 mg, dann 50–75 mg/Tag) plus Folinsäure (15 mg/Tag) plus Sulfadiazin (4-mal 1–1,5 g/Tag) oder Clindamyicin (4-mal 600 mg) für 3–6 Wochen. Alternativen: Pyrimethamin plus Folinsäure plus Clarithromycin (2-mal 1 g/Tag) oder Azithromycin (1,2–1,5 g/Tag). Zur Prophylaxe: Pyrimethamin (50 mg/Tag) plus Folinsäure evtl. plus Dapson. Alternativen: Cotrimoxazol oder Pyrimethamin (25 mg/Tag) plus Sulfadiazin (2 g/Tag) plus Folinsäure.

Prophylaxe

Während der Schwangerschaft kein rohes oder ungenügend erhitztes Fleisch essen. Vorsicht vor frischem Gartengemüse und bei Reinigung von Katzenklos (Oozysten aus Katzenkot). Abtötung durch Hitze, z. B. durch kochendes Wasser.

Meldepflicht

Konnatale Infektionen durch T. gondii sind meldepflichtig.

22.20 Tularämie

Entstehung und Erreger

Die Erkrankung ist in Mitteleuropa sehr selten. Der Erreger, Francisella tularensis (intrazellulär überlebensfähige gramnegative Bakterien), kommt bei wildlebenden Nagern (Kaninchen, Hasen) und Haustieren besonders in Nordamerika, Russland, Japan vor. Die Infektion des Menschen erfogt durch Kontakt mit infizierten Tieren, Zeckenbiss, Inhalation von Aerosol, Genuß von kontaminiertem Wasser oder ungenügend erhitztem Fleisch.

Die Erreger dringen über Miniläsionen der Haut (evtl. auch durch die intakte Haut) oder über Schleimhäute ein. Danach erfolgt eine lymphogene und hämatogene Aussaat. Die Erkrankung tritt je nach Eintrittspforte der Erreger als ulzeroglanduläre, glanduläre, okuloglanduläre, pharyngeale, typhoide oder pneumonische Form auf. Inkubationszeit 2–10 Tage.

SYMPTOME

Die Symptome reichen von leichtem Krankheitsgefühl bis zu akuter Sepsis.
- *Ulzeroglanduläre Form (80–90%):* Nach 3–5 Tagen Hautpapel mit anschließender Ulzeration. Fieber, Lymphadenopathie, Kopfschmerzen, Krankheitsgefühl.
- *Glanduläre Form (10–20%):* Nur Lymphadenopathie (ohne erkennbare Eintrittspforte).

- *Okuloglanduläre Form (0,5%):* Konjunktivitis, Blepharitis, Lymphangitits.
- Pneumonische Form: Fieber, Kopfschmerzen, Krankheitsgefühl, Husten, Dyspnoe, Pleuraschmerz.

Komplikationen
Bei Generalisierung Granulombildung in diversen Organen mit Gerinnungsstörungen, Nierenversagen, Hepatitis, Perikarditis, Meningitis.

DIAGNOSE

- Antikörpernachweis im Serum.
- Kultureller Erregernachweis aus Wundabstrich, Punktat, Lymphknoten, Sputum (in Speziallabor).

Therapie
Mittel der Wahl ist Streptomycin. Alternativen: Gentamicin, Tetracycline.
Meldepflicht: s. Tabelle 28-1.

Andere Zoonosen: Katzenkratzkrankheit: s. Kap. 13: „Haut-, Wund- und Weichteilinfektionen“ sowie Kap. 21.2.6: „ Fleckfieber (Flecktyphus)“, Kap. 21.2.9: „Hämorrhagische Fieber“, Kap. 21.2.7: „Gelbfieber“, Kap. 21.2.1: „Malaria“, Kap. 21.2.5: „Rückfallfieber“ in Kap. 21.2: „Fieberhafte Erkrankungen nach Tropenaufenthalt“.

Therapie

1. Antiphlogistisch mit Salizylaten. Ergibt dies keine Besserung, Versuch mit Prednisolon. Therapiedauer bis zur Normalisierung der BSG; dann Ausschleichen des Prednisolons über 2 Wochen.
2. Eliminierung eventuell noch vorhandener Streptokokken mit Penicillin, bei Allergie Erythromycin.

Prophylaxe

Die Rezidivprophylaxe zielt darauf, weitere A-Streptokokkeninfektionen zu vermeiden. Deshalb z. B. Tonsillektomie unter „Penicillinabschirmung" und/oder die Einnahme von Penicillin für die Dauer von mindestens 5 Tagen schon bei „leisestem Kratzen" im Hals. Alternative: Penicillindauerprophylaxe für Monate oder Jahre. Bei Allergie Erythromycin.

Vor invasiven Eingriffen in keimreichen Körperregionen (Oropharynx, Haut, Magen-Darm- und Urogenitaltrakt) benötigen Patienten mit rheumatischen Klappenveränderungen eine Endokarditisprophylaxe (s. Kap. 7.1: „Endokarditis" – in Kap. 7: „Kardiovaskuläre Infektionen").

23.4 Akute Glomerulonephritis

Nach A-Streptokokkeninfektionen (Pharyngitis/Tonsillitis oder Hautinfektionen) mit „nephritogenen Stämmen" (lediglich 4–5 der insgesamt 65 Serotypen) entwickeln bis zu 3% der Patienten nach 2–4 Wochen eine akute Glomerulonephritis. Sie entsteht durch Ablagerung von Immunkomplexen in den Glomerula (allergische Reaktion vom Typ III). Bei Kindern sind die Schäden meist reversibel, bei Erwachsenen besteht das Risiko einer bleibenden Niereninsuffizienz.

SYMPTOME

Fieber, Proteinurie, Ödeme, besonders Lidödem, Hämaturie, Oligurie, Hypertonie.

DIAGNOSE

- *Anamnese:* eitrige Tonsillitis oder Erysipel 3–4 Wochen zuvor.
- *Urinuntersuchung:* Proteinurie, Hämaturie.
- *Laborparameter:* BSG erhöht, Kreatininanstieg.
- Hohe Antikörpertiter gegen Streptolysin oder Streptodornase (bei Hautinfektionen unzuverlässig). Kulturell sind die Erreger meist nicht mehr nachweisbar.

Therapie

1. Symptomatische Therapie: Bettruhe im akuten Stadium, salzarme Kost, Antihypertensiva; ggf. Dialyse.
2. Eventuell Eradikation persistierender A-Streptokokken mit Penicillin. Im Gegensatz zum rheumatischen Fieber sind Rezidive selten, deshalb ist keine Rezidivprophylaxe nötig.

23.5 Reiter-Syndrom

Ein postinfektiöser Symptomenkomplex (Arthritis, Konjunktivitis, Urethritis), der vorwiegend bei Individuen mit HLA Typ B27, im Anschluß an Infektionen des Urogenital- oder Magen-Darm-Traktes durch Chlamydia trachomatis bzw. Yersinien, Salmonellen, Shigellen oder Campylobacter vorkommt (Tabelle 23-1). Neben dem klassichen Reiter-Syndrom finden sich auch oligosymptomatische Formen (s. Kap. 12.2.2: „Postinfektiöse reaktive Arthritis").

SYMPTOME

1–2 Wochen nach der Primärerkrankung mäßiges Fieber, Konjunktivitis, evtl. Dysurie. Später schmerzhafte Schwellung vorwiegend großer Gelenke der unteren Extremitäten mit plantarer Fasziitis und Tendinitis der Achillessehne. Oft Kreuzschmerzen. Kleine, oberflächliche Ulzera in der Mundschleimhaut, auf Zunge oder Glans penis, evtl. Hyperkeratosen der Handinnenflächen oder Fußsohlen. Selten kardiovaskuläre Störungen, Aortitis.

Verlauf

Spontane Ausheilung nach 3–6 Monaten. Arthritisrezidive treten jedoch bei 10–20% auf. Chronische Verläufe mit Gelenkdeformationen, Ankylosen, Sakroileitis, Spondylitis sind möglich.

DIAGNOSE

- Klinik, Anamnese.
- *Mikrobiologische Untersuchung:* Das Gelenkpunktat ist steril. Die vorausgegangene Darminfektion kann serologisch durch Antikörpernachweis gestellt werden; die urogenitale Infektion durch Erregernachweis in Urethral- oder Zervixabstrichen.

Therapie

1. Physikalische Maßnahmen (Ruhe, Kälte, Entlastungspunktion) und symptomatische Therapie mit nichtsteroidalen Antiphlogistika.
2. Antibiotika dienen dazu, einen potentiellen Erregernachschub zu verhindern, z. B. Doxycyclin (2-mal 100 mg) für 3 Wochen oder Chinolon (Ciprofloxacin) für 2 Wochen. Die Beschwerden selbst werden nicht davon beeinflusst.

23.6 Erythema multiforme

Eine entzündliche Hauterkrankung mit erythematösen, ödematösen oder bullösen Läsionen der Haut oder der Schleimhäute, die nach Infektionen (z. B. mit Herpes-simplex-Viren, Streptokokken, Mykoplasmen, Coxsackie-, Epstein-Barr-, ECHO-Viren), aber auch nach Medikamenten (insbesondere Sulfonamide, Penicilline, Barbiturate) entstehen kann.

Teil III

Mikrobiologische Untersuchungen III

Kapitel 24

Mikrobiologischer Erregernachweis

24.1 Nachweismethoden

24.1.1 Bakteriologische, mykologische Diagnostik

Mikroskopie

Mikroskopische Präparate (Nativpräparate, Gram-, Giemsa-, Fluoreszenz-, säurefeste Färbungen) liefern sofort Hinweise auf die Erreger (Kokken, Stäbchen, grampositiv, gramnegativ; Pilze, Protozoen) und durch Beurteilung der Zellen (z. B. polymorphkernige Neutrophile) Hinweise auf das Infektionsgeschehen. Durch Immunfluoreszenz können mittels fluororeszenzmarkierter spezifischer Antikörper Erreger in Präparaten „sichtbar" gemacht werden (z. B. Legionellen, Pneumocystis carinii, Kryptosporidien).

Kultureller Erregernachweis von Bakterien, Pilzen

Bei bakteriellen Infektionen ist der kulturelle Erregernachweis die sicherste Methode und eine Voraussetzung für die Resistenztestung. Das setzt lebende, vermehrungsfähige Bakterien voraus und erfordert Zeit. Nachteile: bei Antibiotikavorbehandlung sind die Erreger oft nicht mehr anzüchtbar; manche Erreger wachsen erst nach Tagen oder Wochen (z. B. Mykoplasmen, Borrelien, Helicobacter, Aktinomyzeten, Mykobakterien), andere sind auf künstlichen Nährmedien nicht kultivierbar (z. B. Treponema pallidum). In diesen Fällen muss auf nichtkulturelle Nachweismethoden ausgewichen werden (Antikörper-, Antigen-, DNA-Nachweis).

Manche Bakterien benötigen ein spezielles Nährstoffangebot (z. B. Mykobakterien, Anaerobier, Corynebacterium diphtheriae, Bordetella pertussis) oder ein besonderes Milieu (anaerob, mikroaerophil), um zu wachsen. Will man aus einer Fülle verschiedener Bakterienarten, z. B. der Darmflora, eine bestimmte Art herausselektionieren, gelingt dies auf Selektivnährmedien, die das Wachstum der gewünschten Keimart fördern und andere Bakterien am Wachstum hemmen (z. B. Salmonellen-Shigellen-Agar).

Der Nachweis von Pilzen gelingt auf speziellen Nährmedien (z. B. Sabouraud-Glukose-Agar mit hohem Zuckergehalt und niedrigem pH-Wert).

Antigennachweis

Durch spezifische Antikörper lassen sich Bestandteile von Pilzen, Bakterien oder ihrer Toxine innerhalb von Minuten bis wenigen Stunden direkt im Material nachweisen (Agglutinationsreaktion, ELISA). Beispiele: Bei Verdacht auf bakterielle Meningitis können die Antigene der wichtigsten Meningitiserreger im Liquor (Pneumokokken, Meningokokken, Haemophilus influenzae) nachgewiesen werden, bei systemischen Pilzinfektionen Candida-, Kryptokokken- oder Aspergillusantigen im Serum; bei antibiotikaassoziierter Kolitis ist Clostridium-difficile-Toxin im Stuhl nachweisbar; bei Legionellose ein Legionellenantigen im Urin.

DNA-Nachweis

Der Nachweis erregerspezifischer DNA-Sequenzen im Untersuchungsmaterial erfolgt, meist nach Amplifikation, durch die PCR. Die Empfindlichkeit liegt bei etwa 10–100 Genomen pro ml. Die Probenverarbeitung ist zurzeit relativ aufwendig. Eine Hemmung der Amplifikation und falsch-positive Ergebnisse durch Kontamination sind durch Kontrollen auszuschließen.

Vorteile: es werden auch tote Mikroorganismen erfasst, das Ergebnis liegt innerhalb von Stunden vor.

Serologischer Nachweis von Antikörpern

Der Nachweis spezifischer Antikörper ermöglicht eine indirekte Infektionsdiagnostik. Nachteile: Ein signifikanter Antikörpertiter tritt erst Tage bis Wochen nach Infektionsbeginn auf; IgG-Antikörpertiter persistieren über Jahre, z. T. lebenslang. Für eine frische Infektion spricht der Nachweis von IgM- bzw. IgA-Antikörpern, die in vielen Fällen nach 6–10 Wochen wieder verschwinden, z. T. aber auch länger als 1 Jahr bestehen bleiben können (Beispiel: Toxoplasmose). Beweisend für eine Infektion sind hohe Titer oder ein signifikanter Titeranstieg innerhalb von 1–3 Wochen.

24.1.2 Virologische Diagnostik

Anzucht von Viren in der Zellkultur

In früheren Jahrzehnten war die Virusanzüchtung in Zellkulturen die wichtigste Nachweismethode. Heute hat diese Methode an Bedeutung verloren, da die Zellkultur aufwendig ist, die Ausbildung eines zytopathischen Effekts Zeit benötigt und oft gar nicht erfolgt. Viele Virusarten erzeugen keinen zytopathischen Effekt und müssen durch andere Methoden nachgewiesen werden. Manche Viren benötigen sehr spezielle Zellen oder sind gar nicht zu vermehren.

Nachweis von Virusantigen

Viele Viren liegen im Untersuchungsmaterial in so großen Mengen vor, dass sie mit immunologischen Techniken nachweisbar sind. So lassen sich Bestandteile der Hepatitis-B-Viren im Blut oder von Rotaviren und Hepatitis-A-Viren im Stuhl nachweisen.

Nachweis viraler Nukleinsäuren

Bei höherer Viruslast reichen Hybridisierungsmethoden. Sensitiver, aber auch störanfälliger, sind Nukleinsäureamplifikationstechniken (NAT), wie z. B. die

„polymerase chain reaction" (PCR), „ligase chain reaction" (LCR), „nucleic acid sorbent binding assay" (NASBA). Einige Viren werden anhand ihres Genoms entdeckt, z. B. HCV, HHV-8. Bei persistierenden Infektionen sind quantitative NAT ratsam, um die Viruslast zu bestimmen. Das ist notwendig, um einen Therapieerfolg zu dokumentieren oder die potentielle Infektiosität festzustellen.

Genotypisierungen mit Gensonden oder durch Sequenzanalyse erlauben die exakte Typisierung des Erregers und evtl. die Aufklärung von Infektketten.

Antikörpernachweis in der Virologie

Bei persistierenden Infektionen mit Viren, die nur einen kleinen Teil der Bevölkerung betreffen, sind Antikörper auch ohne Verlaufskontrolle oder Bestimmung der Immunglobulinklassen diagnostisch aussagekräftig, z. B. Anti-HIV, Anti-HCV. Bei häufigen Infektionen benötigt man eine Serokonversion von negativ zu positiv bzw. von niedrigem zu signifikant höherem Titer. Alternativ kann der IgM-Anteil bestimmt werden, der jedoch oft auch bei chronischen Infektionen oder lange nach der akuten Phase weiterbesteht. Vorbestehende gleichbleibende IgG-Antikörper während der Frühphase eines Krankheitsgeschehens schließen das betreffende Virus als Ursache meist aus (aber man beachte Serotypen!).

Nachteile: Antikörper können auch passiv zugeführt werden (Bluttransfusion, Immunglobuline, Mutter-Kind-Übertragung), umgekehrt sind Immundefiziente oft nicht in der Lage, Antikörper zu bilden.

Häufige Nachweismethoden sind Enzymimmuntest (ELISA), Hämagglutinationshemmtest (HHT) bei erythrozytenagglutinierenden Viren (z. B. Röteln, Influenza). An Bedeutung verloren haben die Komplementbindungsreaktion, der aufwendige Neutralisationstest und die Immunfluoreszenz. „Rekombinante" Antigene haben oft native Viruslysate ersetzt. Enzymimmuntests enthalten oft Virusproteingemische. Zur Bestätigung werden oft „Western Blots" eingesetzt mit einzelnen Virusantigenen auf einer Trägermembran.

24.2 Probengewinnung und Transport

Eine *kulturelle bakteriologische Untersuchung* mit anschließender Resistenztestung benötigt lebende Mikroorganismen. Sinnvolle Ergebnisse kommen nur zustande, wenn das Untersuchungsmaterial optimal gewonnen und transportiert wird. Eine lange Transportdauer überleben empfindliche Erreger nicht, die Keimzahl wird verfälscht, pathogene Erreger werden durch die Standortflora überwuchert, und Anaerobier sterben unter Sauerstoffzufuhr ab. Am besten ist die möglichst umgehende Verarbeitung des Materials im Labor. Ist dies nicht möglich, sollten Transportmedien verwendet und bestimmte Minimalbedingungen eingehalten werden. Grundsätzlich sollte die Materialabnahme vor Beginn der Antibiotikatherapie erfolgen.

Für die *virologische Diagnostik* ist ebenfalls eine möglichst kurze Transportdauer anzustreben. Materialien zur Virusisolierung sollten in einem speziellen flüssigen Virustransportmedium ins Labor transportiert werden. Trockene Abstriche sind für die Virusisolierung ungeeignet. Liquor und Urin sollten nativ eingesandt werden. Proben für die Virusdiagnostik sind im Kühlschrank (4°C) zu lagern.

Für den Antigen-, Nukleinsäure- oder Antikörpernachweis im Blut ist EDTA-Plasma oder Serum optimal, das innerhalb eines Tages bei Umgebungstemperatur transportiert werden sollte.

24.3 Materialentnahme

Blutkulturen

Entnahme durch Venenpunktion. Vor Entnahme Hautdesinfektion (Einwirkzeit 1–2 min). Jeweils 10 ml in aerobe bzw. bei Verdacht auf Anaerobierinfektion in anaerobe Blutkulturflaschen geben; für Kinder kleinere Entnahmevolumina (Verhältnis Blut : Nährlösung 1:10). Entnahme vor Beginn der Antibiotikatherapie, am besten im Fieberanstieg. Eventuell 1- bis 2-mal wiederholen. Unter Antibiotikatherapie Blutentnahme unmittelbar vor der nächsten Applikation; in diesem Fall Blutkulturflaschen mit Adsorberharzen verwenden, die einen Teil der Antibiotika adsorbieren. Aus Kathetern Blutkulturen nur entnehmen zum Nachweis einer Katheterinfektion.

Lagerung der beimpften Blutkulturflaschen bei Raumtemperatur.

Serum

Je nach Anzahl der gewünschten Untersuchungen 2–10 ml Venenblut ohne Zusatz in steriles Röhrchen aufnehmen. Lagerung bei 4°C. Bei längerem Transport abzentrifugiertes Serum verschicken. Bei –20°C können Serumproben über längere Zeit aufbewahrt werden.

Plasma

Zum Nachweis der Viruslast bei HIV, HCV und HBV wird EDTA-Plasma verwendet. Eine Transportdauer von wenigen Stunden sollte wegen der standardisierten Quantifizierung nicht überschritten werden.

Liquor

Entnahme unter streng aseptischen Bedingungen. Zur bakteriologischen Untersuchung Transport entweder in sterilem Röhrchen oder bei längerer Transportdauer den Liquor in Blutkulturflaschen verimpfen.

Lagerung: bei Raumtemperatur; in Blutkulturflaschen auch bei 37°C.

Zur Virusdiagnostik wird nativer Liquor benötigt, der gekühlt werden kann (4°C).

Punktate

Nach sorgfältiger Hautdesinfektion Punktion des Eiterherdes und Aspiration in sterile Spritze. Zum Transport Aspirat entweder in Spritze belassen und den Konus verschließen oder in anaerobes Transportmedium oder Blutkulturflasche verimpfen. Lagerung: bei Raumtemperatur.

Biopsien
Steril gewonnene Gewebeproben in flüssigem Transportmedium oder NaCl versenden. Lagerung bei 4°C.

Wundabstrich
Wundsekret aus dem Bereich der stärksten Sekretion entnehmen. Falls wenig Sekret, evtl. Gewebeexzission vom Wundrand. Bei tiefen Wunden anaerobe Transportmedien verwenden. Lagerung maximal 24 h bei Raumtemperatur.

Abstriche
Bei trockenen Oberflächen Tupfer mit NaCl oder Nährlösung befeuchten. Tupfer in Transportmedium versenden. Bei Verdacht auf Anaerobier: Spezialtransportmedium verwenden. Lagerung: maximal 24 h bei Raumtemperatur.

Sputum
Am besten „Morgensputum" gewinnen, d. h. Material, das sich über Nacht in den tiefen Atemwegen angesammelt hat. Wichtig ist die Patientenanleitung: Morgens nach gründlicher Mundspülung mit Wasser Sputum aus der Tiefe abhusten. Expektoration evtl. durch Inhalation von hypertonen Salzlösungen induzieren. Lagerung: maximal 2–3 h bei Raumtemperatur oder 24 h bei 4°C.

Trachealsekret
Material in steriles Röhrchen absaugen, am besten in vorgefertigte „Falle" des Einmalabsaugsets. Bei zähem Trachealsekret mit 5–10 ml physiologischer NaCl spülen. Lagerung: maximal 2–3 h bei Raumtemperatur oder 24 h bei 4°C.

Bronchoskopie
Flexibles Bronchoskop möglichst mit Doppelteleskop-Bürstenkatheter verwenden (vermindert Risiko der Kontamination). **Cave:** Kontamination mit Lokalanästhetika vermeiden, diese wirken bakterizid! Lagerung: s. oben: „Sputum".

BAL
Etwa 20 ml physiologische NaCl instillieren und anschließend über „Falle" absaugen. Lagerung: s. oben: „Sputum".

Urin
- Mittelstrahlurin: Nach gründlicher Reinigung des Genitale erste Urinprobe verwerfen, mittlere Portion (5–10 ml) in sterilem Gefäß auffangen.
- Katheterurin: Bei Dauerkatheter (geschlossenes System) Urinentnahme durch Punktion des Katheters (sterile Monovette, Einmalhandschuhe, Desinfektion der Punktionsstelle).
- Uringewinnung durch suprapubische Blasenpunktion: Nach sorgfältiger Hautdesinfektion Punktion der gefüllten Blase und Aspiration von Urin.

Lagerung: Maximal 12 h bei 4°C, dann Material verwerfen, da Verfälschung der Keimzahlen; bei längerer Transportdauer Eintauchnährböden (z. B. Uricult) verwenden.

Stuhl

Bohnengroße Stuhlprobe in entsprechendem Probengefäß einsenden.

Transport: zum Nachweis von Salmonellen/Shigellen unkritisch.

Bei längerer Transportdauer Verfälschung der Keimzahlen z. B. von Pilzen. Zum Nachweis von Amöben oder Lamblien ist nur frischer, körperwarmer Stuhl geeignet.

Magensaft

Zur Untersuchung auf Tuberkulose bei längerer Lagerung mit Phosphatpuffer verdünnen, um die Schädigung der Mykobakterien im sauren Milieu zu vermeiden.

!

Grundsätzlich gilt:
- **Material möglichst rasch ins Labor bringen.**
- **Materialentnahme vor Antibiotikabeginn.**
- **Ist ein sofortiger Transport ins Labor nicht möglich: s. Tabelle 24-1.**

Tabelle 24-1. Lagerungsbedingungen für Untersuchungsmaterial

Blutkulturen, Punktat in Blutkulturflaschen	**Raumtemperatur, je nach Blutkultursystem evtl. 37°C**
Abstriche, Eiter, Liquor	Raumtemperatur 20°C (maximal 2–3 h)
Material, das physiologische Keime enthält, z. B. Urin, Sputum	Kühlschrank 4°C (maximal 12–24 h)

Teil IV

Antiinfektiöse Chemotherapie

IV

Kapitel 25

Antibiotikatherapie

25.1 Grundsätze der Antibiotikatherapie

Antimikrobielle Chemotherapeutika sollen das Wachstum und die Vermehrung von Infektionserregern hemmen oder diese abtöten und dabei möglichst wenig Nebenwirkungen verursachen. Der Begriff „Antibiotika" – früher nur auf antibakteriell wirksame Substanzen bezogen, die von Mikroorganismen produziert werden – wird heute für alle antibakteriell wirksamen Substanzen verwendet, auch wenn sie chemisch synthetisiert oder modifiziert wurden (Tabelle 25-1). Die wesentlichen Wirkungsmechanismen von Antibiotika sind in Tabelle 25-2 zusammengefasst.

Tabelle 25-1. Antibiotikawirkstoffgruppen und ihre Bezeichungen

Wirkstoffgruppen	Präparate	Handelsnamen
Penicilline		
Benzylpenicillin i.v.	Penicillin G	Penicillin G
Depotpenicilline	Procain-Penicillin	Jenacillin
	Benzathin-Penicillin	Tardocillin
Orale Penicilline	Penicillin V	Isocillin, Megacillin u. a.
	Propicillin	Baycillin
	Azidocillin	Syncillin
Staphylokokkenpenicilline	Flucloxacillin	Staphylex
	Oxacillin	Stapenor
Aminopenicilline	Ampicillin	Amblosin, Binotal u. a.
	Amoxicillin	Amoxypen, Clamoxyl u. a.
Aminopenicilline + β-Laktamase-Inhibitoren	Amoxicillin/Clavulansäure	Augmentan
	Ampicillin/Sulbactam	Unacid
Acylureidopenicilline	Mezlocillin	Baypen, Mezlocillin
	Piperacillin	Pipril, Piperacillin-Hexal u. a.
Acylureidopenicilline + β-Laktamase-Inhibitoren	Mezlocillin/Sulbactam	Baypen/Combactam; Mezlocillin/Combactam
	Piperacillin/Sulbactam	Piperacillin/Combactam
	Piperacillin/Tazobactam	Tazobac
Cephalosporine		
Cephalosporine der 1. Generation	Cefazolin (i.v.)	Gramaxin, Elzogram
	Cefalexin (oral)	Oracef, Ceporexin

Tabelle 25-1. *Fortsetzung*

Wirkstoffgruppen	Präparate	Handelsnamen
	Cefadroxil (oral)	Bidocef
	Cefaclor (oral)	Panoral, Kefspor
Cephalosporine der 2. Generation	Cefamandol (i.v.)	Mandokef
	Cefotiam (i.v.)	Spicef
	Cefuroxim (i.v.)	Zinacef, Cefuroxim-Lilly
	Loracarbef (oral)	Lorafem, Lorabid
	Cefuroxim-Axetil (oral)	Elobact, Zinnat
Cephalosporine der 3. Generation	Cefotaxim (i.v.)	Claforan
	Ceftriaxon (i.v.)	Rocephin
	Ceftazidim (i.v.) – mit Pseudomonaswirksamkeit	Fortum
	Cefepim	Maxipime
	Cefpodoxim-Proxetil (oral)	Podomoxef, Orelox
	Cefetamet-Pivoxil (oral)	Globocef
	Cefixim (oral)	Cephoral
	Ceftibuten (oral)	Keimax
Monobactame	Aztreonam	Azactam
Carbapeneme	Imipenem/Cilastatin	Zienam
	Meropenem	Meronem
Aminoglykoside	Gentamicin	Refobacin
	Tobramycin	Gernebcin
	Netilmycin	Certomycin
	Amikacin	Biklin
Chinolone	Ciprofloxacin	Ciprobay
	Ofloxacin	Tarivid
	Levofloxacin	Tavanic
	Fleroxacin	Quinodis
	Moxifloxacin	Avalox
Tetracycline	Tetracyclin	Achromomycin, Hostacyclin
	Doxycyclin	Vibravenös, Vitramycin
Makrolide	Erythromycin	Erythrocin, Paediathrocin u. a.
	Clarithromycin (oral)	Klacid, Mavid
	Roxithromycin	Rulid
	Azithromycin	Zithromax
Glykopeptide	Vancomycin	Vancomycin, Vancoled
	Teicoplanin	Targocid
Andere	Clindamycin	Sobelin
	Cotrimoxazol	Bactrim u. a.
	Fosfomycin	Fosfocin
	Metronidazol	Clont, Flagyl
	Rifampicin	Rimactam, Rifa
	Quinupristin/Dalfopristin	Synercid

Tabelle 25-2. Wirkungsmechanismen von Antibiotika

Mechanismus	Wirkstoffe
Hemmung der Zellwandsynthese	Alle β-Laktam-Antibiotika, Fosfomycin, Glykopeptide
Störung der Permeabilität der Zytoplasmamembran	Polypeptidantibiotika, Polyenantimykotika
Hemmung der Proteinsynthese	Aminoglykoside, Tetracycline, Chloramphenicol, (Translationshemung), Makrolide, Lincosamide
Störung der Nukleinsäuresynthese	Gyrasehemmer, Rifampicin
Folsäuresynthesehemmer	Sulfonamide, Trimethoprim

25.1.1 Therapieprinzipien

Um eine optimale Wirkung zu erzielen, müssen am Infektionsort Antibiotikakonzentrationen erreicht werden, die für die Mikroorganismen schädlich sind, aber relativ untoxisch für den Menschen.

Für die Wahl des optimalen Antibiotikums und seine Dosierung müssen Eigenschaften der Erreger, des Patienten, des Antibiotikums sowie der Infektionsort berücksichtigt werden.

Erreger und ihre In-vitro-Empfindlichkeit

Die MHK (minimale Hemmkonzentration) ist die niedrigste Konzentration eines Antibiotikums, die einen Erreger am Wachstum hemmt. Sie ist meist niedriger als die MBK (minimale bakterizide Konzentration), die den Erreger abtötet. Die Antibiotikakozentration am Infektionsort soll über der MHK des Erregers liegen. Ein Keim ist resistent, wenn die MHK höher liegt als die höchste in vivo erreichbare nichttoxische Serum- bzw. Gewebekonzentration.

Eine Antibiotikatherapie erfolgt im Idealfall „gezielt" nach dem Erregernachweis und der Resistenztestung. Das erfordert jedoch Zeit, die bei lebensbedrohlichen Infektionen nicht zur Verfügung steht. Dann muss die Initialtherapie „kalkuliert" begonnen werden, d. h. man orientiert sich an der Wahrscheinlichkeit der in Frage kommenden Erreger und ihrer Empfindlichkeit (s. Tabellen 25-7 bis 25-11).

Nach dem Erregernachweis kann die Therapie angepasst und „gezielt" weitergeführt werden. Bei ambulant erworbenen Infektionen herrscht oft ein „vorhersehbares" Erregerspektrum mit bekannter Empfindlichkeit vor, das durch eine kalkulierte Therapie gut erfassbar ist. Bei nosokomialen Infektionen ist das Erregerspektrum weniger vorhersehbar und die Empfindlichkeit oft nicht abschätzbar. Daher ist v. a. bei nosokomialen Infektionen ein Erregernachweis anzustreben.

Pharmakokinetische Daten

Für eine optimale Behandlung sind die pharmakokinetischen Eigenschaften des Antibiotikums zu berücksichtigen (Resorption, Bioverfügbarkeit, Verteilung, Plasmakonzentration, Halbwertszeit, Gewebegängigkeit, Exkretion, Nebenwirkungen). Bei manchen Antibiotika (z. B. Aminoglykosiden oder Chinolonen) ist die maximale Wirkung konzentrationsabhängig, d. h. sie wirken am besten, wenn wenigstens für kurze Zeit hohe Konzentrationen vorliegen. Sie zeigen außerdem einen postantibiotischen Effekt gegen grampositive und gramnegative Bakterien, d. h. ihre Wirkung hält auch nach Entfernung des Antibiotikums an.

Da ihre Wirkung vom Spitzenspiegel abhängig ist, sollte die Tagesdosis in möglichst hohen Einzeldosen appliziert werden. Bei anderen Antibiotika, wie den β-Laktam-Antibiotika, ist nicht die Höhe des Spitzenspiegels entscheidend, sondern die Zeit, wie lange der Spiegel oberhalb der MHK der Erreger liegt. Das erfordert meist Mehrfachdosierungen. Diskutiert wird hier auch die Verabreichung als Dauerinfusion in niedriger Dosierung.

Infektionsort

Wichtig ist, eine ausreichende Konzentration des Antibiotikums am Infektionsort zu erzielen. Antibiotika diffundieren jedoch unterschiedlich in Gewebe. So erreichen alle Antibiotika ausreichende Spiegel im gut durchbluteten Muskelgewebe. Schwieriger ist es, ausreichende Konzentrationen z. B. im Knochen, im Liquorraum oder der Prostata zu erzielen. Diese Regionen werden nur von einigen Antibiotika gut erreicht.

Zur Therapie einer Meningitis sind Antibiotika geeignet, welche die Blut-Liquor-Schranke passieren (z. B. Cephalosporine der 3. Generation, Penicilline, Chloramphenicol, Meropenem), wobei die Durchlässigkeit bei entzündeten Meningen verbessert ist. Da nur 20–50% des Serumspiegels im Liquor erreicht werden, müssen hohe Dosen verabreicht werden. Bei Osteomyelitis sind Antibiotika zu bevorzugen, welche besser in Knochen diffundieren, wie z. B. Clindamycin oder Chinolone. In Prostatagewebe dringen Cotrimoxazol und Chinolone gut ein.

Die Wirkung mancher Antibiotika wird vom Milieu am Infektionsort beeinflusst. So wird die Aktivität von Aminoglykosiden durch einen sauren pH-Wert oder anaerobe Verhältnisse vermindert. In Eiter, Empyemen und Abszessen liegt der pH-Wert um 6,5, und Aminoglykoside wirken dort bis zu 40-mal schlechter als bei neutralem pH-Wert.

In Körperhöhlen, z. B. bei Peritonitis, herrscht ein eher anaerobes Milieu. Die Wirkung der Aminoglykoside beschränkt sich hier auf Bakterien, die in der Blutbahn zirkulieren. Bei intrazellulär überlebensfähigen Bakterien sind Antibiotika zu bevorzugen, die intrazellulär angereichert werden, z. B. Makrolide, Chinolone, Tetracycline, Rifampicin.

Größere Eiteransammlungen, wie Abszesse, Empyeme und Fremdköperinfektionen, können durch Antibiotika meist nicht saniert werden. Hier ist die chirurgische Herdsanierung oder Drainage entscheidend.

Patientenfaktoren

Individuelle Besonderheiten der Patienten (Allergien, Schwangerschaft, Alter) müssen berücksichtigt werden (Tabelle 25-3), z. B. dürfen Kinder unter 9 Jahren wegen Zahnschädigung keine Tetracycline erhalten, unter 18 Jahren wegen der Gefahr von Knorpelschäden keine Chinolone. Mit zunehmendem Alter nimmt die Nieren- und Leberfunktion ab, d. h. die Dosis ist zu reduzieren.

Antibiotika werden im Wesentlichen über die Leber oder Niere ausgeschieden. Eine Störung dieser Organe führt zur Kumulation und verstärkt die Nebenwirkungen. Eine Dosisreduktion ist daher besonders wichtig bei Antibiotika, die eine schmale therapeutische Breite haben, wie z. B. Aminoglykoside und Glykopeptidantibiotika. Hier sind regelmäßige Konzentrationsbestimmungen die Grundlage für eine optimale Dosisanpassung (s. Kap. 25.1.3: „Dosierung bei Niereninsuffizienz").

Kombinationstherapie

Antibiotikakombinationen sind sinnvoll:

1. bei Mischinfektionen, die von einem Antibiotikum nicht ausreichend erfasst werden,
2. bei lebensbedrohlichen Infektionen ohne Erregernachweis (Verbreiterung des Wirkungsspektrums),

Tabelle 25-3. Antibiotika während der Schwangerschaft

Unbedenklich	Unbedenklichkeit nicht definitiv erwiesen	Strenge Indikation (lebensbedrohliche Infektionen)	Kontraindiziert
Penicilline	Neue Makrolide (Clarithromycin, Roxithromycin, Azithromycin)	Vancomycin	Aminoglykoside
Cephalosporine	Carbapeneme	Teicoplanin	Chinolone
Erythromycinbase	Aztreonam	Fosfomycin	Clindamycin
	Clavulansäure	Amphotericin B	Cotrimoxazol
	Sulbactam		Sulfonamide
	Tazobactam		5-Flucytosin
			Metronidazol (1. Trimenon)
			Tetracycline
			Chloramphenicol
			Rifampicin
			Fluconazol
			Ketokonazol
			Nitrofurantoin

3. bei synergistischer Wirkung verschiedener Antibiotika, z. B. β-Laktam-Antibiotika plus Aminoglykoside,
4. zur Verzögerung der Resistenzentwicklung bei Erregern mit besonderer Neigung zur Resistenzentwicklung, z. B. Pseudomonas aeruginosa oder Mykobakterien.

Therapieversagen

Ein Versagen der Antibiotikatherapie kann vielerlei Ursachen haben:
1. In-vitro-Unwirksamkeit des Antibiotikums,
2. Resistenzentwicklung der Erreger während der Therapie,
3. Unterdosierung des Antibiotikums,
4. unzureichende Konzentrationen am Infektionsort (z. B. in Empyemen).

25.1.2 Resistenz

Natürliche Resistenz
Bei der Vielzahl der Bakterien ist es verständlich, dass eine Substanz nicht gegen alle Bakterienarten wirksam ist, d. h. manche Bakterienspezies sind primär gegen bestimmte Stoffe resistent; sie gehören nicht zum Wirkungsspektrum dieses Antibiotikums. So sind viele Antibiotika primär unwirksam gegen Pseudomonas aeruginosa, und Cephalosporine sind primär wirkungslos gegen Enterokokken.

Erworbene Resistenz
Bakterien können spontan (ohne Kontakt zu Antibiotika) oder sekundär unter einer Antibiotikatherapie durch veränderte oder erworbene Gene resistent werden. Diese Resistenzgene liegen entweder im Chromosom oder in extrachromosomalen Nukleinsäuresträngen, den Plasmiden. Chromosomal kodierte Resistenzen werden ausschließlich vertikal weitergegeben.

Häufiger sind plasmidkodierte Resistenzen, die darüberhinaus horizontal auch an andere Bakterienspezies weitergegeben werden können. Labile DNA-Segmente, sog. Transposons, können innerhalb einer Zelle von Plasmid zu Plasmid oder auf das Chromosom übertragen werden. Mit Plasmiden gelangen sie dann in andere Bakterien. Dadurch können genetische Informationen sehr rasch verändert und ausgetauscht werden. Resistente Mutanten haben unter einer Antibiotikatherapie Überlebensvorteile und werden „herausselektioniert".

Resistenzmechanismen

Bakterien können durch verschiedene Mechanismen gegen Antibiotika resistent werden (Tabelle 25-4).
- Produktion inaktivierender Enzyme: Aminoglykoside werden durch verschiedene bakterielle Transferasen inaktiviert. β-Laktamasen öffnen den Laktam-

Tabelle 25-4. Resistenzmechanismen von Bakterien

Prinzip	Mechanismus	Substrat
Produktion inaktivierender Enzyme	β-Laktamasen	β-Laktam-Antibiotika
	Acetyltransferasen	Aminoglykoside
Targetveränderung	Mutation am Ribosom	Clindamycin, Makrolide
	Mutation PBP	MRSA: β-Laktam-Antibiotika, penicillinresistente Pneumokokken: Penicillin
Diffusionsbarrieren	Verschluß der Porine	Carbapeneme (Pseudomonas aeruginosa)
Effluxmechanismus	Ausscheidung des Antibiotikums	Tetracycline, Chinolone

ring, – das aktive Zentrum der β-Laktam-Antibiotika – und machen sie dadurch unwirksam. Gramnegative Bakterien produzieren β-Laktamasen unterschiedlicher Klassen und Spezifitäten: manche inaktivieren nur Penicilline, manche Cephalosporine, andere können beide Antibiotikafamilien hydrolysieren.

Bei den gramnegativen Bakterien befinden sich die β-Laktamasen im periplasmatischen Spalt und inaktivieren die Antibiotika kurz vor Erreichen der Penicillinbindeproteine. Bei Grampositiven werden diese Enzyme in die Umgebung sezerniert, z. B. produzieren 70–80% der Staphylococcus-aureus-Stämme eine β-Laktamase, die Penicillin inaktiviert.

- Diffusionsbarrieren: Durch Blockade des Zugangs wird verhindert, dass Antibiotika ihr „Ziel" erreichen. Beispielsweise passieren β-Laktam-Antibiotika die äußere Membran gramnegativer Bakterien durch Kanäle, sog. Porine. Bei einem funktionellen Verschluss dieser Poren können bestimmte Antibiotika nicht mehr an ihren Wirkort gelangen.
- Veränderung des Wirkortes: Dabei kann es sich um mutierte Ribosomen handeln, die z. B. eine Resistenz gegen Makrolide oder Clindamycin bewirken. Häufig ist auch eine Veränderung der Penicillinbindeproteine (PBP). Dabei handelt es sich um Enzyme in der Zellmembran, die für die Zellwandsynthese verantwortlich sind. β-Laktam-Antibiotika blockieren durch ihre Bindung diesen Syntheseschritt. Verändern sich einzelne PBP, ist die Bindungsfähigkeit der β-Laktam-Antibiotika vermindert und ihre Wirkung aufgehoben. Auf der Veränderung von PBP beruht die Penicillinresistenz von Pneumokokken und die Oxacillinresistenz von Staphylokokken. Fatalerweise bewirkt letztere eine gleichzeitige Resistenz gegen sämtliche β-Laktam-Antibiotika [s. unten: „Methicillinresistente Staphylococcus aureus (MRSA)"].
- Abtransport aus der Zelle: Manche Antibiotika werden von den Bakterien beschleunigt wieder ausgestoßen, z. B. die Tetracycline.

Aktuelle Probleme mit multiresistenten Bakterien

In den letzten Jahren haben multiresistente, schwer behandelbare Infektionserreger beängstigend zugenommen. Insbesondere multiresistente grampositive Keime, wie Methicillinresistente Staphylococcus aureus (MRSA) und Vancomycinresistente Enterokokken (VRE), sind zu Problemkeimen geworden.

Methicillinresistente Staphylococcus aureus (MRSA)

Weltweit breiten sich seit einigen Jahren Staphylococcus-aureus-Stämme aus, die resistent sind gegen die „Staphylokokken-Penicilline" wie Methicillin (USA) bzw. Oxacillin, Flucloxacillin. Diese Resistenz beruht auf einer Veränderung des Penicillinbindeproteins II, an das die β-Laktam-Antibiotika binden. Diese Mutation bedingt daher nicht nur eine Resistenz gegen die „Staphylokokkenpenicilline", sondern fatalerweise gegen sämtliche β-Laktam-Antibiotika (Cephalosporine, Penicilline mit und ohne β-Laktamase-Inhibitoren, Carbapeneme). Oft sind diese Stämme zusätzlich auch gegen andere Antibiotikawirkstoffgruppen, wie Aminoglykoside, Chinolone, Makrolide u. a. resistent. Zur Therapie bleiben oft nur Glykopeptide wie Vancomycin bzw. Teicoplanin übrig.

Die Inzidenz von MRSA ist regional unterschiedlich (Deutschland ca. 13%, Frankreich, Belgien, Portugal, Italien, USA >30%). Oft sind Patienten lediglich besiedelt, ohne zu erkranken, da MRSA wie andere S. aureus als Besiedlungskeime auf der Nasen- und Rachenschleimhaut oder auf der Haut vorkommen. Daraus ergibt sich die Gefahr der Verschleppung innerhalb des Krankenhauses oder bei Verlegung der Patienten in andere Kliniken. Besiedelte Patienten müssen deshalb frühzeitig erkannt, isoliert und nach Möglichkeit saniert werden.

Für das Personal und die meisten Patienten sind MRSA ungefährlich. Gefährdet sind jedoch Patienten mit Immundefizienz, offenen Wunden, Dialyse, intravasalen Kathetern oder künstlicher Beatmung.

Therapie

Eine Antibiotikatherapie von MRSA ist nur bei klinisch manifesten Erkrankungen indiziert. Bei schweren Infektionen sollten Glykopeptide (Vancomycin, Teicoplanin) verwendet werden. Je nach Antibiogramm können auch Fosfomycin, Quinupristin/Dalfopristin, evtl. Clindamycin, Tetracycline, Chloramphenicol, Rifampicin, Fusidinsäure oder Cotrimoxazol, wirksam sein (die letzten drei sollten nur in Kombination mit einem anderen Antibiotikum eingesetzt werden). MRSA-Besiedelungen werden lokal dekontaminiert (Haut: Waschungen z. B. mit Chlorhexidin; Nase: Mupirocin-Salbe für 5–6 Tage).

Um eine Ausbreitung von MRSA zu verhindern, sind bei MRSA-Patienten strenge Hygiene- und Isolierungsmaßnahmen einzuhalten (s. Kap. 27).

VISA/VRSA

In Japan treten seit einigen Jahren MRSA-Stämme auf, die auch gegen Glykopeptide nicht mehr empfindlich sind (VRSA = vancomycinresistente Staphylococcus aureus; VISA = Vancomycin-intermediär-sensible Staphylococcus aureus). Auch in den USA, Hongkong, Frankreich wurden einzelne Fälle beobachtet. Es ist zu befürchten, dass diese Erreger sich weiter ausbreiten werden.

Therapie
Bei VISA können Glykopeptide hochdosiert noch wirksam sein, evtl. in Kombination mit Rifampicin oder einem β-Laktamantibiotikum (der Kombination wird ein synergistischer Effekt zugeschrieben). Alternativen: Quinupristin/Dalfopristin, Linezolid (nach Zulassung); nach Testung Kombinationen mit Rifampicin, Chloramphenicol, Cotrimoxazol. Bei VRSA: Quinupristin/Dalfopristin oder Linezolid.

Vancomycinresistente Enterokokken (VRE)

Enterokokken (E. faecalis, E. faecium) gehören zur normalen Darmflora. Gelangen sie in andere Organe, können sie Infektionen verursachen, z. B. Harnwegsinfektionen, Peritonitis, Sepsis, Endokarditis. Seit einigen Jahren treten vermehrt E.-faecium-Stämme auf, die sowohl gegen Aminopenicilline, Aminoglykoside als auch Glykopeptide resistent sind. Da alle Enterokokken gegen Cephalosporine eine natürliche Resistenz besitzen, ist eine Therapie mit üblichen Antibiotika oft nicht mehr möglich.

VRE findet man in der Stuhlflora bei 1% gesunder, nichthospitalisierter Personen; bei Patienten mit Vancomycinbehandlung etwa 10-mal häufiger. Als eine Ursache der Zunahme solcher Keime wird der großzügige Einsatz von Vancomycin betrachtet. Ein weiterer Grund wird im Einsatz von vancomycinanalogen Medikamenten (Avoparcin) in der Tiermast vermutet, die in der Darmflora von Tieren VRE selektionieren, deren Resistenzgene auf menschliche Enterokokken-Stämme übertragen werden.

Therapie
Falls empfindlich: Teicoplanin; bei Resistenz: Versuch mit Rifampicin, Fusidinsäure, Quinupristin/Dalfopristin Chloramphenicol oder Linezolid (nach Zulassung, Fa. Pharmacia).

Da Vancomycin der entscheidende Selektionsfaktor ist, sollten Glykopeptide nur nach strenger Indikation eingesetzt werden.

Penicillinresistente Pneumokokken

Seit den 1970er Jahren wird das Auftreten penicillinresistenter Pneumokokken beobachtet. In Frankreich, Spanien, Ungarn machen diese Isolate, die oft gegen weitere Antibiotika resistent sind, bis zu 60% der Pneumokokken-Isolate aus. In Deutschland sind penicillinresistente Pneumokokken selten (<2%).

Therapie
Bei Penicillin-intermediär-sensiblen Pneumokokken (MHK 0,12–1 mg/l) kann die Therapie durch Penicillinhochdosierung ausgeglichen werden, bei Meningitis oder Penicillinhochresistenz (MHK >2 mg/l) Cephalosporine der 3. Generation (Cefotaxim, Ceftriaxon) anwenden. Bei Multiresistenz Vancomycin, Meropenem, Rifampicin oder Moxifloxacin.

Mehrfach resistente gramnegative Bakterien

Hospitalinfektionen durch β-Lakamase produzierende Enterobakterien (Enterobacter, Klebsiellen, Citrobacter, Serratia) nehmen europaweit zu. Ihre Breitspektrum-β-Laktamasen inaktivieren auch „Reserveantibiotika" wie Acylureidopenicilline oder Cephalosporine der 3. Generation. Bei Pseudomonas aeruginosa ist eine Resistenzzunahme gegen Chinolone und Carbapeneme (bis zu 40%) zu beobachten.

25.1.3 Dosierung bei Niereninsuffizienz

Die Mehrzahl der Antibiotika wird vorwiegend über die Nieren ausgeschieden. Um bei eingeschränkter Nierenfunktion eine Kumulation mit toxischen Nebenwirkungen zu vermeiden, ist eine Dosisanpassung erforderlich. Diese richtet sich nach der Halbwertszeit des Antibiotikums, seiner Plasma-Eiweißbindung, dem Verteilungsvolumen und dem Eliminationsmodus.

Antibiotika mit hoher Eiweißbindung haben meist eine längere HWZ und werden in der Regel nur zum kleinen Teil über die Niere ausgeschieden. Antibiotika, die vorwiegend extrarenal eliminiert werden, bedürfen keiner (Clindamycin, Doxycyclin, Erythromycin) oder nur einer geringen Dosisreduktion (Ceftriaxon, Mezlocillin, Piperacillin). Bei vorwiegend renal eliminierten Medikamenten ist hingegen eine strikte Dosisanpassung erforderlich (Aminoglykoside, Glykopeptide, Penicilline, die meisten Cephalosporine, Carbapeneme).

Besonders wichtig ist die Dosisreduktion bei Antibiotika, welche bei Überdosierung toxische Nebenwirkungen haben (Aminoglykoside, Glykopeptide). Ihre Dosierung sollte durch Plasmaspiegelbestimmungen kontrolliert werden („drug monitoring"). Bei Antibiotika mit großer therapeutischer Breite genügt die Dosisreduktion anhand der Kreatininclearance.

Die Initialdosis entspricht bei Niereninsuffizienz der Normaldosis. Die Dosisanpassung erfolgt durch Verlängerung der Applikationsintervalle oder Reduktion der Einzeldosis oder eine Kombination aus beidem.

Bei Patienten mit einer Dialysetherapie kann je nach dem Dialyseverfahren und den pharmakokinetischen Eigenschaften des Antibiotikums eine teilweise Elimination erfolgen. Das macht evtl. eine Zusatzdosis nach Beendigung der Dialyse erforderlich. Bei CAPD-Patienten ist die Substanzentfernung für die meisten Antibiotika so gering, dass eine Zusatzdosis nicht erforderlich ist. Bei Hämodialyse müssen Antibiotika mit geringer Eiweißbindung nachdosiert werden.

25.1.4 Wechselwirkungen von Antibiotika mit anderen Pharmaka

Bei der Applikation von Antibiotika ist zu beachten, dass bei manchen Substanzen Wechselwirkungen mit anderen Medikamenten möglich sind. Beispiele sind in Tabelle 25-5 angegeben. Bei manchen Antibiotika ist darauf zu achten, dass sie nicht zusammen mit anderen Substanzen infundiert werden (Tabelle 25-6).

Tabelle 25-5. Wechselwirkungen zwischen Antibiotika und anderen Pharmaka

Antibiotikum	Pharmakon II	Wirkung
Aminoglykoside	Furosemid, Cyclosporin, Colistin, Amphotericin B	Verstärkung der nephrotoxischen Wirkung
	Muskelrelaxanzien	Neuromuskuläre Blockade
Amphotericin B	Digitalis	Verstärkung der Wirkung von Digitalis
	Muskelrelaxanzien	Verstärkung der Wirkung von Pharmakon II
Aztreonam	Fursosemid, Probenecid	Serumspiegelanstieg
Cephalosporine	Aminoglykoside	Verstärkung der Nephrotoxizität
	Amphotericin B	Verstärkung der Nephrotoxizität
	Cyclosporin	Verstärkung der Nephrotoxizität
Chloramphenicol	Antikoagulanzien	Verstärkung der Wirkung von Pharmakon II
	Sulfonylharnstoffderivat	Verstärkung der Wirkung von Pharmakon II
	Phenobarbital	Verstärkung der Wirkung von Pharmakon II
Ciprofloxacin, Ofloxacin	Antazida	Wirkungsverlust von Chinolon
	Cyclosporin	Verstärkung der Nephrotoxitzität
	Theophyllin	Verstärkung der Wirkung von Theophyllin
Doxycyclin	Phenobarbital, Antazida	Wirkungsverlust von Doxycyclin
Erythromycin	Carbamazepin	Verstärkung der Erythromycinwirkung
	Cyclosporin	Verstärkung der Cyclosporinwirkung
Fluconazol	Phenytoin, Theophyllin	Wirkungsverstärkung der Pharmaka II
	Rifampicin	Wirkungsverlust Fluconazol
	Cyclosporin	Bei Nierentransplantation erhöhte Cyclosporinspiegel
Itraconazol	Rifampicin, Antazida	Wirkungsverlust Itraconazol
	Cyclosporin	Erhöhte Cyclosporintoxizität
Ketoconazol	Antazida, H_2-Blocker	Verminderte Bioverfügbarkeit von Ketoconazol
	Cyclosporin	Erhöhung des Cyclosporinspiegels
Metronidazol	Alkohol	Alkohol-Unverträglichkeit
	Antikoagulanzien	Verstärkung der Antikoagulanzienwirkung
Penicilline	Antazida, Acetylcystein	Verminderte Wirkung oraler Penicilline
	Probenecid	Verstärkte Wirkung von Penicillin
Rifampicin	Antikoagulanzien, Kontrazeptiva, Digitoxin, Ketoconazol, Cyclosporin	Verminderte Wirkung der Pharmaka II
Sulfonamide	Methotrexat	Verstärkte Wirkung von Pharmakon II
	Diphenylhydantoin	Verstärkte Wirkung von Pharmakon II
	Phenylbutazon, Salicylate	Verstärkte Wirkung von Sulfonamiden
Tetracycline	Antazida	Wirkungsverlust Tetracyclin

25.1.5 Wirkungsspektrum verschiedener Antibiotika

Bedingt durch die Vielzahl und Unterschiedlichkeit der Bakterien und die unterschiedlichen Wirkungsmechanismen von Antibiotika ist es verständlich, dass nicht alle Antibiotika gegen alle Bakterien wirksam sind. Je nach Wirkungsmechanismus wirken manche nur gegen grampositive, andere nur gegen gramnegative Bakterien; manche gegen aerobe, andere gegen anaerobe Keime (s. Tabellen 25-7 bis 25-11).

Tabelle 25-6. Physikalische Unverträglichkeit von Antibiotika mit anderen Pharmaka in Infusionslösungen

Antibiotikum	Pharmakon II
Amphotericin B	Elektrolythaltige Lösungen, Antihistaminika, Penicillin, Kortikosteroide, Tetracyclin
Ampicillin	Kortison
Cephalosporine, Aztreonam	Natriumbicarbonat, Aminoglykoside
Cephalotin	Laktat, Kalziumlösungen
Chloramphenicol	Vitamin-B-C-Komplex
Erythromycin	Barbiturate, Tetracyclin
Gentamicin	Penicilline, Cephalosporine
Imipenem	Laktat, Aminoglykoside
Penicillin G	Amphotericin B, Heparin, Tetracycline
Piperacillin, Mezlocillin	Natriumbicarbonat, Aminoglykoside
Tetracycline	Natriumbicarbonat, Heparin, Penicillin G, Barbiturate, Kortison, Vitamin B

Tabelle 25-7. In-vitro-Aktivität von Cephalosporinen gegen verschiedene Erreger

Keime	1. Generation Cefazolin Cefalexin	2. Generation Cefuroxim Cefotiam Cefamandol	3. Generation Cefotaxim Ceftriaxon	Cefepim	Ceftazidim
Streptokokken	+++	+++	+++	+++	+++
Staphylokokken	+++	+++	+	+	(+)
Haemophilus influenzae	0	++	+++	+++	+++
Enterobakterien	+	++	+++	+++	+++
Pseudomonas aeruginosa	0	0	(+)	++	+++

+++ sehr gut wirksam, ++ gut wirksam, + weniger wirksam, (+) schwach wirksam, 0 unwirksam.

Tabelle 25-8. In-vitro-Aktivität von Chinolonen

Keime	Ciprofloxacin Ofloxacin Fleroxacin	Levofloxacin	Moxifloxacin
Enterobakterien	+++	+++	+++
Pseudomonas aeruginosa	Ciprofloxacin +++ Ofloxacin ++ Fleroxacin ++	++	++
Haemophilus influenzae	+++	+++	++
Staphylococcus aureus	++	++	+++
Streptokokken	(+)	+	++
Pneumokokken	(+)	+	++

(+) sehr schwach wirksam, + wenig wirksam, ++ gut wirksam, +++ sehr gut wirksam.

Tabelle 25-9. Wirksamkeit von Antibiotika bei Anaerobiern [*Pen* Penicillin, *Amino + BLI* Aminopenicillin + β-Laktamase-Inhibitor (Ampicillin/Sulbactam, Amoxicillin/Clavulansäure); *Clinda* Clindamycin, *Metro* Metronidazol, *Carba* Carbapeneme (Imipenem/Cilastatin, Meropenem)]

Keime	Pen	Amino + BLI	Clinda	Metro	Carba
Peptokokken	++	++	++	(++)	++
Fusobakterien	++	++	++	++	++
Clostridien	++	++	+	++	++
Prevotella	+	++	++	++	++
Bacteroides fragilis	0[a]	++	++	++	++

++ immer gut wirksam; + meist, aber nicht immer wirksam.
[a] Bei den häufigen β-Laktamase produzierenden Stämmen unwirksam.

Tabelle 25-10. Wirksamkeit von Antibiotika gegen grampositive Bakterien (*Ceph.* Cephalosporine)

Erreger	Penicillin	Flucloxacillin	Clindamycin	Vancomycin	Ceph. 1. Gen.	Ceph. 2. Gen.	Ceph. 3. Gen.
Streptokokken	++	+	++	++	++	++	++
Pneumokokken	++	+	++	++	++	++	++
Staph. aureus	0/++[a]	++[b]	++	++	++[b]	++[b]	+[b]
Enterokokken	+	0	0	++	0	0	0

++ gut wirksam auf >90%, + schwach wirksam, 0 unwirksam.
[a] Wirksam gegen 10–20% Staphylococcus aureus, die keine β-Laktamase produzieren.
[b] Gegen MRSA unwirksam.

Tabelle 25-11. Wirksamkeit von Antibiotika gegen gramnegative Bakterien (*Amino/BLI* Aminopenicillin + β-Laktamase-Inhibitor, *Pip/BLI* Piperacillin + β-Laktamase-Inhibitor, *Ceph.* Cephalosporine)

Erreger	Amino-penicillin	Amino/BLI	Ceph. 1. Gen.	Ceph. 2. Gen.	Ceph. 3. Gen.	Pip/BLI	Chinolone	Carba-peneme	Amino glykoside
H. influenzae	++[a]	++	0	++	++	++	++	++	++
E. coli	+	++[b]	++[b]	++	++	++	++	++	++
Klebsiellen	0	++[b]	++[b]	++[b]	++	++	++	++	++
Enterobacter, Serratia, Citrobacter	0	0	0	+[c]	++[c]	++[c]	++	++	++
Ps. aeruginosa	0	0	0	0	++[d]	++[b]	++[b]	++[b]	++[b]
Stenotroph. maltophilia	0	0	0	0	++[d]	0	++[b]	0	+

++ gut wirksam auf >90%, + nicht immer wirksam, 0 unwirksam.
[a] Gegen β-Laktamase produzierende Stämme unwirksam, in Deutschland <5%.
[b] 70–80% wirksam.
[c] Rund 50% der β-Laktamase produzierenden Stämme inaktivieren auch Breitbandantibiotika.
[d] Wirksam Ceftazidim, Cefepim.

Kapitel 26

Charakterisierung von Antiinfektiva

26.1 Antibiotika

Benzylpenicilline/Depotpenicilline

Präparate	Handelsnamen	Dosierung (Erwachsene)
Benzylpenicillin (Penicillin G)	Penicillin G, Penicillin Grünenthal	2–30 Mio. E/Tag in 4–6 Dosen i.v.
Depotpenicilline		**Nur i.m. injizieren! Nicht versehentlich i.v. oder intraarteriell!**
Procain-Penicillin	Jenacillin	0,6 Mio. E/Tag i.m.
Benzathin-Penicillin	Tardocillin, Retarpen	1,2 Mio. E/Monat i.m.
Clemizol-Penicillin	Clemizol-Penicillin	0,6–1,2 Mio. E/Tag i.m.

Wirkungsweise
Hemmung der Bakterienwandsynthese durch Blockierung bakterieller Transpeptidasen. Geringe Toxizität.

Wirkungsspektrum
β-hämolysierende Streptokokken, Meningokokken, Pneumokokken (Resistenz in Deutschland: 8% intermediär sensibel, d. h. MHK 0,12–1 μg/ml; 2% hochresistent, d. h. MHK >2 μg/ml; in Frankreich, Spanien, Südostasien Resistenz bis 60%); β-Laktamase-negative Staphylokokken, Corynebacterium diphtheriae, Pasteurella multocida, Treponemen, Aktinomyzeten, Leptospiren, viele Anaerobier (außer Bacteroides fragilis und Clostridium difficile).

Indikationen
Pen. 6: Lobärpneumonie, Meningitis, Endokarditis lenta durch Penicillin-empfindliche Erreger, Erysipel, Lues, Leptospirose, Pasteurella-multocida-Infektionen, Aktinomykose.

Depotpenicilline: Gonorrhö, Lues. Metaphylaxe rheumatisches Fieber.

Kontraindikationen
Penicillinallergie.

Nebenwirkungen

Allergie: Exanthem, Fieber (1–5%), Anaphylaxie selten (0,004–0,015%). Bei Überdosierung (>30 Mio. E/Tag oder Niereninsuffizienz ohne Dosisreduktion) neurotoxisch, z. B. Krämpfe; Neutropenie (0,01%; bei Therapiedauer >10 Tage 5–15%), Thrombozytopenie, interstitielle Nephritis.

Depotpenicilline: Lokalschmerz. Bei intravasaler Injektion: Hoigne-Syndrom (embolisch-toxische Reaktion) oder Nicolau-Syndrom (Nekrosen, Gangrän). *Vorsicht:* protrahierte Penicillinallergie.

Pharmakokinetische Daten

- HWZ: Penicillin G 0,5–1 h.
- Proteinbindung: 40–60%.
- Ausscheidung: 85–90% renal.

Dosierung bei Niereninsuffizienz

- Penicillin G: Bei GFR 15–40 ml/min 1–5 Mio. E/8 h, GRF <15 ml/min 1–5 Mio. E/12 h.
  Keine zusätzliche Dosis nach HD erforderlich.

Anmerkung

Intermediäre Resistenz bei Pneumokokken kann durch Hochdosierung von Penicillin ausgeglichen werden (außer bei Meningitis). Bei Meningitis Cephalosporine der 3. Generation, bei Hochresistenz Rifampicin, Vancomycin, Chloramphenicol, Carbapeneme.

Orale Penicilline (Phenoxypenicilline)

Präparate	Handelsnamen	Dosierung (Erwachsene)
Penicillin V	Isocillin, Megacillin u. a.	3- bis 4-mal 0,4–1,5 Mio. E. p.o.
Propicillin	Baycillin	3-mal 1 Mio. E/Tag
Azidocillin	Syncillin	1,5 Mio. E/Tag in 3 Gaben

Wirkungsweise
Wie Penicillin G.

Wirkungsspektrum
WiePenicillin G.

Indikationen
Leichtere Infektionen wie Angina tonsillaris, Scharlach, rheumatisches Fieber, Erysipel, Borreliose; Sinusitis bzw. Otitis bzw. Bronchitis durch empfindliche Pneumokokken; Metaphylaxe rheumatisches Fieber.

Kontraindikationen
Penicillinallergie.

Nebenwirkungen
Allergie (Anaphylaxie seltener als bei Penicillin G), gastrointestinale Beschwerden.

Pharmakokinetische Daten
- HWZ: 0,5–1 h.
- Proteinbindung: Penicillin V 50–60%, Propicillin 75–90%, Azidocillin 85%.
- Enterale Resorption: Penicillin V 30–50%, Propicillin 50–60%, Azidocillin>75%.
- Ausscheidung: renal Penicillin V zu 30–50%, Propicillin zu 50%, Azidocillin zu 60%.

Dosierung bei Niereninsuffizienz
Bei GFR <10 ml/min maximale Dosis 1,5 Mio. E/Tag.

Anmerkung
Weitgehend magensaftstabil, gute Resorption, am besten bei Azidocillin (75%). Probenecid bewirkt eine Hemmung der Penicillinausscheidung.

Staphylokokkenpenicilline (Isoxazolylpenicilline)

Präparate	Handelsnamen	Dosierung (Erwachsene)
Flucloxacillin	Staphylex	4-mal 1–2 g i.v., 3-mal 1 g p.o.
Oxacillin	Stapenor	Siehe oben
Dicloxacillin	Dichlor-Stapenor	Siehe oben

Wirkungsweise
Wie Pencillin G.

Wirkungsspektrum
Nur gut gegen Staphylokokken (außer bei Methicillinresistenz).

Indikationen
Infektionen durch β-Laktamase-positive, methicillin-empfindliche Staphylokokken. Bei β-Laktamase-negativen Staphylokokken ist Penicillin wirksamer.

Kontraindikationen
Penicillinallergie.

Nebenwirkungen
Wie Penicillin G, 3% Transaminasenanstieg, Cholestase.

Pharmakokinetische Daten
- HWZ: 0,75 h.
- Proteinbindung: 80–95%.
- Enterale Resorption: Oxacillin >50%, Flucloxacillin 50–60%, Dicloxacillin 75%.
- Ausscheidung: überwiegend renal.

Dosierung bei Niereninsuffizienz
- Bei GFR 15–40 ml/min keine Dosisreduktion, bei GFR <15 ml/min 0,5–2 g/8 h. Keine zusätzliche Dosis nach HD erforderlich.

Anmerkung
Reines Staphylokokkenantibiotikum.

Aminobenzylpenicilline

Präparate	Handelsnamen	Dosierung (Erwachsene)
Ampicillin	Amblosin, Binotal u. a.	3- bis 4-mal 0,5–2 g (bis 3-mal 5 g) i.v.
Amoxicillin	Amoxypen, Clamoxyl u. a.	3- bis 4-mal 0,5–2 g i.v., 3-mal 0,5–1 g p.o.
Bacampicillin	Ambacamp, Penglobe	2- bis 3-mal 800 mg p.o.

Wirkungsweise
Wie Penicillin G. Hemmung der Bakterienwandsynthese durch Blockierung bakterieller Transpeptidasen.

Wirkungsspektrum
Haemophilus influenzae (Resistenz Deutschland 5%, Frankreich und Spanien 30%), Enterococcus faecalis, Listerien; β-Laktamase-negative Staphylokokken, β-Laktamase-negative E. coli (Resistenz 30%), indolnegative Proteusbakterien, Salmonellen, Shigellen.

Bei Pneumokokken, Meningokokken und Streptokokken schwächer wirksam als Penicillin.

Indikationen
HNO-Infektionen, Bronchitis, Gallenwegsinfektionen, Harnwegsinfektionen, Darminfektionen durch Salmonellen oder Shigellen, Haemophilus-influenzae- und Enterokokkeninfektionen; Bei Listeriose und Enterokokkenendokarditis Kombination mit Aminoglykosid.

Kontraindikationen
Penicillinallergie, infektiöse Mononukleose, lymphatische Systemerkrankungen.

Nebenwirkungen
Wie Penicillin G, Exantheme treten häufiger auf (10–20%, bei infektiöser Mononukleose und lymphatischer Systemerkrankung bis 100%). Gastrointestinale Beschwerden (10%).

Pharmakokinetische Daten
- HWZ: 0,5–1 h.
- Proteinbindung: 18%.
- Enterale Resorption: Amoxicillin, Bacampicillin >90%, Ampicillin 30–40%.
- Ausscheidung: 30–70% renal, bis zu 20% biliär.

Dosierung bei Niereninsuffizienz
- Ampicillin: Bei GFR 15–40 ml/min 1–3 g/12 h, bei GFR <15 ml/min 0,5–2 g/12 h.
  Bei HD Elimination 40%, deshalb zusätzliche Dosis nach HD.
- Amoxicillin: Bei GFR 15–40 ml/min 0,5–1 g/12 h, bei GFR <15 ml/min 0,5–0,75 g/12 h.

Anmerkung

Wirkungsspektrum im Vergleich zu Penicillin G erweitert auf Enterokokken, Listerien, Haemophilus influenzae, β-Laktamase-negative E. coli, Proteus, Salmonellen, Shigellen. Gegen Streptokokken schwächer wirksam als Penicilllin. Zur oralen Therapie wegen besserer Resorption Amoxicillin oder Bacampicillin verwenden.

Acylureidopenicilline

Präparate	Handelsnamen	Dosierung (Erwachsene)
Mezlocillin	Baypen u. a.	3- bis 4-mal 2–5 g i.v.
Piperacillin	Pipril u. a.	3- bis 4-mal 2–4 g i.v.
Azlocillin	Securopen	3- bis 4-mal 2–5 g i.v.

Wirkungsweise
Wie Penicillin G. Hemmung der Bakterienwandsynthese durch Blockierung bakterieller Transpeptidasen.

Wirkungsspektrum
Enterobakterien (außer Klebsiellen, Resistenz bei E. coli 30%), Enterococcus faecalis, Streptokokken, β-Laktamase-negative Staphylokokken und -Anaerobier. Gegen Grampositive schwächer wirksam als Pencillin G. Piperacillin und Azlocillin sind zusätzlich wirksam gegen Pseudomonas aeruginosa (Resistenz 30–40%). Azlocillin wirkt schwächer gegen Enterobakterien.

Indikationen
Schwere (nosokomiale) Infektionen mit Gramnegativen. Zur Initialtherapie bei unbekanntem Erreger ist eine Kombination mit einem β-Laktamase-Inhibitor und mit Aminoglykosid zu empfehlen.

Mezlocillin wird bis zu 25% über die Galle ausgeschieden, daher günstig bei Gallenwegsinfektionen.

Kontraindikationen
Penicillinallergie.

Nebenwirkungen
Allergien (Exantheme, Urtikaria), Erhöhung der Transaminasen, gastrointestinale Beschwerden, passagere Neutropenie.

Pharmakokinetische Daten
- HWZ: 0,8–1,3 h.
- Proteinbindung: Mezlocillin 25–50%, Piperacillin 15–20%, Azlocillin 30–45%.
- Ausscheidung: Mezlocillin 60–70% renal, 15–25% biliär, Piperacillin 70–80% renal, 15% biliär; Azlocillin 60–70% renal, 8% biliär.

Dosierung bei Niereninsuffizienz
- Mezlocillin: Bei GFR 15–40 ml/min 2–4 g/12 h, bei GFR <15 ml/min 1,5–3 g/12 h. Bei HD 24% Elimination, keine zusätzliche Dosis nach HD erforderlich.
- Piperacillin: Bei GFR 15–40 ml/min 2–4 g/12 h, bei GFR <15 ml/min 2–4 g/12 h. Bei HD 47% Elimination; deshalb zusätzliche Dosis nach HD.
- Azlocillin: Bei GFR 15–40 ml/min 2–4 g/12 h, bei GFR <15 ml/min 1,5–3 g/12 h. Bei HD 30–50% Elimination, deshalb zusätzliche Dosis nach HD.

Kombination von Penicillinen plus β-Laktamase-Inhibitor

Präparate	Handelsnamen	Dosierung (Erwachsene)
Aminopenicillin/ β-Laktamase-Inhibitor		
Amoxicillin/Clavulansäure	Augmentan	3- bis 4-mal 1,2–2,2 g i.v. ; 3-mal 0,625 g p.o.
Ampicillin/Sulbactam	Unacid	3- bis 4-mal 0,75–3 g i.v.; 2-mal 0,75 g p.o.
Acylureidopenicillin/ β-Laktamase-Inhibitor		
Mezlocillin/Sulbactam	Baypen + Combactam	Wie Mezlocillin + 1 g Sulbactam pro Dosis i.v.
Piperacillin/Sulbactam	Pipril plus Combactam	Wie Pipril + 1 g Sulbactam pro Dosis i.v.
Piperacillin/Tazobactam	Tazobac	3-mal 4,5 g i.v.

Wirkungsweise

Wie Penicillin G, zusätzlich Inaktivierung der β-Laktamasen von Staphylokokken, Haemophilus influenzae, Anaerobiern und einigen Enterobakterien.

Wirkungsspektrum

WieAmpicillin bzw. Mezlocillin oder Piperacillin; zusätzlich gegen β-Laktamase-bildende Stämme von Methicillin-sensiblen Staphylokokken, Haemophilus influenzae, E. coli, Klebsiellen, Proteus und Anaerobiern inkl. Bacteroides fragilis.

Indikationen

Aminopenicillin plus β-Laktamase-Inhibitor: leichte bis mittelschwere Infektionen, z. B. HNO-Infektionen, Harnwegsinfektionen, aerobe/anaerobe Mischinfektionen. Zur intraoperativen Prophylaxe in der Bauchchirurgie und Gynäkologie. Acylureidopenicllin plus β-Laktamase-Inhibitor: Bei schweren nosokomialen Infektionen.

Kontraindikationen

Penicillinallergie. Bei Clavulansäure zusätzlich: schwere Leberfunktionsstörungen auch in der Anamnese. Für β-Laktamase-Inhibitoren liegen während der Schwangerschaft noch keine ausreichenden Erfahrungen vor.

Nebenwirkungen

Wie Ampicillin. Clavulansäure: Hepatitis, cholestatischer Ikterus.

Pharmakokinetische Daten

- HWZ: Clavulansäure 0,7–1,4 h, Sulbactam 1 h, Tazobactam 0,8 h.
- Proteinbindung: s. „Amino- und Acylureidopenicilline".
- Enterale Resorption: Amoxicillin/Clavulansäure 80–90%, Sultamicillin 80%.
- Ausscheidung: s. „Amino- und Acylureidopenicilline".

Dosierung bei Niereninsuffizienz
Siehe Amino- und Acylureidopenicilline.

- Piperacillin/Tazobactam: Bei GFR 15–40 ml/min 2–4 g/8 h, bei GFR <15 ml/min 2–4 g/12 h.
  Bei HD 40–50% Elimination, deshalb zusätzliche Dosis nach HD.

Anmerkung
Die orale Form von Unacid besteht aus einem Doppelester (Sultamicillin), wodurch eine bessere Bioverfügbarkeit der beiden Substanzen erreicht wird (80%). Sulbactam ist als frei kombinierbarer β-Laktamase-Hemmer zugelassen zur Kombination mit Mezlocillin, Piperacillin, Cefotaxim und Cefoperazon.

Cephalosprine der 1. Generation (parenteral)

Präparat	Handelsnamen	Dosierung (Erwachsene)
Cefazolin	Gramaxin, Elzogram u. a.	3-mal 1–2 g i.v.

Wirkungsweise
Hemmung der Bakterienzellwandsynthese.

Wirkungsspektrum
Streptokokken, Staphylokokken (außer bei Methicillinresistenz), Pneumokokken, E. coli (Resistenz ca. 10%), Klebsiellen. Unwirksam gegen Enterokokken, Enterobacter, Serratia, Morganella, Citrobacter, Acinetobacter, Pseudomonas.

Indikationen
Behandlung leichter bis mittelschwerer Infektionen durch empfindliche grampositive und gramnegative Erreger, z. B. Wund- und Weichteilinfektionen, ambulant erworbene Pneumonien, HNO-Infektionen, Harnwegsinfektionen, perioperative Prophylaxe.

Kontraindikationen
Allergie.

Nebenwirkungen
Exanthem und andere Allergien (3%, 10% Kreuzallergie mit Penicillin). Gastrointestinale Beschwerden. Bei hochdosierter Dauertherapie reversible Neutropenie und/oder Thromozytopenie.

Pharmakokinetische Daten
- HWZ: 1,5–2 h.
- Proteinbindung: 60–90%.
- Ausscheidung: >90% renal.

Dosierung bei Niereninsuffizienz
- Bei GFR 15–40 ml/min 1–1,5 g/12 h, bei GFR <15 ml/min 1,5 g/24 h. Bei HD 45% Elimination, deshalb zusätzliche Dosis nach HD.

Anmerkungen
Die relativ preiswerten Basiscephalosporine erfassen die häufigsten Erreger postoperativer Infektionen (Staphylokokken, Streptokokken). Sie sind deshalb zur perioperativen Prophylaxe geeignet, z. B. Cefazolin 1-mal 2 g (für 3 h Operation). Bei Eingriffen im Gastrointestinaltrakt und in der Gynäkologie mit anaerobierwirksamer Substanz, z. B. Metronidazol, kombinieren. Gegen Enterobakterien sind sie schwächer wirksam als Cephalosporine der 2. oder 3. Generation.

Cephalosporine der 2. Generation (parenteral)

Präparate	Handelsnamen	Dosierung (Erwachsene)
Cefamandol	Mandokef	3- bis 4-mal 1–2 g i.v.
Cefotiam	Spizef	2- bis 3-mal 1–2 g i.v.
Cefuroxim	Zinacef, Cefuroxim Lilly	3- bis 4-mal 0,75–1,5 g i.v.
Cefoxitin	Mefoxitin	3- bis 4-mal 1–2 g i.v.

Wirkungsweise
Hemmung der Bakterienzellwandsynthese.

Wirkungsspektrum
Wie Cephalosporine der 1. Generation, zusätzlich besser wirksam gegen Enterobakterien. Unwirksam gegen Enterokokken. Cefoxitin wirkt auch gegen Anaerobier.

Indikationen
Mittelschwere Infektionen durch empfindliche grampositive und gramnegative Erreger, z. B. Wund- und Weichteilinfektionen, HNO-Infektionen, Pneumonien, Infektionen von Knochen und Gelenken, Harnwegsinfektionen. Perioperative Prophylaxe.

Kontraindikationen
Allergie.

Nebenwirkungen
Allergische Reaktionen (Exantheme 1–4%). Erhöhung der Transaminasen und alkalischen Phosphatase (bis 2%). Gastrointestinale Beschwerden. Bei hochdosierter Langzeittherapie passagere Neutropenie. Bei Cefamandol wegen Methylthiotetrazol-Seitenkette Alkoholintoleranz und Vitamin-K-abhängige Blutungsneigung.

Pharmakokinetische Daten
- HWZ: 0,7–1 h, Cefuroxim 1–2 h.
- Proteinbindung: Cefotiam 40–60%, Cefamandol, Cefuroxim 50–70%, Cefoxitin 65–80%.
- Ausscheidung: Cefotiam 70% renal, Cefamandol, Cefuroxim, Cefoxitin >90% renal.

Dosierung bei Niereninsuffizienz
- Cefamandol: Bei GFR 15–40 ml/min 1–2 g/12 h, bei GFR <15 ml/min 0,5–1 g/12 h. Bei HD 35% Elimination, deshalb zusätzliche Dosis nach HD.
- Cefotiam: Bei GFR 15–40 ml/min 1–2 g/12 h, bei GFR <15 ml/min 1 g/12 h. Bei HD 30–50% Elimination, deshalb zusätzliche Dosis nach HD.
- Cefuroxim: Bei GFR 15–40 ml/min 0,75–1,5 g/12 h, bei GFR <15 ml/min 1–1,5 g/24 h.
  Bei HD 75% Elimination, deshalb zusätzliche Dosis nach HD.

- Cefoxitin: Bei GFR 15–40 ml/min 1–2 g/12 h, bei GFR <15 ml/min 1–2 g/24 h. Bei HD 35–44% Elimination, deshalb zusätzliche Dosis nach HD.

Anmerkung

Cephalosporine der 2. Generation haben eine bessere Wirkung gegen Enterobakterien als Cephalosporine der 1. Generation. Beide gehören zu den „Basiscephalosporinen" und sind gut wirksam gegen Staphylokokken und Streptokokken. Daher sind sie gut geeignet für die perioperative Prophylaxe, bei Eingriffen im Gastrointestinaltrakt und in der Gynäkologie in Kombination mit Metronidazol.

Cephalosporine der 3. Generation (parenteral)

Präparate	Handelsnamen	Dosierung (Erwachsene)
Cefotaxim	Claforan u. a.	2- bis 3-mal 1–2 g (bis 3-mal 4g) i.v.
Ceftriaxon	Rocephin	1-mal 1–2 g (bis 2-mal 2 g) i.v.

Wirkungsweise
Hemmung der Bakterienzellwandsynthese.

Wirkungsspektrum
Gramnegative, z. B. Enterobakterien, H. influenzae (auch β-Laktamase-positive), Pneumokokken, Meningokokken. Mäßig wirksam gegen Staphylokokken, Pseudomonas. Unwirksam gegen Enterokkken.

Indikationen
Schwere nosokomiale Infektionen durch empfindliche Erreger. Sepsis, Meningitis, Neuroborreliose. Bei lebensbedrohlichen Infektionen mit Aminoglykosid kombinieren.

Kontraindikationen
Allergie.

Nebenwirkungen
Allergische Reaktionen (Exanthem, Urtikaria, selten Anaphylaxie). Gastrointestinale Beschwerden, Durchfall (3%), Transaminasenanstieg (3%); selten Granulozytopenie, Thrombozytopenie. Ceftriaxon: hohe biliäre Ausscheidung, reversible sonographische Veränderungen der Gallenblase („sludge") in 50%, davon 9% mit Symptomen.

Pharmakokinetische Daten
- HWZ: Cefotaxim 0,9–1,2 h, Ceftriaxon 6–9 h.
- Proteinbindung: Cefotaxim 30–50%, Ceftriaxon 80–95%.
- Ausscheidung: Cefotaxim 60% renal, 5–10% biliär; Ceftriaxon 40–60% renal, 35–40% biliär.

Dosierung bei Niereninsuffizienz
- Cefotaxim: Bei GFR 15–40 ml/min 1–3 g/12 h, bei GFR <15 ml/min 1–2 g/12 h. Bei HD 40–60% Elimination, deshalb zusätzliche Dosis nach HD.
- Ceftriaxon: Dosisreduktion bei GFR <15 ml/min 2 g/24 h.
  Bei HD 0–15% Elimination, keine zusätzliche Dosis nach HD erforderlich.

Anmerkung
Cephalosporine der 3. Generation zeigen im Vergleich zu Cephalosporinen der 1. und 2. Generation stärkere Aktivität gegen Gramnegative, aber schwächere gegen Staphylokokken. Reserve-Antibiotika für schwere gramnegative Infektionen. Bei

Enterobacter häufig Resistenzentwicklungen unter der Therapie durch Betalaktamaseproduktion. Wegen der guten Liquorgängigkeit sind Cephalosporine der 3. Generation gut geeignet zur Therapie der bakteriellen Meningitis (außer Listerienmeningitis). Ceftriaxon hat lange HWZ, daher Einmalgabe möglich.

Cephalosporine der 3. Generation mit Pseudomonasaktivität

Präparate	Handelsnamen	Dosierung (Erwachsene)
Ceftazidim	Fortum	2- bis 3-mal 1–2 g i.v.
Cefepim	Maxipime	2-mal 2 g i.v.

Wirkungsweise
Hemmung der Bakterienzellwandsynthese.

Wirkungsspektrum
Wie Cephalosporine 3. Generation, zusätzlich gegen Pseudomonas aeruginosa. Ceftazidim gegen Staphylokokken schwächer.

Indikationen
Schwere nosokomiale Infektionen insbesondere mit Pseudomonas aeruginosa. Sepsis. Meningitis. Bei lebensbedrohlichen Infektionen Kombination mit Aminoglykosid.

Kontraindikationen
Allergie.

Nebenwirkungen
Allergische Reaktionen (Exanthem, Urtikaria, selten Anaphylaxie). Erhöhung der Transaminasen (6%). Phlebitis (1,5%). Gastrointestinale Beschwerden. Bei Langzeittherapie passagere Neutropenie, Thrombozytopenie.

Pharmakokinetische Daten
- HWZ: Ceftazidim 1,7–2,1 h, Cefepim 2 h.
- Proteinbindung: Ceftazidim 10%, Cefepim 20%.
- Ausscheidung: 85–90% renal.

Dosierung bei Niereninsuffizienz
- Ceftazidim: Bei GFR 15–40 ml/min 1–1,5 g/12 h, bei GFR <15 ml/min 1–1,5 g/24 h.
  Bei HD 55–88% Elimination, daher zusätzliche Dosis nach HD.
- Cefepim: Bei GFR 11–30 ml/min 1–2 g/24 h, bei GFR <11 ml/min 0,5–1 g/24 h. Bei HD 26% Elimination, deshalb zusätzliche Dosis nach HD.

Anmerkung
Reserve-Antibiotika für schwere nosokomiale Infektionen insbesondere mit Pseudomonas. Bei kalkulierter Therapie mit Ceftazidim wegen Staphylokokkenschwäche Kombination mit staphylokokkenwirksamen Substanzen notwendig, z. B. Flucloxacillin, Clindamycin, Vancomycin. Cefepim ist stabil gegen Typ-1-β-Laktamasen von Enterobacter, Serratia, Citrobacter, Pseudomonas aeruginosa, welche die anderen Cephalosporine inaktivieren können.

Andere Cephalosporine mit Pseudomonasaktivität

Präparate	Handelsnamen	Dosierung (Erwachsene)
Cefsulodin	Pseudocef	3-mal 1–2 g i.v.
Cefoperazon	Cefobis	2-mal 1–2 g (bis 3-mal 3 g) i.v.

Wirkungsweise
Hemmung der Bakterienzellwandsynthese.

Wirkungsspektrum
Cefsulodin: Nur Pseudomonas aeruginosa, Staphylokokken, Streptokokken, Gonokokken. Unwirksam gegen Enterobakterien und Enterokokken. Cefoperazon: Verglichen mit Cefotaxim schwächer wirksam gegen Enterobakterien, aber aktiver gegen Pseudomonas aeruginosa.

Indikationen
Cefsulodin: Infektionen durch Pseudomonas aeruginosa.

Cefoperazon: Gallenwegsinfektionen.

Kontraindikationen
Allergie.

Nebenwirkungen
Allergische Reaktionen, reversible Blutbildveränderungen, Transaminasenanstieg, gastrointestinale Beschwerden, Phlebitis.

Cefoperazon: zusätzlich durch Methylthiotetrazol-Seitenkette Alkoholintoleranz und Vitamin-K-abhängige Blutungsneigung.

Pharmakokinetische Daten
- HWZ: 1,6–2 h.
- Proteinbindung: Cefsulodin 15–30%, Cefoperazon 90%.
- Ausscheidung: Cefsulodin 70% renal, Cefoperazon 70% biliär.

Dosierung bei Niereninsuffizienz
- Cefsulodin: Bei GFR 15–40 ml/min 1–2 g/12 h, bei GFR <15 ml/min 1 g/24 h. Bei HD 45–60% Elimination, daher zusätzliche Dosis nach HD.

Anmerkung
Cefsulodin ist ein Schmalspektrumantibiotikum für Pseudomonasinfektionen. Es ist jedoch schwächer wirksam gegen Pseudomonas als Ceftazidim. Cefoperazon wird zu 70% biliär ausgeschieden und ist daher günstig bei Gallenwegsinfektionen. Ansonsten eingeschränkte Indikationen, da andere Cephalosporine der 3. Generation gegen Gramnegative besser wirksam sind. Nicht geeignet zur Meningitistherapie. Kontrolle der Blutgerinnung und prophylaktische Vitamin-K-Gabe empfohlen.

Orale Cephalosporine der 1. und 2. Generation

Präparate	Handelsnamen	Dosierung (Erwachsene)
1. Generation:		
Cefalexin	Oracef, Ceporexin u. a.	3- bis 4-mal 0,5–1 g p.o.
Cefadroxil	Bidocef u. a.	1- bis 2-mal 1 g p.o.
Cefaclor	Panoral, Kefspor, u. a.	3-mal 0,25–0,5 g (bis 1 g) p.o.
2. Generation:		
Loracarbef	Lorafem	2-mal 0,2–0,4 g p.o.
Cefuroximaxetil	Elobact, Zinnat	2-mal 0,25–0,5 g p.o.

Wirkungsweise
Hemmung der Bakterienzellwandsynthese.

Wirkungsspektrum
Staphylokokken, Streptokokken, Pneumokokken; E. coli, Klebsiellen. Cephalosporine der 1. Generation: Schwäche gegen Haemophilus influenzae.

Indikationen
Leichtere Infektionen der Atemwege und im HNO-Bereich, Harnwegsinfektionen, Infektionen der Haut und Weichteile.

Kontraindikationen
Allergie.

Nebenwirkungen
Gastrointestinale Beschwerden (10–20%), Übelkeit, Erbrechen (3%), Durchfall (3%), Kopfschmerzen (2%). Allergische Reaktionen (Exanthem, Urtikaria, selten Anaphylaxie).

Pharmakokinetische Daten
- HWZ: Cefalexin, Cefaclor 0,5–1 h, Cefuroximaxetil 1 h, andere 1–1,5 h.
- Proteinbindung: Cefalexin 15%, Cefaclor 50%, Cefadroxil 20%, Cefuroximaxetil 30–50%.
- Enterale Resorption/Bioverfügbarkeit: >90%, Cefuroximaxetil 40–60%.
- Ausscheidung: überwiegend renal (>90%).

Dosierung bei Niereninsuffizienz
- Cefalexin: Bei GFR 15–40 ml/min 1 g/12 h, bei GFR <15 ml/min 0,5 g/12 h. Bei HD 50% Elimination, deshalb zusätzliche Dosis nach HD.
- Cefadroxil: Bei GFR 15–40 ml/min 1 g/24 h, bei GFR <15 ml/min 0,5 g/24 h. Bei HD 75% Elimination, deshalb zusätzliche Dosis nach HD.
- Cefaclor: Bei GFR <15 ml/min Dosisreduktion 0,5 g/8 h. Bei HD 33% Elimination. Keine zusätzliche Dosis nach HD erforderlich.

- Loracarbef: Bei GFR 15–40 ml/min 0,4 g/24 h, bei GFR <15 ml/min 0,4 g alle 3 Tage.
  Bei HD 50% Elimination,deshalb zusätzliche Dosis nach HD.
- Cefuroximaxetil: Bis zu Tagesdosis von 1 g keine Dosisanpassung erforderlich. HD 75% Elimination. Zusätzliche Dosis nach HD.

Anmerkung

Die Cephalosporine der 2. Generation sind besser wirksam gegen Gramnegative als die der 1. Generation. Bei Cefuroximaxetil handelt es sich um einen Ester, der besser resorbiert wird und in der Dünndarmmukosa hydrolysiert wird. Die Resorption wird durch Nahrungsaufnahme verbessert.

Orale Cephalosporine der 3. Generation

Präparate	Handelsnamen	Dosierung (Erwachsene)
Cefpodoxim-Proxetil	Podomoxef, Orelox u. a.	2-mal 0,1–0,2 g p.o.
Cefetamet-Pivoxil	Globocef	2-mal 0,5 g p.o.
Cefixim	Cephoral u. a.	2-mal 0,2 g oder 1-mal 0,4 g p.o.
Ceftibuten	Keimax u. a.	1-mal 0,4 g p.o.

Wirkungsweise
Hemmung der Bakterienzellwandsynthese.

Wirkungsspektrum
Gramnegative Bakterien, z. B. Enterobakterien, Haemophilus influenzae. Streptokokken. Schwäche gegen Staphylokokken, bei Ceftibuten auch Schwäche gegen Pneumokokken.

Indikationen
Infektionen der Atemwege und HNO-Infektionen, Harnwegsinfektionen.

Kontraindikationen
Allergie, Stillzeit. In der Schwangerschaft wird zzt. von den Herstellern eine Anwendung nicht empfohlen.

Nebenwirkungen
Gastrointestinale Beschwerden (10–20%), Übelkeit, Erbrechen (3%), Durchfall (3%), Kopfschmerzen (2%). Allergische Reaktionen (Juckreiz, Exanthem, selten Anaphylaxie). Anstieg der Transaminasen.

Pharmakokinetische Daten
- HWZ: 2–3 h.
- Proteinbindung: Cefpodoxim. 20–40%, Cefetamet 20%, Cefixim, Ceftibuten 60%.
- Bioverfügbarkeit: Ceftibuten 85%, andere 40–60%.
- Ausscheidung: überwiegend renal, Cefixim 50% renal.

Dosierung bei Niereninsuffizienz
- Cefpodoximproxetil: Bei GFR 15–40 ml/min 0,2 g/24 h, bei GFR <15 ml/min 0,2 g/48 h.
  Bei HD 50% Elimination, daher zusätzliche Dosis nach HD.
- Cefetamed-Pivoxil: Bei GFR 15–40 ml/min 0,25 mg/24 h, bei GFR <15 ml/min keine Gabe.
  Keine Gabe bei HD und CAPD.
- Cefixim: Bei GFR 15–40 ml/min keine Dosisreduktion, bei GFR<15 ml/min 0,2 g/24 h.
  Bei HD keine Elimination. Keine zusätzliche Dosis nach HD erforderlich.

- Ceftibuten: Bei GFR <50 ml/min Dosisreduktion auf die Hälfte, bei GFR <30 ml/min 0,1 g/24 h.
  Bei HD 65% Elimination, deshalb zusätzliche Dosis nach HD.

Anmerkung
OraleCephalosporine der 3. Generation zeigen eine sehr gute Wirkung gegen Gramnegative, jedoch eine Lücke gegenüber Staphylokokken. Sie sind keine Präparate der 1. Wahl, sondern sollten Spezialfällen, z. B. Harnwegsinfektionen mit resistenten Gramnegativen, vorbehalten bleiben.

Monobactame

Präparat	Handelsname	Dosierung (Erwachsene)
Aztreonam	Azactam	2- bis 3-mal 1–2 g (bis 4-mal 2 g) i.v.

Wirkungsweise
Hemmung der Bakterienzellwandsynthese.

Wirkungsspektrum
Gramnegative aerobe Keime inklusive Pseudomonas aeruginosa. Unwirksam gegen Grampositive, Acinetobacter und Anaerobier.

Indikationen
Schwere Infektionen durch gramnegative Erreger, wie Sepsis, Pneumonie, intrabdominelle Infektionen, Wundinfektionen, Harnwegsinfektionen bei Penicillin- und Cephalosporin-Allergie.

Kontraindikationen
Überempfindlichkeit gegen Aztreonam, Neugeborene unter 1 Woche.

Nebenwirkungen
Allergische Hautreaktion (2%). Gastrointestinale Beschwerden (1%), Blutbildveränderungen (Eosinophilie bis 8%), Phlebitis (4%), Anstieg der Transaminasen (2%). In sehr hohen Dosen Krämpfe.

Pharmakokinetische Daten
- HWZ: 1,5–2 h.
- Proteinbindung: 56%.
- Ausscheidung: 60–70% renal.

Dosierung bei Niereninsuffizienz
- Bei GFR 15–40 ml/min 0,5–2 g/12 h, bei GFR <15 ml/min 1 g/24 h.
  Bei HD 46% Elimination, deshalb zusätzliche Dosis nach HD.

Anmerkung
Reserve-Antibiotikum zur Therapie gramnegativer Infektionen. Bei Mischinfektionen mit Grampositiven oder Anaerobiern Kombination mit Clindamycin, Vancomycin bzw. Metronidazol erforderlich. Kreuzallergie mit anderen β-Laktam-Antibiotika selten (<1%), daher Alternative bei Penicillin- oder Cephalosporin-Allergie. Bei Leberzirrhose Dosisreduktion erforderlich.

Carbapeneme

Präparate	Handelsnamen	Dosierung (Erwachsene)
Imipenem/Cilastatin	Zienam	3-mal 0,5–1 g i.v.
Meropenem	Meronem	3-mal 0,5–1 g (Meningitis bis 3-mal 2 g)

Wirkungsweise
Hemmung der Bakterienzellwandsynthese. Cilastatin als Inhibitor einer renalen Dehydropeptidase verhindert die Hydrolyse von Imipenem in der Niere.

Wirkungsspektrum
Grampositive (Streptokokken, Staphylokokken, Pneumokokken, Enterokokken, Listerien) und Gramnegative inkl. Pseudomonas aeruginosa und Anaerobier, auch Bacteroides fragilis. Nokardien, Aktinomyceten.

Unwirksam gegen Stenotrophomonas maltophilia, Enterococcus faecium.

Indikationen
Schwere Infektionen wie Sepsis, Peritonitis, nosokomiale Pneumonie. Bei lebensbedrohlichen Infektionen Kombination mit Aminoglykosid sinnvoll. Meropenem: Meningitis.

Kontraindikationen
Allergie, Schwangerschaft, Kinder unter 3 Monate. Bei Imipenem/Cilastatin: Meningitis.

Nebenwirkungen
Exanthem (2–3%), gastrointestinale Beschwerden (3%), Anstieg der Transaminasen (1%), Neutropenie, Thrombozytopenie (<1%). ZNS-Störungen (Krämpfe, Schwindel, Verwirrtheit bei 1–2%; bei Meropenem seltener). Bei β-Laktam-Allergie bis zu 20% Kreuzreaktionen.

Pharmakokinetische Daten
- HWZ: 1 h.
- Proteinbindung: 25%.
- Ausscheidung: 65–80% renal, gering biliär.

Dosierung bei Niereninsuffizienz
- Imipenem/Cilastatin: Bei GFR 15–40 ml/min 1 g/12 h, GFR <15 ml/min 0,5–0,75 g/12 h.
  Bei HD 70–80% Elimination, daher zusätzliche Dosis nach HD.
- Meropenem: Bei GFR 15–40 ml/min 0,5 g/12 h, GFR <15 ml/min 0,5 g/24 h.

Anmerkung
Sehr breites Wirkungsspektrum. Reserve-Antibiotika für schwere nosokomiale Infektionen, insbesondere Mischinfektionen mit Anaerobiern oder Pseudomona-

den. Alternative zu Mehrfachkombinationen anderer Antibiotika. Bei Pseudomonasinfektionen Kombination mit Aminoglykosid. Imipenem ist aktiver gegen Grampositive, Meropenem gegen Gramnegative. Bei bekanntem Erreger Antibiotika mit schmalerem Wirkungsspektrum bevorzugen. Durch die primäre Resistenz gegen S. maltophilia können diese Erreger während der Therapie selektioniert werden.

Fosfomycin

Präparate	Handelsnamen	Dosierung (Erwachsene)
Fosfomycin	Infectofos	2- bis 3-mal 3–5 g i.v.
Fosfomycin-Trometamol	Monuril	1 Beutel/Tag (ca. 3 g Fosfomycin) p.o.

Wirkungsweise
Hemmung der bakteriellen Zellwandsynthese.

Wirkungsspektrum
Staphylokokken, Gonokokken, Haemophilus influenzae, unterschiedlich wirksam gegen Enterobakterien, Pseudomonaden (Testung erforderlich). Schwäche gegen Streptokokken, Pneumokokken, Anaerobier, Enterokokken, Listerien.

Indikationen
Knochen- und Weichteilinfektionen, HWI, Atemwegsinfektionen. Verbrennungen, Shunt-Meningitis, Hirnabszess, Endokarditis. Fosfomycin-Trometamol: Einmalgabe bei unkomplizierten Harnwegsinfektionen bei Frauen.

Kontraindikationen
Allergie. Bei Schwangerschaft strenge Indikation. Fosfomycin-Trometamol: außerdem Kinder <12 Jahre, Niereninsuffizienz.

Nebenwirkungen
Hypernatriämie, v. a. bei eingeschränkter Nierenfunktion (1 g Fosfomycin enthält 0,32 g Natrium). Die Natriumzufuhr kann über eine Erhöhung der Kaliumausscheidung Kaliumverluste verursachen. Gastroenterologsiche Beschwerden (8%), Allergie, Phlebitis, Kopfschmerzen, Anstieg von Transaminasen und alkalischer Phosphatase.

Pharmakokinetische Daten
- HWZ: Fosfomycin 1,5–2,5 h, bei starker Niereninsuffizienz bis 11 h.
- Ausscheidung: überwiegend renal.

Dosierung bei Niereninsuffizienz
- Bei GFR 15–40 ml/min 2,5 g/8 h, bei GFR <15 ml/min 3 g/24 h.
  Bei HD 80% Elimination, deshalb zusätzliche Dosis nach HD.

Anmerkung
Das sehr kleine Molekül diffundiert gut in „pharmakokinetische Nischen". Daher geeignet bei Infektionen wie Osteomyelitis, Endokarditis, Shunt-Meningitis, Hirnabszess. Keine Kreuzallergie mit anderen Antibiotika. Auf Hypernatriämie achten (Serumelektrolytkontrollen!).

Aminoglykoside

Präparate	Handelsnamen	Dosierung (Erwachsene)
Gentamicin	Refobacin	3–5 mg/kgKG/Tag in 1–3 Dosen i.v.
Tobramycin	Gernebcin	3–5 mg/kgKG/Tag in 1–3 Dosen i.v.
Netilmicin	Certomycin	4–7,5 mg/kgKG/Tag in 1–3 Dosen i.v.
Amikacin	Biklin	10–15 mg/kgKG/Tag in 1–3 Dosen i.v.

Therapiedauer möglichst nicht über 10 Tage!

Wirkungsweise
Hemmung der bakteriellen Proteinsynthese.

Wirkungsspektrum
Enterobakterien, Pseudomonaden, Staphylokokken. Gentamicin und Netilmicin sind am aktivsten gegen Staphylokokken, Tobramycin und Amikacin am aktivsten gegen Pseudomonas. Unwirksam gegen Anaerobier, als Monotherapie gegen Streptokokken, Enterokokken, Pneumokokken. Verminderte Aktiviät im sauren pH-Bereich und im anaeroben Milieu (Eiter, Abszess).

Indikationen
Als Kombinationspartner mit β-Laktam-Antibiotika bei schweren Infektionen wie Sepsis, Pneumonie oder Pseudomonasinfektionen. In Kombination mit Penicillin, Ampicillin oder Vancomycin bei Streptokokken- bzw. Enterokokkenendokarditis.

Kontraindikationen
Schwangerschaft, Stillzeit.

Nebenwirkungen
Ototoxizität (meist irreversibel), Nephrotoxizität (reversibel), v. a. bei Überdosierung (Talspiegel kontrollieren!) und langer Therapie (>10 Tage). Allergie (0,5%), Parästhesien, Muskelschwäche. Bei Schnellinfusion flüchtige curareähnliche Wirkungen. Die Wirkung von Muskelrelaxanzien wird verstärkt.

Pharmakokinetische Daten
- HWZ: 1,5–3 h.
- Proteinbindung: 5%.
- Ausscheidung: 80–95% renal.

Dosierung bei Niereninsuffizienz
Drug monitoring erforderlich!
- Gentamicin, Tobramycin: Bei GFR 15–40/min 1,5 mg/kgKG/24 h; bei GFR <15 ml/min 0,8 mg/kgKG/24 h.
  Bei HD 50% Elimination, CAPD 20%. Deshalb zusätzliche Dosis nach HD.

- Netilmicin: Bei GFR 15–40 ml/min 2 mg/kgKG/24 h, bei GFR <15 ml/min 1 mg/kgKG/24 h.
  Bei HD 50% Elimination, CAPD 20%. Deshalb zusätzliche Dosis nach HD.
- Amikacin: Bei GFR 15–40 ml/min 5 mg/kgKG/24 h, bei GFR <15 ml/min 2,5 mg/kgKG/24 h.
  HD 53% Elimination, CAPD 50%. Deshalb zusätzliche Dosis nach HD.

Anmerkung
Nicht zur Monotherapie geeignet. Bei Kombination mit β-Laktam-Antibiotika synergistische Wirkung. Bei Therapiedauer >10 Tage Zunahme der Oto- und Nephrotoxizität. Möglichst nicht mit anderen nephrotoxischen Medikamenten (Amphotericin B, Cisplatin) kombinieren. Bei Niereninsuffizienz ab dem 2. Tag Dosisreduktion, regelmäßige Serumspiegelkontrollen. Überwachung der Gehörfunktion.

Amikacin: teuer. Nur bei Unwirksamkeit anderer Aminoglykoside einsetzen. Bei Einmaldosierung gesamte Tagesdosis als Kurzinfusion (30–60 min) verabreichen. Vorteile: hohe Spitzenspiegel und verlängerter „postantibiotischer Effekt" bei gleicher Oto- und eher geringerer Nephrotoxizität.

Drug monitoring
Wirkung und postantibiotischer Effekt der Aminoglykosiede sind abhängig vom Spitzenspiegel. Ihre therapeutische Breite ist jedoch gering. Um optimale Wirkkonzentrationen zu erreichen und die Toxizität möglichst gering zu halten, ist eine Dosierung nach Plasmaspiegelbestimmungen notwendig.

Spitzenspiegel: Abnahme 30 min nach Infusionsende; bei Einmaldosierung nicht erforderlich, da diese Werte regelmäßig übertroffen werden.

Talspiegel: Abnahme vor nächster Applikation.

Empfohlene Grenzwerte für Serumspiegel

Präparate	Talspiegel [mg/l]	Spitzenspiegel [mg/l]
Gentamicin, Tobramycin	<1–2	>8
Netilmicin	<1,5–4	>12
Amikacin	<10	20–35

Chinolone

Präparate	Handelsnamen	Dosierung (Erwachsene)
Ciprofloxacin	Ciprobay	2-mal 200–400 mg (bis 3-mal 400 mg) i.v. 2-mal 250–500 mg (bis 2-mal 750 mg) p.o.
Ofloxacin	Tarivid	2-mal 200–400 mg i.v., p.o.
Levofloxacin	Tavanic	1- bis 2-mal 250–500 mg i.v., p.o.
Fleroxacin	Quinodis	1-mal 200–400 mg i.v./p.o

Wirkungsweise
Hemmung der DNA-Synthese, Inaktivierung der bakteriellen Gyrase.

Wirkungsspektrum
Enterobakterien, Pseudomonaden, Haemophilus influenzae, Legionellen, Chlamydien, atypische Mykobakterien, Staphylokokken.

Schwäche gegen Streptokokken, Pneumokokken, Enterokokken, Listerien, Anaerobier. Die schwächste Wirkung gegen Streptokokken und Staphylokokken hat Fleroxacin; die in vitro stärkste Aktivität gegen Pseudomonas hat Ciprofloxacin.

Indikationen
Infektionen durch gramnegative Bakterien, HWI, Prostatitis, febrile Gastroenteritis, Typhus/Paratyphus, Sanierung von Dauerausscheidern von Salmonellen. Pseudomonasinfektionen (Ciprofloxacin). Gonorrhö, Osteomyelitis. Infektionen der Atemwege durch multiresistente gramnegative Keime.

Kontraindikationen
Chinolon-Allergie, Schwangerschaft, Stillzeit, Kinder und Jugendliche <18 Jahre, Vorsicht bei Patienten mit Vorschädigung des ZNS (Epilepsie, Schlaganfall u. a.).

Nebenwirkungen
Gastrointestinale Beschwerden (1–4%, Fleroxacin bis 8%); Allergien, Juckreiz, Exanthem, ZNS-Störungen (durch GABA-Rezeptorenhemmung), z. B. Schlafstörungen, Kopfschmerzen, Schwindel, Unruhe, Psychosen, Verwirrtheit, Halluzinationen (0,1–1,8%). Phototoxizität. Tendopathie bis hin zu Sehnenrupturen. Anstieg der Leberenzyme.

Pharmakokinetsiche Daten
- HWZ: Ciprofloxacin 3–5 h, Ofloxacin, Levofloxacin 3–7 h, Fleroxacin 9–13 h.
- Proteinbindung: 20–40%.
- Bioverfügbarkeit: Ciprofloxacin 70–80%, Ofloxacin, Levofloxacin, Fleroxacin >90%.
- Ausscheidung: Ciprofloxacin 40–60% renal, 20% biliär, 25% intestinal.
- Ofloxacin, Levofloxacin und Fleroxacin vorwiegend renal.

Dosierung bei Niereninsuffizienz

- Ciprofloxacin ab GFR <15 ml/min 0,1–0,2 g/12 h i.v. bzw. 0,25–0,375 g/12 h p.o. Bei HD 30% Elimination. Keine zusätzliche Dosis nach HD.
- Ofloxacin: Bei GFR 15–40 ml/min 0,1–0,2 g/12 h., bei GFR <15 ml/min 0,1–0,2 g/24 h.
  HD 21% Elimination. Keine zusätzliche Dosis nach HD erforderlich.
- Fleroxacin: GFR <30 ml/min 1-mal 200 mg/Tag.

Bei Leberinsuffizienz

Verlängerung der HWZ. Dosisreduktion?

Anmerkung

Wegen der guten Bioverfügbarkeit können viele Infektionen oral therapiert werden (Kostenersparnis). Schwere Infektionen können nach i.v. begonnener Therapie oral weiterbehandelt werden (Sequenztherapie). Bei schweren nosokomialen Infektionen, z. B. Pneumonie mit Pseudomonas, Hochdosierung erforderlich, z. B. Ciprofloxacin 2- bis 3-mal 400 mg, nach einigen Tagen Dosisreduktion. Bei Cystischer Fibrose kann Ciprofloxacin auch bei Jugendlichen/Kindern < 18 Jahre angewandt werden.

Neue Chinolone mit erweitertem Wirkungsspektrum

Präparate	Handelsnamen	Dosierung (Erwachsene)
Moxifloxacin	Avalox	1-mal 400 mg p.o.
Sparfloxacin	Zagam	Initial 400 mg, dann 1-mal 200 mg p.o.
Clinafloxacin	(Noch nicht im Handel)	

Wirkungsweise
Hemmung der DNA-Synthese.

Wirkungsspektrum
Enterobakterien, Pseudomonaden, Haemophilus influenzae, Legionellen, Chlamydien, atypische Mykobakterien. Zusätzlich bessere Wirkung als alte Chinolone gegen grampositive Kokken, insbesondere Staphylokokken, Pneumokokken (auch penicillinresistente), Mykoplasmen, Chlamydien, Legionellen; Anaerobier.

Indikationen
- Moxifloxacin: Infektionen durch gramnegative und grampositive Erreger der Haut- und Weichteile, intraabdominelle und gynäkologische Infektionen, Infektionen der Atemwege, Prostatitis, Urethritis, HWI.
- Sparfloxacin: Infektionen durch penicillinresistente Pneumokokken.

Kontraindikationen
Chinolon-Allergie, Schwangerschaft, Stillzeit, Kinder und Jugendliche <18 Jahre, zerebrale Anfallsleiden. Sparfloxacin: UV-Exposition, QT-Intervallverlängerung.

Nebenwirkungen
Wie andere Chinolone. Sparfloxacin: häufiger phototoxisch, Verlängerung QT-Intervall.

Pharmakokinetische Daten
- HWZ: Moxifloxacin 12 h, Sparfloxacin 1,5–3 h.
- Proteinbindung: 20–30%.
- Bioverfügbarkeit: 80–90%.
- Ausscheidung: Moxifloxacin 20% renal, 25% Fäzes. Sparfloxacin 50–60% fäkal, 30–40% renal.

Dosierung bei Niereninsuffizienz
- Sparfloxacin: Bei GFR <30 ml/min nach der Initialdosis 1-mal 200 mg alle 48 h.

Anmerkung
Chinolone der neuen Generation haben eine deutlich verbesserte Wirksamkeit im grampositiven Bereich, insbesondere gegen Staphylokokken und Pneumokokken

und gegen Anaerobier. Sie sind daher zur Therpie von Atemwegsinfektionen, auch atypischen Pneumonien durch Chlamydien, Mykoplasmen, Legionellen, geeignet. Bei Sparfloxacin beschränkt sich die Indikation wegen der Phototoxizität auf penicillinresistente Pneumokokken, die in Deutschland zurzeit aber selten vorkommen (Wirkungsspektrum s. Tabelle 25-8).

Orale Chinolone mit eingeschränkter Indikation

Präparate	Handelsnamen	Dosierung (Erwachsene)
Norfloxacin	Barazan, Zoroxin	2-mal 400 mg p.o.
Pefloxacin	Peflacin	1-mal 800 mg p.o
Enoxacin	Enoxor	2-mal 200–400 mg p.o.

Wirkungsweise
Wie andere Chinolone.

Wirkungsspektrum
Wie andere Chinolone.

Indikationen
Harnwegsinfektionen; Enoxacin auch andere Infektionen durch gramnegative Erreger.

Kontraindikationen
Wie andere Chinolone.

Nebenwirkungen
Wie andere Chinolone.

Pharmakokinetische Daten
- HWZ: Norfloxacin 3,5 6,5 h, Pefloxacin 6 14 h, Enoxacin 4–6 h.
- Proteinbindung: Norfloxacin 15%, Pefloxacin 25%, Enoxacin 40%.
- Bioverfügbarkeit: Norfloxacin 30–40%, andere 90%.
- Ausscheidung: Norfloxacin 33–48% renal, 30% Fäzes; Pefloxacin 60% renal, 20% Fäzes; Enoxacin 60–80% renal, 20% Fäzes.

Dosierung bei Niereninsuffizienz
- Norfloxacin: Bei GFR <15 ml/min 0,2–0,4 g/24 h.
  Bei HD keine vermehrte Elimination. Keine zusätzliche Dosis nach HD erforderlich.
- Enoxacin: Bei GFR 15–40 ml/min 0,2 g/12 h, bei GFR <15 ml/min 0,2 g/24 h.
  Keine zusätzliche Dosis nach HD erforderlich.

Anmerkung
Mit Ausnahme von Enoxacin sind die Präparate nur zur Therapie von HWI zugelassen; Pefloxacin nur zur Behandlung der unkomplizierten Zystitis als Einmaldosistherapie sowie für die perioperative Prophylaxe bei transurethralen Eingriffen.

Cotrimoxazol (Trimethoprim/Sulfamethoxazol = TMP/SMZ)

Präparat	Handelsnamen	Dosierung (Erwachsene)
Cotrimoxazol	Bactrim, Eusaprim u. a.	8–20 mg/kgKG TMP bzw. 40–100 mg/kgKG SMZ i.v. in 2–4 Dosen; 1- bis 2-mal 160/800 mg p.o. Bei Pneumocystis-carinii-Pneumonie: 20/100 mg/kgKG/Tag in 4 Dosen

Wirkungsweise
Bakteriostatisch durch sequentielle Hemmung der bakteriellen Folsäuresynthese.

Wirkungsspektrum
E. coli, Salmonellen, Shigellen, Enterokokken, Bordetella pertussis, Nocardien, Brucellen, Burkholderia cepacia, Stenotrophomonas maltophilia. Bei Enterobakterien, Staphylokokken, Streptokokken wegen unterschiedlicher Resistenz Testung erforderlich. In höherer Dosierung wirksam gegen Pneumocystis carinii.

Indikationen
Infektionen der Atemwege, der Harnwege, des Magen-Darm-Traktes, Prostatitis, Pneumocystis-carinii-Pneumonie.

Kontraindikationen
Schwangerschaft, Stillzeit, Säuglinge im 1. Lebensmonat. Allergie. Schwere Nieren- oder Leberinsuffizienz. Schwere Blutbildveränderungen.

Nebenwirkungen
Allergien u. a. Hautreaktionen (Exanthem, selten Lyell- oder Stevens-Johnson-Syndrom); gastrointestinale Beschwerden (3%), bei längerer Anwendung reversible Knochenmarkdepression (sehr selten Agranulozytose). Verschlechterung einer zuvor bestehenden Niereninsuffizienz (Sulfonamidkristalle).

Pharmakokinetische Daten
- HWZ: TMP 9–12 h, SMZ 9–11 h.
- Proteinbindung: TMP 45%, SMZ 66%.
- Bioverfügbarkeit: 100%.
- Ausscheidung: vorwiegend renal. Metabolisierung in der Leber: TMP 20%, SMZ 80%.

Dosierung bei Niereninsuffizienz
- Bei GFR 15–30 ml/min halbe Tagesdosis. Bei GFR <15 ml/min nicht anwenden! Bei HD: TMP keine Elimination, SMZ geringe Elimination. Keine zusätzliche Dosis nach HD außer bei Pneumocystis-carinii-Pneumonie.

Anmerkung
Mittel der Wahl bei unkomplizierten Harnwegsinfektionen. Eventuell bei Prostatitis, Sinusitis. Bei Langzeittherapie Blutbildkontrollen. Bei Pneumocystis-carinii-Pneumonie höhere Dosierung erforderlich.

Tetracycline

Präparate	Handelsnamen	Dosierung (Erwachsene)
Tetracyclin	Achromycin, Supramycin u. a.	4-mal 250–500 mg p.o.
Oxytetracyclin	Oxytetracyclin	4-mal 250–500 mg p.o.
Doxycyclin	Vibravenös, Vibramycin	Initial 200 mg, dann 1-mal 100–200 mg i.v., p.o.
Minocyclin	Klinomycin u. a.	2-mal 100 mg/Tag i.v., p.o.

Wirkungsweise
Bakteriostatische Wirkung durch Hemmung der Proteinsynthese.

Wirkungsspektrum
Chlamydien, Mykoplasmen, Rickettsien, Brucellen, Coxiella burnetii, Vibrio cholerae, Brucellen, Borrelien, Leptospiren, Listerien, Yersinien, Aktinomyzeten. Unterschiedlich wirksam gegen Enterokokken, Streptokokken, Staphylokokken (Testung erforderlich, Resistenz 10–30%), Anaerobier (Resistenz B. fragilis 40–60%).

Indikationen
Infektionen durch Chlamydien und Mykoplasmen, Lyme-Borreliose (Erythema chronicum migrans), Cholera, Brucellose, Q-Fieber, Rickettsiosen, Tularämie, Ehrlichiose, Leptospirose, Pest.

Kontraindikationen
Schwangerschaft, Stillzeit, Kinder <8 Jahre, Niereninsuffizienz, Myasthenia gravis, Allergie, schwere Leberfunktionsstörungen.

Nebenwirkungen
Gastrointestinale Beschwerden, Photosensibilisierung, Allergie, Glossitis, Ösophagitis, Proktitis. Einlagerung in Knochen und Zähne in der Wachstumsperiode mit irreversibler Gelbfärbung der Zähne und Zahnschmelzschädigung. Intrakranielle Drucksteigerung (selten). Bei zu schneller Injektion Herzrhythmusstörungen. Bei Überdosierung Leberschädigung.

Pharmakokinetische Daten
- HWZ: Tetracyclin 10 h, Doxycyclin 15–18 h.
- Proteinbindung: Tetracycline 60%, Doxycyclin 80–90%.
- Enterale Resorption: Tetracycline 60–80%, Doxycyclin, Minocyclin 80–100%.
- Ausscheidung: renal und biliär; Tetracycline 60% renal, Doxycyclin 35% renal, Minocyclin 10% renal.

Dosierung bei Niereninsuffizienz
- Tetracycline und Minocyclin: Bei Niereninsuffizienz nicht anwenden.
  Bei Doxycyclin: keine Dosisreduktion erforderlich. Bei HD: keine Elimination, keine Zusatzdosis nach HD erforderlich.

Anmerkung
Bakteriostatische Wirkung, daher nicht geeignet bei Sepsis, Meningitis, Endokarditis. Zunahme der Resistenz bei Streptokokken, Staphylokokken und Enterobakterien (Testung erforderlich). Gute Penetration in Phagolysosomen, daher geeignet zur Therapie von Infektionen durch intrazellulär überlebensfähige Erreger, z. B. Chlamydien und Rickettsien. Bei oraler Therapie Doxycyclin oder Minocyclin anwenden, die sehr gut resorbiert werden.

Chloramphenicol

Präparat	Handelsnamen	Dosierung (Erwachsene)
Chloramphenicol	Paraxin u. a.	40–80 mg/kgKG/Tag in 3–4 Einzelgaben i.v./p.o. Maximale Gesamtdosis 25 g!

Wirkungsweise
Hemmung der bakteriellen Proteinsynthese.

Wirkungsspektrum
Streptokokken, Pneumokokken, Meningokokken, Staphylokokken, Salmonellen, Shigellen, Rickettsien, Anaerobier. Bei Enterobakterien, Haemophilus-influenzae: Testung erforderlich.

Indikationen
Systemische Anwendung nur, wenn weniger toxische Alternativen unwirksam sind, z. B. bei Meningitis, Hirnabszess, schweren intraokulären Infektionen, Rickettsiose, Brucellose, Typhus, Paratyphus.

Kontraindikationen
Schwangerschaft, Stillzeit, Perinatalperiode, Allergie, Blutbildstörungen, schwere Leberfunktionsstörungen.

Nebenwirkungen
Störungen der Hämatopoese (dosisabhängig). Bei hohen Gesamtdosen irreversible Knochenmarkaplasie (1:40.000; Mortalität >50%). Reversible Blutbildveränderungen. Gastrointestinale Beschwerden. Allergie. Gray-Syndrom bei Neugeborenen bei Dosierung >25 mg/kgKG/Tag.

Pharmakokinetische Daten
- HWZ: 1,5–4 h.
- Proteinbindung: 50–60%.
- Bioverfügbarkeit: 76–95%. Hohe Metabolisierungsrate.
- Ausscheidung: Überwiegend renal als inaktives Glukuronid.

Dosierung bei Niereninsuffizienz
Bei Niereninsuffizienz keine Dosisreduktion erforderlich.

Anmerkung
Blutbildkontrollen! Anwendung nur bei strenger Indikation (Hirnabszess, Meningitis mit resistenten Erregern, schweren intraokulären Infektionen, Typhus). Gute Penetration in Liquor und Kammerwasser. Gesamtdosis von 25 g nur bei strenger Indikation überschreiten. Nicht mit anderen potenziell hämatotoxischen Substanzen kombinieren.

Makrolide

Präparate	Handelsnamen	Dosierung (Erwachsene)
Erythromycin	Erythrocin, Paediathrocin	4-mal 0,5–1 g i.v. 4-mal 0,25–0,5 g p.o. Bei Legionellose: bis 4 g/Tag
Clarithromycin	Klacid, Cyllind	2-mal 0,25 (–0,5) g p.o.
Roxithromycin	Rulid	2-mal 0,15 g p.o.

Wirkungsweise

Hemmung der bakteriellen Proteinsynthese durch Anlagerung an 50S-Untereinheiten der Ribosomen.

Wirkungsspektrum

Streptokokken, Pneumokokken, Listerien, Treponemen, Bordetella pertussis, Mykoplasmen, Chlamydien, Campylobacter. Unterschiedlich wirksam gegen Staphylokokken, Anaerobier, Haemophilus influenzae, Enterokokken. Roxithromycin schwächer gegen H. influenzae, Streptokokken, Campylobacter.

Indikationen

Pneumonie, Legionellose, Mykoplasmen- und Chlamydieninfektionen, Keuchhusten, Campylobacterenteritis, HNO-Infektionen, Bronchitis. Ambulant erworbene Pneumonie, Alternative bei Penicillin-Allergie, z. B. bei Streptokokkenangina, Erysipel. Diphtherie, Gonorrhö, Lues. Als Kombinationstherapie bei Helicobactergastritis, Mycobacterium-avium-Infektionen.

Kontraindikationen

Allergie, Leberinsuffizienz.

Nebenwirkungen

Gastrointestinale Beschwerden (Erythromycin oral 10%, andere 1%), Allergie (Exanthem, Urtikaria). Transaminasenanstieg. Erythromycin: Phlebitis, intrahepatische Cholestase bei Erythromycin-Estolat (0,1%).

Pharmakokinetische Daten

- HWZ: Erythromycin 1,6 h, Clarithromycin 4–5 h, Roxithromycin 13 h.
- Proteinbindung: Erythromycin 45–75%, Clarithromycin 70%, Roxithromycin 95%.
- Enterale Resorption: Erythromycin 20–80%, Clarithromycin 50–55%, Roxithromycin 75%.
- Ausscheidung: Vorwiegend biliär, renal 5–15%; Clarithromycin renal 40%.

Dosierung bei Niereninsuffizienz

- Erythromycin: Bei GFR <15 ml/min 0,5–1,5 g/12 h.
  Erythromycin oral und Roxithromycin keine Dosisreduktion erforderlich.

- Clarithromycin: Bei GFR 30 ml/min halbe Dosis.
  Keine Elimination bei HD, deshalb keine zusätzliche Dosis nach HD erforderlich.

Anmerkung
Anreicherung in Phagozyten v. a. bei den neueren Präparaten; daher gut gegen intrazellulär überlebensfähige Erreger. Clarithromycin und Roxithromycin sind stabiler gegen Magensäure, werden besser resorbiert und sind oral besser verträglich als Erythromycin. Vorsicht bei Leberfunktionsstörungen! Makrolide können die Toxizität von Cyclosporin, Theophyllin, Carbamazepin verstärken. Erhöhung der Serumspiegel von Digitoxin, Phenytoin, Warfarin, Hexobarbital, Methylprednisolon. Spiramycin wird zur Behandlung der Toxoplasmose während der Schwangerschaft eingesetzt.

Azalide

Präparat	Handelsname	Dosierung (Erwachsene)
Azithromycin	Zithromax	1-mal 0,50 g/Tag p.o. für 3 Tage; oder 1-mal 500 mg, dann 1-mal 0,25 g p.o. an Tag 2–5. Bei Chlamydienurethritis 1 g als Einmaldosis

Wirkungsweise
Wie Makrolide.

Wirkungsspektrum
Wie Makrolide, stärker gegen Haemophilus influenzae, Moraxella, Legionellen, Mykoplasmen und Gonokokken als Erythroymcin, zusätzlich wirksam gegen einige Gramnegative (E. coli, Yersinien, Salmonellen, Shigellen). Schwächer wirksam gegen Staphylokokken, Streptokokken und Pneumokokken als Erythromycin.

Indikationen
Wie Makrolide.

Kontraindikationen
Wie Makrolide.

Nebenwirkungen
Wie Makrolide.

Pharmakokinetische Daten
- HWZ: Serum 11–14 h, Gewebe 2–4 Tage.
- Proteinbindung: 12–50%.
- Enterale Resorption: 37%.
- Ausscheidung: Vorwiegend biliär, 15% renal. Sehr langsame Elimination.

Dosierung bei Niereninsuffizienz
Kumulation möglich.

Anmerkung
Einmaldosis oder Kurzzeittherapie wegen hoher und anhaltender Gewebespiegel (bis zu 100-mal höher als Serumspiegel) möglich; HWZ im Gewebe 2–4 Tage, langsame Elimination. Wegen intrazellulärer Anreicherung geeignet bei Infektionen durch intrazellulär überlebensfähige Erreger. Neue Indikationen (M.-avium-Infektionen, Toxoplasmose, Kryptosporidiose) werden bei Aids-Patienten untersucht. Keine Wechselwirkung mit Carbamazepin, Theophyllin oder Terfenadin.

Lincosamide

Präparat	Handelsname	Dosierung (Erwachsene)
Clindamycin	Sobelin	3- bis 4-mal 300–600 mg (bis 3-mal 900 mg) i.v., 4-mal 150–450 mg p.o.

Wirkungsmechanismus
Hemmung der Proteinsynthese durch Bindung an 50S-Untereinheiten der Ribosomen.

Wirkungsspektrum
Staphylokokken, Streptokokken, Anaerobier.

Indikationen
Infektionen durch Staphylokokken und Anaerobier, Infektionen der Knochen und Gelenke, Osteomyelitis, Weichteilinfektionen, HNO-Infektionen, Streptokokkeninfektionen bei Penicillin-Allergie.

Kontraindikationen
Schwangerschaft, Stillzeit. Allergie, schwere Leberinsuffizienz, Störungen des Magen-Darm-Traktes, M. Crohn, Kolitis ulcerosa; Myasthenia gravis.

Nebenwirkungen
Gastrointestinale Störungen mit Durchfall (bis 20%), pseudomembranöse Kolitis (0,1–10%). Hepatotoxizität (3%), Allergie und andere Hautreaktionen (4%); Leukopenie.

Pharmakokinetische Daten
- HWZ: 2,5–3,0 h.
- Proteinbindung: 85%.
- Enterale Resorption: 90%.
- Ausscheidung: Überwiegend biliär, gering renal.

Dosierung bei Niereninsuffizienz
- Bei GFR <15 ml/min 0,3–0,6 g/8 h.
  Bei HD keine Elimination, deshalb keine zusätzliche Dosis nach HD erforderlich.

Bei eingeschränkter Leberfunktion
Dosisreduktion erforderlich.

Anmerkung
Clindamycin penetriert gut in Knochen und ist daher geeignet bei Osteomyelitis. Keine Penetration in Liquor. Vorsicht bei Diarrhö: Abklärung von pseudomembranöser Kolitis! Die pseudomembranöse Kolitis wird neben Clindamycin auch durch andere Antibiotika ausgelöst, wurde aber zuerst für diese Substanz be-

schrieben. Antagonismus mit Makroliden durch Konkurrenz um die Bindung an die 50S-Untereinheit des Ribosoms. In Kombination mit Pyrimethamin kann Clindamycin zur Behandlung der zerebralen Toxoplasmose bei Sulfonamid-Unverträglichkeit gegeben werden.

Glykopeptidantibiotika

Präparate	Handelsnamen	Dosierung (Erwachsene)
Vancomycin	Vancomycin	2-mal 1 g oder 4-mal 0,5 g i.v.
Teicoplanin	Targocid	Initial 2- bis 3-mal 400 mg i.v. dann 1-mal 400 mg i.v./Tag

Wirkungsweise
Hemmung der Bakterienzellwandsynthese.

Wirkungsspektrum
Grampositive Bakterien: Staphylokokken (auch bei Methicillin-/Oxacillinresistenz), Streptokokken, Pneumokokken, Enterokokken (bei Enterococcus faecium zunehmende Resistenzentwicklung), Korynebakterien, Cl. difficile. Weltweit jetzt vereinzelt Resistenz gegen Staphylokokken, bei Teicoplanin verminderte Empfindlichkeit gegen koagulasenegative Staphylokokken möglich.

Indikationen
Infektionen durch methicillinresistente Staphylokokken, bei grampositiven Infektionen und Penicillin-Allergie, bei Endokarditis in Kombination mit Aminoglykosid. Bei schweren Fällen von pseudomembranöser Kolitis durch Cl. difficile: orale Gabe von Vancomycin.

Kontraindikationen
Schwangerschaft, Vorschädigung des Vestibular- oder Cochlearapparates, Nierenversagen.

Nebenwirkungen
Nephrotoxisch (bei Überdosierung oder Anwendung >10 Tage), deshalb Spiegelbestimmungen notwendig. Eventuell ototoxisch. Phlebitis (13%). Allergie: Exanthem, Urtikaria, Fieber, Histaminfreisetzung bei Vancomycin (= „red man syndrome") bei zu rascher Infusion. Neutropenie (2%). Bei Teicoplanin passagerer Anstieg der Transaminasen und der alkalischen Phosphatase.

Pharmakokinetische Daten
- HWZ: Vancomycin 6 h, Teicoplanin: anfangs 50 h, bei terminaler Niereninsuffizienz bis 200 h.
- Proteinbindung: Vancomycin 10%, Teicoplanin >90%.
- Enterale Resorption: Keine Resorption bei oraler Gabe.
- Ausscheidung: Überwiegend renal.

Dosierung bei Niereninsuffizienz
- Vancomycin: Bei GFR 15–40 ml/min 0,5–1 g/24 h, bei GFR <15 ml/min 1 g/Woche. Am besten Dosierung nach Drug monitoring (s. unten) oder Beipackzettel. Bei HD keine Elimination, bei CAPD 20% Elimination. Keine zusätzliche Dosis nach HD.

- Teicoplanin: Bei GFR 15–40 ml/min 0,2 g/24 h, bei GFR <15 ml/min 0,4 g/Woche.

  Bei HD und CAPD keine Elimination. Keine zusätzliche Dosis nach HD.

Anmerkung
Reserve-Antibiotikum für schwere Staphylokokkeninfektionen, insbesondere bei Oxacillinresistenz. Therapiedauer von 14 Tagen nur in Ausnahmefällen überschreiten. Kombination mit anderen nephrotoxischen Substanzen vermeiden. Bei Teicoplanin Einmalgabe/Tag möglich. Bei Antibiotika-assoziierter Kolitis durch Clostridium difficile orale Gabe von Vancomycin (4-mal 0,125 g/Tag). Wegen der Gefahr von Resistenzentwicklung bei Enterokokken Metronidazol bevorzugen. Bei oraler Gabe keine Resorption, nur lokale Wirkung.

Drug monitoring
Um optimale Wirkstoffspiegel zu erreichen, ist bei Niereninsuffizienz eine Dosierung nach Spiegelbestimmungen erforderlich.

Talspiegel: 5–10 mg/l bei 12-h-Gabe.
Spitzenspiegel: 20–40 mg/l.

Nitroimidazole

Präparat	Handelsnamen	Dosierung (Erwachsene)
Metronidazol	Clont, Flagyl u. a.	3-mal 0,5 g i.v., 2- bis 3-mal 0,4 g p.o.

Wirkungsweise
Hemmung der Nukleinsäuresynthese von Anaerobiern und einigen Protozoen.

Wirkungsspektrum
Anaerobier (außer Aktinomyzeten, Propionibacterium acnes), Gardnerella vaginalis, Helicobacter pylori. Protozoen: Giardia lamblia, Trichomonas vaginalis, Entamoeba histolytica. Unwirksam gegen aerobe und fakultativ anaerobe Bakterien.

Indikationen
Anaerobierinfektionen. Gardnerellavaginitis, Trichomoniasis, Giardiasis, Amöbenruhr. Pseudomembranöse Kolitis. Zur Prophylaxe in der Gynäkologie und Kolonchirurgie. Als Kombinationstherapie bei Helicobactergastritis.

Kontraindikationen
Schwangerschaft 1. Trimenon, Stillzeit, Erkrankungen des ZNS und des hämatopoetischen Systems.

Nebenwirkungen
Gastrointestinale Beschwerden, Alkoholintoleranz, Geschmacksstörungen, ZNS-Störungen (Schwindel, Ataxie, Krämpfe), reversible Neutropenie, Thrombophlebitis. Allergien (selten). Rotbraune Harnverfärbung.

Pharmakokinetische Daten
- HWZ: 7–10 h.
- Proteinbindung: <10%.
- Bioverfügbarkeit: 80–85%.
- Ausscheidung: 60–80% renal, 10% biliär (Metabolisierung in der Leber).

Dosierung bei Niereninsuffizienz
- Bei GFR <15 ml/min. 0,5 g/12 h.
  Bei HD 40% Elimination., deshalb zusätzliche Dosis nach HD.

Dosisreduktion bei Leberinsuffizienz
Maximal 0,5 g/12 h i.v.

Anmerkung
Preisgünstig als Kombinationspartner mit β-Laktam-Antibiotika bei aeroben/anaeroben Mischinfektionen oder zur intraoperativen Prophylaxe in der Gynäkologie und Kolonchirurgie. Gute Penetration in Abszesse, daher geeignet bei Hirn-

abszessen. Im Langzeittierversuch evtl. kanzerogen. Kanzerogenität beim Mensch fraglich. Bei längerer Anwendung Blutbildkontrollen. Verstärkung der Wirkung von Antikoagulanzien. Bei gleichzeitiger Gabe von Disulfiram evtl. psychotische Reaktionen. Vorsicht bei schweren Leberschäden.

Bei pseudomembranöser Kolitis durch Cl. difficile: 3-mal 400–500 mg i.v. oder p.o. für 10 Tage (s. Tabelle 26-1).

Dosierung bei Protozoenerkrankungen

- Amöbenruhr: 3-mal 750 mg für 5–10 Tage (s. Kap. 8.2).

Tabelle 26-1. Chemotherapie von Protozoenerkrankungen

Erreger	Erkrankung	Präparate
Amöben		
Entamoeba histolytica	Enteritis (Amöbenruhr)	Metronidazol, Tinidazol, Nimorazol, Paromomycin, Diloxanidfuroat
	Extraintestinale Amöbiasis	Wie oben, zusätzlich Chloroquin
Naegleria fowleri	Meningitis/Enzephalitis	Amphotericin B (evtl. plus Rifampicin plus Doxycyclin)
Flagellaten		
Giardia lamblia	Giardiasis	Metronidazol, Tinidazol
Leishmania-donovani/brasiliensis-Komplex	Leishmaniose	Antimonpräparate, Pentamidin
Trichomonas vaginalis	Vaginitis	Metronidazol, Tinidazol
Trypanosoma (brucei) gambiense/rhodesiense	Schlafkrankheit	Stadium I + II: Suramin, Pentamidin, Stadium II zusätzlich Melarsoprol oder Eflornithin
Sporozoen		
Plasmodium spp.	Malaria	Akuter Anfall: (je nach Resistenz) Chloroquin, bei Resistenz Mefloquin, Halofantrin, Chinin. Extraerythrozytäre Formen: Primaquin
Toxoplasma gondii	Toxoplasmose	Pyrimethamin + Sulfadiazin. Schwangerschaft: Spiramycin
Kryptosporidien	Durchfall bei Immundefizienz	Symptomatisch, evtl. Albendazol
Isospora belli	Durchfall bei Immundefizienz	Cotrimoxazol, Pyrimethamin, Fansidar
Mikrosporidien	Durchfall bei Immundefizienz	Albendazol, Metronidazol

Fusidinsäure

Präparat	Handelsname	Dosierung (Erwachsene)
Fusidinsäure	Fucidine	1,5–2 g/Tag in 3–4 Einzeldosen als 4-stündige Infusion, 1,5 g/Tag in 3 Einzeldosen p.o.

Wirkungsweise
Bakteriostatisch durch Hemmung der bakteriellen Proteinsynthese.

Wirkungsspektrum
Staphylokokken, Gonokokken, Meningokokken, Corynebacterium diphtheriae, Clostridien.

Indikationen
Staphylokokkeninfektionen mit oxacillinresistenten Staphylokokken oder bei Penicillin-Allergie. Lokalbehandlung von Haut- und Wundinfektionen.

Kontraindikationen
Vorsicht bei Leberinsuffizienz!

Nebenwirkungen
Gastrointestinale Beschwerden (Magenschmerzen, Erbrechen), Leberfunktionsstörungen, selten Ikterus (reversibel). Bei i.v.-Injektion lokale Reizung (daher nur als Dauerinfusion).

Pharmakokinetische Daten
- HWZ: 4–6 h.
- Proteinbindung: 90–97%.
- Enterale Resorption: 30–50%.
- Ausscheidung: vorwiegend biliär, 1% renal.

Dosierung bei Niereninsuffizienz
Keine Dosisanpassung erforderlich. Bei HD keine Elimination, deshalb keine zusätzliche Dosis nach HD erforderlich.

Anmerkung
Systemische Anwendung: als Reserve-Antibiotikum in Kombination mit anderen Präparaten bei Infektionen durch oxacillinresistente Staphylokokken. Rasche Resistenzentwicklung möglich. Kontrolle von Transaminasen und Bilirubin erforderlich.

Nitrofurane

Präparat	Handelsnamen	Dosierung (Erwachsene)
Nitrofurantoin	Furadantin u. a.	Akute Infektionen: 3-mal 100 mg/Tag; Langzeittherapie: 100 mg/Tag; Rezidivprophylaxe: 50 mg/Tag abends

Wirkungsweise
Vermutlich Hemmung bakterieller Enzyme.

Wirkungsspektrum
Staphylokokken, Enterokokken, E. coli und einige andere Enterobakterien.

Indikationen
Unkomplizierte HWI, Prophylaxe von HWI.

Kontraindikationen
Schwangerschaft, Stillzeit, Kinder bis 3. Lebensmonat. Niereninsuffizienz, Allergie, Glucose-6-Phosphat-Dehydrogenase-Mangel, Hepatitis, hämolytische Anämie, Lungenfibrose, Polyneuritis.

Nebenwirkungen
Polyneuropathie, evtl. irreversibel (besonders bei Niereninsuffizienz oder Diabetes mellitus), gastrointestinale Störungen, Allergie (Hautreaktionen). Lungenveränderungen, z. B. allergisches Lungenödem, Infiltrationen, Lungenfibrosen. Hepatitis, Cholestase, Blutbildveränderungen.

Pharmakokinetische Daten
- HWZ: 0,5 h.
- Proteinbindung: 40–60%.
- Bioverfügarkeit: 80–90%.
- Ausscheidung: Renal.

Dosierung bei Niereninsuffizienz
- Bei Niereninsuffizienz nicht anwenden!

Anmerkung
Bei normaler Nierenfunktion werden ausreichend hohe Urinspiegel, aber keine ausreichenden Serum- oder Gewebespiegel erreicht. Wegen der zahlreichen Nebenwirkungen sollte die Substanz nach Möglichkeit durch besser verträgliche Antibiotika ersetzt werden. Regelmäßige Blutbildkontrollen erforderlich.

Pristinamycinderivate (Streptogramine)

Präparat	Handelsname	Dosierung (Erwachsene)
Quinupristin/Dalfopristin	Synercid	7,5 mg/kgKG alle 8 h über ZVK in 5%ige Glukose über 60 min

Wirkungsweise
Störung der Petidkettenbildung durch Bindung an 50S-Untereinheit der Ribosomen.

Wirkungsspektrum
Grampositive Kokken inkl. methicillinresistente Staphylococcus aureus (MRSA), vancomycinresistente Enterokokken (VRE), penicillinresistente Pneumokokken. Außerdem Moraxella catarrhalis, Legionellen, Mykoplasmen und einige Anaerobier (außer B. fragilis).

Indikationen
Infektionen mit multiresistenten grampositiven Kokken, z. B. MRSA, VRE, die sonst nicht mehr behandelbar sind.

Nebenwirkungen
Stark phlebotoxisch, deshalb Verdünnung der Einzeldosis mit wenigstens 250 ml 5%iger Glukose. Juckreiz, Brennen, Erythem obere Körperhälfte, Übelkeit, Erbrechen, Anstieg von Transaminasen und alkalischer Phosphatase.

Pharmakokinetische Daten
- HWZ: Quinupristin 1 h, Dalfopristin 0,5–1 h.
- Proteinbindung: Quinupristin 82%, Dalfopristin 48%.
- Ausscheidung: Überwiegend extrarenal. Genaue Metabolisierung unbekannt.

Anmerkung
Ultima ratio bei sonst nicht mehr therapierbaren Infektionen mit multiresistenten grampostiven Kokken. Wegen der Venenreizung muss Synercid über einen zentralen Venenkatheter verabreicht werden in 5%iger Glukoselösung. Nach Infusionsende muss die Vene mit 5%iger Glukoselösung gespült werden.

Oxazolidinone/Linezolid

Präparat	Handelsname	Dosierung (Erwachsene)
Linezolid	(Noch nicht im Handel)	

Wirkungsweise
Hemmung der Proteinsynthese durch Bindung an die 50S-Untereinheit des Ribosoms.

Wirkungsspektrum
Grampositive Keime inklusive multiresistente, gegen Glykopeptide resistente Bakterien, z. B. methicillinresistente Staphylokokken, VISA, VRSA, vancomycinresistente Enterokokken, penicillinresistente Pneumokokken.

Indikationen
Infektionen mit multiresistenten Erregern, die gegen andere Antibiotika resistent sind.

Pharmakokinetische Daten
- HWZ: 5–7 h.
- Proteinbindung: 31%.
- Bioverfügbarkeit: 100%.
- Ausscheidung: 20–30% renal.

Anmerkung
Oxazolidinone sind Antibiotika einer neuen Klasse, die keine Kreuzresistenz mit anderen Antibiotika aufweist. Sie sind daher geeignet zur Therapie von multiresistenten grampositiven Erregern. Bisher gibt es keinen Hinweis auf eine schnelle In-vitro-Resistenzentwicklung. Eine orale und parenterale Applikation ist möglich. Da das Präparat zurzeit erst in der klinischen Prüfung ist, fehlen noch genauere Angaben zu Nebenwirkungen. In USA zugelassen.

Antibiotika zur Lokaltherapie

Mupirocin

Präparat	Handelsname	Dosierung (Erwachsene)
Mupirocin	Turixin Nasensalbe 2%	2- bis 3-mal tgl. kleine Menge in jedem Nasenloch verteilen

Wirkungsweise
Hemmung der bakteriellen Proteinsynthese.

Wirkungsspektrum
Staphylokokken, Pneumokokken, einige Streptokokken, Gonokokken, Meningokokken, Haemophilus influenzae. Nur topisch anwendbar.

Indikationen
Elimination von MRSA bei Trägern aus der Nasenschleimhaut (Krankenhauspersonal oder besiedelte Patienten).

Kontraindikationen
Säuglinge (Aspirationsgefahr), Anwendung am Auge.

Nebenwirkungen
Leichtes Jucken, Brennen, Prickeln in der Nase. Selten Überempfindlichkeitsreaktionen.

Pharmakokinetische Daten
- HWZ: 0,5 h.

Anmerkung
Nur topische Anwendung. Wird nicht von der Schleimhaut resorbiert (Resorption <1%). Geringe Beeinflussung anderer Nasen-Rachen-Florakeime. In Ländern mit häufiger Anwendung (England, Kanada) wurden Resistenzentwicklungen beschrieben.

Polymyxin B und E (= Colistin)

Präparate	Handelsnamen	Dosierung (Erwachsene)
Polymyxin B	Polymyxin B	Zur Darmdekontamination: 3- bis 4-mal tgl. 100 mg p.o.
Polymyxin E	Colistin, Polymyxin E	Aerosoltherapie:2 ml einer Lösung (2–10 mg/ml) 6- bis 8-mal pro Tag vernebeln

Wirkungsweise
Störung der Integrität der Zytoplasmamembran.

Wirkungsspektrum
Enterobakterien, Pseudomonaden, Haemophilus influenzae. Keine Wirkung gegen Grampositive.

Indikationen
Lokaltherapie bei Infektionen durch gramnegative Stäbchen in der Ophthalmologie und Dermatologie. Orale Gabe bei selektiver Darmdekontamination. Colistin zur Aerosoltherapie bei Mukoviszidose.

Kontraindikationen
Schwangerschaft, Stillzeit, Niereninsuffizienz, Allergie.

Nebenwirkungen
Bei parenteraler Gabe Neuro- und Nephrotoxizität. Bei Aerosoltherapie Gefahr von Bronchospasmen.

Anmerkung
Wegen der Toxizität nur noch zur Lokaltherapie verwenden. Bei oraler Gabe keine Resorption. Bei Aerosoltherapie geringe Serumkonzentrationen. Bei Entzündung der Darmschleimhaut/Geschwüren sind resorptive Vergiftungen möglich.

Neomycin

Präparat	Handelsnamen	Dosierung (Erwachsene)
Neomycin	Bykomycin, Nebacetin	Darmdekontamination: 2–4 g p.o. in 4–6 Einzelgaben

Wirkungsweise
Hemmung der bakteriellen Proteinsynthese (wie Aminoglykoside).

Wirkungsspektrum
Enterobakterien, Pseudomonaden, Staphylokokken.

Indikationen
Lokale Anwendung als Salbe, Puder, Spray, Lösung; Augen- und Ohrentropfen bei oberflächlichen Haut- und Schleimhautinfektionen. Zur Darmsanierung bei Darmoperationen, Leukämie oder Leberkoma.

Kontraindikationen
Allergie. Entzündliche oder ulzerierende gastrointestinale Erkrankungen.

Nebenwirkungen
Allergie (Kontaktdermatitis).

Anmerkung
Bei Resorption aus großen Wundflächen oder Darmgeschwüren Gefahr von resorptiven Vergiftungen.

26.2 Antituberkulotika

Rifampicin

Präparat	Handelsnamen	Dosierung (Erwachsene)
Rifampicin	Rifa, Eremfat	1-mal10 mg/kgKG/Tag i.v./p.o.

Wirkungsweise
Hemmung der bakteriellen RNA-Polymerase.

Wirkungsspektrum
Staphylokokken (auch oxacillinresistente), Streptokokken, Pneumokokken, Enterokokken, Gonokokken, Meningokokken, Brucellen, Mycobacterium tuberculosis und atypische Mykobakterien (M. kansasii, M. avium intracellulare, M. marinum), Mycobacterium leprae. Legionellen, Chlamydien, Bartonella sp.

Indikationen
Zur Kombinationstherapie bei Tuberkulose und einigen atypischen Mykobakteriosen. Lepra. Legionellose. Infektionen durch oxacillinresistente Staphylokkken oder penicillinresistente Pneumokokken. Expositionsprophylaxe bei Meningokokken oder Hämophilusmeningitis.

Kontraindikationen
Schwere Leberschäden, Ikterus, Hepatitis, Schwangerschaft, Stillzeit, Früh- und Neugeborene <2 Monaten.

Nebenwirkungen
Transaminasenanstieg (5–20%), Ikterus, Hepatitis. Selten gastrointestinale Beschwerden, Nephritis, allergische Hautreaktionen, hämolytische Anämie. Reversible Neutropenie, Thrombozytopenie (1%). ZNS-Störungen. Rotfärbung von Speichel, Urin, Tränen.

Pharmakokinetische Daten
- HWZ: Anfangs 2,5–5 h, später durch Enzyminduktion 2–3 h.
- Proteinbindung: 75–80%.
- Enterale Resorption: >95%.
- Ausscheidung: Renal 30%, biliär 40%.

Dosierung bei Niereninsuffizienz
- Keine Dosisreduktion erforderlich. Keine Elimination bei HD.

Anmerkung
Mittel der 1. Wahl zur Kombinationstherapie bei Tuberkulose. Während der Therapie Leberfunktions- und Blutbildkontrollen, keine anderen hepatotoxischen Substanzen. Expositionsprophylaxe bei Meningokokken (Erwachsene 2-mal 10 mg/kg für 4 Tage). Gute Gewebepenetration. Anreicherung in Phagozyten.

Rifabutin

Präparat	Handelsname	Dosierung (Erwachsene)
Rifabutin	Mycobutin	1-mal 300–450 mg p.o.

Wirkungsweise
Hemmung der bakteriellen RNA-Polymerase.

Wirkungsspektrum
Mycobacterium tuberculosis, M. marinum, M. kansasii, M. leprae. Grampositive Kokken, Legionellen, Gonokokken.

Indikationen
Zur Kombinationstherapie bei Tuberkulose und atypischen Mykobakteriosen.

Kontraindikationen
Schwere Leberschäden, Ikterus, Schwangerschaft, Stillzeit, Allergie.

Nebenwirkungen
Wie Rifampicin.

Pharmakokinetische Daten
- HWZ: 35–45 h (Bereich 16–69 h).
- Proteinbindung: 90–95%.
- Enterale Resorption: 12–20% (Bereich 3–42%).
- Ausscheidung: Renal und fäkal.

Dosierung bei Niereninsuffizienz
- Bei GFR <30 ml/min kann die Hälfte der üblichen Dosis gegeben werden. Keine Elimination bei HD. Keine zusätzliche Dosis nach HD erforderlich.

Anmerkung
Ein dem Rifampicin verwandtes Präparat mit höherer In-vitro Aktivität gegen M. tuberculosis und einige atypische Mykobakterien. Etwa 25% der rifampicinresistenten Stämme sind sensibel gegen Rifabutin. Bei Therapie von multiresistenten Mykobakterienstämmen Dosierungen von 450–600 mg/Tag erforderlich. Bei gleichzeitiger Gabe verminderte Wirkung von oralen Antikoagulanzien, hormonellen Kontrazeptiva, β-Blockern, Digitoxin. Fluconazol und Clarithromycin erhöhen die Serumspiegel von Rifabutin.

Isoniazid (Isonicotinsäurehydrazid = INH)

Präparat	Handelsnamen	Dosierung (Erwachsene)
Isoniazid (INH)	Isozid, Tebesium	1-mal 5 (bis 10) mg/kgKG/Tag p.o., i.v.

Wirkungsweise
Hemmung der bakteriellen Nukleinsäure- und Mykolsäuresynthese.

Wirkungsspektrum
Mycobacterium tuberculosis (primäre Resistenz 1–4%), M. kansasii.

Indikationen
Pulmonale und extrapulmonale Tuberkulose. Chemoprophylaxe bei Tbc-gefährdeten Kindern und Aids-Patienten.

Kontraindikationen
Psychosen, Epilepsie, akutes Leberversagen, Hepatitis, Störungen der Hämatopoese. Vorsicht bei terminaler Niereninsuffizienz.

Nebenwirkungen
Störungen des ZNS (10%, Schwindel, Kopfschmerzen, Psychosen, Benommenheit). Periphere Neuropathie. Transaminasenanstieg. Hepatitis (1%). Magen-Darm-Störungen (5%). Allergie.

Pharmakokinetische Daten
- HWZ: 1–3 h.
- Proteinbindung: 20–30%.
- Enterale Resorption: 80–100%.
- Ausscheidung: Vorwiegend renal (Metabolisierung 50–90%).

Dosierung bei Niereninsuffizienz
- Keine Dosisreduktion erforderlich.
  Bei HD 67% Elimination, deshalb zusätzliche Dosis nach HD erforderlich.

Anmerkung
Hohe Wirksamkeit gegen M. tuberculosis. Mittel der 1. Wahl zur Kombinationstherapie bei Tbc. Gute Liquorspiegel (25% des Serumspiegels), daher geeignet zur Therapie und Prophylaxe der tuberkulösen Meningitis. Kontrollen von Leberfunktion, Blutbild und neurologischem Status erforderlich. Neurotoxizität kann durch Gabe von Vitamin B_6 vermindert werden. Verminderte Alkoholtoleranz. Bei Hepatitis Präparat absetzen.

Ethambutol (EMB)

Präparat	Handelsnamen	Dosierung (Erwachsene)
Ethambutol	Myambutol u. a.	1-mal 25 mg/kgKG/Tag für 8 Wochen, dann 15 mg/kgKG/Tag oder 50 mg/kgKG/Tag 2-mal pro Woche p.o./i.v.

Wirkungsweise
Wahrscheinlich Hemmung der ribosomalen RNA-Synthese.

Wirkungsspektrum
Mycobacterium tuberculosis, M. kansasii, M. avium intracellulare.

Indikationen
Kombinationstherapie bei Infektionen durch Mykobakterien.

Kontraindikationen
Vorschädigung des N. opticus.

Nebenwirkungen
Reversible retrobulbäre Neuritis (dosisabhängig, >25 mg/kgKG/Tag), periphere Neuropathie, Allergie, ZNS-Störungen, gastrointestinale Beschwerden.

Pharmakokinetische Daten
- HWZ: 4–6 h.
- Proteinbindung: 40%.
- Enterale Resorption: 80%.
- Ausscheidung: 70–80% renal (Metabolisierung 8–15%), 20% Fäzes.

Dosierung bei Niereninsuffizienz
- Bei GFR 15–40 ml/min maximal 10 mg/kgKG/24 h, bei GFR <15 ml/min 7,5 mg/kgKG/24 h.
  Bei HD 12% Elimination, bei CAPD keine Elimination.

Anmerkung
Zur Kombinationstherapie der Tuberkulose geeignet zusammen mit anderen Tuberkulostatika. Bei Monotherapie rasche Resistenzentwicklung. Ophthalmologische Kontrollen erforderlich. Gute Gewebepenetration. Im Liquor 50% der Serumkonzentrationen.

Streptomycin

Präparat	Handelsnamen	Dosierung (Erwachsene)
Streptomycin	Strepto-Fatol, Streptomycin-Grünenthal	15 mg/kgKG/Tag (Durchschnitt 1 g/Tag) für 2–8 Wochen, dann 20 mg/kgKG 2-mal/Woche i.v., i.m.

Wirkungsweise
Hemmung der Proteinsynthese.

Wirkungsspektrum
Mycobacterium tuberculosis, M. leprae, Brucellen, Yersinia pestis, Francisella tularensis, Staphylokokken, Streptokokken.

Indikationen
Kombinationstherapie bei Infektionen durch Mykobakterien. Brucellose, Lepra, Tularämie.

Kontraindikationen
Vorschädigung des Vestibular- und Cochleaapparates, terminale Niereninsuffizienz, Schwangerschaft.

Nebenwirkungen
Ototoxizität, Nephrotoxizität. Allergie (Exanthem, Fieber), Parästhesien, Schwindel, Sehstörungen, selten Blutbildveränderungen.

Pharmakokinetische Daten
- HWZ: 2,5 h.
- Proteinbindung: 30%.
- Enterale Resorption: Minimal.
- Ausscheidung: Renal, keine Metabolisierung.

Dosierung bei Niereninsuffizienz
- Bei GFR 15–40 ml/min 8 mg/kgKG/48 h, bei GFR <15 ml/min 8 mg/kgKG/96 h. Bei HD 25% Elimination, deshalb zusätzliche Dosis nach HD.

Anmerkung
Mittel der 1. Wahl zur Kombinationstherapie bei Tbc. Primärresistenz bei M. tuberculosis 2–30%, bei Monotherapie rasche Resistenzentwicklung. Regelmäßige Gehörprüfung erforderlich. Bei Patienten >55 Jahre möglichst nicht anwenden. Bei Niereninsuffizienz Spiegelkontrollen erforderlich (Spitzenspiegel 20–50 mg/l).

Pyrazinamid (PZA)

Präparat	Handelsnamen	Dosierung (Erwachsene)
Pyrazinamid	Pyrafat, Pyrazinamid Lederle u. a.	1-mal 20–35 mg/kgKG/Tag (maximal 2 g/Tag) oder 50 mg/kgKG 2-mal/Woche p.o.

Wirkungsweise
Nicht bekannt.

Wirkungsspektrum
Mycobacterium tuberculosis.

Indikationen
Kombinationstherapie bei Tbc.

Kontraindikationen
Gicht, Nierenfunktionsstörungen, erhöhte Harnsäurespiegel, schwere Leberfunktionsstörungen. Bei Schwangerschaft strenge Indikation.

Nebenwirkungen
Gastrointestinale Beschwerden (Erbrechen, Anorexie), Hepatotoxizität (Transaminasenanstieg, Hepatitis). Hyperurikämie mit Gichtanfällen. Arthralgien. Allergische Hautreaktionen, Photosensibilisierung.

Pharmakokinetische Daten
- HWZ: 6 h.
- Proteinbindung: 50%.
- Enterale Resorption: >80%.
- Ausscheidung: Renal, Metabolisierung >70%.

Dosierung bei Niereninsuffizienz
Bei GFR <15 ml/min maximal 15 mg/kgKG/24 h.

Bei HD 55% Elimination, deshalb zusätzliche Dosis nach HD erforderlich.

Anmerkung
Mittel der 1. Wahl zur Kombinationstherapie bei Tbc. Gute Penetration in Gewebe und Liquor. Kontrolle von Transaminasen und Harnsäure während der Therapie.

Prothionamid (PTH)

Präparat	Handelsnamen	Dosierung (Erwachsene)
Prothionamid	Peteha, Ektebin	3- bis 4-mal 250 mg p.o.

Wirkungsweise
Wahrscheinlich wie Isoniazid.

Wirkungsspektrum
Mycobacterium tuberculosis, M. kansasii.

Indikationen
Kombinationstherapie bei Infektionen durch Mykobakterien.

Kontraindikationen
Schwere Leberfunktionsstörungen, Psychosen, Schwangerschaft im 1. Trimenon

Nebenwirkungen
Gastrointestinale Beschwerden, Hepatotoxizität (Transaminasenanstieg, Hepatitis). Neurotoxizität (Kopfschmerzen, Schwindel, periphere Neuropathie), Psychosen. Photodermatitis. Neutropenie.

Pharmakokinetische Daten
- HWZ: 2–4 h.
- Proteinbindung: 10%.
- Enterale Resorption: 80%.
- Ausscheidung: Renal, Metabolisierung >95%.

Dosierung bei Niereninsuffizienz
- Keine Dosisreduktion erforderlich. Elimination bei HD.

Anmerkung
Reserve-Tuberkulostatikum mit hoher Nebenwirkungsrate. Vorwiegend für Patienten mit INH-resistenter Tbc. Rasche Resistenzentwicklung während der Therapie. Gute Gewebepenetration. Im Liquor 30–60% der Serumkonzentrationen. Bei gleichzeitiger Gabe von INH um 70% höhere Prothionamid-Serumspiegel.

Dapson

Präparat	Handelsnamen	Dosierung (Erwachsene)
Dapson	Dapson-Fatol	1-mal 100 mg p.o.

Wirkungsweise
Hemmung der Folsäuresynthese von M. leprae.

Wirkungsspektrum
Mycobacterium leprae, M. tuberculosis.

Indikationen
Lepra.

Kontraindikationen
Schwangerschaft, Stillzeit, ausgeprägte Anämie, Glucose-6-Phosphat-Dehydrogenase-Mangel.

Nebenwirkungen
Hämolytische Anämie (besonders bei Glucose-6-Phosphat-Dehydrogenase-Mangel), Methämoglobinämie, gastrointestinale Beschwerden, Polyneuropathie, Allergie, Leberfunktionsstörungen.

Pharmakokinetische Daten
- HWZ: 20–30 h.
- Proteinbindung: 50%.
- Enterale Resorption: >90%.
- Ausscheidung: 80% renal, Metabolisierung 70–80%, teilweise biliäre Exkretion mit erheblicher Rückresorption im Darm.

Anmerkung
Mittel der Wahl bei Lepra in Kombination mit Rifampicin und evtl. Clofazimin. Intrazelluläre Anreicherung. In Kombination mit Trimethoprim zur Therapie und Prophylaxe von Pneumocystis-carinii-Pneumonie. Bei Kombination mit Rifampicin Verminderung des Dapson-Serumspiegels, bei Kombination mit Trimethoprim Erhöhung der Blutspiegel.

26.3 Antimykotika

Amphotericin B

Präparate	Handelsnamen	Dosierung (Erwachsene)
Amphotericin B	Amphotericin B	Initial 0,1–0,25 mg/kgKG/Tag Steigerung möglichst auf 1 mg/kgKG/Tag i.v.; Infusion über 3–4 h in 5%iger Glukose
Liposomales Amphotericin B	AmBisome	1–3 mg/kgKG/Tag (bis 5 mg/kgKG/Tag) i.v.

Wirkungsweise
Bindung an Ergosterol der Pilze mit Bildung transmembranöser Poren und Austritt intrazellulärer Bestandteile.

Wirkungsspektrum
Candida, Torulopsis, Kryptokokken, Aspergillus, Histoplasma, Coccidioides, Paracoccidioides, Blastomyces, Sporothrix, Mucor. Protozoen: Entamoeba sp., Naegleria fowleri. Unwirksam bei Scedosporium (Pseudallescheria).

Indikationen
Systemische Pilzinfektionen. Liposomales Amphotericin B: Bei schlechter Nierenfunktion.

Kontraindikationen
Schwere Leber- und Nierenfunktionsstörungen. Unverträglichkeit von Amphotericin B. Strenge Indikation bei Schwangerschaft und Stillzeit.

Nebenwirkungen
Nephrotoxisch (meist reversibel), hepatotoxisch, Elektrolytveränderungen (Hyperkaliurie, Hypokaliämie), Fieber, Schüttelfrost, Erbrechen, Thrombophlebitis, Blutbildveränderungen (Neutropenie, Thrombozytopenie, Anämie), Herzrhythmusstörungen. Allergie.

Pharmakokinetische Daten
- HWZ: 20–24 h (terminale HWZ 15 Tage).
- Proteinbindung: >90%.
- Ausscheidung: 10–20% Galle, 1–5% renal.

Dosierung bei Niereninsuffizienz
- Keine Dosisreduktion erforderlich. Keine Elimination bei HD. Keine zusätzliche Dosis nach HD erforderlich.

Anmerkung
„Golden standard" bei lebensbedrohlichen systemischen Pilzinfektionen. Schlechte Verträglichkeit. Hohes Verteilungsvolumen. Serumspiegel niedrig, repräsentieren nicht die Gewebespiegel. Durch Diuretika wird die Nephrotoxizität verstärkt, durch NaCl und Glukose vermindert. Zur Blasenspülung 50 mg/l. Niedrige Konzentrationen in ZNS, Augen, Nieren, Synovialflüssigkeit. Synergistische Wirkung bei Kombination mit 5-Flucytosin.

Liposomales Amphotericin B ist teuer, aber weniger toxisch und kann höher dosiert werden. Daher werden vielerorts selbsthergestellte Amphotericin-Lösungen in Fettemulsion verwendet, z. B. 1 mg/kgKG Amphotericin B in 250 ml Lipovenös als 2-h-Infusion applizieren.

Kombination mit anderen nephrotoxischen Substanzen meiden.

5-Flucytosin

Präparat	Handelsnamen	Dosierung (Erwachsene)
5-Flucytosin	Ancotil	100–150 mg/kgKG in 4 Dosen i.v.

Wirkungsweise
Als Antimetabolit des Zytosins Störung der DNA-Synthese.

Wirkungsspektrum
Candida (Resistenz möglich, Testung erforderlich), Kryptokokken, Aspergillus fumigatus.

Indikationen
Zur Kombinationstherapie mit Amphotericin B bei systemischen Mykosen durch Candida, Kryptokokken, Aspergillus.

Kontraindikationen
Schwere Leberschäden. Überempfindlichkeit gegen 5-Flucytosin. Schwangerschaft.

Nebenwirkungen
Blutbildveränderungen (20–30%, Anämie, Neutropenie Thrombozytopenie), besonders bei Serumspiegel >100 μg/ml, meist reversibel. Anstieg der Transaminasen. Gastrointestinale Störungen (6%). Exantheme.

Pharmakokinetische Daten
- HWZ: 3–5 h.
- Proteinbindung: Gering.
- Bioverfügbarkeit: 80%.
- Ausscheidung: 90% renal.

Dosierung bei Niereninsuffizienz
- Bei GFR 15–40 ml/min 2,5 g/24 h, bei GFR <15 ml/min 2 g/48 h.
  Bei HD/CAPD: Elimination, daher zusätzliche Dosis nach HD.

Anmerkung
Kombinationspartner von Amphotericin B bei schweren systemischen Pilzinfektionen. Getrennte Verabreichung von Amphotericin B und 5-Flucytosin. In Liquor 60–80% der Serumkonzentration. Primärresistenz und Resistenzentwicklung bei Candida häufig (20–40%), daher nicht als Monotherapie anwenden. Regelmäßige Blutbild- und Leberenzymkontrollen.

Triazolderivate

Präparate	Handelsnamen	Dosierung (Erwachsene)
Fluconazol	Diflucan, Fungata	1-mal 200–400 (–800) mg/Tag i.v./p.o.
Itraconazol	Sempera	1- bis 2-mal 200 mg p.o. nach dem Essen

Wirkungsweise
Hemmung der Ergosterolsynthese von Pilzen.

Wirkungsspektrum
Fluconazol: Candida, Kryptokokken. Eingeschränkt wirksam gegen C. glabrata, unwirksam bei C. krusei. Itraconazol: zusätzlich wirksam gegen Aspergillus, Microsporon canis, Sporothrix, Trichophyton.

Indikationen
Therapie von System- und Schleimhautmykosen durch Candida. Prophylaxe von Pilzinfektionen bei abwehrgeschwächten Patienten. Fluconazol: Kryptokokkenmeningitis. Itraconazol: leichte Aspergillusinfektionen.

Kontraindikationen
Schwangerschaft und Stillzeit, schwere Leberfunktionsstörungen. Fluconazol: Kinder < 1 Jahr, Itraconazol < 18 Jahren.

Nebenwirkungen
Anstieg der Leberenzyme (3–10%, reversibel), gastrointestinale Störungen (3–10%), Allergie (Exantheme), Kopfschmerzen.

Pharmakokinetische Daten
- HWZ: Fluconazol 20–35 h, Itraconazol 24–36 h.
- Proteinbindung: Fluconazol 11%, Itraconazol >95%.
- Bioverfügbarkeit: Fluconazol >90%, Itraconazol 55%.
- Ausscheidung: Fluconazol >80% renal, Itraconazol 35%.

Dosierung bei Niereninsuffizienz
- Fluconazol: Bei GFR 15–40 ml/min 0,2 g/24 h, bei GFR <15 ml/min 0,2 g/48 h. Bei HD/CAPD: Elimination, deshalb zusätzliche Dosis nach HD.
- Itraconazol: Bei HD/CAPD keine Elimination.

Anmerkung
Die Triazolderivate sind in vielen Fällen die besser verträgliche Alternative zu Amphotericin B. Fluconazol: Bei schweren Infektionen Dosierung 400–800 mg/Tag. Fluconazol ist gut liquorgängig (50–90% der Plasmakonzentration), geeignet zur Dauerprophylaxe bei Immunsuppression nach systemischer Kryptokokkeninfektion. Bei rezidivierenden vaginalen Mykosen: Einmalgabe von Fluconazol oral (150 mg).

Itraconazol ist nur oral anwendbar, die Resorption ist nüchtern um 30% eingeschränkt. Itraconazol ist nicht liquorgängig. Verzögerte Elimination von Cyclosporin (Dosisanpassung).

Ältere Azolderivate

Präparate	Handelsnamen	Dosierung (Erwachsene)
Ketoconazol	Nizoral, Terzolin	1-mal 200–400 mg p.o.
Miconazol	Daktar	topische Anwendung
Clotrimazol	Canesten, Mykofungin	Nur lokal (1%ige Zubereitung)

Wirkungsweise
Hemmung der Ergosterolsynthese, Strukturveränderungen der Zytoplasmamembran mit Austritt von Zellbestandteilen.

Wirkungsspektrum
Candida (außer C. krusei, C. glabrata), Blastomyces, Dermatophyten, Trichosporon, Scedosporium.

Indikationen
Lokalbehandlung von Schleimhautmykosen. Ketoconazol: Haut-, Schleimhaut- und Haarmykosen. Miconazol: zusätzlich Infektionen durch Pseudallescheria.

Kontraindikationen
Schwangerschaft, Stillzeit, Leberfunktionsstörungen.

Nebenwirkungen
Ketoconazol: Anstieg der Leberenzyme, gastrointestinale Störungen, Allergie, Pruritus, Phlebitis. Leberschädigung mit Hepatitis. Dosisabhängige Hemmung der Testosteron- und Kortisolsynthese (Impotenz, Gynäkomastie).

Pharmakokinetische Daten
- HWZ: Ketoconazol 7–10 h.
- Proteinbindung: Ketoconazol 84%.
- Enterale Resorption: Ketoconazol: ausreichende Resorption nur bei niedrigem Magensaft-pH-Wert.
- Ausscheidung: renal und biliär.

Dosierung bei Niereninsuffizienz
- Keine Dosisreduktion erforderlich. Bei HD keine Elimination. Keine zusätzliche Dosis nach HD.

Anmerkung
Zur Therapie systemischer Mykosen sollten die besser verträglichen und wirksameren neueren Azolderivate (Fluconazol, Itraconazol) verwendet werden. Miconazol: nur noch zur lokalen Therapie angezeigt.

26.4 Antivirale Chemotherapie

Siehe auch Tabelle 26-2.

Aciclovir und andere Purinnukleoside

Präparate	Handelsnamen	Dosierung (Erwachsene)
Aciclovir	Zovirax, Aciclovir, Acic u. a.	i.v.: 3-mal 5 mg/kgKG i.v. bei Herpes genitalis und Herpes zoster (1 h Infusion); bei Herpesenzephalitis und Herpes neonatorum 3-mal 10 mg/kgKG oral: bei HSV-Infektionen 5-mal 200 mg/Tag p.o, bei Herpes zoster 5-mal 800 mg p.o.
Famciclovir	Famvir	2- bis 3-mal 125–250 mg p.o.
Valaciclovir	Valtrex	2- bis 3-mal 0,5–1 g p.o.

Wirkungsweise
Hemmung der viralen DNA-Polymerase mit der Folge des DNA-Kettenabbruchs.

Wirkungsspektrum
Herpes-simplex-Virus 1 und 2, bei höherer Dosierung auch gegen Varizella-zoster-Virus. Famciclovir auch HBV.

Indikationen
- Aciclovir i.v.: Bei mukokutanen HSV-Infektionen bei Immunsuppression. HSV-Enzephalitis (3-mal 10 mg/kgKG), Varizellen und Zoster bei Immunsuppression, Herpes simplex bei Neugeborenen. Aciclovir oral bei Herpes genitalis, in der Akutphase der Gürtelrose, zur Prophylaxe von HSV. Topisch: Bei Herpeskeratitis, Herpes genitalis, Herpes labialis.
- Famciclovir, Valaciclovir: Unkomplizierter Herpes zoster (Gürtelrose), Herpes genitalis.

Kontraindikationen
Gravidität, Stillzeit. Allergie. Famciclovir: Kinder und Jugendliche <18 Jahre.

Nebenwirkungen
Bei systemischer Anwendung von Aciclovir lokale Irritation an der Infusionsstelle. Bei Langzeittherapie: Neurologische Störungen (Kopfschmerzen, Schwindel). Gastrointestinale Störungen 1–2%, Anstieg von Kreatinin und Harnstoff. Selten Hautausschlag. Gewebeschäden bei paravenöser Injektion. Famciclovir, Valaciclovir: Kopfschmerzen, Übelkeit, Müdigkeit.

Pharmakokinetische Daten
- HWZ: Aciclovir, Famciclovir 2 h, Valaciclovir 2,5–3 h.
- Proteinbindung: Aciclovir 15%, Famciclovir 20%.

- Bioverfügbarkeit: Aciclovir 15–30%, Famciclovir 77%, Valaciclovir 55%.
- Ausscheidung: Vorwiegend renal.

Dosierung bei Niereninsuffizienz

- Aciclovir: Bei GFR 15–40 ml/min 5–7,5 mg/kgKG/12 h, bei GFR <15 ml/min 5–7,5 mg/kgKG/24 h.
  HD 45% Elimination. Daher Zusatzdosis nach HD.
- Famciclovir: Bei GFR <30 ml/min 1-mal 250 mg/Tag.

Anmerkung

Aciclovir: i.v.-Infusionen stets über 1 h. Auf ausreichende Flüssigkeitszufuhr achten (auf 1 g Aciclovir 500 ml Infusionslösung), sonst Kristallbildung in Nierentubuli. Famciclovir und Valaciclovir: Bessere Bioverfügbarkeit als Aciclovir. Valaciclovir ist eine Vorstufe von Aciclovir, es wird besser resorbiert und in aktives Aciclovir umgewandelt. Famciclovir ist ein Prodrug, das erst zum aktiven Penciclovir metabolisiert wird. Es ist geeignet zur Frühtherapie bei akutem Herpes zoster, es verkürzt postherpetische Neuralgien.

Tabelle 26-2. Humanpathogene Viren und ihre Therapie

Viren	Chemotherapeutikum	Alternative
CMV (Zytomegalievirus)	Ganciclovir	Foscarnet, Cidofovir
HSV (Herpes-simplex-Viren)	Aciclovir	Famciclovir, Valaciclovir
HBV (Hepatitis-B-Virus)	α-Interferon	Lamivudin
HCV (Hepatitis-C-Virus)	α-Interferon plus Ribavirin	
HIV (humanes Immundefizienzvirus)	Antiretrovirale Kombinationstherapie (s. Kap. 19.4)	
Influenzavirus	Amantadin	Neuraminidasehemmer (z. B. Zanamivir)
RSV („respiratory syncytial virus")	Ribavirin	
Lassafiebervirus	Ribavirin	

Ganciclovir

Präparat	Handelsnamen	Dosierung (Erwachsene)
Ganciclovir	Cymeven	Initial 2-mal 5 mg/kgKG (1 h Infusion) i.v. Suppressionstherapie: 3-mal 1 g p.o.; 5 mg/kg i.v.

Wirkungsweise
Hemmung der viralen DNA-Polymerase.

Wirkungsspektrum
CMV.

Indikationen
Lebensbedrohliche CMV-Infektionen, CMV-Retinitis, CMV-Pneumonie bei Immunsuppression. Prophylaxe von CMV-Infektionen bei Immunsuppression.

Kontraindikationen
Gravidität und Stillzeit. Neutropenie <500 Zellen/μl, Thrombozytopenie <25000/μl. Allergie.

Nebenwirkungen
Bei 25–50% Neutropenie, Thrombozytopenie. ZNS-Störungen (5–15%, Schwindel, Verwirrtheit, Krämpfe, Psychosen), Thrombophlebitis, Anstieg Leberenzyme, Bilirubin, Fieber, Tachykardie, Übelkeit, Erbrechen.

Pharmakokinetische Daten
- HWZ: 1,5–4 h.
- Proteinbindung: 1–2%.
- Bioverfügbarkeit: 3–7%.
- Ausscheidung: 95% renal.

Dosierung bei Niereninsuffizienz
- Bei GFR 15–40 ml/min 3 mg/kgKG/24 h, bei GFR <15 ml/min 1,5 mg/24 h. Bei HD 55% Elimination, daher Zusatzdosis nach HD.

Anmerkung
Strenge Indikationsstellung. i.v.-Infusionen stets über 1 h. Gute Erfolge bei CMV-Retinitis, weniger gut bei CMV-Pneumonie; bei Pneumonie evtl. zusätzlich Immunglobuline erwägen. Im Tierversuch Hinweis auf embryotoxische und teratogene Wirkung, Verdacht auf karzinogene Wirkung. Kombination mit Zidovudin erhöht das Risiko hämatologischer Nebenwirkungen. Bei Kombination mit Imipenem/Cilastatin erhöhte Krampfanfälligkeit.

Ribavirin

Präparat	Handelsnamen	Dosierung (Erwachsene)
Ribavirin	Virazol, Rebetol	Aerosol: 20 mg/ml in Aqua dest., Inhalation 12–20 h für 3–7 Tage i.v.: 4-mal 1 g für 4 Tage, dann 3-mal 0,5 g für 1 Woche; i.v.: Bei Lassa-Fieber 60 mg/kgKG in 4 Einzeldosen für 4 Tage, danach 20–25 mg/kgKG in 3 Einzeldosen

Wirkungsweise
Blockiert Produktion viraler mRNA; daneben immunmodulatorisch.

Wirkungsspektrum
RSV, Lassa-Virus, Hepatitis-C-Virus, Influenza-A- und -B-Virus.

Indikationen
Aerosoltherapie bei unteren Atemwegsinfektionen durch RSV oder Influenzaviren. Systemisch zur Therapie des Lassa-Fiebers. Bei Hepatitis C in Kombination mit α-Interferon.

Kontraindikationen
Schwangerschaft, Aerosolexposition von Frauen im gebärfähigen Alter.

Nebenwirkungen
Bei Aerosoltherapie gering, u. U. Bronchospasmus, Exanthem; bei systemischer Anwendung hämolytische Anämie.

Pharmakokinetische Daten
- HWZ: 9–10 h.
- Ausscheidung: 50% renal.

Anmerkung
Im Tierversuch Hinweise auf embryotoxische, teratogene, mutagene und möglicherweise kanzerogene Wirkungen. Inhalation durch das Pflegepersonal vermeiden! Bei Beatmungspatienten: Ausfällung in den Beatmungsschläuchen!

In Kombination mit α-Interferon zugelassen für Hepatitis C, speziell Genotyp 1b, 1a. Therapiedauer 24–48 Wochen (s. Kap. 9.2.3 Hepatitis C).

Vidarabin

Präparat	Handelsnamen	Dosierung (Erwachsene)
Vidarabin	Vidarabin-Salbe, Ara A	Lokal: 2- bis 3-mal tgl. auftragen; i.v.: 10–30 mg/kgKG bei Herpesenzephalitis, mukokutaner HSV, Varizellen bei Immunsuppression, als Infusion über 12–24 h

Wirkungsweise
Hemmung der viralen DNA-Polymerase.

Wirkungsspektrum
HSV-1, HSV-2, VZV

Indikationen
Herpeskeratitis, mukokutane HSV-Infektionen, Herpesenzephalitis, Neugeborenenherpes, Herpes zoster bei Immunschwäche.

Kontraindikationen
Schwangerschaft.

Nebenwirkungen
Gastrointestinale Beschwerden (Übelkeit, Erbrechen, Diarrhö). Selten ZNS-Störungen (Tremor, Schläfrigkeit, Halluzinationen, Verwirrtheit, Psychosen). Erhöhung von Transaminasen, Bilirubin. Hb-Abfall.

Pharmakokinetische Daten
- HWZ: 3–5 h.
- Ausscheidung: 50% renal.

Dosierung bei Niereninsuffizienz
- Dosisreduktion entsprechend den Angaben des Herstellers.

Anmerkung
Im Tierversuch Hinweise auf embryotoxische und teratogene Wirkungen.

Pyrimidinnukleoside

Präparate	Handelsnamen	Dosierung (Erwachsene)
Idoxuridin	Ophtal-Salbe, Virunguent, Zostrum	Lokal: als Salbe, Lösung
Trifluridin	Triflumann-Augentropfen	Lokal: als Augentropfen
Brivudin	Zostex	Lokal am Auge, oral bei mukokutanem Herpes: 500 mg in 4 Einzeldosen.

Wirkungsweise
Bildung defekter Viruspartikel. Brivudin: Störung der viralen Genomtranskription.

Wirkungsspektrum
HSV-1, HSV-2, VZV, Brivudin: HSV-1, VZV, EBV.

Indikationen
Lokal bei Herpeskeratitis, HSV-Infektionen der Haut. Brivudin: HSV und VZV-Keratitis, mukokutaner Herpes, Varizellen/Zoster.

Kontraindikationen
Schwangerschaft, Allergie.

Nebenwirkungen
Lokal: Brennen, Allergien, Epithelschäden.
Brivudin systemisch: Gastrointestinale Störungen, Blutbildveränderungen.

Pharmakokinetische Daten
- HWZ: Brivudin 0,9–3 h.
- Proteinbindung: >90%. Hohe Bioverfügbarkeit.
- Ausscheidung: 60% renal.

Anmerkung
Idoxuridin, Trifluridin sind nur äußerlich anwendbar.

Foscarnet

Präparat	Handelsname	Dosierung (Erwachsene)
Foscarnet	Foscavir	3-mal 60 mg/kgKG i.v. als 1-h-Infusion; oder 2-mal 90 mg/kgKG/Tag i.v. (Infusion über 2 h)

Wirkungsweise
Interferiert mit Bindungsstelle für Pyrophosphat, hemmt virale DNA-Polymerase und reverse Transkriptasen.

Wirkungsspektrum
CMV, HSV-1, HSV-2.

Indikationen
CMV-Infektionen bei Immunschwäche, mukokutane HSV-Infektionen mit aciclovirresistenten Stämmen.

Kontraindikationen
Schwangerschaft, Stillzeit, Allergie gegen Foscarnet, Pentamidintherapie, Kinder/Jugendliche < 18 Jahren, Dialyse.

Nebenwirkungen
Stark nephrotoxisch, gastrointestinale Beschwerden, Hämoglobin-Abfall, Hypokalzämie (besonders bei gleichzeitiger Gabe von Pentamidin), Hyperphosphatämie. Neurologische Störungen (Kopfschmerzen, Parästhesien, Schwindel, Unruhe, Angst, Psychosen, Krämpfe), Fieber, Exanthem.

Pharmakokinetische Daten
- HWZ: 3–6 h.
- Proteinbindung: 15%.
- Ausscheidung: Renal. Keine Metabolisierung. 20% an Knochen gebunden.

Anmerkungen
Neuere Alternative zu Ganciclovir gegen CMV. Strenge Indikationsstellung. Im Anschluss an Foscarnet-Infusion wird Nachinfusion mit 500 ml 0,9%iger NaCl oder 5% Glukose zur Vorbeugung von Nephrotoxizität empfohlen. Kontrollen der Nierenfunktion angezeigt. Keine Kombination mit anderen nephrotoxischen Substanzen. Im Gegensatz zu Ganciclovir keine hämatotoxische Wirkung, daher zur Kombination mit Zidovudin besser geeignet. Bei Niereninsuffizienz sorgfältige Dosisanpassung nach Beilagezettel erforderlich.

Amantadin

Präparate	Handelsnamen	Dosierung (Erwachsene)
Amantadin	Amantadin, PK-Merz, Tregor	100–200 mg i.v./p.o.
Rimantadin	–	Nicht zugelassen

Wirkungsweise
Hemmt das „uncoating“ der Viren im Zytoplasma der infizierten Zellen, d. h. Virusgenom wird nicht freigesetzt.

Wirkungsspektrum
Influenza-A-Viren.

Wirksamkeit nur in der Frühphase der Erkrankung oder in der Prophylaxe.

Indikationen
Bei Risikopatienten ohne Grippeschutzimfpung zur Prophylaxe oder frühzeitigen Therapie (<48 h nach Krankheitsbeginn) der Influenza-A-Infektion.

Kontraindikationen
Schwere Lebererkrankungen, ZNS-Erkrankungen, ekzematöse Dermatitis, schwere Niereninsuffizienz, Schwangerschaft, Behandlung mit Neuroleptika.

Nebenwirkungen
Gastrointestinale Beschwerden. Bei Amantadin neurologische Störungen (5%, Schlafstörungen, Konzentrationsschwäche), Hautverfärbungen.

Pharmakokinetische Daten
- HWZ: Amantadin 12–17 h, Rimantadin 30 h.
- Enterale Resorption: Gute Resorption nach oraler Gabe.
- Ausscheidung: Amantadin >90% renal.

Dosierung bei Niereninsuffizienz
- Bei GFR 15–40 ml/min 300–400 mg/Woche. Bei GFR <15 ml/min 100–200 mg/Woche.
  Keine Elimination bei HD.

Anmerkung
Bei Amantadin Alkoholtoleranz vermindert. Cholinerge Effekte. Vorsicht bei gleichzeitiger Gabe von Antidepressiva oder Tranquilizern. Mit den Neuraminidase-Inhibitoren, z. B. Zanamivir (Relenza), stehen vermutlich bessere Präparate zur Therapie der Influenza zur Verfügung.

Interferon

Präparat	Handelsnamen	Dosierung (Erwachsene)
α-Interferon	Roferon, Intron A	HBV: 3-mal 5 Mio. E/Woche s.c.; HCV: 3-mal 3 Mio. E/Woche bis 3-mal 6 Mio. E/Woche

Wirkungsweise
Induziert in Zellen die Produktion antiviraler Substanzen.

Wirkungsspektrum
Diverse RNA- und DNA-Viren.

Indikationen
Chronische Hepatitis B und C; begrenzt Hepatitis D, Haarzellleukämie.

Kontraindikationen
Überempfindlichkeit, schwere Herzkrankheit, ZNS-Erkrankungen. Depressionen. Leberzirrhose, Schwangerschaft, immunsuppressive Therapie.

Nebenwirkungen
Müdigkeit, Muskel-, Gelenkschmerzen, Fieber, Krankheitsgefühl. Gastrointestinale Beschwerden, Hb-Abfall, transiente Leukopenie, Thrombozytopenie. Selten ZNS-Störungen (Verwirrtheit, Depression).

Pharmakokinetische Daten
- HWZ: 3–8 h.
- Ausscheidung: Überwiegend renal.

Anmerkung
Einzige Behandlungsmöglichkeit chronischer Virushepatitiden, die Verlauf und Prognose günstig beeinflussen kann. Bei Hepatitis C in Kombination mit Ribavirin; je nach Genotyp zwischen 24 Wochen und 48 Wochen Therapiedauer. Viruslastkontrollen angezeigt. Monatliche Kontrollen des Blutbildes und der Transaminasen. Gleichzeitige Gabe von Ziduvudin oder anderen myelosuppressiven Präparaten erhöht die Gefahr von Knochenmarkschäden.

Antiretrovirale Therapie

Reverse-Transkriptase-Inhibitoren (RTI)

Zidovudin (= Azido-Thymidin, AZT)

Präparat	Handelsname	Dosierung (Erwachsene)
Zidovudin	Retrovir	6-mal 1–2 mg/kgKG i.v., 5- bis 6-mal 100–200 mg p.o.

Wirkungsweise
Hemmung der reversen Transkriptase von Retroviren.

Wirkungsspektrum
HIV.

Indikationen
Kombinationstherapie bei HIV.

Kontraindikationen
Neutropenie <750 Zellen/µl, Hb <7,5 g/dl, strenge Indikationsstellung in der Schwangerschaft.

Nebenwirkungen
Hämatotoxisch: Knochenmarkschädigung, Anämie, Neutropenie (45%); neurologische Störungen: Kopfschmerzen (50%), Somnolenz, Parästhesien, Myopathien. Gastrointestinale Beschwerden, Fieber, Exanthem, Hepatomegalie.

Pharmakokinetische Daten
- HWZ: 1 h in Plasma, 3 h intrazellulär in Lymphozyten.
- Proteinbindung: 35%.
- Ausscheidung: 15% renal, in der Leber rasche Glukuronidierung.

Dosierung bei Niereninsuffizienz
- Bei Niereninsuffizienz 3- bis 4-mal 1 mg/kgKG i.v., 3- bis 4-mal 100 mg p.o.

Anmerkung
Hemmt nur neu in die Wirtszelle penetrierte Viren, nicht bereits ins Zellgenom integrierte. Die Substanz muss daher in allen infizierbaren Zellen permanent anwesend sein. Zur Kombinationstherapie bei HIV zusammen mit anderen Inhibitoren der reversen Transkriptase und Protease-Inhibitoren, z. B. mit Lamivudin; Zalcitabin; Saquinavir; Didanosin. Regelmäßige Blutbildkontrolle angezeigt.

Didanosin (Didesoxyinosin, DDI)

Präparat	Handelsname	Dosierung (Erwachsene)
Didanosin	Videx	>75 kgKG: 2-mal 300 mg p.o. 50–74 kgKG: 2-mal 200 mg p.o. 35–49 kgKG: 2-mal 100 mg p.o.

Wirkungsweise

Hemmung der reversen Transkriptase von Retroviren.

Wirkungsspektrum

HIV, auch bei Zidovudinresistenz, HBV.

Indikationen

Zur Kombinationstherapie von HIV-Infektionen.

Kontraindikationen

Pankreatitis, Allergie, Hepatitis.

Nebenwirkungen

Pankreatitis (10%), periphere Neuropathie (30–40%), Schmerzen, Parästhesien, Kopfschmerzen. Hautausschlag. Gastrointestinale Beschwerden. Retinadepigmentierung bei Kindern. Leberfunktionsstörungen.

Pharmakokinetische Daten

- HWZ: 1 h in Plasma, 12–24 h intrazellulär in Lymphozyten.
- Proteinbindung: <5%.
- Bioverfügbarkeit: 35%.
- Ausscheidung: 20% renal.

Anmerkung

Zur Kombinationstherapie bei HIV. Keine Schädigung des Knochenmarks. Bei Pankreatitis Präparat absetzen, bei beginnender Neuropathie nach einer Pause mit reduzierter Dosis weiterbehandeln. Das Präparat sollte nüchtern eingenommen werden.

Zalcitabin (Didesoxycytidin, DDC)

Präparat	Handelsname	Dosierung (Erwachsene)
Zalcitabin	Hivid	3-mal 0,75 mg/Tag p.o.

Wirkungsweise
Hemmt die reverse Transkriptase von HIV.

Wirkungsspektrum
HIV.

Indikationen
Zur Kombinationstherapie bei HIV, auch bei Zidovudin-Intoleranz oder -Versagen.

Kontraindikationen
Pankreatitis, periphere Neuropathie, Gravidität.

Nebenwirkungen
Periphere Neuropathie (35%, Taubheitsgefühl, Kribbeln, Schmerzen in Händen und Füßen), Stomatitis (13%), Dermatitis, Pankreatitis (<1%), Leberfunktionsstörungen, selten Blutbildveränderungen (Anämie, Leukozytopenie, Thrombozytopenie).

Pharmakokinetische Daten
- HWZ: 1–2 h.
- Resorption nach oraler Gabe: 80%.
- Ausscheidung: 40% renal.

Dosierung bei Niereninsuffizienz
- Dosisreduktion bei GFR 25–40 ml/min 0,75 mg/12 h, GFR 10–25 ml/min 0,75 mg/24 h.

Anmerkung
Zur Kombinationstherapie bei HIV. Regelmäßige Blutbildkontrollen erforderlich. Bei Kombination mit Didanosin oder Stavudin kann sich die Toxizität potenzieren.

Stavudin (D4 T)

Präparat	Handelsname	Dosierung (Erwachsene)
Stavudin	Zerit	>60 kgKG: 2-mal 40 mg/Tag; <60 kgKG: 2-mal 30 mg/Tag
Abacavir	Ziagen	2×300 mg p.o./Tag

Wirkungsweise
Hemmt die reverse Transkriptase von HIV.

Wirkungsspektrum
HIV.

Indikationen
Zur Kombinationstherapie bei HIV.

Kontraindikationen
Stavudin: Pankreatitis, periphere Neuropathie, Gravidität. Abacavir: Leberinsuffizienz, Abacavir-Unverträglichkeit.

Nebenwirkungen
Stavudin: Reversible periphere Neuropathie (20%), Magen-Darm-Störungen, Hautreaktionen, Anstieg der Leberenzyme, Pankreatitis. Abacavir: evtl. starke Überempfindlichkeitsreaktion, gastroenterale Störungen, Kopfschmerzen, Halsschmerzen, erhöhte Leberwerte.

Pharmakokinetische Daten
- HWZ: Stavudin: 1,6 h.
- Bioverfügbarkeit: 90%.
- Ausscheidung: 50% renal.

Anmerkung
Zur Kombinationstherapie bei HIV. Stavudin: wenn andere antiretrovirale Nukleosid-Analoga nicht vertragen werden oder resistent sind. AZT-resistente Stämme können empfindlich sein. Wesentlich geringere Knochenmarktoxizität als bei AZT. Bei Kombination mit Zalcitabin oder Didanosin kann die Toxizität potenziert werden. Abacavir: weniger Nebenwirkungen. Vorsicht bei Überempfindlichkeitsreaktion!

Lamivudin (3TC)

Präparat	Handelsnamen	Dosierung (Erwachsene)
Lamivudin	Epivir; Combivir (= AZT + Lamivudin)	2-mal 150 mg/Tag p.o.

Wirkungsweise
Hemmt reverse Transkriptase von HIV und HBV.

Wirkungsspektrum
HIV, HBV.

Indikationen
Kombinationstherapie bei HIV. Persistierende Virämie bei chronischer Hepatitis B.

Kontraindikationen
Überempfindlichkeit gegen Lamivudin.

Nebenwirkungen
Magen-Darm-Beschwerden, Hautausschlag, Kopfschmerzen, Müdigkeit, Fieber, Neuropathien, Pankreatitis, Neutropenie, Anämie.

Pharmakokinetische Daten
- HWZ: 5–7 h.
- Bioverfügbarkeit: 80%.
- Ausscheidung: überwiegend renal.

Dosierung bei Niereninsuffizienz
- Bei GFR 30–50 ml/min 1-mal 150 mg/Tag, bei GFR <30 ml/min weitere Dosisreduktion.

Anmerkung
Präparat mit guter Verträglichkeit zur Kombinationstherapie bei HIV. Stärkere Reduktion der Viruslast und Anstieg der CD4-Zellen als bei AZT u. a. Als Kombinationspräparat mit AZT = Combivir.

Seit 1998 auch bei Hepatitis B zugelassen. Senkt Virämie und verringert die Infektiosität.

Non-Nukleosid-Reverse-Transkriptase-Inhibitoren

Präparate	Handelsnamen	Dosierung (Erwachsene)
Delavirdin	Rescriptor	(in BRD nicht zugelassen)
Nevirapin	Viramune	1- 2-mal 200 mg p.o.
Efavirenz	Sustiva	600 mg/Tag

Wirkungsweise
Hemmung der reversen Transkriptase von HIV 1.

Wirkungsspektrum
HIV 1.

Indikationen
Kombinationstherapie bei HIV.

Kontraindikationen
Unverträglichkeit, Leberinsuffizienz.

Nebenwirkungen
Exantheme. Kopfschmerzen, Schläfrigkeit, Schwindel. Transaminasenanstieg.

Pharmakokinetische Daten
- HWZ: Delavirdin 6 h, Efavirenz 40–52 h, Nevirapin 30 h.
- Proteinbindung: Delaviriin 98%.
- Bioverfügbarkeit: Delavirdin 80%, Neviripin 80%.
- Ausscheidung: Delaviridn 50% Leber, 50% Niere; Nevirapin 80% renal, 10% Stuhl.

Anmerkung
Zur Kombinationstherapie bei HIV. Wegen rascher Resistenzentwicklung nur in Kombination anwenden. Behandlung von Exanthemen: Bei unkompliziertem Verlauf symptomatisch mit Antihistaminika, topische Kortikosteroide. In schweren Fällen mit Fieber bzw. Gelenkbeschwerden Präparat absetzen.

Protease-Inhibitoren

Präparate	Handelsnamen	Dosierung (Erwachsene)
Indinavir	Crixivan	3-mal 800 mg p.o. (nüchtern)
Ritonavir	Norvir	2-mal 600 mg p.o (zu den Mahlzeiten)
Saquinavir	Invirase	3-mal 600 mg p.o. (zu den Mahlzeiten)
Nelfinavir	Viracept	3-mal 750 mg p.o. oder 2-mal 1250 mg p.o.

Wirkungsweise
Hemmen HIV-Protease. Dadurch Bildung defekter HIV-Partikel.

Indikationen
Zur Kombinationstherapie bei HIV zusammen mit Nukleosid-Analoga.

Kontraindikationen
Allergie. Keine ausreichenden Erfahrungen bei Kindern, Schwangerschaft.

Nebenwirkungen
Indinavir: Bilirubinanstieg, Kristallurie mit Gefahr von Nierensteinen, gastrointestinale Beschwerden, Hautausschlag, Fettumverteilungsstörungen. Andere: Häufig Magen-Darm-Beschwerden, Kopfschmerzen, Parästhesien, Transaminasenanstieg, Fettumverteilungsstörungen.

Pharmakokinetische Daten
- HWZ: Indinavir 1,8 h, Ritonavir 3 h, Saquinavir 1,5 h, Nelfinavir 3,5–5 h.
- Bioverfügbarkeit: Indinavir, Ritonavir gut; Saquinavir 4%, Nelfinavir 3- bis 4-mal höher bei Einnahme mit einer Mahlzeit.
- Plasmaeiweißbindung: Ritonavir 99%, Saquinavir 97%, Nelfinavir >98%.
- Ausscheidung: Saquinavir 90% Fäzes, 1% Urin, Nelfinavir überwiegend mit den Fäzes, Indinavir überwiegend biliär.

Anmerkung
Zur Kombinationstherapie bei HIV. Bei Indinavir ausreichende Flüssigkeitszufuhr von tgl. mindestens 1,5 l, sonst Gefahr der Kristallisation. Bei Ritonavir ausgeprägte Wechselwirkungen mit anderen Arzneimitteln, z. B. Theophyllin, Diazepam, Methadon u. a.

Beachten: Bei antiretroviraler Kombinationstherapie wurden vermehrt Lipodystrophie-Syndrom und Koranare Herzerkrankungen beobachtet.

26.5 Chemotherapie protozoenbedingter Erkrankungen

Chloroquin

Präparat	Handelsnamen	Dosierung (Erwachsene)
Chloroquin (Base)	Resochin, Weimerquin, Chlorochin	Akute Malaria: 1,5 g innerhalb 48 h, z. B. 1. Tag 900 mg (in 2 Dosen à 600 mg, dann 300 mg). 2. und 3. Tag je 300 mg/Tag p.o.; Malariaprophylaxe: 300 mg/Woche; Amöbenleberabszess: 600 mg/Tag für 2 Tage, danach 300 mg/Tag

Wirkungsweise
Schizontozide Wirkung auf Blutschizonten. Hemmung der Hämpolymerase, Interkalation, Blockierung von DNA-Replikation und Proteinsynthese.

Wirkungsspektrum
Plasmodium malariae, Pl. ovale, Pl. vivax, Stämme von Pl. falciparum. Keine Aktivität gegen intrahepatische Formen. Wirkung gegen extraintestinale Entamoeba histolytica.

Indikationen
Therapie und Prophylaxe von Malaria. Extraintestinale Entamoeba-histolytica-Infektionen.

Kontraindikationen
Geichzeitige Gabe von hepatotoxischen Substanzen oder MAO-Hemmern, Erkrankungen des blutbildenden Systems, Glucose-6-Phosphat-Dehydrogenase-Mangel, Stillperiode, Myasthenia gravis, Allergie. Retinopathie.

Nebenwirkungen
Magen-Darm-Beschwerden, Kopfschmerzen, Hautreaktionen. Bei längerer Anwendung Einlagerung in Hornhaut und Retina: Hornhauttrübungen, Retinaschäden mit irreversiblen Sehstörungen. Selten Depigmentation der Haut oder Schleimhäute.

Pharmakokinetische Daten
- HWZ: 72 h und mehr, dosisabhängig.
- Proteinbindung: 50–65%.
- Bioverfügbarkeit: 80%, maximale Plasmakonzentration nach 2–3 h.
- Ausscheidung: 50% renal.

Anmerkung
Mittel der Wahl bei Malaria ohne Chloroquinresistenz. Gute Verträglichkeit; Anwendung während der Schwangerschaft möglich. Anreicherung in Leber, Auge, Niere, Blutzellen. Problem: Zunehmende Resistenz bei Pl. falciparum v. a. in Südamerika, Südostasien und Afrika südlich der Sahara. Bei längerer Anwendung: augenärztliche Kontrollen.

Mefloquin

Präparat	Handelsname	Dosierung (Erwachsene)
Mefloquin	Lariam	Malariatherapie: 1,25–1,5 g p.o. (initial 750 mg, nach 6–8 h 500 mg, bei KG >60 kg nach 6–8 h 250 mg); Prophylaxe: 250 mg/Woche

Wirkungsweise
Schizontozid auf asexuelle Plasmodienformen. Mechanismus nicht genau bekannt, evtl. Beeinflussung von Membranen.

Wirkungsspektrum
Humanpathogene Plasmodium spp. inkl. chloroquinresistente Pl. falciparum.

Indikationen
Therapie und Prophylaxe von Malaria, insbesondere durch chloroquinresistente Pl.-falciparum-Stämme.

Kontraindikationen
Überempfindlichkeit gegen verwandte Substanzen, z. B. Chinin. Gleichzeitige Gabe von Halofantrin. Schwere Leber- und Nierenfunktionsstörungen, Epilepsie, psychische Störungen, Schwangerschaft 1. Trimenon. Personen mit verantwortungsvollem Beruf sollten wegen der relativ häufigen ZNS-Nebenwirkungen kein Mefloquin einnehmen.

Nebenwirkungen
Psychosen (bei Therapie 1:200, bei Prophylaxe 1:10.000), Halluzinationen. Schwindel, Kopfschmerzen, Sehstörungen, gastrointestinale Störungen, Bradykardie, Anstieg von Leberenzymen.

Pharmakokinetische Daten
- HWZ: 21 Tage.
- Proteinbindung: 98%.
- Enterale Resorption: 87%. Ausscheidung: Hauptsächlich Fäzes, 9% renal.

Anmerkung
Bisher nur geringe Resistenzentwicklung von Pl. falciparum in Asien, Afrika und Lateinamerika. Beschränkung der Anwendung auf Fälle mit Erregern, die gegen andere Malariamittel resistent sind. Zur Prophylaxe nur in Gebieten mit multiresistenten Pl.-falciparum-Stämmen. Vorsicht wegen psychischer Nebenwirkungen! Bei Personen mit Beruf, der starke Konzentration erfordert (Busfahrer, Flugkapitän), wegen ZNS-Nebenwirkungen nicht anwenden.

Chinin

Präparat	Handelsname	Dosierung (Erwachsene)
Chinin	Chinin	Parenterale Therapie: Chinindihydrochlorid 20 mg/kgKG als „loading dose" in 500 ml 5%iger Destrose über 4 h infundieren, danach 10 mg/kgKG über 2–4 h alle 8 h (maximal 1800 mg/Tag); Chininsulfat: 3-mal 600 mg (bei resistenten Stämmen evtl. plus Tetracyclin)

Wirkungsweise

Schizontozid auf alle Plasmodium sp. Beeinflusst die Zellatmung der Parasiten.

Wirkungsspektrum

Alle humanpathogenen Plasmodium sp., auch chloroquinresistente Pl.-falciparum-Stämme. Keine Wirkung gegen intrahepatische Formen.

Indikationen

Therapie schwerer Malariainfektionen, insbesondere bei Chloroquinresistenz.

Kontraindikationen

Tinnitus, Vorschädigung des N. opticus, Glucose-6-Phosphat-Dehydrogenase-mangel, Myasthenia gravis, Überempfindlichkeit gegen Chinin, Schwangerschaft.

Nebenwirkungen

Neurotoxische Reaktionen (Seh- und Hörstörungen, Ohrensausen, Schwindel), Kopfschmerzen, Übelkeit, Herzrhythmusstörungen, Blutdruckabfall, Blutzuckerabfall, Photosensibilisierung. Allergie (selten intravasale Hämolyse). In hohen Dosen embryotoxisch (Augendefekte, Taubheit).

Pharmakokinetische Daten

- HWZ: 11 h (bei schweren Infektionen bis 16 h).
- Proteinbindung: 70%.
- Bioverfügbarkeit: >80%.
- Ausscheidung: renal.

Anmerkung

Ältestes Malariamittel. Relativ toxisch. Wegen Resistenzentwicklung gegen neuere Mittel heute wieder bedeutsam, da es auch gegen multiresistente Erreger wirkt. Eine kumulative Dosis von 8 g führt zu toxischen Nebenwirkungen. Therapiebeginn meist parentereal, nach einigen Tagen orale Folgetherapie. Nicht wirksam gegen intrahepatische Formen. Im Liquor werden nur 2–5% der Serumkonzentrationen erreicht.

Halofantrin

Präparat	Handelsname	Dosierung (Erwachsene)
Halofantrin	Halfan	1,5 g/Tag (3-mal 500 mg)

Wirkungsweise
Schizontozid auf Plasmodien (Blut- und Gewebeschizonten). Genauer Mechanismus nicht bekannt.

Wirkungsspektrum
Humanpathogene Plasmodium sp. inkl. chloroquinresistente Pl.-falciparum-Stämme.

Indikationen
Therapie der Malaria, insbesondere mit multiresistenten Pl.-falciparum-Stämmen.

Kontraindikationen
Überempfindlichkeit gegen Halofantrin, QT-Syndrom, Schwangerschaft, Stillzeit.

Nebenwirkungen
Schwere Herzrhythmusstörungen, gastrointestinale Beschwerden (7%), Kopfschmerzen, Fieber, Pruritus, Myalgien, Anstieg der Leberenzyme, Ikterus, Hautreaktionen.

Pharmakokinetische Daten
- HWZ: 30–100 h.
- Enterale Resorption: Wechselnd, nach fettreichen Mahlzeiten um den Faktor 3 erhöht.
- Ausscheidung: Überwiegend mit den Fäzes (als Metaboliten).

Anmerkung
Notfallmedikament in Ländern mit multiresistenten Plasmodium-falciparum-Stämmen. Die Einnahme mit fettreicher Mahlzeit verbessert die Resorption. Wegen des Risikos von Resistenzentwicklungen und schweren Herzrhythmusstörungen zur Prophylaxe nicht geeignet. Relative Kreuzresistenz mit Mefloquin: Heilungsrate bei Mefloquinresistenz <50% .

Primaquin

Präparat	Handelsname	Dosierung (Erwachsene)
Primaquin	Primaquin-Bayer	15 mg/Tag p.o. für 2 Wochen

Wirkungsweise
Bei Plasmodien Beeinflussung der Atmung und des Kohlenhydratstoffwechsels.

Wirkungsspektrum
Intrahepatische Formen aller humanpathogenen Plasmodium sp. In höheren Dosen Gametozyten.

Indikationen
Sanierung und Rezidivprophylaxe, v. a. bei Malaria tertiana und Malaria tropica, im Anschluss an Chloroquintherapie. Es verhindert Rückfälle bei Pl.-vivax- und Pl.-ovale-Infektionen durch Abtötung der intrahepatischen Plasmodien.

Kontraindikationen
Schwangerschaft, Kinder, rheumatische Arthritis, Lupus erythematodes. Vor der Therapie sollte die Glucose-6-Phosphat-Dehydrogenase kontrolliert werden.

Nebenwirkungen
Gastrointestinale Beschwerden. Neutropenie. Intravasale Hämolyse bei Glucose-6-Phosphat-Dehydrogenasemangel. Selten Arrhythmien, Hypotonie.

Pharmakokinetsche Daten
- HWZ: 4–10 h.
- Enterale Resorption: Fast vollständig.
- Ausscheidung: Renal als Metabolit (Metaboliten sind gegen Parasiten unwirksam, aber verantwortlich für Hämolyse).

Anmerkung
Wirkung auf intrahepatische Plasmodien. Daher geeignet zur vollständigen Ausheilung und der Verhinderung von Rückfällen bei Pl.-vivax- und Pl.-ovale-Infektionen, im Anschluss an eine Chloroquinbehandlung. Keine Wirkung auf Blutschizonten, daher nicht geeignet zur Therapie des akuten Malaria-Anfalls. Bei Glucose-6-Phosphat-Dehydrogenasemangel Dosisreduktion erforderlich.

Biguanide

Präparate	Handelsnamen	Dosierung (Erwachsene)
Proguanil	Paludrine	1-mal 200 mg
Proguanil + Atovaquon	Malarone	

Wirkungsweise
Hemmung der Nukleinsäuresynthese. Proguanil ist ein Prodrug, dessen wirksame Form Cycloguanil ist.

Wirkungsspektrum
Proguanil: Blut- und Gewebeschizonten von Plasmodien sp.

Atovaquon: Plasmodien, Pn. carinii, Toxoplasma gondii.

Indikationen
Proguanil: Malariaprophylaxe in Kombination mit Chloroquin, auch bei Schwangeren.

Proguanil + Atovaquon: Therapie unkomplizierter Malaria tropica.

Kontraindikationen
Allergie, Stillzeit; Atovaquon zusätzlich Schwangerschaft.

Nebenwirkungen
Gastrointestinale Störungen; Atovaquon: zusätzlich Juckreiz, Schlaflosigkeit.

Pharmakokinetische Daten
- HWZ: Proguanil 20 h, Atovaquon 2–3 Tage.
- Proteinbindung: Proguanil + Atovaquon >99%.
- Ausscheidung: Proguanil renal, Atovaquon über Stuhl.
- Bioverfügbarkeit: Proguanil + Atovaquon: 20% bei Einnahme mit fetter Nahrung.

Dosierung bei Niereninsuffizienz
- Bei GFR >60 ml/min Dosisreduktion.

Anmerkungen
- Proguanil: in Kombination mit Chloroquin geeignet zur Prophylaxe von Malaria. Langsamer Wirkungseintritt, daher mindestens 24 h vor Ankunft in Malariagebiet einnehmen. Vorsicht bei Niereninsuffizienz.
- Atovaquon: Therapie von Malaria in Gebieten mit Resistenz von Pl. falciparum gegen andere Malariamittel. Keine Daten über Behandlung von kompliziert verlaufender Malaria. Zur Kombinationstheapie bei Pneumocystis-carinii-Pneumonie.

Pyrimethamin

Präparate	Handelsnamen	Dosierung (Erwachsene)
Pyrimethamin	Daraprim	Bei Toxoplamose: 25–50 mg/Tag plus Sulfadiazin
Pyrimethamin + Sulfadoxin	Fansidar	

Wirkungsweise
Hemmung der Dihydrofolsäurereduktase.

Wirkungsspektrum
In Kombination mit Sulfonamid: Alle Plasmodienformen (Gewebs- und Blutschizonten), Gametozyten. Toxoplasma gondii.

Indikationen
In Kombination mit Sulfonamid (Sulfadiazin, Sulfadoxin) zur Therapie der Toxoplasmose. In Kombination mit Sulfadoxin (Fansidar) zur Prophylaxe der Malaria tropica bei Chloroquinresistenz.

Kontraindikationen
Schwangerschaft, Stillzeit, Veränderungen des Blutbilds.

Nebenwirkungen
Gastrointestinale Beschwerden, Leberfunktionsstörungen, Kopfschmerzen, reversible Blutbildungsstörungen, trockener Mund.

Pharmakokinetische Daten
- HWZ: 4 Tage.
- Proteinbindung: 80%.
- Enterale Resorption: Vollständig.

Anmerkung
Synergismus mit Sulfonamiden oder Sulfonen. Bei alleiniger Anwendung von Pyrimethamin entstehen schnell Resistenzen, daher in Kombination mit Sulfonamiden anwenden. Bei Kombination mit Sulfonamiden sind deren Nebenwirkungen und Kontraindikationen zu beachten.

Pentamidin

Präparat	Handelsname	Dosierung (Erwachsene)
Pentamidin	Pentacarinat	4 mg/kgKG/Tag i.v. (über 60 min); zur Prophylaxe der Pneumocystis-carinii-Pneumonie: Aerosoltherapie

Wirkungsweise
Hemmung der Biosynthese von Makromolekülen durch Blockade der oxidativen Phosphorylierung.

Wirkungsspektrum
Pneumocystis carinii, Leishmania ssp., Trypanosoma gambiense (außer zerebrales Stadium).

Indikationen
Therapie und Prophylaxe von Pneumocystis-carinii-Pneumonie. Viszerale und kutane Leishmaniose. Prophylaxe und Therapie der Schlafkrankheit.

Kontraindikationen
Überempfindlichkeit gegen Pentamidin, schwere Nieren- und Leberfunktionsstörungen.

Nebenwirkungen
Hypotonie, Hypertonie, kardiale Arrhythmien, Erbrechen, reversible Nierenfunktionsstörungen, Schmerzen an der Injektionsstelle, Pankreasschädigung mit Hypo- und Hyperglykämie. Selten Leberschäden, Blutbildveränderungen.

Verabreichung als Aerosol: Exanthem, bitterer Geschmack, Speichelfluss, Hustenreiz, Bronchospasmus.

Pharmakokinetische Daten
- HWZ: 9 h.
- Enterale Resorption: Gering.
- Ausscheidung: Renal.

Anmerkung
Mittel der Wahl bei Pneumocystis-carinii-Pneumonie. Dosierung bei Infusion: 4 mg/kgKG/Tag für 2–3 Wochen, bei Inhalation 300–600 mg/Tag für 3 Wochen. Prophylaxe der Pneumocystis-carinii-Pneumonie durch Inhalation: zur Einleitung 200 mg/Tag (ggf. über 4 Tage), zur weiteren Prophylaxe 200 mg alle 2 Wochen oder 300 mg alle 4 Wochen.

Diloxanidfuorat

Präparat	Handelsnamen	Dosierung (Erwachsene)
Dilanoxidfuorat	Furamid (internationale Apotheke)	500 mg/Tag in 3 Dosen p.o.

Wirkungsweise
Amöbizid auf intestinale Entamoeba histolytica.

Wirkungsspektrum
Entamoeba histolytica.

Indikationen
Sanierung von Entamoeba-histolytica-Trägern.

Kontraindikationen
Keine.

Nebenwirkungen
Flatulenz, selten Erbrechen, Urtikaria.

Pharmakokinetische Daten
- Ausscheidung: 10% bleiben im Darm wirksam, 90% werden als unwirksame Metaboliten über den Darm ausgeschieden.

Anmerkung
Zur Sanierung von asymptomatischen Entamoeba-histolytica-Carriern.

Suramin

Präparat	Handelsname	Dosierung (Erwachsene)
Suramin	Germanin (internationale Apotheke)	1 g i.v. am Tag 1, 3, 7, 14 und 21; Prophylaxe: evtl. 1 g alle 5 Wochen

Wirkungsweise
Wahrscheinlich Hemmung des Kohlenhydratstoffwechsels.

Wirkungsspektrum
Trypanosoma ssp. in den ersten beiden Stadien der Schlafkrankheit.

Indikationen
Prophylaxe und Frühtherapie der Schlafkrankheit.

Kontraindikationen
Nierenschäden, Unterernährung.

Nebenwirkungen
Entzündung an der Injektionsstelle, Erbrechen, Pruritus, Urtikaria, Parästhesien der Hände und Füße, Photophobie, periphere Neuropathien, Nierenschäden, Diarrhö, Anämie, Agranulozytose.

Pharmakokinetische Daten
- HWZ: 40 Tage.
- Proteinbindung: 99%.
- Enterale Resorption: Schlecht.
- Ausscheidung: Renal.

Anmerkung
Weniger toxisch als Arsenpräparate. Kontrolle der Nierenfunktion während der Therapie angezeigt. Schlechte Penetration in das ZNS. Im 2. Stadium der Schlafkrankheit (ZNS-Beteiligung) Melarsoprol oder Nitrofurazon einsetzen.

Vor Beginn der Therapie sollte eine Testdosis Suramin (10–20 mg) langsam i.v. gegeben werden.

Antimonsalze

Präparat	Handelsnamen	Dosierung (Erwachsene)
Natriumstibogluconat	Pentostam	Viszerale Leishmaniose: 20 mg/kgKG; kutane Leishmaniose: 10 mg/kgKG; lokale Applikation von 1–3 ml um die Läsion
Megluminantimonat	Glucantime	Siehe oben

Wirkungsweise
Unklar.

Wirkungsspektrum
Leishmania spp.

Indikationen
Viszerale und kutane Leishmaniose.

Kontraindikationen
Herz-, Leber- und Nierenschäden.

Nebenwirkungen
Magen-Darm-Beschwerden, Erbrechen, Muskelschmerzen, Bradykardie, Kreislaufstörungen bis zum Schock, Pruritus, Exanthem, selten Leber- und Nierenschäden, Anämie.

Pharmakokinetische Daten
- HWZ: 2 h.
- Enterale Resorption: Schlecht.
- Ausscheidung: Renal.

Anmerkung
Amphotericin B und Pentamidin sind gleich gut gegen Leishmanien wirksam und werden in Kombination oder allein verabreicht.

26.6 Antiparasitäre Chemotherapie (Anthelminthika)

Benzimidazole

Präparate	Handelsnamen	Dosierung (Erwachsene)
Mebendazol	Vermox	Je nach Wurmart unterschiedlich
Albendazol	Eskazole	Siehe oben
Tiabendazol	Mintezol	Siehe oben

Wirkungsweise
Hemmung der Polymerisation der Tubulinstrukturen des Zytoskeletts.

Wirkungsspektrum/Indikationen
Nematoden-, Zestodeninfektionen. Albendazol: Auch Echinokokken.

Kontraindikationen
Schwangerschaft, bekannte Überempfindlichkeit. Kinder. Hepatitis.

Nebenwirkungen
Diarrhö, Bauchschmerzen, Übelkeit, Schwindel, Allergien (Exanthem). Bei längerer Behandlung Leukopenie, Aspermie. Anstieg der Leberenzyme.

Pharmakokinetische Daten
- HWZ: 1,5 h.
- Enterale Resorption: 50%.
- Ausscheidung: Albendazol, Tiabedazol renal; Mebendazol vorwiegend biliär und mit den Fäzes.

Anmerkung
Breitbandanthelmintika, die gegen eine Reihe humanpathogener Würmer wirksam sind (zur Chemotherapie bei Wurmerkrankungen s. Tabelle 26-3).

Tabelle 26-3. Chemotherapie bei Wurmerkrankungen

Würmer	Präparate 1. Wahl	Präparate 2. Wahl
Zestoden (Bandwürmer)		
T. saginata (Rinderbandwurm)	Praziquantel, Niclosamid	Mebendazol
T. solium (Schweinebandwurm)	Praziquantel, Niclosamid	Mebendazol
Diphyllobothrium latum (Fischbandwurm)	Praziquantel, Niclosamid	Mebendazol
Hymenolepis nana (Zwergbandwurm)	Praziquantel, Niclosamid	Mebendazol
Echinococcus granulosus (Hundebandwurm)	Albendazol	Mebendazol
Echinococcus multilocularis (Fuchsbandwurm)	Albendazol	Mebendazol

Tabelle 26-3. *Fortsetzung*

Würmer	Präparate 1. Wahl	Präparate 2. Wahl
Nematoden (Fadenwürmer)		
Oxyuren, Spulwürmer, Madenwürmer	Mebendazol, Pyrantel	Thiabendazol
Toxocara canis (Hunde-, Katzenspulwurm)	Tiabendazol	Diethylcarbamazin
Trichiuris trichiara (Peitschenwurm)	Mebendazol	Tiabendazol
Ancylostoma duodenale/A. brasiliense/ A. caninum	Tiabendazol	Diethylcarbamazin
Trematoden (Saugwürmer)		
Leberegel	Praziquantel	
Schistosoma mansonii	Praziquantel	
Filarien		
	Ivermectin	Diethylcarbamazin

Praziquantel

Präparat	Handelsnamen	Dosierung (Erwachsene)
Praziquantel	Biltricide, Cesol, Cysticide	Je nach Wurmart unterschiedlich

Wirkungsweise
Irreversible Kontraktur der Muskulatur und Störung der Nährstoffaufnahme bei Bandwürmern.

Wirkungsspektrum/Indikationen
Trematoden, Taenien.

Kontraindikationen
Intraokuläre Zystizerkose und Allergie. Stillzeit. Bei Gravidität strenge Indikation.

Nebenwirkungen
Bauchschmerzen, Übelkeit, Kopfschmerzen, Urtikaria.

Pharmakokinetische Daten
- HWZ: 1–2 h.
- Ausscheidung: 80% renal.

Anmerkung
Mittel der Wahl gegen menschenpathogene Bandwürmer. Wenig toxisch.

Pyrantel

Präparat	Handelsname	Dosierung (Erwachsene)
Pyrantel	Helmex	10 mg/kgKG p.o. Einmaldosis

Wirkungsweise
Depolarisierung der Wurmmuskulatur mit der Folge einer spastischen Lähmung. Die Würmer werden lebend ausgeschieden.

Wirkungsspektrum/Indikationen
Fadenwürmer, Ancylostoma spp., Ascaris lumbricoides (Spulwurm), Enterobius vermicularis (Madenwurm), Necator americanus (Amerikanischer Hakenwurm).

Kontraindikationen
Bekannte Überempfindlichkeit, Schwangerschaft 1. Trimenon, Kinder <6 Monate.

Nebenwirkungen
Magen-Darm-Beschwerden, Kopfschmerzen, Schwindel. Eventuell Transaminasenanstieg.

Pharmakokinetische Daten
- Enterale Resorption: <10%.
- Ausscheidung: Mit den Fäzes.

Anmerkung
Das Präparat stammt aus der Veterinärmedizin. Mittel der Wahl bei Fadenwurmerkrankungen.

Niclosamid

Präparat	Handelsname	Dosierung (Erwachsene)
Niclosamid	Yomesan	2 g p.o. Einmaldosis

Wirkungsweise
Hemmung der Glukoseaufnahme und Störung der anaeroben Glykolyse von Würmern.

Wirkungsspektrum/Indikationen
Humanpathogene Bandwürmer wie T. saginata (Rinderbandwurm), T. solium (Schweinebandwurm), Diphyllobothrium latum (Fischbandwurm), Hymenolepsis nana (Zwergbandwurm). Nicht wirksam gegen Larvenstadien (Zystizerkose).

Kontraindikationen
Überempfindlichkeit gegen Niclosamid.

Nebenwirkungen
Selten Übelkeit, Bauchschmerzen.

Pharmakokinetische Daten
- Enterale Resorption: Gering.
- Ausscheidung: Überwiegend mit den Fäzes.

Anmerkung
Wegen der geringen Resorption werden nur wenige Nebenwirkungen ausgelöst, daher bestehen keine Kontraindikationen, auch nicht für Schwangere.

Diethylcarbamazin

Präparat	Handelsname	Dosierung (Erwachsene)
Diethylcarbamazin	Hetrazan	Je nach Wurmart unterschiedlich

Wirkungsweise
Immobilisation der Würmer durch Hemmung der Muskelaktivität, Oberflächenveränderung, welche die Phagozytose erleichtert.

Wirkungsspektrum/Indikationen
Filarien, Ascariden, Toxocara canis, Ancylostoma brasiliense, A. caninum, Onchocerca volvulus.

Kontraindikationen
Schwangerschaft.

Nebenwirkungen
Übelkeit, Erbrechen, Allergie, Fieber, ZNS-Störungen (Kopfschmerzen, Schwindel, Gleichgewichtsstörungen, Ataxien, Sehstörungen) selten Enzephalopathien.

Pharmakokinetische Daten
- HWZ: 8–12 h.
- Enterale Resorption: >90%.
- Ausscheidung: Renal.

Anmerkung
Sicherstes Mittel zur Therapie von Filariosen. Durch Absterben der Würmer werden starke allergische Reaktionen ausgelöst; bei Onchozerkose deshalb gleichzeitige Gabe von Kortikosteroiden. Vor Therapie der Onchozerkose sollte ein Augenbefall ausgeschlossen werden, da es sonst zu schweren Entzündungsreaktionen mit der Gefahr der Erblindung kommen kann.

Teil V

Prophylaxe von Infektionen

V

Kapitel 27

Hygiene- und Isolierungsmaßnahmen

Das Übertragungsrisiko von nosokomialen und anderen Infektionserregern im Krankenhaus kann durch geeignete Hygiene- und Isolierungsmaßnahmen reduziert werden. Die entsprechenden Maßnahmen orientieren sich am Übertragungsweg der Erreger (s. Tabellen 27-1 bis 27-4).

!

Beachte: **Die wichtigste und wirkungsvollste Verhütungsmaßnahme bei allen Infektionen, die durch Schmierinfektion oder Hautkontakt übertragen werden, ist die *Händedesinfektion!***
Außerdem beachten: **Die wichtigste Streuquelle ist der infizierte Patient. Sein Verhalten trägt maßgeblich zu Ausbreitung oder Eindämmung von Infektionsketten bei. Die Aufklärung von Patienten bzw. Angehörigen über Verhaltensregeln ist daher neben der Einhaltung von Hygienemaßnahmen seitens des Personals besonders wichtig.**

27.1 Reinigungs- und Desinfektionsmaßnahmen, Schutzkleidung

Händewaschen/Händedesinfektion

Die Hände des Personals sind der wichtigste Vektor bei der Infektionsübertragung. Händewaschen bzw. Händedesinfektion sind daher die wichtigsten Maßnahmen der Infektionsverhütung. Die Hände sollen nach Kontakt mit infektiösen Patienten und nach Kontakt mit Blut, Körpersekreten, Exkreten gereinigt bzw. desinfiziert werden, auch wenn Handschuhe getragen werden.

Durchführung der Händedesinfektion
Ausreichend Desinfektionsmittel (ca. 5 ml) in die trockenen Hände geben, damit die Hände vollständig benetzt sind, gründlich verreiben, bis die Hände trocken sind (mindestens 30 s). Dabei auch Fingerkuppen, Zwischenräume der Finger, Falten der Handinnenflächen und Daumen mit einbeziehen.

Maßnahmen bei sichtbarer Kontamination der Hände
- Hände mit Wasser und Seife waschen oder die Kontamination mit desinfektionsmittelgetränktem Einmaltuch abwischen und dann Hände waschen,
- mit Papierhandtuch abtrocknen,
- Hände desinfizieren.

Tabelle 27-1. Übertragungswege verschiedener Infektionserreger

Übertragung	Erreger/Infektionen
Aerogen	Meningokokken, Bordetella pertussis, Chlamydia pneumoniae, C. diphtheriae, Mycobacterium tuberculosis, Masern-, Mumps-, Rötelnvirus, Varizella-zoster-Virus, Influenzavirus, RSV
Schmierinfektion	Impetigo contagiosa (β-hämolysierende Stretokokken, Staph. aureus), Keratokonjunktivitis epidemica (Adenoviren)
Fäkal/oral	Salmonellen, Shigellen, EHEC, Campylobacter, Rotaviren, HAV, Enteroviren, Polioviren
Blut, Sekrete	HBV, HCV, HDV, HIV
Unbekannter Übertragungsweg	Creutzfeldt-Jakob-Erkrankung

Tabelle 27-2. Maßnahmen bei Infektionen/Kolonisationen mit multiresistenten Keimen

Maßnahmen	Durchführung
Isolierung	Infizierte oder kolonisierte Patienten in Einzelzimmer mit Nasszelle unterbringen. Infektionsgefahr kenntlich machen. Der Patient sollte das Zimmer möglichst nicht verlassen, Behandlungen möglichst dort durchführen. Patient über Verhaltensmaßnahmen informieren, z. B. Händedesinfektion vor Verlassen des Zimmers.
Händedesinfekion	Vor und nach Arbeiten am Patienten, insbesondere vor Verlassen des Zimmers. Händedesinfektion auch nach Benutzung von Einmalhandschuhen erforderlich.
Einmalhandschuhe	Bei Arbeiten am Patienten und bei Kontakt mit erregerhaltigem Material.
Kittel	Besonderen Kittel tragen bei Manipulationen am Patienten, z. B. bei Absaugen von Trachealsekret. Der Kittel verbleibt im Zimmer und darf nur im Umgang mit diesem Patienten und nicht außerhalb des Zimmers getragen werden, um Keimverschleppungen zu vermeiden.
Mundschutz	Bei MRSA Mundschutz tragen, um die Gefahr der Kolonisierung des Nasen-Rachen-Raums beim Personal zu vermindern.
Transport	Patienten im Krankenhaus nur wegen dringender diagnostischer oder therapeutischer Maßnahmen auf sauberer Trage transportieren. Ggf. sauberen trockenen Verband oder feuchtigkeitsfeste Windel anlegen. Behandelnde Abteilung informieren.
Desinfekion	Die laufende Wischdesinfektion der patientennahen Flächen erfolgt mit Flächendesinfektionsmittel. Schlussdesinfektion: nach Aufhebung der Isolierungmaßnahmen oder bei Entlassung/Verlegung des Patienten Wischdesinfektion aller horizontalen Flächen inkl. Fußboden.
Sanierung bei MRSA-Besiedelung	Bei Besiedelungen des Patienten/Personals im Nasen-Rachen-Raum mit MRSA kann eine Therapie mit Mupirocin-Nasensalbe durchgeführt werden.

Tabelle 27-3. Übertragbare Durchfallerkrankungen

Erreger	Übertragung	Inkubationszeit	Dauer der Ansteckungsfähigkeit	Zulassung nach Infektion[a]	Isolierungs- und Hygienemaßnhamen
Enteritische Salmonellen	Kontaminierte Lebensmittel, fäkal-orale Schmierinfektion	5–72 h	Solange Erreger im Stuhl nachweisbar sind, in der Regel einige Wochen; symptomlose Dauerausscheider sind möglich	Nach Vorliegen von 3 negativen Stühlen im Abstand von 1–2 Tagen	Wichtig: Händedesinfektion nach Toilettenbesuch!
Shigellen	Fäkal-orale Schmierinfektion, kontaminierte Lebensmittel	1–7 Tage	Solange Erreger ausgeschieden wird, in der Regel innerhalb 4 Wochen	Siehe oben	Siehe oben
Campylobacter	Siehe oben	2–7 Tage	Solange Erreger im Stuhl ausgeschieden werden	Nach Abklingen des Durchfalls	Siehe oben
Yersinien	Siehe oben	7–10 Tage	Solange Erreger im Stuhl ausgeschieden werden	Nach Abklingen des Durchfalls	Siehe oben
Enterohämorrhagische E. coli (EHEC)	Siehe oben; Rinder gelten als Reservoir	1–3 Tage	Solange EHEC im Stuhl nachweisbar sind. In der Regel Keimausscheidungsdauer für 5–10 (20) Tage, Kinder oft bis zu 4 Wochen. Symptomlose Ausscheider sind möglich	Nach 3 negativen Stühlen im Abstand von 1–2 Tagen	Siehe oben. *Anmerkung:* Antibiotika verlängern die Ausscheidungsdauer und stimulieren die Toxinproduktion!
Rotaviren	Fäkal-orale Schmierinfektion	1–3 Tage	Solange Erreger im Stuhl ausgeschieden werden, ca. 1 Woche, bei Immungeschwächten Wochen bis Monate	Nach Abklingen des Durchfalls	Siehe oben. Händedesinfektion nach Toilettenbesuch oder Windelwechsel!

[a] Zulassung zu Gemeinschaftseinrichtungen.

Händedesinfizieren ist erforderlich

- Vor Tätigkeiten mit Kontaminationsgefahr, z. B. Herstellen von Mischinfusionen, Aufziehen von Medikamenten.
- Vor und nach infektionsgefährdenden Tätigkeiten, z. B. Absaugen, Verbandwechsel, Manipulationen an Kathetern, Tracheostoma, Infusionsbesteck.
- Vor invasiven Maßnahmen, auch wenn dabei Handschuhe getragen werden.
- Nach Kontakt mit infizierten/kolonisierten Patienten.
- Nach Kontakt mit Blut, Sekreten, Exkreten oder kontaminierten Gegenständen wie Urinbeutel, Absauggefäßen.
- Vor Kontakt mit immungeschwächten Patienten.

Handschuhe

Einmalhandschuhe (unsteriles Latex, Polyethylen) sollen getragen werden, wenn die Wahrscheinlichkeit einer Kontamintion der Hände mit hohen Keimzahlen besteht, z. B. bei Kontakt mit Blut, Körperflüssigkeiten, Sekreten. Sie dienen dem Schutz des Personals vor Kontamination und verringern die Wahrscheinlichkeit, dass potentiell pathogene Keime über die Hände des Personals auf Patienten übertragen werden.

Handschuhe sind kein Ersatz für Händewaschen/Händedesinfektion. Sie müssen nach jeder potentiellen Kontamination, z. B. nach Versorgung eines infizierten Patienten, gewechselt werden. Nach dem Gebrauch müssen Einmalhandschuhe sofort ausgezogen und entsorgt werden.

Nach Ausziehen der Handschuhe müssen die Hände gewaschen bzw. desinfiziert werden, weil häufig trotz Handschuhen die Hände kontaminiert werden.

Schutzkittel

Saubere, unsterile Schutzkittel sollen eine Kontamination der Kleidung oder Haut des Personals mit infektiösem Material verhindern (s. Tabelle 27-4). Bei der Versorgung von Patienten, die mit besonders infektionsgefährdenden oder multiresistenten Keimen besiedelt/infiziert sind, werden besondere Schutzkittel über der Arbeitskleidung getragen, die im Krankenzimmer verbleiben und nur bei der Versorgung dieses Patienten getragen werden, um einer Verschleppung dieser Keime auf andere Patienten vorzubeugen.

Masken

Chirurgische Masken werden getragen, um das Personal vor Kontakt mit Erregern zu schützen, die über respiratorische Tröpfchen übertragen werden, z. B. bei A-Streptokokkenpharyngitis, Diphtherie, Meningokokken. Zum anderen sollen Masken schützen, wenn die Gefahr besteht, dass Blut oder Körperflüssigkeiten verspritzt werden (s. Tabelle 27-4).

Der Schutz vor Mycobacterium tuberculosis bei Patienten mit offener Tuberkulose ist fraglich, da hier Aerosole mit Partikelgrößen <5 μm ein Rolle spielen, welche durch chirurgische Masken nicht ausreichend gefiltert werden. Dazu sind spezielle Feinstaubmasken (FFP 2) erforderlich. *Beachten:* Masken verlieren bei Durchfeuchtung ihre Filterleistung.

Tabelle 27-4. Hygiene- und Isolierungsmaßnahmen bei besonderen Infektionen

Erkrankung	Übertragung	Einzelzimmer	Kittel	Handschuhe	Mundschutz	Dauer der Maßnahmen	Isolierungsstufe	Anmerkung
Aids	Sexualkontakt	Nein	Ja[a]	Ja[a]	Nein	Krankenhausaufenthalt		Je nach opportunistischer Infektion evtl. Schutzisolierung
Anthrax (Milzbrand)	Kontakt mit infizierten Tieren, Infektionsherd	Ja	Ja	Ja	Ja	Krankheitsdauer	Bei Lungen-, Darmmilzbrand: Striktisolierung	Gesundheitsamt benachrichtigen
Botulismus	Lebensmittel	Nein	Nein	Nein	Nein	Krankheitsdauer		Nicht von Patient zu Patient übertragbar
Cholera	Fäkal-oral	Ja	Ja	Ja	Nein	Krankheitsdauer	Striktisolierung	Separate Toilette benutzen
Diphtherie	Respiratorische Sekrete	Ja	Ja	Ja	Ja[b]	Bis 3 Abstriche (Nase, Rachen, Wunde) negativ sind		Abstriche nach Absetzen des Antibiotikums im Abstand von mindestens 24 h entnehmen. Betreuung durch geimpftes Personal
Gasbrand	Nein	Nein	Nein	Nein	Nein		Keine	
Gastroenteritis (Salmonellen, Shigellen, Yersinien, Campylobacter, E. coli etc.	Fäkal-oral, kontaminierte Lebensmittel, Stuhl	Ja (nach Möglichkeit)	Ja[a]	Ja[a]	Nein	Dauer der Ausscheidung	Standard	Separate Toilette benutzen
Hämorrhagische Fieber	Blut, Sekrete	Ja	Ja	Ja	Ja	Krankheitsdauer	Striktisolierung	Gesundheitsamt, RKI benachrichtigen
Hepatitis A, E	Fäkal-oral	Ja[c]	Ja[a]	Ja[a]	Nein	Bis 7 Tage nach Beginn des Ikterus	Standard	Am infektiösesten vor dem Auftreten von Symptomen

Tabelle 27-4. *Fortsetzung*

Erkrankung	Übertragung	Einzelzimmer	Kittel	Handschuhe	Mundschutz	Dauer der Maßnahmen	Isolierungsstufe	Anmerkung
Hepatitis B, C	Blut, Körperflüssigkeiten, Sexualkontakt	Nein	Ja	Ja	Nein	Bis HBsAg-negativ	Keine	HBV: Schutzimpfung des Personals
Impetigo (Streptokokken, Staphylokokken)	Schmierinfektion, Eiter	Ja[c]	Ja	Ja	Nein	Streptokokken: bis 24 h, Staphylokokken: bis 48 h nach Antibiotika		
Infektiöse Mononukleose	Respiratorische Sekrete	Nein	Nein	Nein	Nein			Erwachsene meist durch Antikörper geschützt
Influenza	Respriatorische Sekrete	Ja	Ja	Ja	Ja			Die Isolierung Erkrankter wird nur bei Epidemien empfohlen
Listeriose	Lebensmittel	Nein	Nein	Nein	Nein			Nicht infektös
Malaria	Mückenstich, Blut	Nein	Nein	Ja[a]	Nein			Nicht infektiös
Masern	Respiratorische Sekrete	Ja	Ja	Nein	Ja (enger Kontakt)	Bis 4 Tage nach Beginn des Exanthems	Standard	Betreuung durch geimpftes/immunes Personal
Meningitis (bakterielle)	Respriatorische Sekrete, Liquor	Ja	Ja[a]	Ja[a]	Nein	Bis 24 h nach Antibiotika		
Meningokokkenmeningitis	Respriatorische Sekrete, Liquor	Ja	Ja	Ja	Ja	Bis 24 h nach Therapiebeginn	Standard	Umgebungsprophylaxe mit Antibiotika bei engen Kontaktpersonen
Meningits (virale)	Stuhl, Liquor	Ja	Ja	Ja	Nein	7 Tage	Standard	
Mumps	Respiratorische Sekrete, Tränen, Urin	Ja	Ja[a]	Ja[a]	Ja (enger Kontakt)	Bis 10 Tage nach Aufteten derParotisschwellung	Standard	Betreuung durch geimpftes/immunes Personal

Tabelle 27-4. *Fortsetzung*

Erkrankung	Übertragung	Einzelzimmer	Kittel	Handschuhe	Mundschutz	Dauer der Maßnahmen	Isolierungsstufe	Anmerkung
Pest	Eiter, Blut, respiratorische Sekrete (Lungenpest)	Ja	Ja	Ja	Ja	Dauer der Erkrankung	Striktisolierung	Gesundheitsamt und RKI benachrichtigen
Pertussis	Respiratorische Sekrete	Ja	Ja[a]	Ja[a]	Ja (enger Kontakt)	Bis 5 Tage nach Antibiotika, bis 3 Wochen ohne Antibiotika	Standard	Betreuung durch geimpftes/immunes Personal
Poliomyelitis	Schmierinfektion, Stuhl	Ja	Ja	Ja	Nein	Bis 7 Tage nach Krankheitsbeginn	Standard	Separate Toilette benutzen
Röteln	Respiratorische Sekrete	Ja	Ja	Ja	Nein	Bis 7 Tag nach Beginn des Exanthems		Gefährdung besteht für nichtimmune Schwangere. Betreuung durch geimpftes Personal
Skabies (Krätze)	Hautkontakt	Ja[c]	Ja	Ja	Nein	Bis 24 h nach Therapiebeginn		
Scharlach	Respiratorische Sekrete	Ja	Ja[a]	Ja[a]	Nein	Bis 24 h nach Beginn effektiver Therapie	Standard	
Syphilis	Sexualkontakt, Blut	Nein	Nein	Ja[a]	Nein	Bis 24 h nach Therapiebeginn		
Tollwut	Speichel, respiratorische Sekrete	Ja	Ja	Ja	Ja	Dauer der Krankheit		
Toxoplasmose		Nein	Nein	Nein	Nein			Nicht infektös

Tabelle 27-4. *Fortsetzung*

Erkrankung	Übertragung	Einzelzimmer	Kittel	Handschuhe	Mundschutz	Dauer der Maßnahmen	Isolierungsstufe	Anmerkung
Tuberkulose								
– *pulmonal (offen)*	Respiratorische Sekrete	Ja	Ja	Ja	Ja	Bis 3 Wochen nach Beginn effektiver Therapie bzw. bis 3 Sputumproben (an verschiedenen Tagen entnommen) negativ sind	Striktisolierung	Schutzmaske mit besonderer Filterleistung erforderlich
– *extrapulmonal*	Bei Sekretion: Eiter	Ja	Ja[a]	Ja[a]	Nein	Bis 3 Wochen nach Therapiebeginn	Standard	
Tetanus	Wundinfektion	Nein	Nein	Nein	Nein			Nicht infektiös
Typhus, Paratyphus	Stuhl	Ja	Ja	Ja	Nein	Ausscheidung		
Windpocken (Varizellen)	Respiratorische Sekrete, Bläschensekret	Ja	Ja	Ja	Ja	Bis Läsionen verkrustet sind		Betreuung durch geimpftes/immunes Personal
Multiresistente Keime (z. B. MRSA; VRE)	Material aus Infektionsherd, bei VRE: Stuhl	Ja	Ja	Ja	Ja	Bis 3 Kulturen aus Infektions-, Besiedelungherd negativ sind	Standard	Dieselben Maßnahmen gelten auch bei Besiedelung der Patienten

[a] Bei Kontakt mit infektiösem Material.
[b] Immune Personen brauchen keinen Mundschutz.
[c] bei unzureichender Patientenhygiene

Flächendesinfektion

- Laufende Desinfektion: Wisch-Desinfektion der patientennahen Flächen, z. B. Bett, Nachttisch, Geräte, bei infektiösen Patienten.
- Schlussdesinfektion: Entweder wie laufende Desinfektion oder gründliche Wischdesinfektion aller erreichbaren Flächen inkl. Fußboden und Gegenstände im Patientenzimmer. Sie ist bei Entlassung/Verlegung infektiöser Patienten oder nach Aufhebung der Isolierungsmaßnahmen durchzuführen.

27.2 Isolierungsmaßnahmen

Unterbringung/Isolierung von Patienten

Patienten mit hochkontagiösen oder epidemiologisch bedeutsamen, z. B. multiresistenten Keimen, sollen für die Zeit der Ansteckungsfähigkeit separiert werden, um die direkte oder indirekte Übertragung des Erregers zu verhindern.

Standardisolierung

Die Patienten sind in einem Einzelzimmer unterzubringen, möglichst mit eigener Nasszelle. Bei Ausscheidung von Infektionserregern mit dem Stuhl sollte eine eigene Toilette zur Verfügung stehen. Patienten mit denselben Erregern können in ein Zimmer zusammengelegt werden (Kohortenisolierung). Die Zimmer sind entsprechend zu kennzeichnen. (Weitere Hygienemaßnahmen s. Tabelle 27-4.)

Striktisolierug

Bei besonders gefährlichen oder hochkontagiösen Infektionserregern, z. B. Milzbrand, viralem hämorrhagischem Fieber, sind die Patienten besonders abzusondern, am besten in einem Zimmer mit Schleuse. Das ist besonders wichtig bei Erkrankungen, für die keine wirksame Therapie zur Verfügung steht. Personen, welche die Isoliereinheit betreten, müssen Handschuhe, einen besonderen Schutzkittel, eine Schutzmaske der Stufe FFP3 S sowie Haarschutz tragen.

Quarantäne

Zeitlich begrenzte Isolierung von Ansteckungsverdächtigen oder an einer quarantänepflichtigen Erkrankung leidenden Personen, z. B. Lungen-Pest oder virales hämorrhagisches Fieber (§30 IfS6).

Transport von infizierten/kolonisierten Patienten

Infizierte Patienten sollen ihr Zimmer nur bei wichtigen Anlässen verlassen. Sie müssen über Maßnahmen aufgeklärt werden, die dazu beitragen, dass die Erreger nicht weiter verbreitet werden, z. B. Händewaschen/Desinfektion vor Verlassen des Zimmers. Beim Transport von infizierten Patienten müssen geeignete Schutzmaßnahmen, z. B. undurchlässige Verbände, angewendet werden, und das Personal, das den Patienten übernimmt oder vorübergehend betreut, muss informiert werden.

Entsorgung von Krankenhauswäsche, Abfallentsorgung

Die gesamte Krankenhauswäsche wird desinfizierend gewaschen. Wäsche, die mit infektiösem Materiel von Patienten mit meldepflichtigen Infektionen kontaminiert ist, wird gesondert gesammelt.

Infektöse Abfälle müssen besonders behandelt werden. Infektiöse Abfälle sind solche, die mit Erregern meldepflichtiger Krankheiten behaftet sind und durch die eine Verbreitung der Krankheit zu befürchten ist. Diese Abfälle müssen gesondert gesammelt und entsorgt werden. (Zur Entsorgung von Geschirr, Umgang mit Gegenständen der Patientenversorgung: s. Hygienefachbücher bzw. Hygieneplan des jeweiligen Krankenhauses.)

27.3
Maßnahmen bei Infektionen/Kolonisationen mit multiresistenten Erregern

In vielen Kliniken sind bakterielle Erreger nosokomialer Infektionen gegen eine Vielzahl von Antibiotika resistent und deshalb schwierig oder nicht mehr zu therapieren. Von besonderer Bedeutung sind in den letzten Jahren neben klassischen Hospitalkeimen, wie multiresistenten Enterobakterien oder Pseudomonaden, die oxacillin- (methicillin-)resistenten Staphylococcus-aureus-Stämme (MRSA) und vancomycinresistenten Enterokokken- (VRE-)Stämme (s. „Aktuelle Probleme mit multiresistenten Bakterien“ in Kap. 25.1.2: „Resistenz“). Viele Patienten sind lediglich mit solchen Keimen kolonisiert (MRSA in Nase, Rachen, Haut; VRE im Darm), ohne zu erkranken, haben aber als Übertragungs- und Ausbreitungsreservoir eine große Bedeutung.

Um eine Ausbreitung multiresistenter Erreger im Krankenhaus zu vermeiden, müssen entsprechende Vorsichtsmaßnahmen angewendet werden. Neben der konsequenten Einhaltung von Standardhygienemaßnahmen wie Händewaschen, Händedesinfektion, Tragen von Einmalhandschuhen, werden einige zusätzliche Schutzmaßnahmen empfohlen (s. Tabelle 27-2).

Kolonisierte oder infizierte Patienten sollten in Einzelzimmern untergebracht werden. Medizinisches Personal sollte bei Patientenkontakt einen besonderen Schutzkittel tragen, der im Krankenzimmer verbleibt. Bei Patienten, die aufwendige Pflege erfordern, z. B. Intensivpatienten, sollte für die Versorgung eigenes und speziell geschultes Personal zur Verfügung stehen. Der Patient sollte das Zimmer möglichst nicht verlassen.

Die Isolierungsmaßnahmen können aufgehoben werden, wenn der Erreger in 3 Proben, die z. B. im Abstand von 48 h entnommen werden, nicht mehr nachweisbar ist. Wöchentliche Kontrollen bis zur Entlassung sind angezeigt, da eine erneute Kolonisierung möglich ist. Eventuell bei Aufnahme von Patienten, z. B. von anderen Krankenhäusern, Nasen-Rachen-Abstriche untersuchen, um Besiedelungen frühzeitig zu erkennen und die Ausbreitung von Stämmen zu vermeiden.

! **Die Händedesinfektion ist eine der wichtigsten Maßnahmen, um die Ausbreitung von multiresistenten Keimen zu vermeiden.**

Kapitel 28

Gesetzliche Bestimmungen zur Infektionsbekämpfung

Das Gesetz zur Verhütung und Bekämpfung von Infektionskrankheiten beim Menschen (Infektionsschutzgesetz, IfSG) enthält alle seuchenrechtlichen Bestimmungen. Zweck des Gesetzes ist es, übertragbaren Krankheiten beim Menschen vorzubeugen, Infektionen frühzeitig zu erkennen und ihre Weiterverbreitung zu verhindern.

Definitionen im Sinne dieses Gesetzes

Übertragbare Krankheit
Eine durch Krankheitserrereger oder deren toxische Produkte, die unmittelbar oder mittelbar auf den Menschen übertragen werden, verursachte Krankheit.

Infektion
Die Aufnahme eines Krankheitserregers und seine nachfolgende Entwicklung oder Vermehrung im menschlichen Organismus.

Krankheitserreger
Ein vermehrungsfähiges Agens (Virus, Bakterium, Pilz, Parasit) oder ein sonstiges biologisches transmissibles Agens, das bei Menschen eine Infektion oder übertragbare Krankheit verursachen kann.

Kranker
Eine Person, die an einer übertragbaren Krankheit erkrankt ist.

Krankheitsverdächtiger
Eine Person, bei der Symptome bestehen, welche das Vorliegen einer bestimmten übertragbaren Krankheit vermuten lassen.

Ausscheider
Eine Person, die Krankheitserreger ausscheidet und dadurch eine Ansteckungsquelle für die Allgemeinheit sein kann, ohne krank oder krankheitsverdächtig zu sein.

28.1 Meldepflicht

Abschnitt 3 des Gesetzes enthält in §§ 6–15 Vorschriften zur Meldepflicht.

Krankheiten, deren Erreger unmittelbar oder mittelbar auf den Menschen übertragbar sind, müssen unverzüglich an das zuständige Gesundheitsamt gemeldet werden. Von dort wird die Meldung an die zuständige Landesbehörde und von dort an das RKI weitergeleitet. Die meldepflichtigen Erkrankungen nach § 6 und 7 des IfSG sind in Tabelle 28-1 aufgeführt.

Zur Meldung verpflichtet sind: der feststellende oder behandelnde Arzt, in Krankenhäusern oder stationären Pflegeeinrichtungen der leitende Arzt; sonstige mit der Behandlung oder Pflege des Betroffenen berufsmäßig beschäftigte Personen, Laborleiter, Pathologen, Leiter von Pflegeanstalten, Heimen, Lagern, Justizvollzugsanstalten; Kapitäne von Seeschiffen oder Luftfahrzeugführer.

Einige Erkrankungen müssen namentlich gemeldet werden, manche bereits bei Krankheitsverdacht, andere nur bei Erkrankung oder Tod. Bei manchen ist der Erregernachweis ausschlaggebend (s. Tabelle 28-1). Die namentliche Meldung muss folgende Angaben enthalten: Name, Vorname, Geburtsdatum, Adresse des Patienten, Diagnose bzw. Verdachtsdiagnose mit Datum der Erkrankung, wahrscheinliche Infektionsquelle mit Angabe des Landes, in dem die Infektion erfolgte, Name und Anschrift der Untersuchungsstelle, Krankenhausaufenthalt, Blut-, Organ- oder Gewebespenden im letzten Halbjahr. Bei Gastroenteritis, Virushepatitis, Cholera, Typhus oder Paratyphus auch Tätigkeit in bestimmten Bereichen.

Die Analyse der gemeldeten Erkrankungen erfolgt zentral durch das Robert-Koch-Institut (RKI). Das soll eine überregionale infektionsepidemiologische Analyse der Ausbreitung, Inzidenz und Letalität von Infektionen ermöglichen.

Auch die Meldepflicht für nosokomiale Infektionen ist im IfSG präziser geregelt.

Tabelle 28-1. Meldepflichtige Erkrankungen

Meldepflichtig nach § 6 und § 7 IfSG	Erkrankungen/Erreger
	a) Namentliche Meldung:
Krankheitsverdacht, Erkrankung und Tod, § 6	Botulismus, Cholera, Diphtherie, humane spongiforme Enzephalopathie (außer familiär-hereditäre Form), akute Virushepatitis, enteropathisches hämolytisch-urämisches Syndrom (HUS), virusbedingtes hämorrhagisches Fieber, Masern, Meningokokkenmeningitis oder -sepsis, Milzbrand, Poliomyelitis, Pest, Tollwut, Typhus abdominalis, Paratyphus. Mikrobiell bedingte Lebensmittelvergiftung oder infektiöse Gastritits, wenn eine Tätigkeit im Sinne des § 42 ausgeübt wird oder 2 oder mehr gleichartige Erkrankungen mit vermutetem epidemiologischem Zusammenhang auftreten. 2 oder mehr gleichartige Erkrankungen, bei denen ein epidemiologischer Zusammenhang vermutet wird, wenn dies auf eine Gefahr für die Allgemeinheit hinweist und Krankheitserreger als Ursache in Betracht kommen.

Tabelle 28-1. *Fortsetzung*

Meldepflichtig nach § 6 und § 7 IfSG	Erkrankungen/Erreger
Erkrankung und Tod	Tuberkulose
Nachweis von Krankheitserregern, § 7	Adenoviren im Konjunktivalabstrich, Bacillus anthracis, Borrelia recurrentis, Brucella sp., darmpathogene Campylobacter sp., Chlamydia psittaci, Clostridium botulinum (oder Toxinnachweis), Corynebacterium diphtheriae (toxinbildend), Coxiella burnetii, Cryptosporidium parvum, Ebola-Virus, EHEC, sonstige darmpathogene E. coli, Francisella tularensis, FSME-Virus, Gelbfiebervirus, Giardia lamblia, Haemophilus influenzae in Liquor oder Blut, Hantaviren, HAV, HBV, HCV, HDV, HEV, Influenzaviren bei direktem Nachweis, Lassa-Virus, Legionella sp., Leptospira interrogans, Listeria monocytogenes in Blut, Liquor oder Abstrichen von Neugeborenen; Marburg-Virus, Masernvirus, Mycobacterium leprae, Mycobacterium-tuberculosis-Komplex (direkter Nachweis, Nachweis säurefester Stäbchen in Sputum, Resistenz), Neisseria meningitidis in Liquor oder Blut, Norwalk-ähnliches Virus im Stuhl, Poliovirus, Rabiesvirus, Rickettsia prowazekii, Rotavirus, Salmonella sp., Shigella sp., Trichinella spiralis, Vibrio cholerae O 1 oder O 139, Yersinia enterocolitica, Yersinia pestis, andere Erreger von hämorrhagischem Fieber
Jeder Kontakt mit einem tollwuterkrankten oder verdächtigen Tier	Tollwut
	b) Nichtnamentliche Meldung:
Direkter oder indirekter Nachweis von Krankheitserregern	Treponema pallidum, HIV, Echinococcus sp., Plasmodium sp., Rubellavirus bei konnatalen Infektionen, Toxoplasma gondii bei konnatalen Infektionen. Gehäufte nosokomiale Infektionen.

Leiter von Krankenhäusern müssen nosokomiale Infektionen bzw. besonders resistente Erreger fortlaufend dokumentieren und bewerten. Auf Verlangen ist dem Gesundheitsamt Einsicht in die Aufzeichnungen gewähren (§ 23 IfS6). Gehäufte nosokomiale Infektionen, bei denen ein epidemiologischer Zusammenhang wahrscheinlich ist, müssen nicht namentlich gemeldet werden (§ 6).

Kapitel 29

Immunisierung 29

29.1
Aktive Immunisierung/Impfung

Die aktive Immunisierung gehört zu den wirksamsten Maßnahmen der Infektionsbekämpfung. Ziel ist es, den Geimpften vor Erkrankungen durch definierte Erreger zu schützen. Als Antigen werden entweder abgeschwächte lebende Erreger (Lebendimpfstoff), tote Erreger oder Erregerbestandteile (Totimpfstoff) oder inaktivierte Toxine (Toxoidimpfstoff) verabreicht, gegen die der Impfling dann spezifische Antikörper produziert. Moderne Impfstoffe sind meist gut verträglich und verleihen einen ausreichenden, lang anhaltenden Impfschutz.

Vorteile: Hohe Durchimpfungsraten machen es möglich, manche Krankheitserreger zu eliminieren. Dies ist im Falle der Pocken weltweit gelungen, und Poliomyelitis oder Diphtherie sind in den westlichen Industrieländern sehr selten geworden. Impfungen gegen bakterielle Erreger tragen auch zu einem verminderten Antibiotikaverbrauch bei, d. h. sie sind ein wichtiger Beitrag zur Vermeidung von Resistenzen.

In Deutschland gibt es keine gesetzliche Impfpflicht. Sinnvolle Impfungen werden von der Ständigen Impfkommission am Robert-Koch-Institut (STIKO) empfohlen. Diese Impfempfehlungen werden ständig aktualisiert und an die Infektionssituation oder Entwicklung neuer Impfstoffe angepasst (aktuelle Informationen finden sich im Internet auf der Website des RKI www.rki.de).

Mit der Grundimmunisierung gegen viele Erkrankungen wird bereits bei Säuglingen und Kleinkindern begonnen. Der Impfkalender für Säuglinge, Kinder und Jugendliche sieht derzeit folgende Impfungen vor: Diphtherie, Pertussis, Tetanus, Haemophilus influenzae Typ b, Hepatitis B, Poliomyelitis, Masern, Mumps und Röteln. Abbildung 18-1 zeigt den Impfplan für Säuglinge, Kinder und Jugendliche (s. Kap. 18: „Kinderkrankheiten"). Ein vollständiger Impfschutz ist nur gewährleistet, wenn die vom Hersteller angegebene Zahl von Impfungen und die Zeitabstände eingehalten werden. Durch die Verwendung von Kombinationsimpfstoffen kann die Zahl der Injektionen gering gehalten werden. Alle Impfungen sind in einem Impfausweis zu dokumentieren.

Gegen bestimmte Infektionskrankheiten sollte der Impfschutz in späteren Lebensjahren aufgefrischt oder nachgeholt werden (z. B. Diphtherie, Tetanus, Poliomyelitis). Andere „Indikationsimpfungen" können bei besonderer epidemiologischer Situation oder beruflicher Gefährdung (z. B. Hepatits B, FSME, Influenza) oder bei Reisen in bestimmte Länder erforderlich sein (z. B. Gelbfieber, Hepatitis A, Cholera; s. Tabelle 29-1).

Tabelle 29-1. Indikations- und Auffrischungsimpfungen (in Anlehnung an die Empfehlung der Ständigen Impfkommission am Robert-Koch-Institut, Stand März 2000)

Impfung	Indikationen
Cholera	Reise in ein Land, das die Impfung verlangt.
Diphtherie	Alle Personen ohne ausreichenden Impfschutz, insbesondere bei medizinischem Personal, Reise in Länder mit Diphtherierisiko, Kontakt mit Personen aus Ländern mit Diphtherierisiko (Aussiedler, Flüchtlinge). Auffrischung in 10-jährigen Intervallen.
FSME[a]	Personen in FSME-Risikogebieten, insbesondere bei beruflicher Exposition (Waldarbeiter, Förster).
Gelbfieber	Reise in Länder, die Impfung verlangen oder in Gelbfieberinfektionsgebiete nach Hinweisen der WHO. Impfung nur in zugelassenen Gelbfieberimpfstellen. Auffrischung in 10-jährigen Intervallen.
Hepatitis A[a]	Beruflich gefährdete Personen, z. B. medizinisches Personal, Kanalisations- und Klärwerksarbeiter. Homosexuelle Männer, Hämophiliepatienten, Kontaktpersonen von an Hepatitis A Erkrankten (bei aktueller Exposition simultan mit Immunglobulin), Personen mit chronischer Lebererkrankung ohne HAV-Antikörper. Reise in Hepatitis A Risikogebiete.
Hepatitis B[a]	*Präexpositionell:* Gefährdetes medizinisches Personal, Dialysepatienten, Hämophiliepatienten, Patienten vor ausgedehnten chirurgischen Eingriffen, HBsAg-negative Patienten mit chronischer Lebererkrankung, Kontaktpersonen von HBsAg-Trägern. Homosexuelle Männer, Drogenabhängige, vor Reise in Länder mit hohem HBV-Risiko. *Postexpositionell:* Medizinisches Personal nach Verletzungen, z. B. Stich mit kontaminierter Kanüle (evtl. simultan Immunglobulingabe); Neugeborene HBsAg-positiver Mütter. *Auffrischung* entsprechend dem Antikörpertiter nach Grundimmunisierung: bei Anti-HBs-Werten <100 IE/l: umgehend 1 Impfdosis mit Kontrolle, bei Werten >100 IE/l: Auffrischung nach 10 Jahren. Bei Immundefizienz regelmäßige Kontrollen alle 3–6 Monate.
Influenza[a]	Personen >60 Jahre oder mit Grundleiden wie z. B. chronische Lungen-, Herz-Kreislauf-Erkrankung, Diabetes, Immundefizienz, HIV-Infektion. Beruflich gefährdete Personen, z. B. medizinisches Personal, Tätigkeit in Einrichtungen mit viel Publikumsverkehr. Jährliche Impfung mit aktueller, von WHO empfohlener Antigenkombination, vorzugsweise im Herbst.
Masern, Mumps	Alle ungeimpften Personen in Einrichtungen der Pädiatrie oder Kindertagesstätten u. ä.
Meningokokken Gruppe A, C, Y	Reise in Risikogebiete nach WHO Empfehlungen, in Deutschland auf Empfehlung der Gesundheitsbehörden.
Pneumokokken	Personen >60 Jahre oder mit Grundleiden wie z. B. chronische Lungen-, Herz-Kreislauf-Erkrankung, Diabetes, Immundefizienz, HIV-Infektion, Asplenie, vor Beginn einer immunsuppressiven Therapie, vor Organtransplantation.
Poliomyelitis[a]	Alle Personen bei fehlender oder unvollständiger Grundimmunisierung, insbesondere medizinisches Personal, Kontaktpersonen von Erkrankten oder Personen aus Risikogebieten (Flüchtlinge, Asylbewerber), Reise in Risikogebiete.
Röteln[a]	Alle ungeimpften Personen in der Kinder- und Säuglingspflege, seronegative Frauen mit Kinderwunsch. Kontrolle des Impferfolges (s. Kap. 18.5: „Röteln“ in Kap. 18: „Kinderkrankheiten“)

Tabelle 29-1. *Fortsetzung*

Impfung	Indikationen
Tetanus[a]	Alle Personen mit fehlender oder unvollständiger Grundimmunisierung. Auffrischung in 10-jährigen Abständen. Postexpositionell bei Verletzung und nichtdokumentiertem Impfschutz (simultan mit Immunglobulin)
Tollwut[a]	Postexpositionell (s. Kap. 22.18: „Tollwut") oder bei besonderer beruflicher Gefährdung.
Tuberkulose	Impfung mit dem derzeit verfügbaren BCG-Impfstoff wird nicht empfohlen.
Typhus[a]	Bei Reisen in Endemiegebiete.
Varizellen[a]	Seronegative Kinder mit Leukämie, soliden malignen Tumoren, schwerer Neurodermitis, vor geplanter Immunsuppression, Geschwister und Eltern der vorstehend genannten Personen, medizinische Mitarbeiter insbesondere in der Pädiatrie, Schwangerenfürsorge, Betreuung von Immundefizienten. Frauen mit Kinderwunsch. (Passive Immunprophylaxe bei Neugeborenen, deren Mütter bis zu 7 Tage vor bzw. 2 Tage nach der Geburt an Varizellen erkrankt sind.)

[a] Siehe auch Angaben bei den jeweiligen Buchkapiteln.

29.2 Passive Immunisierung

Bei der passiven Immunisierung werden Antikörper verabreicht, die von Menschen oder Tieren stammen. Ein Schutz tritt unverzüglich ein, es muss nicht die körpereigene Antikörperproduktion abgewartet werden, jedoch hält die Wirkung nur wenige Wochen an. In vielen Fällen wird daher simultan verfahren: für die rasche Kurzzeitwirkung erhält der Patient Antiserum, parallel dazu wird eine aktive Immunisierung mit Langzeitwirkung vorgenommen, z. B. Tetanusprophylaxe bei Traumapatienten mit unbekanntem Immunstatus, Hepatitis-B-Prophylaxe bei Exposition. Beispiele für Immunseren und Antitoxine sind in Tabelle 29-2 zusammengefasst.

Tabelle 29-2. Immunglobuline bzw. Antitoxine

Präparate	Handelsnamen	Indikationen
Botulismus-Antitoxin (Immunserum vom Pferd)	Botulismus-Antitoxin Behring	Botulismusintoxikation bzw. postexpositionelle Prophylaxe
Zytomegalie-Hyperimmunglobulin vom Menschen	Cytotect, Cytoglobin	Prophylaxe bei seronegativen Transplantatempfängern und Immunsupprimierten
Diphtherie-Antitoxin vom Pferd	Diphtherie-Antitoxin Behring	Diphterie oder Verdacht auf Diphterie
FSME-Immunglobulin vom Menschen	FSME-Bulin	Postexpositionelle Prophylaxe der Frühsommermeningoenzephalitis

Tabelle 29-2. *Fortsetzung*

Präparate	Handelsnamen	Indikationen
Hepatitis-B-Immunglobulin vom Menschen	Hepatitis-B-Immunglobulin Behring, Hepatect	1) Blut- oder Sexualkontakt eines Nichtimmunen mit einem Infektiösen; vorzugsweise zusammen mit Hepatits-B-Vakzine verabreichen; 2) Neugeborene HBs-positiver Mütter sofort nach der Geburt
Röteln-Immunglobulin vom Menschen	Röteln Immunglobulin Behring	Rötelnprophylaxe bei nichtimmunen Schwangeren nach Exposition
Tetanus-Immunglobulin vom Menschen	Tetagam, Tetanobulin	Tetanusprophylaxe bei Nichtimmunen (z. B. nach Trauma) simultan zur aktiven Immunisierung
Tollwut-Immunglobulin vom Menschen	Berirab	Tollwutverdächtige Verletzung. Anwendung bei Nichtimmunen in Verbindung mit einer Tollwutimpfung
Varizellen-Immunglobulin vom Menschen	Varicellon, Varitect	1) Neugeborene perinatal (48–96 h nach der Geburt) erkrankter Mütter; 2) Varizellenkontakt nichtimmuner Risikopatienten (Immundefiziente); 3) postexpositionell bei nichtimmunen Schwangeren; 4) Therapie von Zoster bei Immundefizienz

Anhang

Anhang

Wichtige Adressen

- Landesinstitut für Tropenmedizin, Berlin
  Spandauer Damm 130, 14050 Berlin
  Tel. 030-301166
- Institut für Tropenmedizin, Städtisches Klinikum Dresden-Friedrichstadt
  Friedrichstr. 41, 01067 Dresden
  Tel. 0351-4963172
- Bernhard-Nocht-Institut für Tropenmedizin
  Bernhard-Nocht-Str. 74, 20359 Hamburg
  Tel. 040-42818-0
  http://www.bni.uni-hamburg.de
- Abteilung für Infektions- und Tropenmedizin, Klinik für Innere Medizin der Universität Leipzig
  Härtelstr. 16–18, 04107 Leipzig
  Tel. 0341-9724971
- Abteilung für Infektions- und Tropenmedizin der Ludwig-Maximilian-Universität München
  Leipoldstr. 5, 80802 München
  Tel. 089-21803517
  www.tropinst.med.uni-muenchen.de
- Institut für Tropenmedizin der Universität Tübingen
  Keplerstr. 15, 72074 Tübingen
  Tel. 07071-2982365
- Sektion Infektionskrankheiten und Tropenmedizin, Medizinische Klinik, Universität Ulm
  Robert-Koch-Str. 8, 89081 Ulm
  Tel. 0731-5024427
- Robert-Koch-Institut
  Stresemannstr. 90–102, 10963 Berlin
  Tel. 030-4547, -3410, -3400
  www.rki.de

Verzeichnis der Tabellen

Verzeichnis der Abbildungen

Weiterführende Literatur

Adam D, Hiddemann W, Höffken K (1999) Infektionen bei neutropenischen Patienten. Chemother J 8: 35–37

Alexander M, Raettig H (1998) Infektionskrankheiten. Epidemiologie, Klinik, Immunprophylaxe. Thieme, Stuttgart

Alken P, Walz PH (1998) Urologie, 2. Aufl. Thieme, Stuttgart

American Thoracic Society (1993) Guidelines for the initial management of adults with community-aquired pneumonia: Diagnosis, assessment of severity and initial antimicrobial therapy. Am Rev Respir Dis 148: 1418–1426

Arbeitsgemeinschaft „Endokarditis" der PEG (1999) Revidierte Empfehlungen zur Prophylaxe der bakteriellen Endokarditis. Chemother J 6: 150

Bannister B, Begg NT, Gillespie SH (eds) (1996) Infectious diseases. Blackwell Science

Baum J (1995) Infections of the Eye. Clin Infect Dis 21: 479–488

Bichler KH, Feil G, Nelde KJ (1997) Bilharziose (Schistosomiasis) der Harnblase. Chemother J 6: 147–154

Boenninghaus HG (1996) Hals-Nasen-Ohrenheilkunde, 10. Aufl. Springer, Berlin Heidelberg New York Tokio

Bottone EJ (1997) Yersinia enterocolitica: The charisma continues. Clin Microbiol Rev 9: 257–276

Breithaupt H (1989) Schädigungen durch die Antibiotikatherapie. Hess Ärztebl 7: 417–418

Brodt HR, Helm EB, Kamps BS (1998) AIDS 1998. Therapiefiebel. Steinhäuser, Wuppertal

Brook I, Heyning PH (1994) Microbiology and management of otitis media. Scand J Infect Dis (Suppl) 93: 20–32

Bundesinstitut für gesundheitlichen Verbraucherschutz und Veterinärmedizin, Robert Koch Institut (1997) Brucellosen – Erkennung und Behandlung. Bundesgesundheitsbl 40: 70–72

Bundesinstitut für gesundheitlichen Verbraucherschutz und Veterinärmedizin, Robert-Koch-Institut (1996) Lyme-Borreliose – Erkennung und Verhütung. Bundesgesundheitsbl 39: 436–438

Burchard GD (1999) Fieber nach Tropenaufenthalt. Internist 40: 1143–1149

Caspary WF, Rösch W (1996) Diagnostik und Therapie der Helicobacter-pylori-Infektion. Dtsch Ärztebl 93:1652–1655

Centers for Disease Control and Prevention (1993) Sexually transmitted disease treatment guidelines. Morbidity and Mortality weekly report 42: 75–81

Centers for Disease Control and Prevention (1996) Prevention of plague. Morbidity and Mortality weekly report 45:1–15

Chenot JF, Rabenau HF, Doerr HW (1999) Virologie, Epidemiologie und Diagnostik des Herpes genitalis. Dtsch Med Wochenschr 124: 158–162

Committee on Infectious Diseases, American Academy of Pediatrics (1994) Diphtherie. In: Peter G (ed) Report of the Committee on Infectious diseases, 23rd edn. American Academy of Pediatrics, Elk Grove Village, pp 177

Czeschinski P (1998) Die Virushepatitiden. Infektionsgefährdung in Beruf und Umwelt. Deutscher Universitätsverlag, Wiesbaden

Daschner F (Hrsg) (1997). Praktische Krankenhaushygiene und Umweltschutz, 2. Aufl. Springer, Berlin Heidelberg New York Tokio

Daschner F (1996) Antibiotika am Krankenbett, 8 . Aufl. Springer, Berlin Heidelberg New York Tokio

Denning DW (1998) Invasive aspergillosis. Clin Infect Dis 26: 781–805

Deutsche Gesellschaft für pädiatrische Infektiologie (1999) Handbuch: Infektionen bei Kindern und Jugendlichen, 3. Aufl. Futuramed, München
Dinkel RH, Lebok U (1994) A survey of nosocomial infections and their influence on hospital mortality rates. J Hosp Infect 28: 297–304
Dunn BE, Cohen H, Blaser M (1997) Helicobacter pylori. Clin Microbiol Rev 10: 720–741
Dunne MW, Williams DJ, Young LS (1994) Azithromycin and the treatment of opportunistic infections. Rev Contemp Pharmacother 5: 373–381
DuPont HL, Ericsson DC (1993) Prevention and treatment of travellers diarrhoe. N Engl J Med 328: 1821–1827
Durack T (1995) Prevention of infective endocarditis. N Engl J Med 332: 38–44
Enders G (1991) Infektionen und Impfungen in der Schwangerschaft. Urban & Schwarzenberg, München
Enzensberger W (1993) Diagnostik und Therapie der Herpes-Enzephalitis. Chemother J 2: 12–14
Eschenbach DA (1993) Bacterial vaginosis and anaerobes in obstetric-gynecologic infections. Clin Infect Dis 16: 282
Essig A, Marre R (1997) Diagnostik und Therapie von Chlamydieninfektionen. Dtsch Med Wochenschr 122: 971–975
Fekety R, Shah AB (1993) Diagnosis and treatment of C. difficile colitis. JAMA 269: 71–75
Fitzner J, Kappstein I, Dziekan G et al. (2000) Hygienemaßnahmen bei Patienten mit Methicillin-resistenten Staphylococcus aureus (MRSA). Dtsch Med Wochenschr 125: 368–371
Forth W, Henschler D, Rummel W, Starke K (1996) Allgemeine und spezielle Pharmakologie und Toxikologie, 7. Aufl. Spektrum. Akademischer Verlag, Heidelberg Berlin
Forthing MJG (1994) Travellers diarrhoe. Gut 35: 1–4
Friese K, Weigel M, Melchert F (1993) Diagnostik und Therapie der konnatalen Toxoplasmose. Dtsch Med Wochenschr 118: 1814–1816
Füssle R, Biscoping J, Michaelis G (1991) Paranasal sinusitis in ventilated patients: aspects of infection. Clin Intensive Care 2: 251–255
Füssle R, Biscoping J, Sziegoleit A (1996) 1×1 der Infektiologie auf Intensivstationen. Springer, Berlin Heidelberg New York Tokio
Füssle R, Eberspächer B, Boldt J, Seeger W, Sziegoleit A (1996) Lebensbedrohliche Infektionen durch β-hämolysierende Streptokokken der Gruppe A. Med Welt 47:156–159
Geisel R, Schmitz FJ, Witte W (1999) Vancomycin intermediär sensible S.-aureus-Isolate – eine neue Dimension der Multiresistenzentwicklung bei MRSA? Mikrobiologe 9: 125–127
Gerards V, Schiewe U, Gerards HH, Machka K, Höbel W, Meister W(1999) Amoxicillin/Clavulansäure in der Therapie des bakteriell infizierten diabetischen Fußes. Fortschr Med 4: 187–194
Gilbert DN, Meollering RC, Sande MA (2000) The Sanford Guide to antimicrobial therapy, 29th edn. Antimicrobial Therapy Inc., Dallas
Gillespie WJ (1997) Prevention and management of infection after total joint replacement. Clin Infect Dis 25: 1310–1317
Goldmann AD, Pier GB (1993) Pathogenesis of infections related to intravascular catheterization. Clin Microbiol Rev 6: 176–192
Gordin PM, Cohn DL, Sullan PM (1997) Early manifestations of disseminated mycobacterium avium complex disease: A prospective evaluation. J Infect Dis 176: 126–132
Grehn F (1998) Augenheilkunde, 27. Aufl. Springer, Berlin Heidelberg New York Tokio
Groß U, Reichard U (1999) Pränatale Toxoplasmose – Möglichkeiten und Grenzen der mikrobiologischen Diagnostik. Mikrobiologe 9: 121–124
Hahn H, Falke D, Kaufmann, HE, Ullmann U (Hrsg) (1999) Medizinische Mikrobiologie und Infektiologie, 3. Aufl. Springer, Berlin Heidelberg New York Tokio
Hakenbeck, R (1998) Penicillin-resistente Streptococcus pneumoniae. Chemother J 7: 43–50
Harrison's principles of internal medicine (1997) 14th edn. McGraw-Hill, New York
Heizmann R, Trautmann M, Marre R (1996). Antiinfektiöse Chemotherapie. Wiss. Verlagsges., Stuttgart
Helwig H, Noack R (1993) Dexamethason bei bakterieller Meningitis. Chemother J 2: 78–79

Helwig H, Noack R (1996) Diagnostik und antimikrobielle Therapie der bakteriellen Meningitis. Empfehlungen der Arbeitsgemeinschaft ZNS-Erkrankungen der PEG und der Deutschen Gesellschaft für Pädiatrische Infektiologie. Chemother J 3: 157–159

Hien P (2000) Praktische Pneumologie für Internisten und Allgemeinmediziner. Springer, Berlin Heidelberg New York Tokio

Hoen B, Beguinot I, Rabaud C et al. (1996) The Duke criteria for diagnosing infective endocarditis are specific: Analysis of 100 patients with acute fever or fever of unknown origin. Clin Infect Dis 23: 298–302

Hof H, Müller RL, Dörries R (2000) Mikrobiologie. Thieme, Stuttgart, S 503)

Jarvis WR (1996) Selected aspects of the socioeconomic impact of nosocomial infections: morbidity, mortality, cost and prevention. Infect Cotrol Hosp Epidemiol 17: 552–557

Johnson CC, Baldessarre J, Levinson ME (1997) Peritonitis: Update on Pathophysiology, Clinical Manifestation and Management. Clin Infect Dis 24: 1035–1047

Johnson S, Gerding DN (1998) Clostridium difficile-associated diarrhea. Clin Infect Dis 26: 1027–1036

Kist H (1997) Helicobacter-Infektionen. In: Hofmann F (Hrsg) Infektiologie, 23. Ergänzungslieferung, Ecomed, Landsberg

Klare I, Badstübner D, Konstabel C et al. (1999) Enterokokken mit Glykopeptidresistenz. Mikrobiologe 6: 211–213

Koletzko, B (Hrsg) (1999) Kinderheilkunde, 11. Aufl. Springer, Berlin Heidelberg New York Tokio

Krause H, Weber A, Enders B, Schiefer HG, Slenczka W, Zahner H (1998) Zoonosen. Deutscher Ärzte-Verlag, Köln,

Laufs R (2000) Die Pathogenität der neuen Hepatitisviren. Mikrobiologe 10: 127–131

Lew DP, Francis A, Waldvogel MD (1997). Osteomyelitis. N Engl J Med 336: 999–1007

Link H, Hermann F, Welte K et al. (1994) Rationale Therapie mit GCSF und GM-CSF. Chemother J 3: 116–130

Mackowiak PA. The normal microbial flora (1982). N Engl J Med 307: 83–86

Mader JT, Mohan D, Calhoun JH (1997) A practical guide to the diagnosis and management of bone and joint infections. Drugs 54: 253–265

Mader FH, Weißgerber H (1999).Allgemeinmedizin und Praxis, 3. Aufl. Springer, Berlin Heidelberg New York Tokio

Maier KP (1998) Prophylaxe der Virushepatitiden. Thieme, Stuttgart

Maki DG, Weise CE, Sarafin HW (1997) A semiquantitative culture method for identifying intravenous catheter-related infections. N Engl J Med 196:1305–1309

Mandell G, Douglas L, Bennett JE (eds) (2000) Principles and practice of infectious diseases, 5th edn. Churchill Livingston, Philadelphia, London

Maschmeyer G, Link H, Hiddemann W et al. (1994). Empirische antimikrobielle Therapie bei neutropenischen Patienten. Med Klin 89: 114–123

Milatovic D, Braveny I (1997) Infektionen. Praktische Hinweise zur antimikrobiellen Therapie und Diagnostik, 6. Auflg. MMV Medizin Verlag, München

Mims CA, Playfair JHL, Roitt IM, Wakelin D, Williams R (1993) Medical microbiology. Mosby, St. Louis

Murray PR, Baron EJ, Pfaller MA, Tenover FC, Yokon RH (eds) (2000) Manual of clinical microbiology. ASM Press, Washington DC

Mutschler E (1996) Arzneimittelwirkungen, 7. Aufl. Wiss. Verlagsges., Stuttgart

Naber KG, Vogel F, Scholz H, Expertenkommission PEG (1998). PEG-Empfehlungen: Rationaler Einsatz oraler Antibiotika in der Praxis. Chemother J 7: 16–26

Niebel, J und Expertenkommission der Paul-Ehlich-Gesellschaft für Chemotherapie (1999) PEG-Empfehlungen: Neue Empfehlungen zur Endokarditisprophylaxe. Chemother J 8: 62

Oschmann P, Kraiczy P (Hrsg) (1998) Lyme-Borreliose und Frühsommer-Meningoenzephalitis. Uni-Med, Bremen

Playfair JHL (1996) Immunology at a glance, 6th edn. Blackwell Science, Oxford

Quagliarello V, Scheld WM (1997) Treatment of bacterial meningits. N Engl J Med 336: 708–716

Recommendations of the American Heart Association for therapy of Endocarditis (1997) JAMA 277: 1794

Reinhardt B, Dietrich M, Schmitz H, Janitschke K, Tintelnot K, Niedrig M (1998) Steckbriefe seltener und „importierter“ Infektionserreger. Robert-Koch-Institut, Berlin

Remington JW, Klein JO (2000) Infectious diseases of the fetus and newborn infant, 5th edn. Saunders, Philadelphia

Richardson MD, Warnock DW (1993) Fungal infection. Diagnosis and management. Blackwell Science, Oxford

Robert-Koch-Institut, Bundesinstitut für gesundheitlichen Verbraucherschutz und Veterinärmedizin (1997) Salmonellose – Erkennung, Bekämpfung, Verhütung. Bundesgesundheitsbl 40: 36–38

Rohwedder A (2000) Virale Gastroenteritiden, Erreger und Diagnostik. Mikrobiologe 10: 121–125

Roitt I (1997) Essential immunology, 9th edn. Blackwell Science, Oxford

Rubin J, Yu VL (1988) Malignant external otitis: Insight into pathogenesis, clinical manifestations, diagnosis and therapy. Am J Med 85:391–398

Rüden H, Daschner F, Schumacher M (1995) Nosokomiale Infektionen in Deutschland – Erfassung und Prävention (NIDEP-Studie). Nomos Verlagsges., Baden-Baden

Rüden H, Gastmeier N, Wischnewski N et al. (1997). Prävalenz der wichtigsten nosokomialen Infektionen in Deutschland. Bundesgesundheitsbl 6: 198–203

Sander A, Kaliebe T, Bredt W (1996) Bartonella- (Rochalimea-)Infektionen: Katzenkratzkrankheit und bazilläre Angiomatose. Dtsch Med Wochenschr 121: 65–69

Schaal KP (1997) Therapie der Aktinomykose. Mikrobiologe 7: 29–30

Scholz H, Naber KG und Expertengruppe der Paul-Ehrlich-Gesellschaft für Chemotherapie (1999) Einteilung der Oralcephalosporine. Chemother J 6: 227–228

Schubert S, Heesemann J (1995) Infektionen bei Diabetes. Immunität und Infektion 6: 200–204

Schülin T, Schaberg T, Lode H (1996) Diagnostik und Therapie von Lungenabszessen. Dtsch Med Wochenschr 121: 135–138

Seifert H, Jansen B, Farr BM (1997) Catheter-related infections. Decker, New York Basel

Selbitz HJ, Sinell HJ, Sziegoleit A (1995) Das Salmonellen-Problem. G. Fischer, Jena

Simon C (2000). Influenza-Therapie mit Oseltamivir, einem oralen Neuraminidase-Inhibitor. Chemother J 1: 24–26

Simon C, Stille W (1997) Antibiotika-Therapie in Klinik und Praxis, 9. Aufl. Schattauer, Stuttgart

Small PM, Schecter GF, Goodman PC et al. (1991). Treatment of tuberculosis in patients with advanced human immundeficiency virus infection. N Engl J Med 324: 289–294

Spencer RC (1995) Predominant pathogens found in the European Prevalence of Infection in Intensive Care Study. Eur J Clin Microbiol Inf Dis 15: 281–285

Spencker FB (1995) Standard der Meningitis-Diagnostik. Chemother J 3:121–123

Ständige Impfkommission am Robert-Koch-Institut (2000). Impfempfehlungen der Ständigen Impfkommission (STIKO) am Robert-Koch-Institut. Stand Januar 2000. Epidemiologisches Bulletin 2: 9–20

Stoutenbeek CP, Van Saene HKF, Miranda DR et al. (1984) The prevention of superinfection in multiple trauma patients. J Antimicrob Chemother 14: 203–211

Strehl E, Ibrom W (1995) Arzneimittelwechselwirkungen bei der Antibiotikatherapie. Chemother J 4: 73–98

Stringer JR (1996) Pneumocystis carinii – What is it exactly? Clin Microbiol Rev 9: 489–498

Theuretzbacher U (1998) Beta-Lactamasen und Beta-Lactamase-Inhibitoren. Chemother J 7: 136–142

Trautmann M, Ruhnke M, Marre R (1997) Veränderungen des klinischen Krankengutes: Einfluß auf Inzidenz und Erregerspektrum nosokomialer Infektionen. Hygiene Mikrobiologie 2: 27–30

Trautmann M, Ruhnke M, Marre R (1998) Manifestationsformen und Erregerspektrum nosokomialer Infektionen. Chemother J 7: 3–7

Traverso LW (1992) Infection complicating severe pancreatitis. Infect Dis North Am 7: 601–606

Vincent JL, Bihari DJ, Suter PM (1996) The prevalence of nosocomial infection in intensive care units in Europe. JAMA 274: 639–644

Vogel F, Worth H, Adam D. et al. (2000) PEG-Empfehlungen: Rationale Therapie bakterieller Atemwegsinfektionen. Chemother J 1: 3–23
118. Vogel M, Knirsch W, Lange PE (2000) Schwere Komplikationen durch Nichtbeachtung der Endokarditisprophylaxe während zahnärztlicher Eingriffe bei Erwachsenen mit angeborenen Herzfehlern. Dtsch Med Wochenschr 125: 344–347
Vogel F, Naber KG, Wacha H. et al. (1999) PEG-Empfehlungen: Parenterale Antibiotika bei Erwachsenen. Chemother J 8: 2–49
Wacha H (1993) Die Antibiotikatherapie bei der sekundären Peritonitis. Chemother J 2: 49–54
Ward TT, Rimland D, Kauffman C et al. (1998) Randomized, open-label trail of azithromycin plus ethambutol vs clarithromycin plus ethambutol as therapy for mycobacterium avium complex bacteremia in patients with human immundeficiency virus infection. Clin Infect Dis 27: 1278–1285
Weinke T, Nothdurft HD (1997) Prophylaxe und Therapie wichtiger Tropenkrankheiten. Dtsch Med Wochenschr 122: 299–301
Weinke T, Fleischer K (1997) Prophylaxe und Therapie der Malaria. Dtsch Med Wochenschr 122: 265–267
Wenzel RP, Pinsky MR, Klevitch RJ, Young L (1996) Current understanding of sepsis. Clin Infect Dis 22: 1–13
WHO-Arbeitsgruppe Echinokokkose (1997). Richtlinien zur Behandlung der zystischen und alveolären Echinokokkose. Chemother J 3: 111–119
Witte W, Klare I, Fock R (1996) Chemotherapieresistenz bei bakteriellen Infektionserregern und infektiöser Hospitalismus. Infektionsepidem Forsch II 196: 1–12
Witte W, Braulke C, Heuck D (2000) MRSA-Situation in Deutschland. Hygiene u. Medizin 25: 347–350
Wolinsky E (1979) Mycobacteria Am Rev Respir Dis. 119: 107–159

Sachverzeichnis

A

B

C

D

I

J

K

L

M

N